LA VÉRITÉ
SUR LES
MÉDICAMENTS

Direction éditoriale : Catherine Meyer
Coordination éditoriale : Maude Sapin, Jean-Baptiste Noailhat
Révision : Marie Sanson
Maquette : Daniel Colin
Infographie pour la présente édition : Chantal Landry
Adaptation de la couverture : Antoine Fortin

ISBN : 978-2-9924402-00-9
Dépôt légal – Bibliothèque et Archives Nationales du Québec, 2014
Dépôt légal - Bibliothèque et Archives Canada, 2014

Imprimé au Québec

COORDONNÉ PAR
MIKKEL BORCH-JACOBSEN

LA VÉRITÉ SUR LES MÉDICAMENTS

COMMENT L'INDUSTRIE PHARMACEUTIQUE JOUE AVEC NOTRE SANTÉ

AVANT-PROPOS

Ceci n'est pas un livre contre les médicaments. C'est un ouvrage contre l'industrie qui en détourne l'usage pour faire du profit, au risque de mettre notre santé en danger et de profondément changer la nature de la médecine.

Les médicaments sont des substances étonnantes, admirables, auxquelles nous devons depuis la fin du XIXe siècle de véritables miracles. Ils ont sauvé d'innombrables vies humaines et la médecine moderne ne serait pas ce qu'elle est sans eux. Ils ont aussi transformé et envahi notre quotidien. Alors qu'en 1940 les armoires à pharmacie de nos parents et grands parents étaient encore pratiquement vides, les nôtres regorgent littéralement d'anti-inflammatoires, de tranquillisants, d'antidépresseurs, d'antibiotiques, de traitements hormonaux, de contraceptifs, d'antihypertenseurs, de statines, de somnifères, de stimulants. Avec la découverte en cascade de nouveaux médicaments et l'extraordinaire expansion de l'industrie pharmaceutique qui en a découlé depuis la Seconde Guerre mondiale, nos sociétés avancées sont devenues hautement pharmacisées et chimio-dépendantes, à un rythme qui s'accélère toujours plus. Que nous soyons riches ou pauvres, jeunes ou vieux, nous avalons tous des pilules, des gélules, des comprimés. Ceux d'entre nous qui ont plus de 65 ans en prennent couramment jusqu'à 7 ou plus par jour[1].

Or les médicaments sont aussi des substances dangereuses, à manier avec précaution. Nous le savons bien, car on nous le répète assez dans les notices d'utilisation qui les accompagnent: ces molécules chimiques peuvent toutes avoir des effets déplaisants, nous rendre malades ou même nous tuer. Mais nous nous rassurons en nous disant qu'il s'agit là d'effets «secondaires» qui ont autant de chances de nous atteindre qu'un pot de fleurs chutant du rebord d'un balcon. Après tout, les médicaments ne sont-ils pas soumis à un contrôle rigoureux? Ne sont-ils pas testés par les laboratoires pharmaceutiques pour déterminer leur efficacité et leur «balance bénéfices/risques», afin d'éviter justement que nous soyons exposés à des dangers inutiles? Ne passent-ils pas par le filtre des autorités sanitaires et des experts indépendants qui les évaluent en amont avant d'autoriser leur mise sur le marché? N'avons-nous pas mis en place des systèmes de pharmacovigilance en aval pour nous alerter sur leurs risques éventuels? Notre médecin ne se fonde-t-il pas sur la meilleure et plus récente science avant de nous les prescrire, en prenant soin de juger s'ils sont adaptés à notre cas individuel? De surcroît, Internet et les associations de patients ne nous fournissent-ils pas toute l'information dont nous avons besoin pour nous faire une idée par nous-mêmes de leur validité?

Erreur. Aucune de ces croyances n'est fondée, comme le montrent les scandales à répétition qui secouent le monde pharmaceutique depuis une vingtaine d'années et dans lesquels sont impliqués quasiment tous les grands laboratoires de la planète. Pas plus tard qu'en novembre 2013, le Département de la Justice américain a annoncé que la compagnie Johnson & Johnson allait payer une amende de 2,2 milliards de dollars pour avoir démarché de façon indue son médicament antipsychotique Risperdal auprès des enfants et des personnes âgées ou handicapées, au risque de mettre gravement en danger leur santé. Peu de temps auparavant, on a appris que les représentants du laboratoire GlaxoSmithKline (GSK) en Chine avaient distribué quelque 500 millions de dollars de pots-de-vin à des médecins pour qu'ils prescrivent les médicaments de la compagnie (certaines visiteuses médicales leur proposaient même des faveurs sexuelles en sus). En 2012, le même laboratoire GSK a été condamné aux États-Unis à une amende record de 3 milliards de dollars pour avoir dissimulé les risques cardiaques de son antidiabétique Avandia et marketé de façon fallacieuse ses antidépresseurs Paxil et Wellbutrin. Pendant ce temps, les dirigeants des laboratoires Servier attendent d'être jugés pour homicide involontaire et tromperie aggravée dans l'affaire du Mediator® (benfluorex), un médicament coupe-faim responsable de 1300 à 2000 morts en France.

On pourrait continuer longtemps, car la liste des dérives récentes de l'industrie pharmaceutique est interminable, effarante. Or tous ces scandales comportent invariablement les mêmes ingrédients : un marketing cynique de molécules dangereuses, des essais cliniques manipulés ou gardés sous le boisseau, des experts aux conflits d'intérêts multiples et variés, des agences sanitaires complaisantes ou passives, des systèmes de pharmacovigilance étrangement peu réactifs, des médecins mal informés ou cooptés, des associations de patients sous influence, des journaux médicaux et des médias achetés à coup de publicité, des politiciens soucieux de protéger un secteur industriel stratégique. On ne peut donc plus dire qu'il s'agit de cas isolés de corruption, de quelques « méchants » qu'il suffirait de mettre en prison. On ne peut même plus parler de scandales ou de dérives, tant ces pratiques sont devenues normales, routinières. C'est le *business as usual* de Big Pharma. Au demeurant, rares sont les acteurs du secteur pharmaceutique qui finissent en prison. Les marketeurs, les experts, les scientifiques, les médecins, les politiciens, tous ces gens font simplement leur travail – ils sont même, dans leur majorité, bienveillants et de bonne foi. Ce que révèlent les scandales, par leur répétition même, c'est justement cela : la banalité du mal pharmaceutique, son caractère systémique, industriel.

Il y a quelque chose de pourri au royaume de Médecine, comme il est dit dans *Hamlet*. Nous le sentons tous obscurément, mais nous hésitons à nous l'avouer. Nous voulons continuer à croire que la médecine est « basée sur des preuves », comme on nous le répète tout le temps, que nos médecins sont vigilants et bien informés, que les agences sanitaires ne permettront plus qu'on nous vende des médicaments inutiles et dangereux. Nous voulons continuer à croire en la médecine, car elle a été porteuse depuis la révolution thérapeutique de la fin du XIXe de tous nos espoirs en une vie longue et sans douleur. Mais cette médecine que nous avons connue n'existe plus. Comme on va le lire dans ce livre, les « preuves » sur lesquelles on se fonde pour nous prescrire des médicaments sont couramment biaisées. Les risques sont cachés par les laboratoires. Les médecins reçoivent leur formation et leurs informations de l'industrie pharmaceutique. Les agences sanitaires approuvent de façon désinvolte des médicaments totalement inefficaces, tout en protégeant le « secret commercial » des données négatives fournies par les firmes. À tous les niveaux, le profit des industries passe avant l'intérêt des patients.

Le problème est donc bien plus grave et plus profond que celui de médicaments dont il suffirait de dresser une liste noire. C'est tout le système de la santé qui est à revoir : la recherche et son financement, le système des brevets accordés aux firmes pharmaceutiques, l'évaluation des médicaments (leur efficacité, leurs risques), la méthodologie des essais cliniques, la formation des médecins, le rôle des experts et des agences sanitaires, la façon dont sont définies les maladies, et bien d'autres choses encore.

Le chantier est énorme, mondial, d'une complexité infinie, et c'est pourquoi ce livre compte plus de 500 pages. L'une des raisons pour lesquelles nous autres patients et citoyens sommes si démunis face au dévoiement de la médecine par l'industrie pharmaceutique est précisément cette complexité, que d'ordinaire nous laissons aux experts le soin de débrouiller pour nous. Mais les experts font partie du problème et nous ne pouvons plus compter sur eux pour nous donner la solution. C'est à nous de nous y mettre. Et comme la première étape avant de résoudre un problème consiste à bien le comprendre, ce livre propose un état des lieux de la médecine et de nos systèmes de santé à l'ère de Big Pharma, en termes aussi simples (mais non simplificateurs) que possible. C'est un livre qui s'adresse à tous, afin que nous devenions nous aussi des experts à notre tour et que nous puissions discuter les décisions qui sont d'ordinaire prises pour nous au nom de la Science et de la Santé Publique.

Pour nous y aider, douze... experts. Mais pas n'importe lesquels. Ceux que nous avons réunis dans ce volume font partie de cette poignée de lanceurs d'alerte qui depuis une quinzaine d'années dénoncent la mainmise de l'industrie pharmaceutique sur la recherche et la pratique médicales. Ce sont dans leur majorité des « insiders », des spécialistes internationalement reconnus dans leur domaine. Certains ont même longtemps travaillé avec ou pour l'industrie pharmaceutique. Révoltés à titres divers par ce dont ils étaient témoins, ils ont décidé de mettre leur expertise au service du public plutôt qu'à celui des laboratoires, au prix parfois de leur carrière. Ce sont les Indignés du complexe médico-industriel qu'on appelle Big Pharma.

Ils ont été les premiers à mettre en garde contre les dangers des antidépresseurs (David Healy) et des anti-inflammatoires COX-2 (John Abramson), à dégonfler les prétentions thérapeutiques des antidépresseurs (Irving Kirsch) et des médicaments contre la maladie dite d'Alzheimer (Peter Whitehouse), à dénoncer la fausse « pandémie » de grippe H1N1 (Wolfgang Wodarg) ou encore la promotion de nouvelles maladies destinées à faire vendre des médicaments (Iona Heath). Médecins, anthropologue médical, psychologue, philosophe, expert en santé publique, ex-directeur de la communication chez Sanofi, journaliste médical, ils sont devenus nos alliés et nous aident ici à prendre la mesure de la crise qui affecte nos systèmes de santé du fait de l'incroyable emprise de l'industrie pharmaceutique sur la médecine. Ce sont des témoins et des guides à la fois.

Bien entendu, ils sont seulement comptables des textes qu'ils ont signés. En particulier, ils ne sauraient être tenus pour responsables des parties non signées qui s'intercalent entre les leurs et qui sont de mon fait. Chacun de leurs textes forme un tout et peut être lu séparément, tout comme d'ailleurs les chapitres intercalaires qui forment le « liant » de l'ouvrage. Tous ensemble, ils racontent une histoire cohérente qui commence avec les grands scandales pharmaceutiques (Prologue), continue par la description de l'immense empire de Big Pharma (Première partie) et des multiples techniques utilisées pour survendre les médicaments (Deuxième partie), et finit sur le détournement de la « médecine basée sur des preuves » au profit de l'industrie (Troisième partie). L'Épilogue d'Iona Heath réfléchit de manière élégiaque sur la disparition de la médecine à l'époque du tout-pharmaceutique et appelle à y résister.

Aucun savoir médical ou pharmacologique préalable n'est requis pour lire cet ouvrage. Le lecteur qui entrerait au hasard dans le livre peut se reporter à tout moment au glossaire et aux index en fin de volume. Au bout d'un moment, des acronymes tels qu'AMM, ISRS ou HAM-D ne devraient plus avoir aucun mystère pour lui, pas plus que les mots « statines » ou « randomisation ». Il sera devenu un expert, assez du moins pour se faire une opinion informée sur les débats autour des bénéfices et des risques des médicaments. Quant aux experts qui le sont déjà, ils peuvent se reporter aux notes en fin de volume où ils trouveront les sources des informations contenues dans le livre.

Un dernier mot sur les noms des médicaments. Ceux-ci ont toujours deux noms : 1. le nom générique ou Dénomination Commune Internationale (DCI), qui commence avec une minuscule ; 2. le nom de marque, qui commence avec une majuscule et auquel on accroche le sigle® (« Registered »). En théorie, on devrait toujours utiliser le nom générique afin de ne pas mêler science et commerce. En pratique, tout le monde tend à utiliser plutôt le nom de marque (Prozac, Viagra) et on a fait de même ici, quoique de façon non systématique. La première occurrence d'un nom de marque est toujours accompagnée du sigle®, comme nous y invitent les puristes, mais plus après.

Nous remercions les animateurs de la revue française *Prescrire* de nous avoir autorisés à reproduire des articles publiés antérieurement par leurs soins. Ils font depuis plus de trente ans un admirable travail d'information sur les médicaments et sur l'industrie qui les produit. Il faut les écouter.

Nous dédions cet ouvrage à tous les lanceurs d'alerte et journalistes d'investigation qui, bien plus que les professionnels de la santé, ont mis à jour les pratiques douteuses, quand ce n'est pas franchement criminelles, des grandes entreprises pharmaceutiques. Nous devons beaucoup à leur courage et à leur ténacité.

Mikkel Borch-Jacobsen

PROLOGUE

Crimes parfaits

Bien trop souvent, entre la santé physique des consommateurs et la santé financière de l'entreprise la dissimulation est préférée à la vérité, le chiffre de ventes à la sécurité et l'argent à la moralité. Qui donc sont ces gens qui décident sciemment et secrètement de mettre en danger le public uniquement pour faire du profit et qui pensent que la maladie et la mort des consommateurs est le prix à payer pour leur propre prospérité ?

Juge H. Lee Sarokin[1]

Depuis un demi-siècle c'est toujours la même histoire, à quelques variantes près. On signale des cas isolés où le médicament X de la compagnie pharmaceutique Y a eu un effet toxique Z. Les pharmacologues de la compagnie produisent des études confirmant la gravité du problème. Des mémos circulent en interne avec la mention «STRICTEMENT CONFIDENTIEL», «À NE PAS DIFFUSER». Des experts renommés sont engagés pour déclarer à qui veut les entendre qu'on ne peut pas établir scientifiquement un lien de cause à effet entre X et Z et qu'«il faut faire de nouvelles études». On diffuse des rumeurs sur les scientifiques sceptiques ou les journalistes trop curieux, afin de les délégitimer. On fait pression sur les familles des victimes pour qu'elles se taisent.

Puis le scandale finit par éclater quand même, soit parce que les cadavres s'accumulent de façon trop évidente, soit parce qu'un lanceur d'alerte a décidé de rendre publics les mémos. Le public s'indigne, les autorités promettent d'être plus vigilantes à l'avenir, les victimes portent plainte. Finalement, la compagnie Y est condamnée à une lourde amende et/ou à payer des compensations aux victimes, toutes sommes qu'elle aura déjà provisionnées depuis longtemps. De toute façon, entre les premières alertes et le jugement final, des années, voire des décennies auront passé durant lesquelles le produit X aura généré des bénéfices infiniment supérieurs à l'argent consacré au dédommagement.

Wall Street salue l'opération et fait grimper l'action de la compagnie. Le crime était parfait.

L'HISTOIRE DES HOMMES-REPTILES

En juin 1960, la Food and Drug Administration (FDA) américaine approuva un nouveau médicament contre le cholestérol, le MER/29 de la compagnie américaine Richardson-Merrell (fabricant entre autres de la fameuse pommade Vicks VapoRub®). Le MER/29 (nom générique triparanol) était le premier médicament marketé spécifiquement pour la réduction du cholestérol, lequel venait d'être désigné à l'époque comme le suspect numéro 1 dans les troubles coronariens. Le marché potentiel était immense (il l'est toujours) : 60 millions de personnes, d'après les estimations des marketeurs de Merrell. Le directeur du département recherche établissait dans un rapport qu'« une dose d'une capsule par jour serait indiquée pour toutes les personnes âgées de plus de 35 ans », un peu comme des vitamines[2]. On anticipait un chiffre de ventes de 4,25 milliards de dollars par an, soit plus que le montant total des dépenses en médicaments aux États-Unis en cette année 1960. La compagnie Merrell était bien partie pour commercialiser le premier médicament milliardaire de l'Histoire.

Lancé à grand renfort de publicité et démarché agressivement auprès des médecins, le MER/29 était en passe de vérifier les projections des marketeurs lorsque les mauvaises nouvelles commencèrent à affluer. Il se trouvait que le MER/29 causait chez certains de l'ichthyose, une maladie caractérisée par un durcissement douloureux de la peau et la formation d'écailles quasi reptiliennes. Les personnes atteintes ressemblaient, disait-on, à des alligators. D'autres perdaient leurs cheveux. D'autres encore développaient des cataractes. Merrell, toutefois, refusa obstinément d'envoyer une lettre aux médecins pour les mettre en garde contre ces effets indésirables, malgré les recommandations insistantes de la FDA. Il s'agissait, selon la compagnie, de cas isolés et «idiosyncrasiques». Puis, le 12 avril 1962, Merrell changea brusquement d'avis et retira le MER/29 du marché.

Cette décision était tout sauf spontanée. Trois jours auparavant, une équipe d'inspecteurs de la FDA s'était présentée au laboratoire de la compagnie, armée d'un mandat de perquisition. Par le plus grand des hasards, l'un des inspecteurs avait rencontré le mari d'une ex-employée de Merrell en faisant du covoiturage et celui-ci lui avait raconté qu'on avait demandé à sa femme, Bleulah Jordan, de falsifier les données toxicologiques soumises à la FDA au moment de l'autorisation de mise sur le marché du MER/29. Choquée, Bleulah Jordan avait quitté la compagnie peu après. Elle avait toutefois fait des photocopies des documents auparavant et ne demandait qu'à les donner à la FDA pour soulager sa conscience.

L'enquête révéla que Merrell connaissait déjà les effets secondaires indésirables du MER/29 avant de faire sa demande d'autorisation de mise sur le marché (AMM) et avait trafiqué les données pour les dissimuler. Les inspecteurs trouvèrent également un mémo destiné aux visiteurs médicaux chargés de démarcher le médicament aux médecins :

> Quand un docteur vous dit que votre médicament [le MER/29] cause un effet secondaire, la réponse immédiate est: «Docteur, quel autre médicament le patient prend-il?» Même si vous savez que votre médicament peut causer l'effet secondaire en question, il y a tout autant de risques que le même effet secondaire soit causé par un second médicament! Vous incriminez votre médicament si vous rétorquez sur la défensive[3].

Pour la première fois dans l'Histoire, une firme pharmaceutique était prise la main dans le sac. La compagnie Merrell fut mise en examen pour faux et usage de faux, ainsi que son vice-président et deux responsables de laboratoire directement impliqués dans la falsification des données. Deux ans plus tard, après un «plea of no contest» (un arrangement avec la justice américaine au terme duquel un accusé ne reconnaît ni ne nie sa culpabilité), les parties incriminées furent condamnées à payer chacune une amende de 80 000 dollars – une somme dérisoire en comparaison des 180 millions de dollars de chiffre d'affaires générés par Merrell cette année-là. Au cours des dix années qui suivirent, Merrell dut toutefois débourser entre 45 et 55 millions pour régler les procès intentés par quelque 1 500 victimes défigurées ou rendues à moitié aveugles par le MER/29. Catégorie : faux frais.

LES ENFANTS-PHOQUES

L'affaire du MER/29 est peu connue, car elle a été éclipsée dans la mémoire collective par une affaire encore bien plus sensationnelle dans laquelle Merrell était aussi impliquée. Exactement au même moment où éclatait le scandale du MER/29, la compagnie s'apprêtait en effet à lancer un autre médicament, appelé en interne MER/32 et pour lequel elle avait fait une demande d'autorisation de mise sur le marché (AMM) auprès de la FDA sous le nom de marque Kevadon®. Le nom générique était thalidomide.

Merrell avait acheté la licence d'exploitation de la thalidomide pour les États-Unis et le Canada à la firme allemande Chemie Grünenthal, qui avait synthétisé cette molécule en 1954. Grünenthal l'avait marketée avec beaucoup de succès en Europe et en Australie comme sédatif et somnifère, sous les noms de marque Distaval® et Contergan®. Le pitch commercial était la sécurité. Sur la base d'études animales montrant qu'on pouvait administrer des doses massives de thalidomide à des rats sans les tuer, Grünenthal affirmait que son médicament ne présentait aucun danger d'overdose, contrairement aux barbituriques utilisés à l'époque comme somnifères. (Aucun essai clinique n'avait été effectué sur des humains.) À cause de son apparente absence de nocivité, la thalidomide était vendue OTC (c'est-à-dire « over the counter », sans ordonnance) dans plusieurs pays en Europe. Elle était aussi recommandée pour les nausées matinales des femmes enceintes.

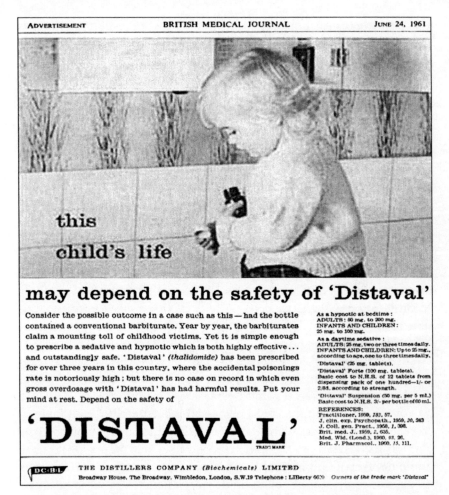

Publicité des années 1960. Un bambin ouvre une boîte de Distaval : « Le Distaval est sans danger, la vie de cet enfant peut en dépendre. »

Vers la fin des années 1950, les médecins commencèrent à signaler des centaines de cas de névrites périphériques (insensibilité ou picotements dans les bras et les jambes) dues à la thalidomide. À chaque fois, Grünenthal niait avoir connaissance de ces effets indésirables, tout en enterrant consciencieusement les signalements reçus dans un « bunker » secret caché en dessous d'une cheminée d'usine[4]. Finalement, en janvier 1961, la compagnie dut admettre la réalité du problème dans une lettre adressée au journal médical *The Lancet*.

On devait estimer plus tard que pas moins de 40 000 personnes avaient été atteintes de névrite périphérique en Allemagne après avoir pris de la thalidomide.

La lettre du *Lancet* intrigua le docteur Frances « Frankie » Kelsey, la pharmacologue chargée du dossier thalidomide-Kevadon à la FDA américaine. Merrell venait de soumettre sa demande d'autorisation de mise sur le marché pour le Kevadon quatre mois plus tôt. Persuadée qu'il s'agissait d'une pure formalité, la compagnie avait distribué gratuitement 2,5 millions de comprimés de Kevadon aux médecins afin qu'ils en donnent à leurs patients, à titre, disait le vice-président, de « ramollissement (*softening*) pré-marketing avant l'introduction du produit »[5]. En novembre 1960, 29 000 patients avaient déjà pris de la thalidomide aux États-Unis alors même que le médicament n'avait pas été approuvé.

Cependant, Kelsey avait des doutes quant à l'innocuité du médicament et un échange avec Joseph Murray, le directeur des relations scientifiques de Merrell, la convainquit que la compagnie était parfaitement au courant des lésions nerveuses provoquées par la thalidomide, mais avait omis de le signaler dans le dossier d'admission. Usant de tactiques dilatoires, Kelsey parvint à retarder l'autorisation du Kevadon pendant près d'un an, malgré les incessantes intimidations et pressions exercées sur elle par la compagnie.

Puis, le 26 novembre 1961, le journal allemand *Welt am Sonntag* publia un article dans lequel le docteur Widukind Lenz, un pédiatre de Hambourg, faisait état d'effets secondaires alarmants de la thalidomide. Il semblait que les femmes enceintes ayant pris ne serait-ce qu'un seul comprimé de thalidomide entre la cinquième et la huitième semaine de grossesse donnaient naissance à des bébés monstrueusement difformes. Ils étaient atteints de phocomélie (du grec *phôkè* : phoque, et *mélos* : membre), une malformation congénitale décrite en 1836 par le naturaliste Étienne Geoffroy Saint-Hilaire et tombée depuis dans l'oubli, tellement elle était rare. Tels des phoques, les « bébés thalidomide » avaient les mains ou les pieds directement attachés au tronc. Les doigts de la main ou des pieds étaient parfois collés ensemble. Il arrivait aussi que l'un ou l'autre orifice corporel soit bouché, ou que le bébé n'ait pas de vessie. D'autres malformations affectaient le système cardio-vasculaire, le tract intestinal, les poumons ou le foie.

Quasi simultanément, *The Lancet* publia un article de l'obstétricien William McBride, qui avait observé le même phénomène en Australie. On devait estimer plus tard que près de 8 000 à 10 000 enfants étaient nés phocoméliques de par le monde, principalement en Allemagne et en Angleterre (la thalidomide n'avait pas reçu d'AMM en France). La moitié d'entre eux moururent dans l'année suivant leur naissance.

Grünenthal réagit à l'article de Lunz en envoyant à 70 000 médecins allemands une lettre leur assurant que la thalidomide était parfaitement sans danger. Devant l'avalanche de journaux faisant leur une sur les « bébés thalidomide », la compagnie dut toutefois se résigner une semaine plus tard à retirer le médicament du marché allemand, non sans déplorer dans un communiqué que « les informations publiées dans la presse [avaient] sapé la base pour une discussion scientifique »[6]. Grünenthal maintint encore pendant plusieurs mois la thalidomide sur le marché dans d'autres pays, souvent sous des noms de marque distincts ou mélangée à des produits différents.

De l'autre côté de l'Atlantique, Merrell continua de même à vendre le Kevadon au Canada jusqu'au début mars 1962, date à laquelle la compagnie retira enfin sa demande d'AMM auprès de la FDA. Personne ne sait au juste combien de victimes le Kevadon a fait parmi les patients auxquels il avait été distribué entre-temps aux États-Unis, mais la ténacité de « Frankie » Kelsey avait évité le pire au pays. Le *Washington Post* en fit sa manchette : « Une héroïne de la FDA maintient un mauvais médicament hors du marché. » Le président Kennedy décerna à Kelsey une médaille pour service rendu à la nation.

Dans la foulée, le sénateur Kefauver fit passer au Congrès américain une série d'amendements au Food and Drugs Act qui étendaient les pouvoirs de la FDA en exigeant que les compagnies pharmaceutiques apportent désormais la preuve non seulement de l'innocuité de leurs médicaments, mais aussi de leur efficacité. Ces amendements, connus sous le nom d'Amendements Kefauver-Harris, marquent le début de l'utilisation systématique et quasi universelle des essais cliniques randomisés en double aveugle contre placebo pour évaluer les médicaments.

Quatre ans plus tard, après une longue enquête, les autorités allemandes intentèrent un procès à Chemie Grünenthal et à neuf de ses dirigeants. Grünenthal fit venir à la barre des toxicologues réputés qui établirent qu'en l'état de la science on ne pouvait pas prouver avec certitude une relation de cause à effet entre la thalidomide et les malformations des nouveau-nés. Les avocats de la compagnie arguèrent également que les fœtus n'étaient de toute façon pas protégés par la loi allemande et que le procès était donc nul et non avenu. Le procès traîna en longueur jusqu'en 1970, date à laquelle la compagnie accepta de payer 31 millions de dollars aux victimes (celles du moins qui avaient survécu) en contrepartie d'un arrêt des poursuites contre les dirigeants.

Il fallut attendre le 31 août 2012 pour que Grünenthal présente des excuses à ceux et à celles dont la vie avait été volée à leur naissance. Ce jour-là, le directeur exécutif de Grünenthal, Harald F. Stock, dévoila dans la salle municipale de Stolberg en Rhénanie une statue en bronze représentant une fillette sans bras et aux jambes difformes assise sur une chaise. S'adressant à la cantonade aux victimes de la thalidomide, il déclara que Grünenthal GmbH était «vraiment désolée» qu'il ait fallu attendre si longtemps pour leur rendre cet hommage:

> Nous demandons que vous considériez notre silence comme un signe du choc que votre destin nous a causé[7].

Nul doute que les victimes auront apprécié la délicatesse des sentiments ainsi exprimés.

LES SUICIDÉS DU PROZAC

D'abord, quelques faits très divers:

• Louisville, Kentucky – 14 septembre 1989: Joseph Wesbecker, un ouvrier imprimeur au chômage, entre dans l'imprimerie Standard Gravure armé d'un fusil automatique AK-47 et arrose de balles ses ex-collègues avant de se suicider. Bilan: 9 morts et 12 blessés graves.

• Kaanapalli Hillside, île de Maui – 4 mars 1993: Bill Forsyth Jr., inquiet de ne pas voir ses parents June et William Forsyth se présenter à un rendez-vous, se rend chez eux et les retrouve morts, baignant dans une mare de sang. William Forsyth, un homme d'affaires aisé, avait lardé sa femme de 15 coups de couteau et s'était ensuite empalé sur un couteau-scie qu'il avait attaché à une chaise.

• Wadebridge, Cornouailles – 15 mars 1996 : Reginald Payne, un enseignant à la retraite, étouffe son épouse Sally avec un coussin. Après avoir laissé une note sur le réfrigérateur recommandant à son fils de ne pas entrer dans la chambre, il se jette du haut d'une falaise haute de 60 mètres.

• Overland Park, Texas – 27 juillet 1997, 23 h 30 : Matthew Miller, un adolescent de 13 ans, claque la porte au nez de son père qui lui demande d'aller se coucher. Le lendemain, ses parents le retrouvent pendu à un crochet à linge dans la salle de bains à côté de leur chambre.

• Gillette, Wyoming – février 1998 : Donald Shell, un homme de 60 ans apprécié de tous, exécute froidement sa femme Rita, sa fille Deborah et sa petite fille âgée de 9 mois en leur tirant plusieurs balles dans la tête, puis retourne l'arme contre lui-même.

• Columbine, Colorado – 20 avril 1999, 11 h 19 : deux lycéens de 18 ans, Eric Harris et Dylan Klebold, commencent à tirer avec des pistolets sur leurs camarades et tuent 13 personnes en tout, plus 25 blessés graves. À 12 h 18, Harris et Klebold s'enferment dans la bibliothèque du lycée, vociférent à l'unisson « 1, 2, 3 » et se font chacun sauter la cervelle.

• Indianapolis, Indiana – 7 février 2004 : Traci Johnson, une jeune femme de 19 ans qui participe à un essai clinique de la compagnie pharmaceutique Eli Lilly pour payer ses études, se retire dans les toilettes du laboratoire et se pend avec une écharpe à un pommeau de douche.

• Bayonne, New Jersey – 22 juin 2004 : Emiri Padron, une jeune mère de 24 ans, étouffe sa fille de 10 mois avec un petit cochon en peluche rose et se transperce ensuite à deux reprises la poitrine à l'aide d'un grand couteau à découper la viande.

• Jokela, Finlande – 7 novembre 2007, 11 h 40 : un lycéen de 18 ans, Pekka-Eric Auvinen, pénètre dans son école avec un pistolet semi-automatique et abat 8 personnes avant de se tirer une balle dans la tête.

• Dekalb, Illinois – 14 février 2008, 15 h 05 : Steven Kazmierczak, un étudiant en troisième cycle de 27 ans, fait irruption dans l'amphi-théâtre 101 de la Northern Illinois University et se met à tirer sur les personnes présentes avec un fusil de chasse Remington Sportsman 48, puis un pistolet 9 mm Glock. À 15 h 11, après avoir rechargé une der-nière fois son pistolet, il se tire une balle dans le corps. 6 morts en tout, 15 blessés.

À part leur caractère particulièrement horrible, tous ces actes ont deux choses en commun :

• Ils étaient aussi inattendus qu'inexplicables pour l'entourage de leurs auteurs.
• Ces derniers avaient tous pris peu de temps auparavant des antidépresseurs ISRS (inhibiteurs sélectifs de la recapture de la sérotonine) ou ISRSNA (inhibiteurs sélectifs de la recapture de la sérotonine-noradrénaline), que ce soit du Prozac®, du Zoloft®, du Paxil® (Deroxat® en France), du Luvox®[8] ou du Cymbalta®. Donald Shell, par exemple, avait commencé à prendre du Paxil à peine deux jours avant de se transformer en machine à tuer.

Shell et ses tristes collègues n'étaient évidemment pas les seuls dans leur cas. Depuis l'arrivée sur le marché du Prozac (fluoxétine) de la compagnie Eli Lilly à la fin des années 1980, des dizaines de millions de personnes à travers le monde entier ont consommé des antidépresseurs ISRS ou ISRSNA et continuent à le faire. Rien qu'aux États-Unis, la consommation d'antidépresseurs a augmenté de 400 % entre 2005 et 2008 et 1 Américain sur 10 âgé de plus de 12 ans en a pris, 14 % d'entre eux sur une période de plus de dix ans[9]. Les antidépresseurs ISRS sont l'un des plus formidables succès commerciaux de l'histoire de l'industrie pharmaceutique, laquelle a multiplié à l'infini les copies du Prozac et les a marketées pour les conditions les plus diverses, de l'anxiété aux douleurs chroniques en passant par le sevrage tabagique.

Or l'un des principaux arguments de vente du Prozac et de ses copies a été, dès le début, qu'ils ne présentaient pas d'effets secondaires indésirables, contrairement aux antidépresseurs de première et seconde génération (l'autre argument de vente étant qu'ils ne causaient pas d'accoutumance, contrairement aux « tranquillisants » comme le Valium® et d'autres médicaments de la classe des benzodiazépines). Pourtant, dès février 1990, un article écrit par des chercheurs de l'université Harvard faisait état de cas d'akathisie provoquée par le Prozac[10]. L'akathisie est un terme inutilement technique qui désigne une agitation extrême accompagnée de pensées suicidaires et/ou meurtrières : la personne ne tient plus en place, éprouve un sentiment de dépersonnalisation extrêmement angoissant et devient la proie d'impulsions violentes qu'elle met parfois à exécution de sang-froid, dans un état de totale désinhibition affective.

Ce phénomène proche de la psychose avait déjà été observé dans les années 1950 chez des patients hypertendus à qui l'on avait donné de la réserpine, l'un des premiers médicaments antipsychotiques qu'on utilisait aussi comme antihypertenseur. Plusieurs de ces patients s'étaient suicidés alors qu'ils ne souffraient aucunement de dépression. Or voici qu'on retrouvait le même phénomène chez des personnes prenant des médicaments dits « antidépresseurs » ! Très vite, des cas similaires de suicides ou de crimes violents commis sous Prozac furent signalés un peu partout. En 1990, il y avait déjà 44 procès intentés à ce sujet à Eli Lilly. En septembre 1991, la FDA organisa une audition publique où des parents de victimes vinrent décrire de façon déchirante comment leurs proches avaient commis ces actes insensés alors que rien, sinon leur médicament, ne pouvait les expliquer. En vain. Partout, la défense de Lilly était la même, bien résumée dans ces éléments de langage diffusés en interne en 1990 :

> La suicidalité et les actes hostiles chez les patients prenant du Prozac reflètent le trouble du patient et non une relation causale avec le Prozac[11].

Autrement dit, si tous ces gens s'étaient suicidés, ce n'était pas la faute au Prozac mais tout bonnement à leur dépression. Tout ce que ces cas prouvaient, selon la firme, c'était que la dépression mène très souvent au suicide et qu'il était donc d'autant plus impératif de prendre des antidépresseurs à titre préventif. On ne pouvait bien sûr que regretter que le Prozac n'ait pas eu le temps d'agir dans ces quelques cas malencontreux.

Il fallut attendre près de dix ans pour qu'une étude menée par le psychiatre britannique David Healy avec des volontaires ne souffrant pas de dépression prouve sans doute possible qu'on pouvait très bien provoquer des pensées suicidaires chez eux aussi en leur administrant du Zoloft (l'antidépresseur ISRS de la compagnie Pfizer). Le cas de Traci Johnson évoqué plus haut devait confirmer ce point de façon

---

Des cas de suicides ou de crimes violents commis sous Prozac furent signalés un peu partout. En 1990, il y avait déjà 44 procès intentés à Eli Lilly.

particulièrement tragique en 2004 : cette jeune femme s'est pendue dans les locaux mêmes de Lilly alors qu'on lui avait donné à titre expérimental du Cymbalta, un ISRSNA. Or Traci Johnson faisait partie d'une cohorte de cobayes volontaires ne souffrant justement *pas* de dépression ! (La défense de Lilly dans ce cas particulièrement embarrassant consista à dire que la firme avait fait tout ce qui était humainement possible pour dépister les signes de dépression chez leurs volontaires. Autrement dit, Traci Johnson avait bien caché sa dépression…)

Il se trouve que Lilly savait en fait depuis très longtemps à quoi s'en tenir au sujet des risques de « suicidalité » présentés par le Prozac (et aussi, plus tard, par le Cymbalta[12]). Au fur et à mesure des procès, les inévitables mémos refirent surface les uns après les autres[13]. Déjà en 1978, soit dix ans avant la commercialisation du médicament, les minutes d'une réunion de l'équipe de Lilly chargée de la recherche sur la fluoxétine (futur Prozac) notaient :

> Il y a eu un assez grand nombre de signalements d'effets indésirables. […] Un autre patient dépressif a développé une psychose. […] On a signalé de l'akathisie et de l'agitation chez certains patients.

Dix jours plus tôt, autre réunion :

> Certains patients sont passés en quelques jours d'une dépression profonde à de l'agitation ; dans un cas, l'agitation a été notable et il a fallu interrompre le médicament. […] Dans les études à venir, on permettra l'usage de benzodiazépines [sédatifs] pour contrôler l'agitation.

Cette dernière phrase est extraordinaire : l'agitation causée par la fluoxétine a donc été soigneusement masquée à l'aide de tranquillisants dans toutes les études ultérieures de Lilly, de sorte qu'on ne sait pas en fin de compte si les propriétés antidépressives attribuées au Prozac sont les siennes ou celles des benzodiazépines ajoutées au traitement ! Étant donné que le Prozac était censé supplanter les benzodiazépines sur le marché des états « nerveux », ce fait est bien évidemment resté tout à fait confidentiel.

Toutefois, lorsque Lilly déposa une demande d'AMM auprès du Bundes Gesundheit Amt (BGA), l'agence du médicament de la République fédérale allemande, les évaluateurs ne s'y trompèrent pas. Dans une lettre adressée à Lilly Allemagne le 25 mai 1984, ils écrivaient :

Durant le traitement avec la préparation [Prozac], il y a eu 16 tentatives de suicide, dont deux réussies. Étant donné que les patients à risque de suicide ont été exclus des études, il est probable que cette proportion élevée peut être attribuée à une action de la préparation [Prozac].

En conséquence de quoi le BGA refusa d'accorder l'AMM à la fluoxétine du fait des « risques de suicidalité ». Lilly continua pendant des années à frapper à la porte du BGA, alors même que ses propres études internes faisaient apparaître un risque trois à cinq fois plus élevé de suicidalité avec le Prozac qu'avec d'autres traitements[14]. Décidée à obtenir coûte que coûte l'AMM, la direction enjoignit à Lilly Allemagne de maquiller toutes les références à la suicidalité du Prozac dans les documents soumis à l'agence allemande. Claude Bouchy, le directeur exécutif de Lilly Allemagne, protesta dans deux mémos datés de novembre 1990 :

> Hans [Weber, un collègue de Bouchy] a des problèmes médicaux avec cette directive et cela m'inquiète beaucoup, Je ne pense pas que je pourrais expliquer au BGA, à un juge, à un reporter ou même à ma famille pourquoi nous ferions cela, spécialement concernant la question sensible du suicide et des pensées suicidaires.

> Personnellement, je me demande si nous aidons vraiment la crédibilité d'un excellent système de signalement des EMI [effets médicaux indésirables] en appelant surdose ce qu'un médecin signale comme une tentative de suicide et en appelant dépression ce qu'un médecin signale comme des pensées suicidaires.

La pratique consistant à faire disparaître d'un coup de baguette magique les embarrassants cas de suicidalité/suicide des dossiers soumis aux agences semble avoir très vite fait des émules parmi les autres fabricants d'antidépresseurs ISRS. Dans une étude destinée à démontrer l'efficacité du Paxil/Deroxat de SmithKline Beecham (futur GlaxoSmithKline ou GSK) chez les enfants et les adolescents, la suicidalité fut pudiquement rebaptisée « labilité émotionnelle » et les cas de patients arrêtant le traitement pour cause d'agitation akathisique se transformèrent en cas de « non-observance »[15]. Une autre technique, utilisée par GSK pour le Paxil/Deroxat et Pfizer pour le Zoloft, a consisté à inclure dans le groupe prenant un placebo des cas de suicidalité/suicide *antérieurs* ou *postérieurs* à l'étude elle-même, afin de masquer statistiquement le nombre supérieur de cas de ce genre dans le groupe prenant un antidépresseur. Dans un cas, GSK a même attribué au groupe placebo un suicide survenu postérieurement à l'étude chez un patient ayant pris entre-temps du… Prozac[16] !

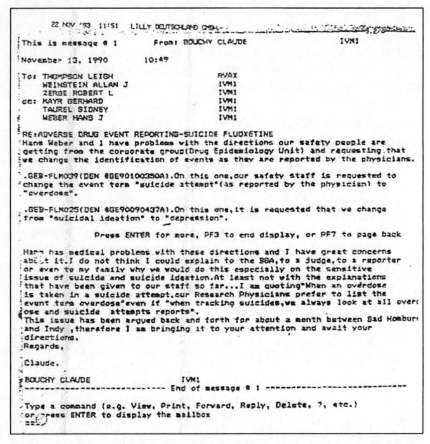

Premier mémo du directeur de Lilly-Allemagne, adressé à la direction centrale, pour exprimer ses scrupules à dissimuler les cas de suicides provoqués par le Prozac.

Le Prozac obtint finalement son AMM en République fédérale allemande en 1992 sous le nom de marque Fluctin®, mais seulement à la condition que figure sur la notice d'utilisation l'avertissement suivant :

Risque de suicide : FLUCTIN n'a pas un effet sédatif général sur le système nerveux central. Par conséquent, pour sa propre sécurité, le patient doit être suffisamment suivi jusqu'à ce que l'effet antidépresseur du FLUCTIN se fasse sentir. Il peut être nécessaire de prendre un sédatif supplémentaire. Cela s'applique aussi dans les cas de troubles extrêmes du sommeil ou d'agitation.

Joseph Wesbecker, William Forsyth, Matthew Miller et bien d'autres seraient vraisemblablement encore en vie si un tel avertissement avait été émis aux États-Unis et ailleurs. Au lieu de quoi Lilly se garda bien de porter à l'attention de la FDA les difficultés qu'elle rencontrait avec les autorités sanitaires allemandes au moment où elle déposa son dossier d'AMM aux États-Unis. En réponse à la FDA qui demandait pour la forme si d'autres autorités sanitaires avaient émis des réserves au sujet du Prozac, Lilly se contenta d'envoyer un seul rapport du BGA qui faisait référence aux « effets dommageables inacceptables » du médicament. Le rapport notait qu'une « augmentation de l'effet d'agitation a lieu avant l'effet d'amélioration de l'humeur et il y a donc un risque accru de suicide ».

Il ne semble pas que cette unique mention du risque de suicidalité ait été suffisante pour alerter la FDA sur l'étendue et la gravité du problème, car dans un mémo interne daté de décembre 1987 celle-ci concluait que

> les autorités allemandes n'ont jamais défini ou documenté [le membre de phrase] « effets dommageables inacceptables ». [...] Conclusion : les commentaires du BGA ne semblent pas refléter des événements cliniques *puisque des événements de cette sorte n'ont pas été signalés à la FDA et que selon la compagnie nous avons reçu toute l'information soumise au BGA.* Recommandation : les commentaires du BGA ne devraient pas affecter la conclusion de la FDA selon laquelle [la demande d'AMM] peut être approuvée[17].

La vie des gens tient parfois à bien peu de chose. Le Prozac reçut son autorisation de mise sur le marché fin décembre 1987. Lilly et les autres fabricants d'antidépresseurs ISRS continuèrent pendant quinze ans à nier le caractère « suicideur » de leurs médicaments tout en gardant par-devers eux des études internes qui montraient clairement le contraire. En octobre 2002, Alastair Benbow, un porte-parole de GSK, affirmait encore haut et fort à la télévision anglaise :

Il fallut attendre 2004 pour que la FDA oblige les fabricants d'antidépresseurs à insérer un avertissement dans leurs notices au sujet des risques de suicide.

Si nous pensons que le Seroxat [Deroxat, Paxil] doit être mis à la disposition des enfants? Absolument. 2 % des enfants, 4 % des adolescents vont développer une dépression. Les risques de suicide sont particulièrement élevés chez les adolescents.

Nous avons l'obligation de mettre nos médicaments à la disposition des patients qui en ont besoin. Les adolescents sont parmi les patients qui ont le plus besoin d'antidépresseurs. Le suicide chez les adolescents est la troisième cause de décès[18].

Cette année-là aux États-Unis, 2,7 millions d'antidépresseurs avaient été prescrits à des enfants de moins de 12 ans et 8,1 millions à des adolescents.

Il fallut attendre 2004 et d'innombrables procès, enquêtes journalistiques et protestations d'experts comme David Healy pour que la FDA oblige finalement les fabricants d'antidépresseurs à insérer un avertissement dans leurs notices d'utilisation au sujet des risques de suicidalité/suicide chez les enfants et les adolescents (l'année précédente, l'agence du médicament britannique avait carrément interdit aux médecins de leur prescrire des antidépresseurs). En 2007, toujours sous la pression, la FDA étendit l'avertissement aux personnes âgées de 18 à 24 ans (pourquoi pas au-delà?). En 2009, un avertissement contre les risques de suicidalité/suicide chez les patients de tous âges fut inséré dans la notice d'utilisation du Zyban®, un médicament utilisé dans le sevrage tabagique – mais non dans celle de l'antidépresseur Wellbutrin®, alors qu'il s'agit pourtant de la même molécule, le bupropion.

À cette date, la plupart des antidépresseurs ISRS étaient de toute façon depuis longtemps arrivés en bout de brevet (celui du Prozac est arrivé à expiration en 1999). Les fabricants ont donc mangé leur pain blanc. Combien de personnes sont mortes entre-temps du fait de leur silence, soit parce qu'elles se sont suicidées, soit parce qu'elles ont été tuées par un zombie, soit parce qu'elles ont eu un accident de voiture[19]? Le site ssristories.com répertorie plus de 4 800 cas de suicide/homicide causés par des ISRS[20], mais il s'agit seulement de cas ayant fait l'objet d'attention de la part des médias. Qu'en est-il de tous les suicides, meurtres ou accidents non répertoriés, car attribués au destin ou au mal-être? En extrapolant à partir d'études épidémiologiques indépendantes de l'industrie, David Healy estimait en 2004 à plus de 40 000 le nombre de suicides sur les 40 millions de personnes ayant pris du Prozac depuis son lancement[21].

Si cette estimation déjà datée (et ne portant au demeurant que sur le seul Prozac) est exacte, il s'agirait d'un des massacres les plus silencieux de l'Histoire. Aucun de ses auteurs présumés n'a d'ailleurs été inquiété. Si un arbre tombe dans la forêt et que personne ne l'entend, cela a-t-il vraiment eu lieu ?

Irak, Prozac, même combat

Selon les statistiques les plus récentes, le nombre de suicides a augmenté aux États-Unis de 31 % entre 1999 et 2012. On se perd en conjectures sur les causes de ce spectaculaire pic statistique, mais on incrimine généralement l'augmentation des cas de dépression causés par le stress de la vie moderne. L'augmentation simultanée de la consommation d'antidépresseurs confirmerait cette hypothèse, dit-on.

La population où ce phénomène est le plus marqué est celle des soldats déployés en Irak et en Afghanistan, ainsi que celles des vétérans, qu'il s'agisse de jeunes gens de retour du front ou d'anciens combattants de la guerre du Vietnam ou de la première guerre du Golfe. Le nombre de suicides a ainsi augmenté beaucoup plus rapidement chez eux que dans la population générale, à tel point que les médias parlent à ce propos d'une véritable « épidémie »: 22 % de plus rien qu'entre 2007 et 2012 chez les vétérans. En 2012, on comptait un suicide par jour chez les soldats déployés et près de 18 chez les vétérans, soit un toutes les 80 minutes – un chiffre bien plus élevé que celui des morts au combat (un tous les jours et demi).

L'explication la plus couramment avancée pour cette hécatombe est le stress du combat ainsi que le stress post-traumatique. Du fait des horreurs de la guerre, les soldats et les vétérans sont tout particulièrement susceptibles, disent les spécialistes, de développer des troubles dépressifs. Ce que confirmerait la courbe en augmentation constante des antidépresseurs ISRS prescrits aux soldats par les médecins militaires: 6 % d'entre eux sont sous antidépresseurs, soit 8 fois plus qu'en 2005.

Choqués par cette situation, l'opinion publique américaine et le Congrès réclament à cor et à cri plus de soins pour les « boys ». Sur instruction du secrétaire à la Défense Leon Panetta, le Pentagone a donc mis sur pied un Bureau militaire de prévention du suicide. La recommandation est désormais de dépister au plus tôt les signes de stress afin que les soldats et les vétérans reçoivent sans tarder le traitement adéquat.

Cherchez l'erreur.

LE PRÉPULSID ET LES BÉBÉS CARDIAQUES

En 1993, la FDA autorisa la mise sur le marché d'un médicament contre le reflux gastrique nocturne, le Prépulsid® (en anglais Propulsid®, « repousse l'acide »). La molécule du Prépulsid, le cisapride, avait été synthétisée en 1980 par Janssen, la branche pharmaceutique du géant industriel Johnson & Johnson. Le médicament avait été approuvé pour les adultes, mais la cible commerciale était en réalité le vaste marché des charmants petits renvois des bébés roteurs.

Johnson & Johnson n'avait toutefois pas déposé de demande d'AMM pour cette indication précise, et pour cause. Comme on devait l'apprendre plus tard, *aucun* des essais cliniques que la compagnie avait effectués à ce sujet n'avait été en mesure d'établir la moindre efficacité du Prépulsid chez les bébés. Mieux encore, 6 jeunes enfants sur les 1 993 patients à qui on avait donné du Prépulsid étaient morts à cause de problèmes cardiaques. La FDA en avait été informée, mais la firme avait réussi à la convaincre que ces morts étaient dues à d'autres causes[22].

Malgré cela, la firme marketa activement le médicament auprès des pédiatres et des gastro-entérologues. Des sommités médicales furent enrôlées pour répandre le message auprès de leurs collègues, tel le docteur Paul Hyman, un gastro-entérologue spécialisé dans les troubles digestifs des enfants. Son manuel recommandant l'usage du Prépulsid chez les bébés fut imprimé à 10 000 exemplaires par Johnson & Johnson et généreusement distribué à titre « éducationnel » aux médecins. La firme sortit également une présentation liquide au goût de fraise afin de rendre l'administration du Prépulsid aux bébés plus facile (comme elle n'avait pas le droit de démarcher son produit pour cette indication, elle prétendit que la présentation liquide était destinée aux personnes âgées). Les ventes s'envolèrent : plus de 1 milliard de dollars de chiffre d'affaires par an au milieu des années 1990.

Pendant ce temps-là, les signes néfastes s'accumulaient. En janvier 1995, la FDA avait déjà reçu 18 signalements de cas d'arythmie cardiaque grave chez des patients ayant pris du Prépulsid. L'un d'eux, un nourrisson, en était mort. La FDA avertit la firme, qui répondit que ce problème ne survenait que chez les patients prenant simultanément d'autres médicaments (visiblement, la « défense Merrell » consistant à faire porter le chapeau à d'autres médicaments avait été bien intégrée). En juillet 1996, la FDA avait 57 cas supplémentaires, dont 7 enfants. En août 1997, après que 2 autres enfants furent morts après avoir pris du Prépulsid, la FDA envoya une lettre à Johnson & Johnson pour suggérer poliment que « les patients pédiatriques [étaient] peut-être à plus grand risque » de présenter des troubles cardiaques[23].

Les mémos internes de la compagnie montrent que celle-ci était en fait parfaitement au courant, mais faisait tout pour minimiser les risques présentés par le Prépulsid. Certains à l'intérieur de la compagnie se posaient toutefois des questions. Visiblement inquiet, un cadre du nom de Darryl Kurland se plaignit que les signalements d'effets secondaires indésirables envoyés par Johnson & Johnson à la FDA avaient été réécrits de façon à dissimuler la gravité des risques cardiaques et à incriminer d'autres médicaments (toujours la « défense Merrell ») :

> La manière dont nous choisirons à partir de maintenant de décrire le profil de risque du cisapride, en particulier s'agissant d'une population aussi délicate (et socialement sensible) que les prématurés et les nourrissons, est cruciale[24].

Inquiète, la FDA organisa une rencontre à huis clos avec Johnson & Johnson en mars 1998. L'un des représentants de la FDA mit les pieds dans le plat : « Trouvez-vous acceptable, demanda-t-il, que votre médicament pour le reflux gastrique nocturne (c'est-à-dire quelque chose pour quoi vous pourriez prendre des [pilules antiacides] Tums) ait le potentiel de vous tuer ? » La compagnie déclina malgré tout de retirer le médicament du marché. Après d'âpres négociations, elle accepta tout au plus de mentionner sur la notice d'utilisation que quelques enfants ayant pris du Prépulsid avaient présenté des troubles cardiaques ou étaient morts, « toutefois une relation de cause à effet n'a pas été établie ».

En 2000, le bilan du Prépulsid s'établissait à 341 cas de troubles cardiaques chez des adultes et des enfants, dont plus de 80 mortels.

On estime à 16 000 le nombre de victimes du Prépulsid, dont 300 décès – essentiellement des enfants.

C'en était trop pour la FDA, qui décida de convoquer une audition publique au cours laquelle un panel d'experts examinerait le dossier du Prépulsid. Les mémos internes de Johnson & Johnson témoignent de la panique qui saisit les cadres de la compagnie à cette occasion, telle cette note griffonnée par l'une d'entre eux durant une réunion : « Voulons-nous nous présenter devant le monde entier & admettre que nous n'avons jamais été capables d'établir l'efficacité [du Propulsid] ! » (« jamais été capables » souligné par le cadre).

Trois semaines avant la date prévue pour l'audition publique, Johnson & Johnson décida prudemment de retirer son médicament du marché. Ni la compagnie ni ses cadres ne furent jamais inquiétés pour avoir minimisé les risques de leur médicament. On estime à 16 000 le nombre de victimes du Prépulsid, dont 300 décès – essentiellement des enfants. En 2004, Johnson & Johnson accepta de payer 90 millions de dollars en dommages et intérêts dans le cadre de procès intentés par les victimes ou leurs familles.

Le Prépulsid a continué à être commercialisé en France, avec des restrictions d'utilisation, jusqu'en mars 2011.

« FÉMININE POUR TOUJOURS ! » : LE THS ET LES CANCERS DU SEIN

La ménopause, étymologiquement l'« arrêt des règles » qui survient aux alentours de la cinquantaine, est l'un des changements biologiques les plus importants dans la vie d'une femme. Non seulement elle ne peut plus avoir d'enfants, mais la production d'œstrogènes et de progestérone, qui sont les deux principales hormones produites par les ovaires, diminue progressivement, causant toutes sortes de dérangements à mesure que l'organisme s'ajuste au nouveau niveau : bouffées de chaleur, sautes d'humeur, insomnie, suées nocturnes, sécheresse vaginale. Certaines femmes sont plus affectées que d'autres, mais dans l'ensemble ces dérèglements hormonaux s'atténuent et disparaissent après un certain temps. Pour désagréables qu'ils soient, ils ne sont le signe d'aucune pathologie et font partie du développement normal du corps féminin, exactement comme l'acné fait partie de celui d'innombrables adolescents boutonneux.

En 1942, la FDA approuva la mise sur le marché du Premarin®, un médicament proposé par la firme Wyeth-Ayerst pour traiter les symptômes associés à la ménopause. Le principe en était simple : puisque les symptômes de la ménopause sont liés à une diminution de la production d'œstrogènes, pourquoi ne pas compenser ce manque par l'apport d'œstrogènes extérieurs, un peu comme on remplit un réservoir d'essence quand celui-ci se vide ? Plusieurs traitements œstrogéniques de substitution de ce type avaient déjà été commercialisés vers la fin des années 1930, notamment le sinistrement fameux distilbène (voir plus loin, p. 121). Contrairement au distilbène, toutefois, le Premarin était un œstrogène naturel, extrait de l'urine de juments enceintes (d'où le nom en anglais : PREgnant MARes' urINe). Il n'avait aucun des effets secondaires indésirables du distilbène, tels que nausées, maux de têtes et vertiges, et de plus il coûtait beaucoup moins cher à produire.

Le fait est que le Premarin soulage de façon relativement efficace les symptômes de la ménopause. Son marché est cependant resté longtemps assez étroit, car les médecins continuaient à l'époque à considérer la ménopause comme un mauvais moment à passer et ne prescrivaient un traitement hormonal que dans les cas les plus sévères. Tout cela changea avec les sixties et le best-seller international du docteur Robert Wilson, *Féminine pour toujours*[25]. Wilson, un gynécologue de New York, avait publié en 1963 un article au titre prometteur : « Le destin de la femme postménopausique non traitée : plaidoyer pour le maintien d'œstrogènes adéquats de la puberté à la tombe »[26]. Des œstrogènes à vie ! Wyeth-Ayerst et d'autres fabricants de traitement œstrogénique s'empressèrent de subventionner la Wilson Research Foundation, qui reçut au fil des ans quelque 1,3 million de dollars pour répandre la bonne nouvelle[27]. Wilson put ainsi développer à loisir sa thèse dans un livre qui parut à grand renfort de publicité en 1966 :

> Beaucoup de médecins refusent tout simplement de reconnaître la ménopause pour ce qu'elle est – une grave maladie, douloureuse et souvent handicapante.

La femme ménopausée, écrivait Wilson, est un être désexué, un « castrat » (*sic*). Elle « existe plutôt qu'elle ne vit » et donne à voir « l'un des spectacles humains les plus pitoyables qui soit ». Ses seins et son sexe se « ratatinent ». Elle devient ostéoporotique, hypertendue, dépressive. Elle empoisonne l'existence de ses proches, notamment celle de son mari. « Aucune femme ne peut être sûre d'échapper à l'horreur de cette décomposition vitale. » Heureusement, cette « grave maladie » pouvait enfin être soignée : « Aujourd'hui, toute femme a l'option de rester féminine pour toujours », car « l'œstrogène produit la beauté, le charme qui attire le mâle. On ne peut y résister, pas plus que le papillon de nuit ne peut résister la flamme. » Le traitement œstrogénique allait mettre fin à

> la misère sans nom de l'alcoolisme, de la toxicomanie, du divorce et des familles brisées par ces femmes instables et en manque d'œstrogènes.

Aucune des affirmations passablement machistes de Wilson n'était basée sur des études sérieuses, mais qu'importe. D'un seul coup de baguette médiatique, la ménopause était devenue une *maladie* qu'il eût été criminel de ne pas prévenir avec les remèdes adéquats. Dopées par le message universel de Wilson, les ventes du Premarin explosèrent littéralement, pour devenir l'un des trois médicaments les plus prescrits aux États-Unis – jusqu'en 1975.

Cette année-là, la FDA annonça que le traitement aux œstrogènes augmentait en moyenne de 7,6 % le risque pour les femmes de développer un cancer de l'endomètre (la paroi interne de l'utérus). Le risque grimpait carrément à 13,9 % pour les femmes prenant des œstrogènes sur une période de plus de sept ans. « Féminine pour toujours » ? Cinq ans plus tard, une étude du Boston University Medical Center devait estimer que plus de 15 000 femmes américaines avaient développé un cancer de l'endomètre rien qu'entre 1971 et 1975 à cause d'un traitement prolongé aux œstrogènes.

La FDA demanda immédiatement à Wyeth-Ayerst d'insérer un avertissement au sujet des risques cancérigènes dans la notice d'utilisation du Premarin. En réponse, la firme se contenta d'envoyer une lettre aux médecins dans laquelle elle affirmait avec aplomb qu'« il serait simpliste d'attribuer une augmentation apparente du diagnostic de carcinome de l'endomètre uniquement au traitement aux

---

D'un seul coup de baguette médiatique, la ménopause était devenue une *maladie* qu'il eût été criminel de ne pas prévenir avec les remèdes adéquats.

œstrogènes » (toujours la bonne vieille « défense Merrell » consistant à se défausser sur d'autres facteurs de risques). À la condition de suivre les recommandations de la notice d'utilisation et de prêter attention aux saignements vaginaux inhabituels, « tout risque potentiel associé à l'utilisation du Premarin sera minimisé et les femmes pourront continuer à bénéficier des bienfaits prouvés du traitement œstrogénique de substitution »[28]. Autrement dit, les femmes pouvaient tranquillement continuer à prendre du Premarin.

Au cours d'un meeting convoqué en urgence à sa demande, la FDA fit savoir aux dirigeants de la firme qu'elle avait été « scandalisée » par leur lettre, qu'elle considérait comme une « déformation des données scientifiques » :

> 1. Le ton de la lettre susmentionnée est biaisé et a pour but de noyer le poisson plutôt que de mettre en évidence la nouvelle information au sujet des risques. Cette lettre est quasiment une violation du Food and Drug Administration Act. [...]
> 3. La FDA ne cherche pas à obtenir une lettre de correction des laboratoires Ayerst car elle ne fait pas confiance à Ayerst pour écrire une lettre fiable de cette nature. [...]
> 4. En conséquence, la FDA va publier un Bulletin d'information pharmaceutique faisant objectivement état des résultats liant les œstrogènes au cancer de l'endomètre. [...]
> 7. La FDA va préparer une nouvelle notice d'utilisation avec ou sans proposition de la part d'Ayerst. [29]

L'association entre œstrogènes et cancer de l'endomètre aurait normalement dû sonner la mort commerciale du Premarin et de fait les ventes chutèrent de moitié dans les années qui suivirent. Mais tel un zombie dans un mauvais film d'horreur, le Premarin se releva rapidement de ses blessures pour poursuivre son inexorable progression. Il y eut d'abord un article dans *The Lancet* en 1979 qui établissait que l'administration de progestérone, l'autre hormone féminine, atténuait les risques de cancer de l'endomètre. Il suffisait donc de combiner le traitement œstrogénique avec de la progestérone pour contrecarrer les risques cancérigènes du Premarin : le traitement hormonal de substitution (THS) était né.

Parallèlement, Wyeth-Ayerst lança une grande campagne à partir des années 1980 pour alerter le public au sujet des dangers méconnus de la ménopause. Prolongeant le message du docteur Wilson, l'agence de communication Burson-Marsteller fut chargée d'éduquer la population féminine au sujet des liens entre ménopause et ostéoporose, une « maladie invisible » dont quasiment personne n'avait entendu parler auparavant mais dont on apprenait maintenant qu'elle était la cause d'innombrables fractures chez les femmes âgées. Par ailleurs, les résultats d'une grande étude effectuée sur des infirmières ménopausées montrèrent opportunément que leur risque de développer une maladie cardio-vasculaire diminuait de 70 % si elles suivaient un traitement hormonal. À ces deux grands risques de la ménopause, les communicants de Wyeth-Ayerst ajoutèrent au fil des ans la maladie d'Alzheimer, le cancer du côlon, la perte des dents, la perte de vision et les rides – bref, la vieillesse et tout son cortège de misères. Dans un spot publicitaire sponsorisé au début des années 2000 par le Wyeth-Ayerst Women's Health Research Institute, on pouvait ainsi voir la sémillante quinquagénaire Lauren Hutton, une ex-mannequin vedette, déclarer à la caméra :

> Mon docteur dit que si vous ne remplacez pas les œstrogènes que vous perdez à la ménopause, votre risque de développer certaines maladies liées à l'âge peut s'accroître.

À tous ces maux, un seul remède : le Premarin ou encore son petit frère Prempro®, une combinaison d'œstrogènes et de progestérone mise sur le marché en 1995. Comme le prophétisait Robert A. Essner, le président de Wyeth-Ayerst, aux visiteurs médicaux réunis à Orlando pour le lancement du Prempro, le marché du nouveau THS était littéralement sans limites :

> Il y a à peine une semaine à Washington, le docteur Healey, l'ex-présidente du National Institute of Health, a prédit qu'il y avait une révolution en cours dans le domaine de la santé féminine et que le THS allait être la pierre angulaire de cette révolution. Sa vision d'un monde dans lequel la vaste majorité des femmes vont se mettre à suivre un THS – et nous savons que cela veut dire Prempro – à la ménopause et continuer jusqu'à la fin de leurs jours, c'est la mission dans laquelle nous nous lançons aujourd'hui. Notre objectif n'est rien moins que ça : créer cette révolution du THS et créer par là même une nouvelle catégorie pharmaceutique. Une catégorie que nous posséderons dans le futur comme nous possédons le TOS [traitement œstrogénique de substitution] aujourd'hui.
> [...] Je vous demande de partager cette vision avec moi et nul ne peut dire jusqu'où nous pourrons aller ensemble. En ce qui me concerne, la vision que nous allons partager n'aura ni limites ni frontières.[30]

En effet. Encouragées par leurs gynécologues et d'innombrables «campagnes de prévention», des millions de femmes à travers le monde adoptèrent le THS de Wyeth au cours des années 1990 alors même qu'elles ne souffraient d'aucun symptôme gênant. Or, ce que les communicants de Wyeth s'étaient bien gardés de trompetter dans les médias, c'est que le traitement qui était censé prévenir tous ces terribles risques de la ménopause présentait lui-même des risques beaucoup plus réels et immédiats.

Dès juin 1976, soit à peine six mois après le clash avec la FDA au sujet du cancer de l'endomètre, les chercheurs de Wyeth admettaient dans un mémo interne qu'«il y [avait] une inquiétude légitime au sujet de la possibilité que l'utilisation d'œstrogènes exogènes conduis[ît] à une fréquence accrue de cancers du sein». Le mois suivant le docteur Robert Hoover, un chercheur du National Cancer Institute, communiqua à Wyeth le résultat d'une étude faisant apparaître une multiplication par deux du risque de cancer du sein chez les femmes prenant de l'œstrogène sur une période de plus de quinze ans. Dans sa lettre à Wyeth, Hoover soulignait que ces chiffres étaient très inquiétants et qu'il convenait d'étudier la question de plus près.

La correspondance interne de la firme montre que son souci immédiat fut d'«atténuer les effets indésirables» non pas du traitement œstrogénique, mais... de l'étude de Hoover. Aucune étude sur les liens possibles entre THS et cancer du sein ne fut lancée par Wyeth. Silence radio. La question du cancer du sein était traitée sur le mode de l'hallucination négative. Lorsqu'il fut question en interne de demander à un oncologue de présider un meeting de consultants de la firme, l'un des dirigeants expédia immédiatement un mémo agité : «Pas question d'avoir un oncologue : NON NON NON NON & NON.» Même réaction défensive lorsque l'Agence pour la recherche sur le cancer (IARC) de l'OMS annonça qu'elle allait étudier les risques cancérigènes du traitement aux œstrogènes : Justin Victoria, le directeur associé du service des relations avec les autorités sanitaires, proposa de former une équipe pour

> faire en sorte que l'IARC n'avance pas de position sur une relation *définitive* entre cancer du sein et traitement œstrogénique de substitution, et que les œstrogènes conjugués ne soient pas distingués des autres traitements œstrogéniques de substitution comme s'ils étaient différents en termes de risque cancérigène[31].

Les études extérieures continuaient néanmoins à soulever le problème avec insistance. En 1989, le docteur Leif Bergqvist notait à nouveau une augmentation du risque de cancer du sein associée au traitement œstrogénique, « que l'addition de progestérone n'empêche pas et peut même accroître ». Autrement dit, la progestérone ajoutée aux œstrogènes pour prévenir le cancer de l'endomètre contribuait à augmenter les risques de cancer du sein ! L'année suivante, une étude menée par le docteur Graham Colditz concluait encore plus fermement que le Premarin augmentait le risque de cancer du sein de 30 %. En 1996, une étude du docteur Steven Cummings sponsorisée par le National Institute of Health arrivait à un résultat similaire. En réponse, Wyeth mit sur pied une équipe spécialement chargée de limiter les dégâts en mettant en évidence les défauts de la méthodologie adoptée par Cummings et en « détourn[ant] l'attention [des médias] vers d'autres cancers ». Un mémo griffonné disait : « **Écartez comme pas sérieux/Détournez l'attention** » et « **Tenez la presse U.S. occupée** » (voir les flèches sur le document page suivante).

Peu après, Wyeth engagea DesignWrite, une agence de communication médicale, pour « préparer » une trentaine d'articles sur le THS et les placer dans des revues scientifiques. Selon le « Programme de publication Premarin® » soumis par DesignWrite à la firme, l'objectif de cette campagne était de porter à l'attention des médecins « la multitude des bienfaits du THS », d'« atténuer les perceptions négatives associées aux œstrogènes et au cancer » et accessoirement d'« amortir la menace concurrentielle du raloxifène » (un modulateur sélectif des œstrogènes utilisé pour prévenir l'ostéoporose) en mettant en lumière les risques de cancer présentés par ce rival et en évoquant à son sujet « le souvenir du DES » (distilbène). DesignWrite s'engageait à produire les articles clés en main : « Nous allons analyser les données et écrire le manuscrit, recruter un expert reconnu qui convienne pour qu'il prête son nom comme auteur du document et lui faire approuver son contenu[32]. » DesignWrite demandait 25 000 dollars par article[33].

La progestérone ajoutée aux œstrogènes pour prévenir le cancer de l'endomètre contribuait à augmenter les risques de cancer du sein !

Mémo interne de Wyeth pour détourner l'attention de la presse des risques de cancer du sein lié au THS.

DesignWrite produisit ainsi 26 articles entre 1998 et 2005, tous placés sans aucun problème dans 18 revues médicales de haut niveau.

Pourtant, aucun de ces articles scientifiques n'avait été rédigé par leurs auteurs supposés, dont la participation se réduisait le plus souvent à envoyer un fax pour approuver le texte qui avait été « préparé » à leur intention. Comme il s'agissait essentiellement de comptes rendus synthétisant la littérature et qu'ils se citaient mutuellement, l'impression qui était créée était celle d'un consensus scientifique autour des bienfaits et de l'innocuité des THS de Wyeth. Toute information contraire était du fait même brouillée et réduite à l'état de bruit insignifiant. C'est ainsi que l'un des « auteurs », le professeur John Eden, pouvait se permettre de continuer à soutenir en 2003 dans l'*American Journal of Obstetrics and Gynecology* qu'il n'y avait « aucune preuve définitive » que la progestérone soit une cause de cancer du sein, ajoutant même que les femmes suivant un THS avaient plus de chances que d'autres de survivre à un cancer.

Ces affirmations étaient d'autant plus surprenantes qu'à cette date la « preuve définitive » du lien entre THS et cancer du sein avait déjà été établie. En 2000 avait paru un article résumant les résultats préliminaires de la Women's Health Initiative, une étude randomisée portant sur une cohorte de 16 000 femmes à qui on avait donné soit une combinaison d'œstrogène et de progestérone, soit un placebo sur une période de dix ans. Or les femmes dans le groupe traité aux hormones présentaient un risque accru de 8 % par an d'avoir un cancer du sein. Les résultats complets, publiés en 2002 et 2003, étaient encore plus alarmants : outre le cancer du sein, le THS augmentait significativement les risques de développer des troubles cardio-vasculaires ou de la démence sénile – soit cela même contre quoi le Premarin avait été prescrit pendant près de vingt ans !

Une étude géante menée en Grande-Bretagne, la Million Women Study, amplifia encore les résultats en 2003 : les femmes suivant un THS augmentaient leur risque d'avoir un cancer du sein de 66 %, notamment si elles prenaient de la progestérone, et elles avaient beaucoup plus de risques d'en mourir. Traduit en termes épidémiologiques, cela voulait dire que sur une période de dix ans 22 000 femmes anglaises avaient développé un cancer du sein à cause du THS. En extrapolant ces chiffres à la population féminine nord-américaine, quatre fois plus susceptible de suivre un THS, on aboutissait à quelque 376 000 cancers du sein sur dix ans[34]. Or cela faisait depuis

1976 que Wyeth fermait les yeux sur les risques cancérigènes de son médicament miracle.

Dans l'année qui suivit la publication des résultats dévastateurs de la Women's Health Initiative, les ventes du Premarin et du Prempro chutèrent à nouveau de façon spectaculaire, de même que... l'incidence des cancers du sein : 7 % en moins aux États-Unis rien qu'en un an, alors qu'on avait assisté à une augmentation constante (et jusque-là inexplicable) de cette pathologie depuis 1945 ! Le reflux était particulièrement marqué – 11 % en moins – dans les zones à population aisée, qui étaient aussi celles où l'on avait constaté auparavant le plus de cancers du sein. Explication : plus les femmes étaient aisées, plus elles étaient susceptibles d'avoir voulu rester « féminine pour toujours », et plus le THS avait été pour elles mortifère, comme pour tant d'autres[35]. L'élixir de jouvence de Wyeth, censé soustraire les femmes aux atteintes du temps, avait en fait provoqué une épidémie de cancers qui les frappaient dans leur féminité même.

Et pourtant, malgré tout cela, malgré d'innombrables articles scandalisés dans la presse, malgré plus de 10 000 procès intentés à Wyeth (absorbé depuis par Pfizer) pour avoir caché les risques de ses médicaments, le Premarin et le Prempro n'ont toujours pas été retirés du marché. En 2008, les ventes de THS ont même presque retrouvé leur niveau d'avant 2002 : 1,4 milliard de dollars de chiffre d'affaires pour les médicaments à base d'œstrogènes et 400 millions pour les combinaisons œstrogènes-progestérone. Le zombie continue sa progression, « mort-vivant pour toujours » !

L'ANTIDIABÉTIQUE REZULIN ET LES FOIES QUI DÉFAILLENT

Primum non nocere : depuis 1962, le mandat de la FDA américaine avait été de contrôler rigoureusement l'innocuité et l'efficacité des nouveaux médicaments, afin d'empêcher une répétition du désastre de la thalidomide. Les évaluateurs de la FDA étaient censés

---

L'élixir de jouvence de Wyeth, censé soustraire les femmes aux atteintes du temps, avait en fait provoqué une épidémie de cancers.

être des Incorruptibles, fermes et intransigeants comme l'avait été « Frankie » Kelsey. Mais à partir du milieu des années 1990, le mandat de la FDA changea imperceptiblement. Il s'agissait maintenant de *faciliter* la mise sur le marché des nouveaux produits, afin de satisfaire les consommateurs. Les apôtres de la dérégulation, relayés par les médias et certaines associations de malades comme le mouvement de lutte contre le sida Act Up, vitupéraient contre la lenteur des bureaucrates de la FDA. Pourquoi la FDA mettait-elle autant de temps à évaluer les médicaments, alors que les personnes atteintes de sida mouraient par milliers en attendant ? Quel sens cela avait-il de vouloir éviter d'éventuels effets secondaires si les nouveaux médicaments étaient la seule chance des patients de rester en vie ?

Act Up et Big Pharma, démocrates et républicains étaient tous d'accord. Soucieux de donner à la FDA les moyens d'accélérer le processus d'autorisation de mise sur le marché, le Congrès décida en 1992 de faire payer aux firmes la moitié des frais requis pour l'évaluation de leurs médicaments. L'idée, reprise depuis par la plupart des agences de contrôle sanitaire à travers le monde, était que tout le monde bénéficierait de cet arrangement « gagnant-gagnant ». Enfonçant le clou, le président Bill Clinton déclara en 1995 qu'il fallait que la FDA traite les industriels « comme des partenaires et non des adversaires[36] », de sorte à ne pas freiner l'innovation (et le business). Big Pharma était dans la bergerie.

L'un des premiers médicaments à bénéficier du nouveau partenariat gagnant-gagnant fut le Rezulin® (en France Resulin®) de la firme Warner-Lambert. Le Rezulin (nom générique troglitazone) était un médicament pour contrôler le diabète de type 2. Contrairement au diabète de type 1, le diabète de type 2 ou non insulino-dépendant (DNID) apparaît généralement après 40 ans et est associé au surpoids et au manque d'activité physique. Il touche à peu près 6 % de la population et représente donc un énorme marché pour les firmes pharmaceutiques. Bien qu'il y eût déjà 9 autres antidiabétiques sur le marché à l'époque et que la situation fût donc très différente de celle du sida, la FDA décida d'appliquer pour le Rezulin la nouvelle procédure « accélérée » d'autorisation de mise sur le marché. Le Rezulin obtint son AMM en janvier 1997, à peine six mois après le dépôt du dossier à la FDA. Il s'agissait de la procédure d'autorisation la plus rapide de toute l'histoire de la FDA pour un médicament antidiabétique.

Tout pourtant aurait dû inciter à plus de prudence. Comme on devait l'apprendre plus tard, notamment grâce à une série d'articles du journaliste d'investigation David Willman dans le *Los Angeles Times*, les essais cliniques effectués par Warner-Lambert avant le dépôt du dossier à la FDA avaient fait apparaître un risque élevé de complications hépatiques graves. Sur les 2 500 patients à qui on avait donné du Rezulin, 48 avaient présenté une augmentation anormale d'enzymes dans le foie – un marqueur de toxicité hépatique potentiellement mortelle[37]. Au moins 5 d'entre eux avaient été atteints de jaunisse, un signe d'insuffisance hépatique, et l'un d'eux – un Japonais – avait dû être hospitalisé. Il était clair que le Rezulin pouvait avoir des effets indésirables sur le foie. La compagnie en était d'ailleurs si consciente qu'elle avait songé à un moment recommander dans la notice du médicament que la toxicité hépatique des patients soit contrôlée tous les trois mois, mais elle s'était vite ravisée. Une telle mise en garde eût mis le Rezulin en situation de désavantage par rapport aux autres antidiabétiques déjà sur le marché, qui ne présentaient pas de risque hépatique.

Lors d'une présentation du dossier Rezulin à la FDA en décembre 1996, le vice-président du département diabète de Warner-Lambert, le docteur Randall W. Whitcomb, s'abstint donc de mentionner les risques hépatiques du Rezulin. Il y avait eu selon lui un seul cas de jaunisse parmi les patients ayant pris le médicament et le nombre de complications hépatiques était «comparable à celui du [groupe de contrôle à qui on avait donné un] placebo[38]».

C'était faux : dans le groupe ayant pris du Rezulin, 2,2 % des patients avaient eu des complications hépatiques, contre 0,6 % dans le groupe placebo. Interrogé plus tard sur ce point dans le cadre d'un procès intenté par les victimes du Rezulin, Whitcomb devait faire la déposition suivante :

> «Comparable», c'est, c'est - vous savez, c'est un mot intéressant. 2,2 %, est-ce différent de 0,6 % ?... Je pense que vous pourriez prendre 2,2 et 0,6 et dire que ce sont des chiffres similaires, vous savez, quand vous regardez la chose maintenant. Je veux dire, «similaire», c'est un – c'est un terme très large... Je ne pense pas que ces chiffres soient, soient si différents[39].

Peut-être pas si différents, en effet, à l'échelle d'un groupe de 2 500 cobayes. Mais à celle du million de personnes qui allait prendre le médicament après sa mise sur le marché ?

Certains à l'intérieur de la FDA, qui se faisaient appeler les « Termites », étaient conscients des risques hépatiques du Rezulin et voulaient bloquer son autorisation, comme Frances Kelsey l'avait fait avec la thalidomide. Mais les temps avaient changé. Lorsque John L. Gueriguian, un vétéran de la FDA qui avait été chargé du dossier Rezulin, fit état dans son rapport de la toxicité hépatique potentielle du médicament, il fut purement et simplement démis de ses fonctions sous prétexte qu'il avait utilisé un gros mot lors d'une discussion un peu vive avec un représentant de Warner-Lambert. (« Vous ne pouvez pas faire reluire de la merde avec des mots », lui aurait-il dit.) Le message de la hiérarchie de la FDA était clair : il est dangereux de se pencher sur le Rezulin.

Le rapport négatif de Gueriguian fut soigneusement écarté du dossier final transmis au comité consultatif par son supérieur, Alexander Fleming. Ce dernier l'envoya pour information dans un courrier électronique encrypté à son partenaire chez Warner-Lambert, le vice-président exécutif en charge des relations avec les autorités sanitaires Irving G. Martin. Dans un autre courrier électronique, il rapportait que Murray « Mac » Lumpkin, le sous-directeur du département d'évaluation des médicaments à la FDA, garantissait que le rapport de Gueriguian ne serait pas « FOIable », c'est-à-dire accessible au public en vertu du Freedom Of Information Act[40]. Les risques hépatiques du Rezulin étaient devenus un secret d'État.

Le comité consultatif recommanda la mise sur le marché du Rezulin. Aucune mise en garde ne fut insérée dans la notice d'utilisation. À peine dix mois plus tard, au début octobre 1997, une personne était déjà morte d'insuffisance hépatique aiguë et une autre avait dû subir une greffe du foie. Le mois suivant, la Medicines Control Agency britannique fit état de 6 morts en Grande-Bretagne et décida de retirer le médicament du marché. Warner-Lambert et la FDA se contentèrent de recommander dans la notice d'utilisation de procéder à des bilans hépatiques tous les mois – une mesure clairement inadéquate dans la mesure où une insuffisance hépatique aiguë peut devenir irréversible et tuer en bien moins de temps que cela.

Comme les experts de la FDA et de Warner-Lambert ne pouvaient pas raisonnablement l'ignorer, l'insuffisance hépatique aiguë est une maladie foudroyante. Le patient passe littéralement de vie à trépas en l'espace de 2 à 10 jours : fatigue et nausées suivies de jaunisse, puis confusion mentale et coma. À moins d'une greffe du foie, l'issue est fatale dans 80 % des cas. Cela se vérifia en mai 1998 lorsqu'Audrey LaRue Jones, une professeure de lycée de 55 ans qui s'était portée volontaire pour participer à un essai clinique sur le Rezulin organisé par le National Institute of Health, mourut subitement d'insuffisance hépatique aiguë. Elle n'était pourtant pas diabétique et s'était soumise à tous les bilans hépatiques recommandés par la FDA. La même chose se produisit un peu après avec Rosa Delia Valenzuela, une Californienne de 63 ans qui était morte moins de un mois après avoir pris du Rezulin dans le cadre d'un essai clinique de Warner-Lambert.

Pourtant, à aucun moment Warner-Lambert ou la FDA n'envisagèrent de retirer le médicament du marché. Le Rezulin se vendait bien : à la fin de cette année 1998, le médicament allait générer 965 millions de dollars de chiffre d'affaires. Robert I. Misbin, une autre « Termite », avait pourtant bien sonné l'alarme en interne : selon ses projections, 2 % des 650 000 patients qui prenaient du Rezulin à ce moment-là allaient souffrir d'insuffisance hépatique et 2 000 d'entre eux allaient en mourir. Mais lorsque Misbin voulut rendre publiques les données de toxicité du Rezulin à un colloque à Washington en mai 1998, Murray « Mac » Lumpkin lui enjoignit de n'en rien faire. Dans un courrier électronique, Irving Martin informa ses collègues de Warner-Lambert que le « problème » Misbin avait été résolu :

> J'ai remercié Mac pour son aide concernant le dernier problème avec Misbin qui voulait faire état publiquement de l'hépatotox [toxicité hépatique] du Rezulin[41].

Il fallut attendre que le *Los Angeles Times* révèle en janvier 1999 que 33 personnes étaient mortes à cause du Rezulin pour que la hiérarchie de la FDA consente à effectuer une réévaluation du médicament. La personne à qui l'on assigna le dossier était l'épidémiologue David J. Graham, une autre « Termite ». Celui-ci présenta ses conclusions deux mois plus tard devant le nouveau comité consultatif. Selon lui, plus de 430 personnes avaient développé une insuffisance hépatique à cause du Rezulin, ce qui voulait dire qu'un patient sur 1 800 pouvait s'attendre au même sort. Les risques d'insuffisance hépatique étaient multipliés par 1 200 chez ceux qui prenaient du Rezulin ! Quant aux bilans hépatiques, ils étaient manifestement impuissants à prévenir ces problèmes, comme le prouvaient les cas d'Audrey LaRue Jones et de Rosa Delia Valenzuela.

Le comité consultatif ne fut toutefois pas convaincu par les arguments de Graham et décida de laisser le Rezulin sur le marché par 11 voix contre une ; 3 de ses membres étaient des consultants pour Warner-Lambert, tout comme 9 des 10 experts qui étaient venus témoigner devant le comité. Graham fut réprimandé pour ses projections excessives par son supérieur direct, qui lui interdit également de parler aux médias.

Les «Termites», dont les rangs s'étoffaient jour après jour, continuèrent à guerroyer avec leur hiérarchie jusqu'en 2000. Finalement, Misbin décida de sauter le pas et d'alerter le Congrès, copies de mémos internes à l'appui. De respectable fonctionnaire gouvernemental chargé de protéger la santé publique, il était devenu briseur d'omerta – un quasi-criminel. À la demande de Warner-Lambert, la FDA déclencha contre lui une enquête administrative pour divulgation d'informations non destinées au public. Joel Lutwak, une autre «Termite», fut lui aussi inquiété pour avoir transmis un courrier électronique de Misbin à un journaliste.

Mais il était trop tard. Les chiffres étaient maintenant publics et les cadavres impossibles à nier : 63 morts en mars 2000. Le 21 mars, la FDA prit la décision de retirer le Rezulin du marché, non sans que Lumpkin ait essayé d'en déférer une fois de plus au même comité consultatif qui l'y avait maintenu un an plus tôt. Warner-Lambert fit paraître un communiqué déplorant que des

> articles répétés dans les médias grossissant de façon sensationnaliste les risques [...] [aie]nt créé un environnement dans lequel les patients et leurs médecins ne peuvent pas prendre des décisions sur la base d'informations fiables.

Cela faisait 29 mois que la FDA avait reçu les premiers signalements de décès dus au Rezulin et 1 million de personnes en avaient pris entre-temps. À ce jour, on ne sait pas exactement combien d'atteintes hépatiques ont été provoquées par ce médicament. Près de 9 000 procès en dommages et intérêts ont été intentés par les victimes à la firme Pfizer, qui a hérité de la casserole du Rezulin en acquérant Warner-Lambert. Quant à Murray « Mac » Lumpkin, il est monté en grade et est à présent en charge des relations internationales à la FDA.

« MINCE POUR TOUJOURS ! » : LE COUPE-FAIM QUI NOIE LES POUMONS

La recherche d'un médicament permettant de perdre du poids est la quête du Graal de l'industrie pharmaceutique. Le marché est immense, car c'est le médicament de consommation par excellence : qui ne voudrait perdre quelques kilos en prenant une pilule, sans avoir à faire de régime ou d'exercice physique ? C'est aussi un marché extrêmement difficile à conquérir, pour deux raisons : 1. Les agences sanitaires renâclent d'ordinaire à autoriser des médicaments pour ce qui n'est pas perçu comme une maladie et il faut donc prétendre qu'il s'agit de traitements ciblant de véritables pathologies, comme l'obésité caractérisée ou le diabète. 2. Plus embêtant encore, tous les produits amaigrissants mis sur le marché depuis des décennies se sont révélés soit inefficaces, soit dangereux, soit (le plus souvent) les deux à la fois.

Ce fut le cas de l'aminorex des laboratoires McNeil, une amphétamine commercialisée avec succès en Europe durant les années 1960 comme anorexigène (coupe-faim) pour les obèses. L'aminorex dut être retiré du marché en 1968 après qu'on se fut aperçu qu'il avait causé une véritable épidémie d'hypertension artérielle pulmonaire. L'hypertension artérielle pulmonaire (HTAP) est une maladie d'ordinaire très rare qui se caractérise par un durcissement des artères pulmonaires provoquant une oxygénation incomplète et une accumulation de fluide dans les poumons. Les poumons

---

À ce jour, on ne sait pas exactement combien d'atteintes hépatiques ont été provoquées par le Rezulin. Près de 9 000 procès en dommages et intérêts ont été intentés par les victimes à la firme Pfizer.

littéralement noyés, les malades ne peuvent plus respirer normalement et finissent par étouffer. Faute d'être traitée à temps, l'HTAP
est irréversible et quasiment toujours mortelle. On estime à 600 le
nombre de personnes mortes de cette façon en Europe à cause de
l'aminorex.

L'épisode de l'aminorex aurait dû mettre en garde contre les
risques pulmonaires présentés par les coupe-faim amphétaminiques,
mais des produits analogues continuèrent à affluer sur le marché en
Europe et aux États-Unis. L'un d'eux était la phentermine, qui
comme la plupart des amphétamines avait le désavantage d'être
aussi un stimulant et de provoquer de l'insomnie (sans parler des
risques d'accoutumance). Un autre coupe-faim amphétaminique, la
fenfluramine, avait un mode d'action différent et provoquait au
contraire de la somnolence. La fenfluramine avait été commercialisée depuis 1964 par les laboratoires Servier sous le nom de marque
approprié Pondéral®, d'abord en France et en Europe, puis au
Canada. Aux États-Unis, Servier avait cédé la licence d'exploitation
de la fenfluramine à Wyeth, la branche pharmaceutique du géant
American Home Products, qui la vendait sous le nom de marque
Pondimin® (« diminue les livres »).

Toutefois, les ventes du Pondéral/Pondimin se traînèrent pendant
près de vingt ans, car le caractère fortement sédatif de la fenfluramine décourageait un usage prolongé. Le médicament promettait
certes une réduction de poids de 2,5 kg à 10 kg sur un an (dans le
meilleur des cas), mais ceux qui en prenaient étaient transformés en
somnambules. C'est alors que le docteur Michael Weintraub, un
spécialiste du traitement de l'obésité, eut l'idée d'associer la fenfluramine (un sédatif) à la phentermine (un stimulant), afin que les
deux molécules annulent mutuellement leurs effets indésirables.
Comme le savent bien les toxicomanes, il n'y a rien de tel que la
combinaison d'un « upper » (comme la cocaïne, par exemple) avec
un « downer » (morphine ou héroïne). Une étude menée par Weintraub sur une période de quatre ans avec 121 patients obèses montra
que ceux-ci avaient régulièrement perdu du poids en prenant un
cocktail de fenfluramine et de phentermine. Le « Fen-Phen » était né.

L'étude de Weintraub avait apparemment été financée en partie
par Wyeth, qui en distribua des tirés à part à tous les médecins et
journalistes du pays. Boostées par la publicité, les ventes du

Pondimin s'envolèrent littéralement : de 69 000 ordonnances pour le Pondimin en 1992, date de la publication de l'étude de Weintraub, on passa à 7 millions en 1996. Tout le monde voulait prendre du Fen-Phen, d'autant que Wyeth organisa une vigoureuse campagne de sensibilisation aux dangers du surpoids. Comme la compagnie ne pouvait pas promouvoir directement la combinaison Fen-Phen puisque celle-ci n'avait pas été approuvée par la FDA, elle subventionna généreusement l'activité d'organisations de lutte contre l'obésité qui répandirent des statistiques alarmantes : l'obésité causait la mort de 300 000 personnes par an aux États-Unis ! (Dans un mémo interne, une cadre de Wyeth avouait pourtant que cette statistique n'avait pas le moindre fondement[42].) La guerre contre l'obésité (entendez : le surpoids) était déclarée et le Fen-Phen était l'arme de choix.

Toutefois, le brevet de la fenfluramine arrivait à expiration aux États-Unis, avec le danger que le Pondimin soit concurrencé par des génériques. Servier décida donc de s'associer avec Wyeth et la petite compagnie Interneuron de Richard Wurtman, un chercheur du MIT, pour déposer auprès de la FDA une demande d'autorisation de mise sur le marché pour une autre molécule anorexigène, la dexfenfluramine, sous le nom de marque Redux®. La dexfenfluramine, isomère dextrogyre de la fenfluramine, n'est en réalité rien d'autre que la moitié active de cette dernière. Il s'agissait donc de ce qu'on pourrait appeler un médicament « me-again » (un revenant). Wurtman, qui avait synthétisé la molécule, pensait que la dexfenfluramine n'était pas aussi sédative que la fenfluramine, ce qui en faisait une excellente candidate pour remplacer celle-ci ainsi que le cocktail Fen-Phen.

Servier avait vendu la dexfenfluramine en Europe depuis 1987 sous le nom de marque Isoméride®, avec un énorme succès. Selon un ancien de Servier interrogé plus tard par le journal *Libération*, « c'est

---

Les poumons littéralement noyés, les malades ne peuvent plus respirer normalement et finissent par étouffer. On estime à 600 le nombre de personnes mortes en Europe à cause de l'aminorex.

l'Isoméride qui a fait exploser l'entreprise économiquement[43] ». Toutefois, une équipe de pneumologues de l'hôpital Antoine-Béclère de Clamart signala dès 1991 que 20 % des nouveaux cas d'hypertension artérielle pulmonaire qu'ils recevaient dans leur service étaient liés à une prise d'Isoméride. Il semblait que l'histoire de l'aminorex était en train de se répéter. L'Agence française du médicament obligea Servier à financer une étude épidémiologique approfondie sur les liens entre les deux fenfluramines (Pondéral et Isoméride) et l'HTAP. L'étude fut confiée à une équipe internationale codirigée par l'épidémiologue Lucien Abenhaim et le cardiologue Stuart Rich.

L'équipe présenta un premier rapport à l'Agence du médicament et aux trois compagnies concernées (Servier, Wyeth et Interneuron) en 1995. Il était sans appel : les risques de développer une HTAP étaient multipliés par 10 chez les personnes prenant de la fenfluramine ou de la dexfenfluramine. De plus, les risques augmentaient considérablement avec la longueur du traitement (3 mois et plus). Fin octobre 1995, le ministère de la Santé et l'Agence du médicament décidèrent de restreindre l'utilisation du Pondéral et de l'Isoméride aux obèses caractérisés, ce qui signait bien évidemment leur mort commerciale en France et bientôt en Europe.

Pendant ce temps, la fenfluramine-Pondimin continuait à se vendre comme des petits pains aux États-Unis et la demande d'AMM de la dexfenfluramine-Redux poursuivait son bonhomme de chemin dans les bureaux de la FDA. Il était donc essentiel pour Servier et ses associés américains de limiter l'impact négatif du rapport d'Abenhaim et Rich, d'autant que ceux-ci s'apprêtaient à le publier dans le prestigieux *New England Journal of Medicine*. Madeleine Dérôme-Tremblay, présidente de Servier-Amérique (et depuis l'épouse du patron, Jacques Servier), envoya le 22 mars 1996 un fax « Confidentiel » à Marc Deitch, vice-président chez Wyeth :

> Ce serait une bonne idée que vous et le docteur [Gerald] Faich prépariez [...] plusieurs plans d'action qui pourraient neutraliser ces messieurs, sans apparaître comme agressifs envers eux[44].

(D'après *Libération*, Lucien Abenhaim reçut dans le même temps des petits cercueils à son domicile, dans le plus pur style du *Parrain*.)

La « neutralisation » fut extraordinairement efficace, silencieux académiques à l'appui. Lorsque l'étude d'Abenhaim et Rich parut finalement en août 1996, elle était précédée d'un éditorial rédigé à la demande de la revue par les docteurs JoAnn Manson et... Gerald Faich. Ces deux sommités très respectées minimisaient les risques d'hypertension artérielle pulmonaire établis par Abenhaim et Rich en les mettant en balance avec le fameux chiffre (imaginaire) de 300 000 morts par an dus à l'obésité. Qu'étaient donc les 14 morts par an/million causés par la dexfenfluramine comparés aux vies qu'elle allait sauver ? La guerre contre l'obésité était trop importante pour qu'on s'arrête à ces quelques dommages collatéraux :

> [...] le risque possible [*sic*] d'hypertension pulmonaire associé à la dexfenfluramine est petit et il apparaît que les bénéfices l'emportent quand le médicament est utilisé de façon appropriée[45].

On apprit par la suite que les auteurs de cette extraordinaire statistique émargeaient tous deux comme consultants chez Servier, Wyeth et Interneuron, un fait qu'ils avaient apparemment négligé de signaler à la revue.

Stuart Rich était horrifié, car il savait pertinemment que le Pondimin et le Redux n'allaient pas être « utilisés de façon appropriée » mais seraient au contraire prescrits à des millions de personnes non obèses et seulement désireuses de perdre quelques kilos. Il profita d'une émission de télévision à laquelle il participait pour essayer de mettre en garde le public américain. De retour chez lui, il reçut un coup de fil de Marc Deitch de Wyeth qui lui conseilla vivement de ne plus parler aux médias :

> Il n'était pas content que j'aie décrit le médicament comme comportant de graves risques pour la santé, et il me conseilla de faire très attention à l'avenir à ce que je dirais car « de mauvaises choses » pourraient arriver[46].

Rich prit la menace très au sérieux et se garda dorénavant de tout commentaire.

Entre-temps, le Redux avait obtenu son autorisation de mise sur le marché pour le traitement à longue durée de l'obésité, non sans quelque difficulté. La personne à qui avait été confié le dossier, l'endocrinologue Leo Lutwak, avait fait partie du groupe des « Termites ». Il n'était pas convaincu de l'efficacité du médicament et s'inquiétait de ses effets neurotoxiques (changements d'humeur, accès de rage, pertes de mémoire). De plus, il avait eu des échos de l'étude en cours d'Abenhaim et Rich, qui n'avaient pas encore remis leur rapport à l'époque. Lutwak avait l'impression que Wyeth cachait des choses:

> J'ai senti dès le départ, quand j'ai commencé à examiner ce médicament, que la compagnie nous donnait des vérités partielles, des demi-vérités, en tentant d'étouffer quelque chose et de changer l'information. [...] Cette présentation, cette demande d'AMM en particulier me mettait très, très mal à l'aise[47].

L'intuition de Lutwak était correcte. Non seulement Wyeth connaissait évidemment le contenu du rapport à venir d'Abenhaim et Rich, mais la compagnie avait gardé par-devers elle une liste de 101 cas d'hypertension artérielle pulmonaire, dont une douzaine de décès. Elle avait également[48] maquillé les résultats d'une étude animale qui montrait un accroissement considérable de fibrose (épaississement des tissus) dans les valves cardiaques chez des rats à qui on avait donné de la dexfenfluramine. Ce phénomène est associé à la valvulopathie cardiaque, un dysfonctionnement des valves cardiaques qui entraîne des « fuites » (les valves ne ferment pas correctement). À un stade avancé, la valvulopathie est irréversible et requiert une opération à cœur ouvert pour remplacer les valves déficientes. Or, le dossier transmis à la FDA par Wyeth mentionnait bien la présence de fibrose chez les rats de l'étude, mais sans préciser qu'elle affectait toujours le cœur...

Lutwak rendit un rapport négatif, soutenu par la plupart de ses collègues de la FDA. Après avoir auditionné divers experts (dont Stuart Rich, qui fit état des dangers d'HTAP), le comité consultatif suivit l'avis de Lutwak et recommanda de ne pas accorder d'AMM au Redux, par 5 voix contre 3. Bizarrement, la hiérarchie de la FDA invoqua une question de procédure (certains membres étaient partis avant la fin en laissant des consignes de vote) pour demander que le comité se réunisse une seconde fois. En novembre 1995, le comité consultatif recomposé rendit contre toute attente un avis favorable à la mise sur le marché du Redux, par 6 voix contre 5. Lutwak, dans une interview accordée plus tard à la chaîne de télévision PBS, devait se demander à mots couverts si cet étonnant revirement avait à voir avec la présence dans la hiérarchie de la FDA de Michael Weintraub, le promoteur toujours très actif de la combinaison Fen-Phen, qui s'était reconverti entre-temps en fonctionnaire gouvernemental.

Ayant officiellement obtenu son AMM pour le traitement de l'obésité en avril 1996, la dexfenfluramine-Redux fut immédiatement marketée comme traitement à visée amaigrissante et adoptée par 2 millions d'Américains, pendant que sa jumelle fenfluramine-Pondimin continuait à être prescrite sous forme de Fen-Phen (18 millions de prescriptions cette année-là). À peine un an plus tard, une équipe médicale de Fargo, dans le Dakota du Nord, signala à Wyeth une augmentation tout à fait inhabituelle de valvulopathies cardiaques chez des jeunes femmes prenant du Fen-Phen ou du Redux. Une employée de Wyeth écrivit par-dessus les 13 premiers signalements afin de dissimuler leur contenu. De plus, au lieu d'envoyer tous les signalements en une seule fois à la FDA, Wyeth les fit parvenir au compte-gouttes au milieu d'autres signalements, visiblement dans l'espoir d'en diluer l'impact. La FDA, de toute façon, ne semble pas avoir été particulièrement pressée d'en tenir compte.

Puis ce fut au tour d'une équipe de la prestigieuse clinique Mayo de signaler le même phénomène en août 1997 dans le *New England Journal of Medicine* – et à la télévision, ce qui changeait tout. En extrapolant à partir des données de Fargo et de la clinique Mayo, on arrivait à la conclusion que 30 % des usagers prenant les coupe-faim de Wyeth-Servier étaient à risque de développer des valvulopathies cardiaques (comme on devait s'en aviser plus tard, le chiffre était en réalité plus proche de 5-10 %). Devant l'énormité du désastre sanitaire, la FDA autorisa Wyeth à retirer «volontairement» les deux fenfluramines du marché américain en septembre 1997.

On ne sut jamais le nombre exact de victimes, car les personnes en surpoids sont de toute façon plus à risque de développer des troubles cardiaques et de l'HTAP (on vous l'avait bien dit: l'obésité tue!).

« Il n'était pas content que j'aie décrit le médicament comme comportant de graves risques pour la santé, et il me conseilla de faire très attention à l'avenir à ce que je dirais car "de mauvaises choses" pourraient arriver. »

300 000 personnes intentèrent néanmoins un procès collectif (*class action*) à Wyeth pour avoir délibérément caché les risques de leurs médicaments et retardé leur divulgation. 62 000 autres victimes poursuivirent la compagnie individuellement. En 2005, le montant total des compensations financières payées par Wyeth s'élevait à 22,1 milliards de dollars (certains procès sont encore en cours).

Les laboratoires Servier, quant à eux, ne furent guère inquiétés. Ils durent certes débourser quelque 38 millions de dollars en dommages et intérêts au Canada, où ils distribuaient directement les deux fenfluramines sous leurs noms de marque européens. Il n'y eut en revanche que 3 procès en France, où des millions de personnes avaient pourtant pris du Pondéral ou de l'Isoméride. Est-il vraisemblable que personne d'autre n'y ait développé des valvulopathies ou de l'hypertension artérielle pulmonaire ? Les silencieux semblent avoir été chez nous particulièrement efficaces. (À suivre p. 167 où l'on raconte l'affaire du Mediator®, version française du scandale du Fen-Phen.)

Quelques pilules pour maigrir

• Meridia® (Abbott), en France Sibutral® : approuvé en 1997 par la FDA, deux mois après le retrait du Redux. Retiré du marché en Europe et aux États-Unis en 2010 en raison de risques importants d'hypertension artérielle et d'accidents cardiaques. Selon le groupe de défense des consommateurs Public Citizen, qui en réclamait le retrait depuis 2000, le Meridia/Sibutral serait lié à plus de 80 morts sur une période de douze ans.

• Alli® (GSK) et Xenical® (Roche) : 2 présentations différentes d'orlistat. Effets secondaires : flatulence et diarrhées huileuses. « Prix de la Pilule amère » décerné en 2007 par le groupe de défense des consommateurs Prescription Access Litigation. En 2011, l'Agence française du médicament met en garde contre des « risques d'atteintes hépatiques rares, mais graves » résultant en décès ou en greffes du foie.

• Acomplia® (Sanofi) : non approuvé en 2007 par la FDA et retiré du marché européen un an plus tard à cause de ses effets neurotoxiques (akathisie et pensées suicidaires).

• Mediator® (Servier) : coupe-faim amphétaminique de la même famille que les fenfluramines, commercialisé en 1976 comme antidiabétique. Retiré du marché en France en novembre 2009 à cause des risques de valvulopathies cardiaques et d'hypertension artérielle pulmonaire. Serait responsable de 1 300 à 2 000 morts et de 100 000 valvulopathies minimes à modérées.

• Contrave® (Orexigen Therapeutics) : non approuvé par la FDA en 2011, car l'un de ses ingrédients, le bupropion, présente des risques cardiaques. Décision bien injuste, car le bupropion continue à être utilisé par des millions de personnes à travers le monde sous forme d'antidépresseur (Wellbutrin) et de médicament pour arrêter de fumer (Zyban).

• Qsymia® (Vivus) : combinaison de l'amphétamine phentermine (le « Phen » du Fen-Phen) et de l'antiépileptique topiramate (ou Topamax®, aussi appelé « pilule bête » en raison de ses effets délétères sur la mémoire et la concentration). Approuvé par la FDA en 2012. On espère que le Top-Phen sera aussi efficace que son ancêtre Fen-Phen.

L'AVANDIA ET LES 47 000 ACCIDENTS CARDIAQUES

L'histoire commence le 25 mai 1999 avec l'autorisation en « procédure accélérée » par la FDA d'un nouveau médicament pour le diabète type 2, l'Avandia® de SmithKline Beecham (bientôt absorbé dans GlaxoSmithKline). L'Avandia (rosiglitazone) venait opportunément prendre la relève du Rezulin, mortellement empêtré dans ses problèmes hépatiques, et il allait devenir l'un des médicaments les plus profitables de ces vingt dernières années. En 2006, au plus haut de sa carrière, il générait un chiffre d'affaires de 3,2 milliards de dollars par an.

En septembre de cette même année 1999, SmithKline lança une étude en interne pour comparer l'Avandia avec l'antidiabétique Actos® de Takeda, dans l'espoir de générer des données défavorables à ce dernier. Espoir déçu : non seulement l'Avandia n'était pas plus efficace que l'Actos, mais l'étude faisait très clairement apparaître des risques cardiaques importants qu'on ne trouvait pas chez son concurrent. Pour la firme, il était urgent de n'en rien dire. Les marketeurs avaient en effet calculé qu'une divulgation intempestive de ces informations ferait perdre 600 millions de dollars à la compagnie sur une période de deux ans. Le 29 mars 2001, le docteur Martin I. Freed envoya donc un courrier électronique à ses collègues :

> Ceci [l'étude comparative] a été fait pour le business aux U.S., tout à fait en dessous du radar. À la demande de la Dir[ection] Gén[érale], ces données ne devront pas venir à la lumière pour qui que ce soit en dehors de GSK [GlaxoSmithKline][49].

Lorsqu'une subordonnée lui demanda étourdiment en juillet de la même année si les données allaient être publiées un jour, Freed répondit sèchement :

Rhona – Absolument pas question. Elles présentent l'Avandia sous un angle tout à fait négatif [...] C'est une histoire difficile à raconter et nous espérons bien qu'elles ne verront pas la lumière du jour[50].

From: Martin I Freed/DEV/PHRD/SB_PLC

To: Rhona A Berry/DEV/PHRD/SB_PLC@SB_PHARM_RD

CC: David B Harrison/GB1/GlaxoWellcome@ExchangeUK

BCC: Alexander R Cobitz/DEV/PHRD/SB_PLC

Subject: Re: Publications for 079 and 096

Date: 07/20/2001 13:37:11 (GMT-05:00)

Rhona - Not a chance. These put Avnadia in quite a negative light when folks look at the response of the RSG monotherapy arm. It is a dificult story to tell and we would hope that these do not see the light of day. We have already published the better studies...015 (?can't rmember ..maybe Gomis?) and 094 (Fonseca).

Marty

Rhona A Berry   20-Jul-2001 13:28

Metabolic CDPS   UP 4310   tel ▮ fax ▮
To: Martin I Freed
cc: David B Harrison
Subject: Publications for 079 and 096

Marty,

Are NAMA planning to publish manuscripts for studies 079 and 096?

Best regards,

Rhona
---------- Forwarded by Rhona A Berry/DEV/PHRD/SB_PLC on 07/20/2001 13:27 ----------
From: David B Harrison/GB1/GlaxoWellcome@ExchangeUK on 20-Jul-2001 07:52

To: Rhona A Berry
cc:
Subject: Publications

Hi Rhona,

Courriel interne de GSK concernant le silence dont il faut entourer une étude négative sur l'Avandia.

Il fallut aussi faire taire John Buse, un professeur de médecine à l'université de la Caroline du Nord spécialisé dans le diabète qui avait effectué une étude sur l'Avandia pour le compte de SmithKline. Lors d'un meeting de l'Association diabétique américaine tenu en 1999, Buse avait fait état des graves risques cardiaques présentés selon lui par l'Avandia. Dans une série de courriers électroniques intitulés «Renégat Avandia», avec copie au P-DG Jean-Pierre Garnier, le management de GSK évoqua la possibilité de menacer Buse de procès et de se plaindre auprès de son université – ce qui fut fait. Buse devait décrire plus tard ce pénible épisode à son collègue le cardiologue Steven Nissen:

> La direction de la compagnie a immédiatement contacté le directeur de mon département et il s'ensuivit une courte et méchante série d'échanges sur une période d'une semaine, au terme de laquelle j'ai dû signer un document légal dans lequel je m'engageai à ne plus discuter cette question en public. [...] Il est certain que j'ai cédé à leur intimidation [...] J'ai honte d'avoir cédé à l'époque[51].

GSK s'empressa de montrer la «lettre de rétractation» de Buse au cabinet d'analyse financière chargé d'évaluer les produits GSK pour des investisseurs:

> Suite à notre conversation, [NOM DE LA SOCIÉTÉ CAVIARDÉ] va enlever le «?» sous les événements cardio-vasculaires et ils enlèvent le tableau sur l'efficacité présenté par John Buse au meeting de l'A[merican] D[iabetes] A[ssociation][52].

En 2001, à la demande de la FDA, GSK mit en marche un vaste essai clinique de six ans pour évaluer les risques cardiaques de l'Avandia. L'étude, nommée RECORD, conclut à un risque minime. Ce n'est que plus tard, en 2010, qu'on apprit que les résultats avaient été grossièrement falsifiés pour obtenir le résultat désiré. Une enquête préliminaire de la FDA permit en effet de découvrir qu'au moins une douzaine de patients ayant eu des accidents cardio-vasculaires graves n'apparaissaient nulle part parmi les «événements indésirables». La mort d'un patient qui avait été hospitalisé pour des problèmes cardiaques avait même été attribuée à une «cause inconnue». Le rapporteur de la FDA, Thomas Marciniak, ne doutait pas qu'il aurait encore trouvé bien d'autres «disparus» s'il avait continué son enquête[53].

En 2004, au terme d'un procès que lui avait intenté l'État de New York pour avoir dissimulé les suicides provoqués par son antidépresseur Paxil (Deroxat), GSK fut obligé de poster sur Internet l'intégralité des données de ses essais cliniques, publiés ou non. Cela permit à Steven E. Nissen, le chef du service de cardiologie de la fameuse clinique Cleveland, de procéder à une méta-analyse (analyse statistique globale) de tous les essais cliniques portant sur l'Avandia. Le résultat était désastreux pour GSK : les patients diabétiques prenant de l'Avandia augmentaient leurs risques d'avoir des problèmes cardiaques de 43 % !

Nissen envoya son étude au *New England Journal of Medicine*, qui l'envoya à un examinateur externe, qui... l'envoya discrètement à GSK pour alerter la compagnie. Une délégation de 4 cadres supérieurs de GSK demanda à avoir une entrevue en urgence avec Nissen. Les émissaires de GSK voulaient persuader Nissen de retirer son article en lui faisant miroiter une publication conjointe avec leur propre étude en cours RECORD. Nissen les envoya paître. Redoutant d'être soumis à des pressions indues, il avait pris la précaution d'enregistrer la conversation à l'insu de ses interlocuteurs, comme dans un film de gangsters, de sorte qu'on a le texte exact de sa réaction :

> Qu'est-ce que je suis censé faire maintenant ? Quelle est ma responsabilité ? Je veux dire, répondez à cette question pour moi. Je m'assieds dessus [sur l'étude] ? Combien de gens prennent ce médicament ? [...] J'espère que vous comprenez à quel point GSK est dans le pétrin ici. Vous avez plein de gens qui sont incroyablement vulnérables aux ischémies myocardiques et vous aviez la preuve que vous provoquez des ischémies chez ces gens, et ça c'est quelque chose qui a de graves conséquences pour la santé publique[54].

Dans un courrier électronique interne, l'un des consultants de GSK reconnut que l'étude de Nissen était scientifiquement inattaquable : « Nous ne pouvons pas contester les chiffres, mais je crois qu'ils peuvent être expliqués, donc nous devons concentrer nos efforts sur une gestion des risques efficace. » (Il voulait dire, bien sûr, une gestion des risques pour *l'entreprise*, pas pour les malades.)

L'étude de Nissen parut en mai 2007, provoquant une chute immédiate des ventes d'Avandia et du cours en bourse de l'action GSK. Le Sénat américain mit sur pied une commission d'enquête parlementaire présidée par les sénateurs Charles Grassley (républicain) et Max Baucus (démocrate) pour déterminer la responsabilité exacte de GSK dans le désastre. David Graham et sa collègue de la FDA Kate

Gelperin vinrent témoigner devant la commission. Selon eux, l'Avandia provoquait chaque mois 500 crises cardiaques et 300 arrêts cardiaques qui auraient pu être évités si les patients avaient pris de l'Actos.

Pendant ce temps, la FDA restait étrangement paralysée. Tout comme à l'époque du Rezulin, elle était divisée entre ceux qui comme Graham et Gelperin préconisaient que l'Avandia soit immédiatement retiré du marché et ceux qui voulaient encore lui laisser une chance (pourquoi ?). Un conseil de surveillance décida par 8 voix contre 7 de laisser l'Avandia sur le marché, tout en obligeant GSK à faire mention des risques cardiaques dans la notice d'utilisation du médicament et à lancer un essai clinique au long cours (un de plus…) pour vérifier les résultats de Nissen. Graham et Gelperin protestèrent vigoureusement, arguant que cela revenait à mettre en danger les patients enrôlés dans l'essai clinique. En vain.

Trois ans et de multiples rebondissements rageurs plus tard, la FDA et l'Agence européenne des médicaments annoncèrent de concert en septembre 2010 que l'Avandia était retiré du marché (complètement en Europe, partiellement aux États-Unis). Peu auparavant, David Graham avait publié un article dans *JAMA*, la revue de l'Association médicale américaine, dans lequel il estimait que 47 000 personnes avaient eu des crises ou des arrêts cardiaques, mortels ou non, entre 1999 et 2009 du fait de l'Avandia.

Poursuivi par les autorités fédérales pour fraude et dissimulation des risques présentés par plusieurs de ses médicaments, dont l'Avandia et les antidépresseurs Paxil et Wellbutrin, GlaxoSmithKline accepta en novembre 2011 de payer une amende record de 3 milliards de dollars au terme d'une transaction à l'amiable. La compagnie avait déjà provisionné quelque 5,7 milliards de dollars au cours des deux années précédentes pour couvrir ces frais, de sorte que le montant négocié était au final une excellente nouvelle. L'action GSK prit immédiatement 2,96 % le jour de l'annonce. Selon IMS Health, l'Avandia

---

GlaxoSmithKline accepta en novembre 2011 de payer une amende record de 3 milliards de dollars. L'action GSK prit 2,96 % le jour de l'annonce.

avait rapporté en tout 10,4 milliards de dollars, le Paxil 11,6 milliards et le Wellbutrin 5,9 milliards. Le prix à payer était négligeable.

Comme d'habitude, aucun dirigeant ou employé de GSK n'a été poursuivi.

PREMIÈRE PARTIE

LA TOUTE-PUISSANCE DE BIG PHARMA

1
Des laboratoires
au service des actionnaires

Le médicament doit être intégré dans sa dimension
d'entreprise, car il a d'abord une dimension industrielle.
Christian Lajoux, président du LEEM
(Les Entreprises du médicament)[1]

Le cynisme déployé par les laboratoires dans les désastres sanitaires que nous venons de relater illustre une évidence : la raison d'être de l'industrie pharmaceutique n'est pas la santé publique mais l'optimisation des profits. Comme le déclarait il y a une dizaine d'années le porte-parole d'Aventis au *New York Times* qui lui demandait pourquoi le groupe ne s'intéressait pas plus à des maladies tropicales comme le paludisme ou la maladie du sommeil :

> Il est indéniable que nous essayons de nous concentrer sur les gros marchés – maladies cardio-vasculaires, métaboliques, infectieuses, etc. Mais c'est que nous sommes une industrie dans un environnement compétitif – nous avons un engagement à produire des résultats pour les actionnaires. [...] L'industrie n'a jamais été philanthropique. Elle a toujours développé des produits en vue d'avoir un retour sur investissement[2].

Il est rare d'entendre un communicant dire les choses aussi clairement, mais il suffit d'écouter les acteurs de l'industrie parler entre eux pour constater qu'il s'agit là pour eux d'une banalité. Même si en public ils tiennent le discours de « l'industrie-au-service-de-la-Santé-et-de-la-Science », ils savent tous que la seule chose qui importe est le « bottom line », le résultat financier de l'entreprise. David Catlett, de l'agence Ketchum, le reconnaissait candidement lors d'une table ronde de professionnels de la communication pharmaceutique organisée en 2002 par la revue *Pharmaceutical Executive* :

> La perception du public est que les compagnies pharma doivent se comporter comme des institutions gouvernementales et des organismes d'utilité publique, ce qu'elles ne sont pas. [...] Comme dans toutes les autres industries, il y a une fonction ventes et une fonction marketing, mais il faut faire attention à la façon dont on communique à ce sujet[3].

DES GÉANTS INDUSTRIELS AUX PROFITS ASTRONOMIQUES

On parle de « laboratoires » pharmaceutiques, mais il y a belle lurette que ces compagnies ne sont plus des officines familiales où des hommes en blouse blanche comme Albert Boehringer, Georg Merck ou le colonel Eli Lilly supervisaient eux-mêmes la préparation de leurs médicaments. Ce sont de nos jours de véritables empires industriels, des firmes verticalement intégrées qui diffusent leurs produits à travers le globe et dont la puissance financière rivalise souvent avec celles de nations entières.

Cette industrialisation de la pharmacie a commencé dans les années 1930 et 1940 avec l'introduction généralisée des antibiotiques, qui ont été les premiers médicaments de masse (il faut savoir que jusqu'en 1930 on ne disposait de médicaments véritablement efficaces que pour à peine 7 maladies). L'expansion de la nouvelle industrie s'est ensuite poursuivie après la Seconde Guerre mondiale, stimulée par une succession de découvertes majeures comme celles des stéroïdes, des

Il faut savoir que jusqu'en 1930, on ne disposait de médicaments véritablement efficaces que pour à peine 7 maladies.

neuroleptiques, des bêtabloquants, des inhibiteurs de l'ECA (pour les malades cardiaques), des antihistaminiques et de bien d'autres médicaments encore. À partir des années 1980-1990, précisément au moment où l'innovation pharmaceutique s'est tarie[4], le processus s'est accéléré et on a assisté à une série de fusions et d'OPA hostiles en cascade visant à consolider le marché sous l'égide de quelques grandes compagnies.

Pourquoi Big Pharma est si gros

• 1994 : le groupe britannique Glaxo acquiert son rival Wellcome pour former Glaxo Wellcome, qui fusionne à son tour en 2000 avec SmithKline Beecham pour former GlaxoSmithKline (GSK), la 5e compagnie pharmaceutique mondiale avec un chiffre d'affaires (CA) de 40 milliards de dollars en 2010.

• 1995 : les américains Pharmacia AB et The Upjohn Company s'associent pour former Pharmacia & Upjohn, qui fusionne en 2000 avec G. D. Searle (filiale pharmaceutique de Monsanto) pour créer Pharmacia.

• 1996 : les suisses Ciba et Sandoz se marient pour enfanter le géant Novartis (50 milliards de CA).

• 1999 : le groupe britannique Zeneca PLC s'associe avec Astra AB en Suède pour créer AstraZeneca (33 milliards de CA).

• 1999 : Hoechst et Rhône-Poulenc s'unissent dans Aventis.

• 2000 : Warner-Lambert, qui avait mangé Parke-Davis en 1970, est à son tour englouti, tout comme Pharmacia trois ans plus tard et Wyeth en 2009, par l'omnivore Pfizer (58 milliards de CA).

• En France, les laboratoires Delalande et Delagrange sont absorbés en 1991 par Synthélabo (L'Oréal), qui est absorbé à son tour en 1998 par Sanofi (Elf-Total), lequel absorbe ensuite Aventis en 2004 pour former Sanofi-Aventis, qui absorbe finalement la société de biotechnologie Genzyme en 2011 et reprend le nom de Sanofi (30 milliards de CA).

• Le groupe suisse Roche acquiert Syntex en 1994, Chugai Pharmaceuticals en 2002 et la société de biotechnologie Genentech en 2009 (39 millliards de CA).

• 2009 : Merck Sharp & Dohme et Schering-Plough fusionnent dans MSD (46 milliards de CA).

Au total, une vingtaine de mégacompagnies européennes et américaines (en réalité apatrides) qui dominent le marché mondial de la santé et génèrent des revenus astronomiques, en augmentation constante. Selon le groupe de conseil pharmaceutique IMS Health, le chiffre d'affaires de l'industrie pharmaceutique au niveau mondial était de 400 milliards de dollars en 2002. En 2008, il était de 775 milliards. En 2011, il était de plus de 956 milliards, soit deux fois le montant de la dette souveraine grecque. En tablant sur l'élargissement du marché aux pays « pharmémergents » comme la Russie, l'Inde, le Brésil et la Chine, IMS Health prévoit un chiffre d'affaires global de 1 200 milliards en 2016, ce qui représentera donc un triplement en quatorze ans.

Difficile de faire mieux : l'industrie pharmaceutique est à l'heure actuelle l'une des plus performantes et des plus profitables de la planète, ce qui se reflète dans son éclatante santé boursière. En janvier 2012, la valeur boursière globale de l'industrie pharmaceutique se situait à 1 600 milliards de dollars, en troisième position derrière le secteur bancaire-assurantiel (4 000 milliards) et les compagnies pétrolières (3 400 milliards), à égalité avec le secteur informatique et très loin devant l'industrie de l'armement (130 milliards) ou même celle du tabac (250 milliards)[5]. Bon an mal an, les firmes pharmaceutiques assurent à leurs actionnaires des retours sur investissement incomparablement supérieurs à ceux des autres industries, même si c'est moins vrai aujourd'hui que dans les années 1990, quand la marge de profit se situait en moyenne autour de 25 %. En 2009, la marge de profit de Johnson & Johnson était quand même de 20,8 %, celle de GSK de 17,4 %, celle de Pfizer 16,7 % [6]. Un investisseur aurait tort de se priver.

Les salaires des P-DG – qui le plus souvent n'ont strictement aucune formation médicale ou en pharmacologie – sont à l'avenant.

Quelques CV de P-DG

Christopher Viehbacher, directeur général de Sanofi, est expert-comptable et a commencé sa carrière dans la finance chez PricewaterhouseCoopers. Lamberto Andreotti, de BMS, a une formation d'ingénieur. L'un de ses prédécesseurs, Peter Dolan, avait un Masters of Business Administration (MBA) et avait fait ses premiers pas dans l'industrie alimentaire chez General Foods. Thomas Ebeling, P-DG de Novartis jusqu'en 2007, venait quant à lui de Pepsi Cola après avoir fait des études de psychologie. Son successeur actuel, Josef Jimenez, a un MBA et a été auparavant P-DG de Heinz, le fabricant de Ketchup. Kenneth C. Frazier, de Merck (MSD), est avocat. Alex Gorsky, de Johnson & Johnson, est capitaine de l'armée américaine. Miles D. White, des laboratoires Abbott, a un MBA et a été président de la Federal Reserve Bank de Chicago.

Selon le groupe de défense des consommateurs Families USA, le salaire annuel moyen des dirigeants des 7 plus grandes compagnies pharmaceutiques américaines était en 2004 de plus de 13 millions de dollars, sans compter leurs stock-options qui s'élevaient à 19 millions en moyenne. Le salaire le plus élevé était celui du P-DG de Merck, Raymond V. Gilmartin: 37 786 981 dollars par an[7]. On ne comprend rien à l'industrie pharmaceutique si l'on ne voit pas qu'il s'agit d'une énorme machine à faire de l'argent, beaucoup d'argent, toujours plus d'argent.

Avec l'argent et la taille vient le pouvoir. Big Pharma, tout comme Big Oil, Big Tobacco ou Big Chemical, est une puissance politique autant que financière qui parle d'égal à égal avec les gouvernements, les organismes internationaux et les parlements nationaux, sur lesquels elle lance de véritables armées de lobbyistes (plus d'un par membre du Congrès américain, 189 millions de dollars dépensés en lobbying rien qu'en 2007[8]). Comme toute grande industrie, Big Pharma a une importance économique, «stratégique», ce qui lui permet de peser sur les décisions politiques et de bloquer toute législation ou régulation qui lui déplaît. De même que les grandes banques sont «too big to fail», trop grosses pour qu'on les laisse faire faillite, Big Pharma représente trop d'emplois pour qu'on lui cherche noise. Une grande compagnie pharmaceutique emploie en moyenne 100 000 personnes et lorsque les firmes parlent d'une seule voix à travers leurs associations professionnelles, comme PhRMA au niveau américain et mondial ou LEEM (Les Entreprises du médicament) en France, il n'est pas un seul politicien qui puisse leur résister.

Bien au contraire, les gouvernements de droite et de gauche rivalisent pour attirer la manne pharmaceutique, à coup d'avantages

IMS Health prévoit un chiffre d'affaires global de l'industrie pharmaceutique de 1 200 milliards de dollars en 2016, donc un triplement en quatorze ans.

fiscaux et de règlementation accommodante. C'est ainsi qu'en 1999, après une fructueuse rencontre avec les P-DG d'AstraZenaca, Glaxo Wellcome et SmithKline Beecham, le Premier ministre britannique Tony Blair a créé une commission présidée par le ministre de la Santé, la Pharmaceutical Industry Competitiveness Task Force (PICTF), afin

> d'étudier les actions à mener afin que le Royaume-Uni reste un endroit assez attractif pour que l'industrie pharmaceutique y installe ses activités au sein d'un environnement commercial toujours plus compétitif[9].

Dans un tel contexte, qui n'est nullement propre au Royaume-Uni, il ne faut évidemment pas s'attendre à ce que les politiques de santé publique aillent à l'encontre des impératifs industriels. Comme l'exprimait pudiquement le rapport de la commission Lemorton de l'Assemblée nationale sur « La prescription, la consommation et la fiscalité des médicaments » :

> On comprendra [qu']il est difficile de définir les conditions permettant de concilier, d'une part, le bon usage des médicaments avec pour objectif de renforcer en permanence la qualité et l'efficience des soins et des prescriptions médicamenteuses et, d'autre part, le développement sur notre territoire du secteur économique stratégique que constituent les industries de santé, et tout particulièrement les laboratoires pharmaceutiques[10].

LEUR NOM EST PERSONNE

Voilà, c'est dit : « il est difficile de concilier » la santé publique et les exigences du marché. Contrairement à ce que voudrait nous faire croire l'idéologie néolibérale qui gouverne notre monde, l'intérêt des firmes ne coïncide pas avec l'intérêt public. En réalité, il y a un permanent *conflit* d'intérêts, car l'objectif premier des compagnies pharmaceutiques n'est nullement de protéger la santé des populations, mais uniquement d'assurer un retour sur investissement aussi élevé que possible à leurs actionnaires.

Comme toutes les grandes entreprises modernes, ces firmes sont des « corporations » au sens anglo-saxon, c'est-à-dire des sociétés anonymes dont les actionnaires ne sont responsables que dans la limite de leurs apports. C'est ce qu'on appelle « limited liability » ou « responsabilité limitée » : il n'y a aucune limite à ce que les actionnaires d'une société anonyme peuvent gagner, mais en cas de faillite ils ne peuvent perdre que ce qu'ils ont misé. Ils ne peuvent pas non plus être tenus pour personnellement responsables des torts ou délits de l'entreprise, car seule l'est la société anonyme elle-même, « personne morale » dépourvue de toute existence concrète. Les critères normaux de responsabilité ne s'appliquent donc pas à cette « personne » qui n'a, comme le disait déjà au XVIIIe siècle le lord chancelier d'Angleterre Edward Thurlow, « ni âme à damner, ni corps à frapper ».

En ce sens, le statut juridique des grandes entreprises est une invitation permanente au crime industriel, anonyme. Pourquoi en effet une multinationale s'inquiéterait-elle des conséquences proches ou lointaines de ses actes, dès lors qu'elle jouit d'une impunité quasi totale et risque tout au plus une amende ? Nous n'hésitons pas à envoyer en prison un médecin qui aurait sciemment prescrit un médicament dangereux sans en informer son patient, mais nous sommes impuissants devant une firme qui en aurait vendu en connaissance de cause des millions. Comme le pauvre cyclope Polyphème roulé dans la farine par Ulysse, nous en sommes réduits à crier vainement : « Personne m'a tué ! Personne m'a tué ! »

Entre la santé publique et les retours sur investissement des actionnaires, la société anonyme choisira donc immanquablement les seconds. Pris individuellement, certains employés auront peut-être des scrupules à minimiser ou à passer sous silence les dangers présentés par leurs produits (c'est le cas des fameux « lanceurs d'alerte »), mais la société anonyme, elle, n'hésitera pas un seul instant. L'unique raison d'être de ces sociétés (du moins lorsqu'il ne s'agit pas d'organisations à but non lucratif) est en effet de faire fructifier le capital de leurs membres et c'est ce dont sont chargés les managers de l'entreprise, qui n'ont à leur tour de responsabilité que vis-à-vis des actionnaires. Le seul crime dont puisse être coupable un P-DG, c'est d'avoir mal géré l'argent de ces derniers. Il est extraordinairement

---

L'objectif des compagnies pharmaceutiques n'est nullement de protéger la santé des populations, mais d'assurer un retour sur investissement à leurs actionnaires.

rare qu'un dirigeant de grande société soit mis en examen pour une catastrophe écologique ou un désastre sanitaire causé par sa compagnie[11]. En revanche il saute immédiatement (il est vrai le plus souvent avec un parachute doré) dès que le cours en Bourse fléchit.

Il n'y a donc aucun sens à reprocher à une société anonyme, qu'il s'agisse d'une compagnie pétrolière ou d'une firme pharmaceutique, de ne pas se préoccuper de l'environnement ou de la santé des populations, car ces entités impersonnelles et acéphales sont très littéralement des « personnes *a*morales », *ir*responsables. On ne reproche pas au loup de pénétrer dans la bergerie, c'est le loup. De même, il est risible d'exiger d'une société anonyme qu'elle perde ne serait-ce qu'un centime par égard pour la nature ou pour des êtres humains. Comme le disait un cadre supérieur de Monsanto à propos des PCB (polychlorobiphényles) que la firme voulait à tout prix continuer à vendre malgré leur haute toxicité : « Nous ne pouvons pas nous permettre de perdre un dollar de business[12]. »

C'est ce qu'on appelle en anglais le principe de la « shareholder value maximisation » ou « optimisation de la valeur pour les actionnaires », qui fait jurisprudence aux États-Unis depuis que les frères Dodge gagnèrent le procès qu'ils avaient intenté en 1916 à Henry Ford. Ce dernier voulait utiliser les bénéfices générés par le succès de son automobile Model T pour augmenter les salaires de ses ouvriers et baisser le prix payé par les consommateurs : « Mon ambition, déclara-t-il, est de répandre les bénéfices de ce système industriel au plus grand nombre possible. » Les frères Dodge, qui détenaient 10 % du capital de la Ford Motor Company, n'étaient pas du tout d'accord et le juge leur donna raison : « Une société anonyme est organisée et maintenue avant tout pour le profit des actionnaires » et ne peut pas « avoir pour but premier de bénéficier à d'autres ». Ford n'avait pas à faire de la philanthropie avec les dollars des Dodge, même s'il estimait que c'était dans l'intérêt à long terme de la compagnie. Depuis le jugement *Dodge v. Ford*, le court-termisme et l'irresponsabilité sociale sont la loi de ces personnes morales que sont les grandes entreprises.

LES MALADES NE SONT PAS INTÉRESSANTS QUAND ILS SONT PAUVRES

C'est évidemment ce même principe qui est à la base de tous les scandales sanitaires évoqués plus haut et c'est, comme on va le voir tout au long de ce livre, le *seul* principe qui guide en fin de compte l'action de l'industrie pharmaceutique en général. Il ne s'agit pas seulement pour elle de ne pas perdre de l'argent en faisant de la philanthropie, il s'agit d'en gagner le maximum et le plus vite possible.

C'est pourquoi, par exemple, l'industrie pharmaceutique néglige de couvrir toutes sortes de besoins criants en santé publique, notamment dans les pays en voie de développement. Les maladies de pauvres comme la maladie du sommeil, le paludisme ou la leishmaniose viscérale n'ont évidemment aucun intérêt pour elle : là où il n'y a pas d'argent, il n'y a pas de marché. L'industrie pharmaceutique se désintéresse donc complètement du tiers-monde pour se concentrer sur les pays développés ou émergents, où les consommateurs peuvent payer le prix fort. C'est ainsi que les maladies infectieuses tuent de nos jours plus de 10 millions de personnes chaque année, dont 90 % dans les pays en développement car les populations n'y ont pas accès aux médicaments dont elles ont besoin[13]. La tuberculose, une maladie qui a quasiment disparu dans les pays développés, cause chaque année 1,4 million de morts qui pour la plupart pourraient être évitées avec des antibiotiques si les firmes pharmaceutiques voulaient bien rendre ceux-ci disponibles à des prix abordables pour les populations concernées. Même chose pour la pneumonie, qui tue 1,5 million d'enfants par an en Afrique.

Big Pharma ne rase pas gratis

La trypanosomiase africaine, communément appelée « maladie du sommeil », est un mal particulièrement horrible. On la trouve à l'état endémique dans toute l'Afrique subsaharienne où elle menace près de 60 millions de personnes, avec des pics épidémiques dévastateurs. Une fois entré dans le sang par piqûre, le parasite qui la cause progresse inexorablement dans le système nerveux central de son hôte, tandis que le malade développe de la fièvre, des migraines insoutenables, des troubles neurologiques et psychotiques. Puis arrive le « sommeil » : le malade sombre dans le coma et meurt. En l'absence de traitement, la maladie du sommeil est toujours mortelle.

Dans les années 1990, tous les espoirs d'enrayer la recrudescence de la maladie du sommeil se sont reportés sur un nouveau médicament, l'éflornithine, initialement développé pour le traitement de certains cancers. Administré sur des patients en coma terminal, son effet était si rapide et saisissant qu'on parlait de « médicament résurrection ». Toutefois, la production de l'éflornithine fut brutalement arrêtée en 1995 par le groupe pharmaceutique Hoechst Marion Roussel qui en détenait le brevet, au motif que le médicament ne générait pas assez de profit. L'association Médecins sans frontières (MSF) essaya bien de convaincre Hoechst de redémarrer la production de l'éflornithine dans le cadre d'une grande campagne pour l'accès aux médicaments essentiels, mais en vain. À la fin des années 1990, les derniers stocks d'éflornithine étaient sur le point d'être épuisés et la situation sur le terrain devenait critique.

Au même moment, bien loin de l'Afrique et de ses miasmes, la compagnie Gillette et le géant pharmaceutique Bristol-Myers Squibb (BMS) déposaient conjointement à la FDA américaine une demande d'autorisation de mise sur le marché pour Vaniqa®, une crème ralentissant la pilosité faciale féminine. Dans un communiqué de presse, la vice-présidente de BMS se félicitait de ce partenariat formé avec Gillette en 1996, qui allait permettre à sa compagnie de développer son premier « lifestyle enhancement drug » (littéralement : « médicament améliorant la qualité de vie »). Le marché de la crème Vaniqa s'annonçait en effet prometteur, car 20 millions de femmes aux États-Unis s'épilent le visage au moins une fois par semaine[14].

La molécule active de la crème Vaniqa n'était autre que l'éflornithine, dont BMS avait acheté la licence d'exploitation à Hoechst. L'idée du tandem Gillette-BMS était d'exploiter les propriétés dépilatoires de l'éflornithine qu'on avait pu constater lorsqu'on l'avait testée contre le cancer, car comme la plupart des traitements chimiothérapiques anticancéreux elle provoque la chute des cheveux.

La crème Vaniqa obtint son autorisation de mise sur le marché (AMM) aux États-Unis en 2000 et l'an suivant en Europe. Une vaste campagne fut lancée dans les médias pour informer la population féminine des vertus dépilatoires de cette « première et unique crème sous ordonnance, prouvée cliniquement et approuvée par la FDA ». MSF saisit cette occasion pour exercer une pression médiatique sur le groupe, en révélant au grand public que la molécule mise à la disposition des femmes occidentales pour combattre leurs moustaches rebelles était simultanément refusée à des dizaines de milliers d'Africains en train de mourir de la maladie du sommeil dans des conditions particulièrement atroces.

Afin d'éviter un désastre communicationnel, BMS et Aventis (qui avait entre-temps absorbé Hoechst) signèrent en 2001 un accord avec l'OMS par lequel ils s'engageaient à couvrir pendant cinq ans les besoins mondiaux en éflornithine et à subventionner la recherche sur la maladie du sommeil, pour une valeur totale de 5 millions de dollars par an. Autant dire trois fois rien : le chiffre d'affaires de BMS cette année-là était de 20,5 milliards de dollars, celui d'Aventis de 6,7 milliards. Mais l'image de marque était sauve. La publicité d'Aventis ne disait-elle pas : « Notre challenge, c'est la vie » ?

La vérité est pourtant que la production de l'éflornithine n'aurait jamais redémarré sans la création du juteux marché de la pilosité féminine. Comme le lâchait un porte-parole de BMS, visiblement ravi d'illustrer l'efficacité « gagnant-gagnant » de l'économie de marché : « Avant que Vaniqa n'entre en scène, il n'y avait pas la moindre raison de produire de l'éflornithine. Maintenant cette raison existe[15]. » Sauver des vies humaines n'est manifestement pas une bonne raison.

Qu'on ne voie pourtant aucun racisme dans ce double standard, car les firmes appliquent exactement la même politique aux pauvres occidentaux. Le 3 novembre 2012, le groupe pharmaceutique allemand Merck KGaA (distinct de Merck U.S.A.) annonçait qu'il ne livrerait plus son médicament anticancéreux Erbitux aux hôpitaux publics grecs, devenus mauvais payeurs du fait de la crise de la dette souveraine dans ce pays. La bourse ou la vie : l'Erbitux, dont le prix de vente est unanimement considéré comme tout à fait excessif et injustifié, coûte 10 000 dollars par mois et représente actuellement un chiffre d'affaires annuel de 1,1 milliard de dollars.

Du point de vue de l'industrie, cela fait sens d'investir dans la recherche et le développement (R&D) de médicaments dont elle peut

À l'heure actuelle, les grandes firmes se bousculent pour développer des anticancéreux car elles se sont aperçues qu'il n'y a quasiment aucune limite au prix qu'elles peuvent exiger.

espérer un retour sur investissement aussi important. À l'heure actuelle, les grandes firmes se bousculent pour développer des anticancéreux car elles se sont aperçues qu'il n'y a quasiment aucune limite au prix qu'elles peuvent exiger pour des médicaments apportant un bénéfice parfois très marginal (l'Erbitux, par exemple, prolonge la vie des patients d'à peine un mois et demi en moyenne). En revanche, il n'y a quasiment pas de R&D ciblant les maladies qui prévalent dans les pays en développement, et ce depuis fort longtemps.

Selon une étude souvent citée qui a été réalisée en 1999 par une équipe de Médecins sans frontières sous la direction de Bernard Pécoul[16], sur les 1 223 nouvelles molécules commercialisées entre 1975 et 1997, 13 seulement (1 %) concernaient des maladies tropicales. Sur ces 13 médicaments, 4 seulement (0,3 %) étaient le résultat de recherches effectuées par des laboratoires pharmaceutiques en vue de trouver des remèdes à des maladies humaines. Les autres étaient des recyclages de médicaments antérieurs, un antipaludique développé par l'armée américaine au Vietnam ou encore des découvertes faites par hasard lors de recherches sur le bétail ou les animaux domestiques, deux marchés bien plus importants pour l'industrie que les maladies tropicales. (Pfizer produit Anipryl®, un médicament approuvé par la FDA pour la « dysfonction cognitive canine », c'est-à-dire l'Alzheimer chez les chiens. Novartis propose Clomicalm® pour traiter leur angoisse de séparation[17].)

Depuis la publication de Pécoul et la campagne de MSF pour l'accès aux médicaments essentiels, la situation a quelque peu évolué mais sans changer fondamentalement. Créée en 2003 par Pécoul et d'autres ex-membres de MSF, l'initiative « Médicaments pour les maladies négligées » (en anglais, « Drugs for Neglected Diseases initiative » ou DNDi) a réussi à lancer avec succès des projets de R&D à but non lucratif en partenariat avec divers acteurs tels que l'OMS, des instituts de recherche publics ou privés, des organisations philanthropiques comme la Fondation Bill et Melinda Gates et certaines firmes pharmaceutiques[18].

Ces dernières en profitent pour communiquer sur les efforts qu'elles déploient pour aider le tiers-monde. Sur une vidéo diffusée par GSKvision, on voit ainsi le jeune et fringant P-DG de GSK, Andrew Witty, vanter depuis un village en Ouganda les multiples bonnes œuvres de sa compagnie en Afrique – preuve que les campagnes de sensibilisation de MSF et d'autres ONG auront au moins réussi à forcer les firmes à ajouter un zeste de « responsabilité sociale » à leur mix marketing. Mais pour ce qui est du « core business », les compagnies pharmaceutiques continuent comme devant à ignorer superbement la recherche et le développement de médicaments pour les maladies de pauvres, car ce n'est pas là qu'est l'argent.

Le droit des pays pauvres à la santé : une utopie

Pourquoi abandonner à l'industrie pharmaceutique le soin de développer des médicaments non profitables, puisqu'elle ne le fait pas ? Créée en 1948 sous l'égide des Nations unies, l'Organisation mondiale de la santé dispose des pouvoirs constitutionnels pour remédier à cette situation. L'article 19 de la Constitution de l'OMS stipule en effet que l'Assemblée mondiale de la santé a autorité pour adopter des conventions internationales par une majorité des deux tiers des États membres. En avril 2012, sur la base d'un travail de réflexion de sept ans, un groupe consultatif d'experts de l'OMS recommanda en ce sens la création d'un instrument mondial sur la R&D pharmaceutique financé par des contributions obligatoires des États membres, à hauteur de 0,01 % de leurs PNB respectifs. Un tel instrument, fondé non pas sur le principe de la propriété intellectuelle mais sur celui du droit universel à la santé, permettrait d'assurer un financement durable de la R&D de médicaments essentiels à des prix abordables pour les populations concernées.

Ce n'était pas pour plaire à la Fédération internationale des fabricants de médicaments (IFPMA), qui trois ans plus tôt avait pu consulter en primeur un brouillon du rapport des experts que l'OMS lui avait fait parvenir de manière « confidentielle » afin qu'elle y apporte ses commentaires. Dans un texte de deux pages envoyé derrière le dos de la commission d'experts, l'IFPMA avait fait ses propres recommandations, fortement négatives à l'égard de toutes les propositions s'attaquant à l'actuel système de propriété intellectuelle. Révélée par WikiLeaks, cette « tentative de sabotage » du travail du groupe d'experts de l'OMS avait été dénoncée dans un éditorial cinglant du journal médical *The Lancet* : « On ne devrait plus permettre à l'industrie pharmaceutique de rançonner les pauvres du monde[19]. »

Mais l'IFPMA n'avait pas à se faire de souci. À peine remis à l'Assemblée mondiale de la santé, le projet final de convention mondiale obligatoire a été immédiatement bloqué en raison de l'opposition des États-Unis, du Japon et des pays de l'Union européenne (notamment la France). Ces pays, qui sont les plus riches (et aussi, incidemment, ceux où sont installées les principales industries pharmaceutiques), sont opposés au principe d'une taxation obligatoire et préféreraient une contribution « volontaire ». Nils Daulaire, le représentant de l'administration Obama, l'a fait savoir en termes très clairs : « Pour l'instant, nous ne sommes pas en faveur de l'établissement d'un groupe de travail pour développer plus avant la proposition. [...] Nous ne pouvons pas apporter notre soutien à quelque proposition que ce soit qui mettrait en place un nouveau mécanisme de financement qui pourrait être caractérisé comme un impôt collecté au niveau mondial[20]. »

L'examen de la proposition a été reporté aux calendes onusiennes.

2
Les médicaments, des produits de consommation comme les autres

Dans toutes les maisons, il y a un physionome, entretenu du public, qui est à peu près ce qu'on appellerait chez vous un médecin, hormis qu'il n'y gouverne que les sains.

Cyrano de Bergerac[1]

L'argent est chez les riches, bien sûr. Encore faut-il préciser : chez les gens riches et bien portants. Seuls les bien-portants sont susceptibles de consommer beaucoup de médicaments sur de longues périodes. Les malades, eux, ont une fâcheuse tendance soit à mourir, soit à guérir. Dans les deux cas, ils arrêtent leur traitement, ce qui est mauvais pour le business. Charles Mottley, directeur du planning opérationnel chez Pfizer, l'expliquait lumineusement lors du 51ᵉ congrès annuel de l'Association américaine des fabricants de médicaments en 1957. Les antibiotiques, qui avaient jusque-là été le moteur de l'expansion pharmaceutique, étaient en train de tuer la poule aux œufs d'or en éradiquant les maladies infectieuses :

Il semble qu'il y ait ici une importante leçon pour l'industrie pharmaceutique. À mesure que l'industrie parvient à produire des médicaments efficaces et aide à gagner une campagne donnée, [...] le résultat net est de limiter le marché potentiel[2].

« LES BIEN-PORTANTS SONT DES MALADES QUI S'IGNORENT » : LE TRIOMPHE DE KNOCK

Logiquement, il convenait donc de développer des médicaments pour des maladies dont on ne guérit pas ou, mieux encore, pour des gens en bonne santé. Comme l'avait déjà théorisé Knock, génial précurseur de la médecine contemporaine, ce n'est pas avec les malades qu'on fait de l'argent, c'est avec les bien-portants, ces « malades qui s'ignorent ».

> LE DOCTEUR. – [...] Ne m'avez-vous pas dit que vous veniez de passer votre thèse l'été dernier ?
> KNOCK. – Oui, trente-deux pages in-octavo : *Sur les prétendus états de santé*, avec cette épigraphe, que j'ai attribuée à Claude Bernard : « Les gens bien portants sont des malades qui s'ignorent »[3].

C'est très exactement où nous en sommes à présent. En 2002, BMS, Abbott et Eli Lilly ont interrompu toute recherche pour développer de nouveaux antibiotiques, alors même que les bactéries développent partout des résistances aux anciens produits du fait de leur surconsommation et que des dizaines de milliers de personnes meurent chaque année dans les pays développés à cause d'infections jusqu'ici facilement guérissables avec les traitements classiques. De même, l'industrie se désintéresse des « maladies orphelines », qui ne concernent que quelques rares personnes, ou encore des affections aiguës qui ne durent pas longtemps. En 2000, American Home Products a ainsi décidé d'arrêter la production de l'isoprotérénol, un analeptique circulatoire utilisé en cas d'arrêt cardiaque. C'était, comme l'expliquait le porte-parole d'American Home Products, une « décision purement commerciale[4] ». L'isoprotérénol sauve des vies, mais en une seule fois.

> LE DOCTEUR. – Toutefois, nous avons des apoplectiques et des cardiaques. Ils ne s'en doutent pas une seconde et meurent foudroyés vers la cinquantaine.
> KNOCK. – Ce n'est pas en soignant les morts subites que vous avez pu faire fortune[5] ?

Il y a bien plus d'argent à faire avec des patients au long cours. Depuis une trentaine d'années, l'industrie pharmaceutique concentre tous ses efforts sur des affections qui ne mettent pas directement en danger la vie du consommateur tout en durant longtemps, voire toute la vie : maladies ou conditions chroniques comme le diabète, l'asthme, l'arthrose, le reflux gastrique, les douleurs chroniques, l'insomnie, les allergies, la ménopause ; facteurs de risque comme le surpoids, l'ostéoporose, un taux élevé de cholestérol, l'hypertension artérielle ; troubles psychologiques comme l'anxiété ou la dépression. Aucune de ces maladies ou « conditions », comme disent les Anglo-Saxons[6], n'est susceptible d'être véritablement guérie et c'est tant mieux puisque le patient continuera à avaler ses pilules une ou deux fois par jour, garantissant aux firmes qui les produisent des revenus constants et prévisibles.

> KNOCK. – [...] Par elle-même la consultation ne m'intéresse qu'à demi : c'est un art un peu rudimentaire, une sorte de pêche au filet. Mais le traitement, c'est de la pisciculture.
> [...] Passons à la courbe des traitements. Début octobre, c'est la situation que vous me laissiez : malades en traitement régulier à domicile : 0, n'est-ce pas ? ([*Le docteur*] *Parpalaid esquisse une protestation molle.*) Fin octobre : 32. Fin novembre : 121. Fin décembre... notre chiffre se tiendra entre 245 et 250[7].

La grande majorité des médicaments actuellement sur le marché dans les pays développés, ceux en tout cas qui rapportent le plus, ne sont pas des traitements curatifs mais des produits d'entretien destinés à prévenir une détérioration ou à assurer le bon fonctionnement de l'organisme, voire à optimiser ses performances. Si l'on excepte les anticancéreux, les 5 classes thérapeutiques ayant généré le plus gros chiffre d'affaires au niveau mondial en 2008 étaient[8] :

- les psychotropes – antidépresseurs, antipsychotiques et antiépileptiques utilisés comme thymorégulateurs (60,1 milliards de dollars)
- les statines pour abaisser le taux de cholestérol (33,8 milliards)
- les traitements pour l'asthme (31,2 milliards)
- les antidiabétiques (27,2 milliards)
- les antiulcéreux pour le reflux gastrique (26,5 milliards)

Tous ces médicaments sont à prendre régulièrement, aucun ne guérit le mal pour lequel il est prescrit. Il en résulte que le patient – qu'il vaudrait mieux appeler le client – est très littéralement fidélisé, accroché à son médicament. Il ne le prend pas pour ne plus être malade mais pour rester en bonne santé et assurer son bien-être, un peu comme le drogué prend sa dose pour rester à flot et fuir les effets du manque (on verra plus loin que cette comparaison est parfois à prendre à la lettre en ce qui concerne les antidépresseurs et d'autres classes de médicaments). Du coup, le statut du médicament et de la santé change complètement, ainsi d'ailleurs que celui de la médecine en général. Le médicament n'est plus comme naguère ce qui restaure la santé après un passage par la maladie, c'est ce qui la maintient ou l'accroît. Et la santé, inversement, est un état qu'il faut constamment défendre et assurer à l'aide de médicaments, à la façon du diabétique qui contrôle sa glycémie. Dans le nouveau monde médical qui est le nôtre, la santé est profondément médicalisée ou plutôt pharmacisée, au point que le médicament devient de plus en plus un produit de consommation pour les gens bien portants ou du moins ne présentant aucun symptôme.

> KNOCK. – Pour ceux que notre première conférence aurait laissés froids, j'en tiens une autre, dont le titre n'a l'air de rien : « Les porteurs de germes ». Il y est démontré, clair comme le jour, à l'aide de cas observés, qu'on peut se promener avec une figure ronde, une langue rose, un excellent appétit, et recéler dans tous les replis de son corps des trillions de bacilles de la dernière virulence capables d'infecter un département. (*Il se lève.*) Fort de la théorie et de l'expérience, j'ai le droit de soupçonner le premier venu d'être un porteur de germes[9].

C'est le triomphe de Knock. De nos jours, grâce à une information médicale généreusement sponsorisée par les firmes, les bien-portants ne peuvent plus ignorer qu'ils sont malades ou qu'ils risquent de l'être s'ils ne prennent pas des mesures préventives, forcément médicamenteuses. Se porter comme un charme n'est plus un critère de santé, car l'hypertension artérielle, le cholestérol élevé, le surpoids, la consommation de cigarettes et tant d'autres facteurs de risques sont des « tueurs silencieux » qui ne s'expriment que dans des chiffres abstraits tels que le taux de cholestérol dans le sang ou le risque statistique de cancer. Tout le monde est malade et bien portant à la fois, de

---

Le médicament n'est plus ce qui restaure la santé après un passage par la maladie, mais ce qui la maintient ou l'accroît.

sorte que les frontières entre le normal et le pathologique s'effacent et que le marché des médicaments s'étend toujours plus, envahissant désormais la vie quotidienne, le bureau, l'école, la cuisine, la salle de bains, la chambre à coucher.

LA PHARMACISATION DE LA VIE QUOTIDIENNE

On se souvient que la vice-présidente de BMS, lors de la soumission de la crème dépilatoire Vaniqa à la FDA, se réjouissait d'ajouter au portefeuille de sa compagnie son premier *lifestyle enhancement drug*. Les « lifestyle drugs » – littéralement, « médicaments style de vie » que nous traduirons par « médicaments qualité de vie » – sont des médicaments qui ne visent pas à guérir une maladie mettant en danger la vie d'une personne mais à accroître son bien-être ou son confort : anxiolytiques et « tranquillisants » en tous genres, médicaments contre le surpoids, le reflux gastrique ou les bouffées de chaleur de la ménopause, somnifères, antalgiques. Les « enhancement drugs », quant à eux, sont des substances visant à « améliorer » le corps et sa performance. En font partie les produits dopants des sportifs et les psychostimulants utilisés par les étudiants pour passer leurs examens, mais aussi l'hormone de croissance synthétique ou les traitements contre la calvitie.

Toutefois, comme le montre l'expression « lifestyle enhancement drug » utilisée par la vice-présidente de BMS, il est souvent difficile de faire la différence entre les deux catégories de médicaments. Où classer la crème dépilatoire Vaniqa ? Elle sert à augmenter le bien-être psychologique des femmes, mais aussi à « améliorer » leur corps. Et que dire du Viagra® ? Il est à la fois utilisé par certains pour remédier à la « dysfonction érectile » et par d'autres – la grande majorité – pour accroître leur performance sexuelle. À la limite, il ne s'agit plus de guérir de quoi que ce soit mais d'optimiser le bien-être et le rendement du corps, exactement comme l'on optimise le rendement d'un champ agricole avec des engrais et des pesticides.

Les firmes pharmaceutiques adorent les « lifestyle enhancement drugs », car ces derniers leur procurent à elles aussi un rendement infiniment supérieur aux médicaments classiques. Les médicaments « qualité de vie » sont aux antibiotiques et autres vaccins ce que les OGM sont à la charrue du paysan. Non seulement ils s'adressent à une population riche qui peut se payer le luxe de se préoccuper de toute une série de maux et de soucis qui sembleraient complètement futiles dans d'autres parties du globe, mais ils ne sont pas liés aux aléas de la maladie puisque ceux qui les consomment sont en réalité bien portants. Ils procurent donc aux firmes une véritable rente de situation. L'éflornithine guérit quasi instantanément les comateux africains, mais la crème Vaniqa, elle, doit être appliquée deux fois par jour et sans interruption si l'on veut éviter une recrudescence pileuse.

Un site web d'observance a d'ailleurs été mis en place par Almirall, la compagnie qui distribue la crème Vaniqa en Europe, pour le rappeler aux patientes-consommatrices qui seraient tentées de l'oublier. Selon Carlotta Schiedek, directrice du marketing international en dermatologie chez Almirall, « le site web d'observance doit être vu comme un mécanisme de soutien additionnel qui peut aider tant le médecin que les patients à faire en sorte que Vaniqa soit utilisée de façon optimale »[10]. En fait, rien ne distingue un « lifestyle enhancement drug » tel que Vaniqa d'un produit de consommation courant, si ce n'est qu'il s'agit d'un médicament sous ordonnance et que le consommateur peut donc être invité pour son bien à obéir à la notice d'utilisation qui lui recommande de l'utiliser jusqu'à la fin de ses jours.

La consumérisation et la massification de la médecine, la pharmacisation de la vie quotidienne, le brouillage des limites entre la maladie et la santé – rien de tout cela n'est une évolution sociétale purement spontanée. Ces changements que décrivent les sociologues et les historiens de la médecine sont aussi l'effet de stratégies marketing tout à fait concertées, destinées à créer des marchés toujours plus vastes et plus lucratifs pour les médicaments. Il suffit de parcourir la littérature à usage interne de l'industrie pour s'en convaincre. Voici par exemple ce qu'on pouvait lire en 2003 dans le chapeau d'une étude d'intelligence économique de Reuters BusinessInsights consacrée aux « Perspectives des médicaments "qualité de vie" jusqu'en 2008 » :

> Le marché des médicaments « qualité de vie » génère actuellement un chiffre d'affaires phénoménal de 23 milliards de dollars. Pour augmenter sa valeur, les compagnies pharmaceutiques cherchent activement de nouveaux produits et maladies « qualité de vie ». [...] Aujourd'hui, la

recherche et le développement sont déterminés autant par les besoins commerciaux non satisfaits que par les opportunités cliniques et le hasard. Les compagnies pharmaceutiques doivent réagir rapidement à ces besoins si elles veulent générer plus de profits. La présente étude [*disponible en ligne pour 2 857 dollars, cartes de crédit acceptées*] vous aidera à évaluer les avantages associés aux différents marchés de médicaments « qualité de vie » et à identifier leur potentiel en volume de ventes. Armée de cette information, votre compagnie pourra formuler des stratégies gagnantes de développement et de marketing de médicaments « qualité de vie » et se garantir une position compétitive forte à l'intérieur de ce marché[11].

L'étude elle-même énumérait en introduction les multiples avantages du marché des médicaments « qualité de vie » – « optimisation des retours en investissements en R&D », « sensibilisation croissante des consommateurs aux problèmes de santé », « consommateurs se substituant aux visiteurs médicaux » (!), enfin et surtout « capacité de créer des nouveaux marchés » :

> Les compagnies pharmaceutiques sont en quête de nouveaux troubles sur la base d'une analyse approfondie des opportunités de marché non exploitées (qu'elles soient déjà identifiées aujourd'hui ou promues en tant que telles demain). Dans les années à venir, on assistera de plus en plus à une création de maladies sponsorisée par les entreprises (*corporate sponsored creation of disease*)[12].

Une autre section offrait des « recommandations pour obtenir le remboursement des médicaments "qualité de vie" », exemple du Viagra à l'appui. Suivaient 7 chapitres consacrés aux marchés les plus prometteurs dans le « nouvel environnement pharmaceutique haut de gamme » : dépression, contraception orale, dysfonction sexuelle (avec une section intitulée « Comment améliorer l'observance d'érections "à la demande" » !), sevrage tabagique, obésité, alopécie (perte des cheveux), vieillissement de la peau. Le tout illustré de tables aux titres alléchants : « Segmentation du marché mondial des médicaments "qualité de vie" par indication, 2002 », « Prévision de croissance du marché global de la dépression, 2002-2008 », « Chiffre d'affaires prévisionnel des produits en stade avancé pour le traitement de la dysfonction sexuelle féminine, 2004-2008 », « Prévalence estimée du tabagisme chez les hommes et les femmes de plus de 15 ans ».

La maladie du décalage horaire

L'étude de Reuters BusinessInsights aurait aussi bien pu ajouter d'autres marchés du bien-être alors en plein essor, comme celui du sommeil (à ne pas confondre, bien sûr, avec celui de la *maladie* du sommeil). Le chiffre d'affaires du somnifère Stilnox® (ou Ambien®) de Sanofi s'élevait en 2007 à 737,7 millions de dollars aux États-Unis, malgré les risques d'accoutumance et les étranges histoires de somnambulisme provoqué par ce médicament (voir plus loin p. 136). Le chiffre d'affaires global de tous les somnifères s'élevait quant à lui à 3,6 milliards.

Comme il faut bien aussi combattre la somnolence du lendemain (particulièrement prononcée chez les femmes), la compagnie Cephalon a donc proposé Provigil®, un médicament originellement autorisé pour la narcolepsie, un trouble neurologique très invalidant caractérisé par un sommeil intempestif et soudain. Stimulé par cet usage hors indication largement promu par la compagnie, le chiffre d'affaires du Provigil a atteint 1 milliard de dollars en 2008. Encouragé par ce succès, Cephalon a par la suite développé une version longue durée du Provigil, le Nuvigil® (« nouvelle veille »), pour combattre les effets désagréables du décalage horaire, jusqu'ici gérés de façon non scientifique avec des expressos bien serrés. Malheureusement pour les hommes d'affaires et autres membres de la jet-set, la FDA a finalement refusé en 2010 d'autoriser le Nuvigil pour cette indication précise. Le marché de la maladie du décalage horaire reste à prendre.

PETITE HISTOIRE DU REFLUX GASTRO-ŒSOPHAGIEN, OU COMMENT LE MARKETING A TUÉ LA SCIENCE

Les médicaments qualité de vie ont été le principal moteur de l'expansion vertigineuse de Big Pharma ces trente dernières années. L'ascension de GSK au firmament de Wall Street doit tout au Zantac®, un médicament contre les brûlures d'estomac. Celle d'Eli Lilly date du lancement de son antidépresseur Prozac. Quant à la puissance financière du Léviathan Pfizer (162 milliards de dollars de valeur boursière en janvier 2012), elle trouve son origine dans les succès planétaires du Viagra et du médicament anticholestérol Lipitor® (Tahor® en France). Normal : seuls des médicaments ciblant de larges populations en bonne santé sont susceptibles de devenir ce qu'on appelle en anglais des « blockbusters », c'est-à-dire des produits générant plus de 1 milliard de dollars de chiffre d'affaires annuel (le terme vient des grosses « blockbuster bombs » larguées sur les villes allemandes durant la Seconde Guerre mondiale, qui détruisaient des quartiers entiers). Et bien sûr, plus les firmes grossissent, plus il leur faut assurer leur viabilité financière, et plus elles deviennent « accros » aux médicaments milliardaires. Big Pharma ne peut tout simplement plus se permettre de guérir les gens.

Rien ne l'illustre mieux que les destins croisés du Zantac, le premier grand blockbuster, et de la petite bactérie *Helicobacter pylori*. L'histoire commence dans les années 1960-1970 dans le laboratoire de la firme britannique Smith Kline dirigé par le docteur James Black. Black avait travaillé auparavant pour ICI Pharmaceuticals, la division pharmaceutique du géant Imperial Chemical Industries, et il y avait développé le premier médicament bêtabloquant, le propranolol, une découverte majeure qui allait bouleverser la cardiologie en permettant la prise en charge de l'angine de poitrine, de l'hypertension artérielle, de l'infarctus du myocarde et de la tachycardie. Les bêtabloquants, comme leur nom l'indique, agissent en bloquant l'action des médiateurs chimiques (ou neurotransmetteurs) du système adrénergique tels que l'adrénaline.

Passé chez Smith Kline, Black entreprit de voir s'il ne pouvait pas trouver une molécule bloquant de façon similaire l'action de l'histamine, un autre médiateur chimique régulant notamment la production de l'acide gastrique. En effet, on pensait à l'époque que la sécrétion excessive d'acide gastrique due au stress ou à un complexe d'Œdipe mal résolu était responsable des ulcères gastro-duodénaux, et l'objectif de Black était de résoudre le problème à sa racine. Smith Kline lui donna carte blanche, malgré l'incertitude du résultat. Une dizaine d'années et plus de 700 molécules plus tard, Black parvint finalement à développer la cimétidine, un médicament bloquant de façon spécifique le récepteur histaminique H2 de l'estomac. Commercialisé en 1977 par Smith Kline sous le nom de marque Tagamet®, le nouveau médicament H2-bloquant apportait pour la première fois un soulagement efficace aux ulcéreux et évitait les dangereuses opérations chirurgicales pratiquées jusque-là dans les cas les plus graves. Anobli par la reine Élisabeth II, sir James Black reçut le prix Nobel de médecine en 1988. Le mariage de l'industrie et de la science avait apporté un réel changement dans la vie des patients.

Smith Kline ne devait toutefois pas récolter pendant bien long-temps les fruits de son louable pari sur la recherche de Black. En 1981, son concurrent Glaxo sortit un nouvel antiulcéreux, la rani-tidine, commercialisé sous le nom de marque Zantac (Azantac® en France). Le Zantac était ce qu'on appelle dans le jargon de l'industrie un « me-too » (« moi aussi »), c'est-à-dire une copie à peine différente du Tagamet. Les chimistes de Glaxo avaient simplement modifié un peu la formule de la cimétidine de Black, suffisamment pour obtenir un nouveau brevet pour leur produit. Pour le reste, tout reposait sur la recherche antérieure de Black, payée par Smith Kline. Glaxo n'avait pratiquement pas eu à débourser un sou en R&D pour le Zantac.

Dans un environnement compétitif normal, le Zantac aurait dû se vendre moins cher pour arriver à se tailler une part du marché déjà détenu par le Tagamet quasi identique de Smith Kline. Mais la phar-macie n'est pas un marché normal, car la détention d'un brevet permet aux différents acteurs de fixer le prix de vente de leurs pro-duits plus ou moins comme bon leur semble. Paul Girolami, le P-DG de Glaxo, décida donc de vendre le Zantac une fois et demie *plus cher* que le Tagamet, en utilisant une technique de batelage bien connue : si c'est plus cher, c'est que c'est meilleur. D'énormes sommes furent dépensées pour attirer l'attention du public sur d'insignifiantes différences censées établir la supériorité du nouveau Zantac sur le vieux Tagamet. Contre toute attente, les ventes du Zantac s'envo-lèrent, démontrant à quel point le marketing peut façonner la per-ception d'un produit satisfaisant un besoin pourtant aussi essentiel et « rationnel » que celui de la santé[13].

Non content de convaincre les ulcéreux de la supériorité du Zantac, Glaxo démarcha son médicament auprès des millions de per-sonnes incommodées par les brûlures d'estomac et autres remontées acides causées par une digestion difficile. Jusque-là, ce problème se

---

Seuls des médicaments ciblant de larges populations en bonne santé sont susceptibles de devenir des « blockbusters », c'est-à-dire des produits générant plus de 1 milliard de dollars de chiffre d'affaires annuel.

réglait avec une banale pilule antiacide disponible sans ordonnance, mais Glaxo tira la sonnette d'alarme. Un sondage Gallup financé par la firme révéla en 1988 que 44 % de la population américaine souffrait d'aigreurs d'estomac au moins une fois par mois. Au lieu d'y voir une saine réaction des estomacs américains aux pizzas et hamburgers industriels, les gastro-entérologues du Glaxo Institute for Digestive Health (GIDH) mirent en garde contre les dangers à long terme de ce qui fut doctement rebaptisé « la maladie du reflux gastro-œsophagien » (*gastro-esophageal reflux disease*, ou GERD)[14]. Attention ! Sous son aspect anodin, le reflux gastro-œsophagien pouvait en fait créer des lésions à l'œsophage, véritables ulcères de la gorge. L'H2-bloquant Zantac était la seule solution préventive. Du coup les ventes du Zantac explosèrent littéralement, atteignant 2,4 milliards de dollars par an en 1990. 65 % de ces ventes étaient pour le reflux gastro-œsophagien. Paul Girolami, qui était expert-comptable de formation, fut à son tour anobli par la reine Élisabeth II, ce qui prouve que le marketing vaut bien la science.

En 1989, la firme suédoise Astra, en collaboration avec Merck aux États-Unis, mit sur le marché un nouveau médicament antiulcéreux, le Prilosec® (Mopral® en France). Contrairement aux H2-bloquants Tagamet et Zantac, le Prilosec inhibe ce qu'on appelle la pompe à protons, un autre mécanisme contribuant à la sécrétion d'acide dans l'estomac. Tout comme Glaxo l'avait fait auparavant pour supplanter le Tagamet, Astra et Merck dépensèrent des fortunes en marketing pour persuader le public que leur inhibiteur de la pompe à protons était meilleur que les désuets H2-bloquants, bien que tous les essais cliniques aient montré que ces deux classes de médicaments ont une efficacité à long terme statistiquement équivalente.

Au terme de ces monumentales « guerres gastriques », le marché des médicaments antiacide s'est encore étendu et le Prilosec est devenu pour un temps le médicament le plus vendu au monde, avec un chiffre d'affaires annuel de près de 5 milliards de dollars rien qu'aux États-Unis en 2000. D'autres « me-toos » ont suivi, comme le Nexium® (Inexium® en France) lancé par AstraZeneca pour remplacer son Prilosec lorsque celui-ci est arrivé en bout de brevet. Selon IMS Health, le marché des inhibiteurs de la pompe à protons et autres antiulcéreux est actuellement le septième au niveau mondial, avec un chiffre d'affaires de 26,9 milliards de dollars en 2011[15].

Le plus étonnant est que la plupart de ces médicaments anti-ulcéreux sont complètement superflus. En 1983, alors que s'ébranlait la lourde locomotive du Zantac, un jeune gastro-entérologue australien de 32 ans nommé Barry Marshall avait fait une découverte qui aurait normalement dû la stopper net dans son élan. Marshall s'intéressait à une petite bactérie de forme hélicoïde, *Helicobater pylori*, dont son collègue Robin Warren avait remarqué la présence dans l'estomac de ses patients souffrant de gastrites et d'ulcères gastro-duodénaux. Ayant constaté par hasard qu'un des patients atteints de gastrite s'était rétabli après avoir pris un antibiotique pour une infection pulmonaire, Marshall décida, dans la grande tradition des auto-expérimentations du XIXᵉ siècle, d'avaler un bouillon infecté d'*Helicobacter pylori* pour voir si cela provoquerait chez lui des troubles gastriques. Une semaine plus tard, il avait mal au ventre et envie de vomir. Une biopsie révéla que sa paroi abdominale était enflammée et grouillait de bactéries. Le problème fut réglé en 24 heures avec un antibiotique. La preuve était dans le bouillon : les gastrites et les ulcères (ainsi que les deux tiers des cancers à l'estomac, comme on s'en rendit compte plus tard) étaient causés par une bactérie. Warren et Marshall obtinrent le prix Nobel de médecine en 2005 pour leur étonnante et élégante trouvaille.

L'implication pratique était évidente : il était désormais possible de guérir les gastrites, mais aussi les ulcères gastro-duodénaux avec un simple traitement antibiotique. Jusque-là, les antiulcéreux du type Zantac obtenaient certes des résultats, mais dans 89 % des cas l'ulcère revenait dans l'année, nécessitant un nouveau traitement. À présent, au lieu de prendre pendant des années un médicament pour réduire la sécrétion d'acide gastrique, les malades souffrant d'ulcères pouvaient s'en débarrasser en deux ou trois semaines en prenant des antibiotiques, comme s'il s'agissait d'une banale angine bactérienne.

Pourtant, lorsque Marshall contacta Smith Kline et Glaxo pour les intéresser à sa recherche, il trouva porte close. Les firmes n'allaient certes pas encourager un traitement pour l'ulcère qui ne leur rapporterait rien et qui, surtout, remettait en cause leur principal argument pour vendre des médicaments « antiacide » à des millions de bilieux victimes de la malbouffe industrielle. On organisa donc le silence autour de la gênante découverte. Marshall a souvent expliqué par la suite pourquoi la reconnaissance de sa découverte avait tant tardé :

> L'opposition que nous avons rencontrée de la part de l'industrie pharmaceutique a essentiellement pris la forme de l'inertie. Du fait qu'à l'époque les fabricants d'H2-bloquants subventionnaient la majeure partie de la recherche sur les ulcères, tout ce qu'ils avaient à faire était d'ignorer la découverte de l'*Helicobacter*. [...] Le fait que les grosses compagnies pharmaceutiques qui subventionnaient les articles paraissant dans les revues scientifiques ignoraient *H. pylori* était bien plus efficace que de nier une causalité bactérienne, parce que s'ils avaient dit que c'était faux, ou pas important, ils auraient provoqué une controverse et peut-être de l'intérêt de la part des médias[16].

> Je pense qu'il y avait une stratégie de la part de l'industrie pharmaceutique pour faire silence radio autour de la nouvelle théorie bactérienne. À l'époque où nous avons fait notre découverte, il y avait chaque année ou deux un nouvel antiacide qui sortait, plus fort ou meilleur à tel ou tel égard, et à chaque fois qu'un de ces médicaments était lancé sur le marché, les compagnies pharmaceutiques subventionnaient des scientifiques pour qu'ils fassent des essais cliniques avec des gens souffrant d'ulcères. Si ces compagnies étaient vraiment scientifiques et authentiquement intéressées à faire des découvertes, [...] elles auraient dit aux chercheurs : « Nous testons 300 personnes souffrant d'ulcères ; pouvez-vous juste faire une biopsie supplémentaire et voir s'il y a des bactéries ? » [...] Mais elles ne l'ont pas fait, parce que le seul but de ces essais était de trouver une nouvelle indication et une autorisation plus étendue pour la soumettre à la FDA. Si vous regardez la chose d'un point de vue commercial, trouver que vous pouviez en fait guérir les gens avec des antibiotiques ne pouvait que porter atteinte à votre marché et faire baisser le prix de vos actions[17].

Ce n'est qu'en 1995, après l'expiration du brevet du Zantac, que Glaxo mit finalement sur le marché le premier antiulcéreux ciblant spécifiquement l'*Helicobacter pylori*. Quant aux fabricants

---

L'industrie pharmaceutique n'est nullement intéressée à guérir les gens, car ce n'est pas ainsi qu'elle génère les milliards dont elle a besoin pour soutenir sa croissance.

d'inhibiteurs de pompes à protons, dont les brevets étaient toujours valides, ils n'ont quant à eux montré aucun empressement particulier à diffuser la bonne nouvelle. En 1995, seuls 5 % des patients souffrant d'ulcères aux États-Unis étaient traités avec des antibiotiques[18] et le gouvernement américain a dû faire depuis une campagne de sensibilisation pour amener les médecins à cesser de leur prescrire systématiquement des inhibiteurs de la pompe à protons. À ce jour, l'immense majorité du public continue de penser que les ulcères à l'estomac sont une maladie psychosomatique causée par le stress.

La morale de l'histoire, c'est que l'industrie pharmaceutique n'est nullement intéressée à guérir les gens, car ce n'est pas ainsi qu'elle génère les milliards dont elle a besoin pour soutenir sa croissance. Entre un traitement rapide et bon marché et un blockbuster mettant les clients sous perfusion indéfinie, elle n'hésitera pas un seul instant, quitte à empêcher le développement du traitement efficace. Comme le dit bien le rapport Lemorton, il est « difficile de concilier » les exigences de la santé publique et celles du marché. Pendant de longues années, d'innombrables patients ont continué à souffrir de leurs ulcères parce que les traiter avec des antibiotiques aurait fait chuter le cours en bourse de Glaxo ou d'Astra.

3
Pourquoi les médicaments coûtent-ils si cher ?

> Ce n'est pas la faute de nos docteurs si le service médical tel qu'il est présentement rendu à la communauté est une absurdité meurtrière. Qu'une nation sensée, ayant observé que vous pouvez assurer l'approvisionnement en pain en donnant aux boulangers un intérêt pécuniaire à le cuire pour vous, donne après cela au chirurgien un intérêt pécuniaire à vous couper la jambe, cela suffit à vous faire désespérer de l'humanité politique.
>
> *George Bernard Shaw*[1]

L'autre morale de l'histoire du Zantac, c'est que plus on investit dans la recherche et l'innovation, moins on gagne d'argent. Smith Kline avait parié sur la recherche de pointe de James Black, mais c'est Glaxo qui en a tiré les bénéfices en copiant à peu de frais la formule de la cimétidine pour lancer son médicament milliardaire.

LE SYSTÈME DES BREVETS : UN MARCHÉ DE DUPES

Ce n'est pourtant pas ce à quoi on aurait dû s'attendre, car le système des brevets est censé normalement protéger et récompenser l'innovation. Smith Kline avait risqué beaucoup d'argent pour développer l'H2-bloquant de Black, en contrepartie de quoi la société (l'État) lui a accordé un brevet, c'est-à-dire un monopole d'exploitation d'une vingtaine d'années lui permettant de fixer un prix de vente sans avoir à se préoccuper de la concurrence. C'est ainsi qu'on justifie d'ordinaire le prix élevé des médicaments : il faut bien, dit-on, que l'industrie récupère sa mise. Sans la carotte du brevet, les firmes ne débourseraient pas les sommes « colossales » qu'il faut pour développer un médicament (800 millions de dollars la pilule, dit-on encore) et nous n'aurions pas tous ces nouveaux traitements qui nous sauvent la vie.

Répété sur tous les tons par les communicants de Big Pharma pour faire passer le prix de la pilule, cet argument repose en réalité sur un sophisme. Comme on l'a vu avec le Zantac de Glaxo, il est en effet relativement facile pour une firme pharmaceutique d'obtenir un brevet sans passer par la case recherche. Il lui suffit pour cela de modifier à peine la formule d'une molécule déjà brevetée par une firme concurrente, par exemple en la remplaçant par un isomère (un isomère est une molécule qui a la même formule structurale brute qu'une autre, mais une formule moléculaire développée différente). Ces « me-toos » ont souvent des propriétés légèrement distinctes, ce qui permet d'obtenir un nouveau brevet et du coup de demander un prix tout aussi élevé, sinon plus, que celui du médicament rival.

Loin donc de favoriser l'innovation, les brevets encouragent le maintien artificiel de prix sans rapport aucun avec le service médical rendu (SMR). De fait, ils aboutissent à la formation de véritables cartels, c'est-à-dire à une entente implicite entre quelques grandes entreprises pour contrôler un marché donné et maximiser leurs profits en éliminant toute concurrence. Alors que les cartels font partout ailleurs l'objet de lois visant à bannir les pratiques anticoncurrentielles, leur formation est ici formellement encouragée par

---

Loin donc de favoriser l'innovation, les brevets encouragent le maintien artificiel de prix sans rapport aucun avec le service médical rendu.

la législation et les conventions internationales sur la propriété intellectuelle. On est dans une situation analogue à celle du marché des stupéfiants, où le monopole de fait des cartels de la drogue leur permet d'extorquer des prix faramineux aux consommateurs.

On voit en tout cas qu'il n'y a aucune raison, commercialement parlant, d'investir dans la science fondamentale et l'innovation thérapeutique puisqu'un « me-too » bien marketé fera bien plus d'argent en bien moins de temps. Cette situation n'est à vrai dire guère nouvelle, car elle avait déjà été dénoncée à la fin des années 1950 par le légendaire sénateur démocrate Estes Kefauver lors de la commission d'enquête sur l'industrie pharmaceutique qu'il présidait au Sénat américain[2]. Toutefois, c'est depuis la brillante offensive de Glaxo sur le front des antiulcéreux que le primat du marketing sur la recherche est devenu un véritable paradigme à l'intérieur de l'industrie pharmaceutique. Alors qu'auparavant le marketing et la recherche étaient simplement coordonnés[3], la recherche est à présent clairement *au service* du marketing. C'est ce que les professionnels de l'industrie appellent l'« intégration marketing-R&D », élégante formule « corporate » qui signifie tout simplement que la science a été absorbée, phagocytée par le marketing.

Les chiffres parlent d'eux-mêmes : selon une étude récente, les compagnies pharmaceutiques dépensent en moyenne à peu près deux fois autant en marketing qu'en recherche et développement[4], ce qui veut donc dire que les deux tiers du prix que nous payons pour une pilule représentent les efforts déployés pour nous la faire avaler. Encore cette estimation ne tient-elle pas compte du fait que ce qui est compté comme R&D n'est souvent que du marketing déguisé, de la science-pour-mieux-vendre. Pierre Simon, un pharmacologue respecté qui a dirigé le service R&D de Sanofi, le confiait en 2000 à David Healy :

> Quand vous voyez la quantité d'argent dépensée par l'industrie pharmaceutique pour de la recherche sur les médicaments « me-too », qui ont parfois quelques bénéfices mineurs, cela représente entre 70 % et même 90 % de l'argent pour la recherche. Ce n'est pas pour l'innovation. C'est un terrible gaspillage d'argent[5].

De fait, la recherche non « intégrée » au marketing est désormais perçue par les firmes comme un boulet car elle ne rapporte pas assez, pas assez vite. En février 2011, Pfizer a ainsi annoncé que la compagnie allait réduire ses dépenses en R&D de 2,9 milliards de dollars sur deux ans. Ian C. Read, le nouveau P-DG, promit dans une interview accordée au *New York Times* que Pfizer allait arrêter d'«investir dans l'espoir» et concentrerait désormais ses efforts sur les projets les plus rentables. C'était exactement le langage que les investisseurs voulaient entendre : les actions de Pfizer progressèrent instantanément de 5,5 %, contribuant à une hausse de 1,25 % du Dow Jones ce jour-là[6].

Il est évident que tout cela fausse complètement le contrat passé entre la société et l'industrie pharmaceutique, dès lors que l'unique raison pour laquelle la première accorde des brevets à la seconde est que cet avantage anticoncurrentiel est censé encourager l'innovation thérapeutique. Au lieu de quoi on a des prix élevés, mais sans innovation. La fameuse «main invisible» dont parlait Adam Smith ne fonctionne plus, car la recherche du gain par les acteurs économiques ne se traduit ici par aucun bénéfice pour l'ensemble de la société. Bien plutôt, la main invisible fait les poches des consommateurs. Ceux-ci finissent par payer beaucoup plus cher pour des médicaments équivalents, quand ce n'est pas carrément moins bon. C'était la conclusion sans appel d'un article publié en 1994 par David A. Kessler, le directeur de la FDA, et quatre de ses collègues. Sur les 127 nouveaux médicaments autorisés par la FDA entre 1989 et 1993, écrivaient-ils,

> seule une minorité apportait clairement un avantage clinique sur des thérapies existantes. [...] Les compagnies pharmaceutiques lancent des campagnes agressives pour changer les habitudes des prescripteurs et distinguer leurs produits de la compétition, alors même que leurs produits sont pratiquement impossibles à distinguer. [...] La victoire dans ces guerres entre classes thérapeutiques peut vouloir dire des millions de dollars pour une compagnie pharmaceutique. Mais pour les patients et les médecins, cela peut vouloir dire des campagnes de promotion trompeuses, des conflits d'intérêts, un coût plus élevé pour la santé publique et finalement des ordonnances inappropriées[7].

S'interrogeant à son tour sur les raisons de la croissance exponentielle des dépenses de santé en France, la commission Lemorton de l'Assemblée nationale parvenait en 2008 à un constat analogue. Après avoir établi que cette croissance était imputable principalement à la croissance des dépenses de médicaments et que «ce sont les nouveaux produits qui constituent l'essentiel de la croissance des dépenses de médicaments[8] », la commission expliquait sobrement que dans le contexte français « la quasi-totalité des médicaments qui obtiennent une autorisation de mise sur le marché sont admis au remboursement (96 %), et 87 % le sont au taux de 65 %. Pourtant, plus de la moitié des médicaments évalués chaque année (58 % en 2005, 54 % en 2006) n'apportent pas d'amélioration du service médical rendu[9] ». Autrement dit, dans l'estimation déjà très prudente de la commission, *plus de la moitié* des médicaments qui tirent les dépenses de la Sécurité sociale vers le haut sont parfaitement redondants avec les médicaments existants ! (Comment se fait-il que ce rapport n'ait pas provoqué un énorme scandale au moment de sa parution ?)

À QUI APPARTIENT LE SOLEIL ? PLAIDOYER POUR UN COMMUNISME SCIENTIFIQUE

Il est clair que le système des brevets tel qu'il fonctionne dans le secteur pharmaceutique est sinon pervers, du moins profondément perverti par les firmes qui en bénéficient et que ni la science ni la société n'y trouvent leur compte. Comme l'explique plus loin Philippe Pignarre, la science ne peut pas se développer à son propre rythme si elle est soumise à des impératifs de rentabilité à court terme et au « cycle de vie » des brevets. Elle ne produit donc plus rien : tous les observateurs du secteur s'accordent à dire que l'innovation pharmaceutique est au point mort depuis une bonne trentaine d'années. La plupart des médicaments réellement innovants et efficaces, comme l'anticancéreux Glivec® de Novartis, sont en réalité basés sur des recherches effectuées avec des fonds publics. C'est un point très bien mis en lumière aux États-Unis par Merrill Goozner, le directeur du Center for Science in the Public Interest, dans son livre *La Pilule à 800 millions de dollars* :

Plus de la moitié des médicaments qui tirent les dépenses de la Sécurité sociale vers le haut sont parfaitement redondants avec les médicaments existants !

L'origine des médicaments qui ont véritablement fait une différence dans les années récentes et qui le feront au XXIᵉ siècle se trouve presque toujours dans la vaste recherche biomédicale subventionnée par le gouvernement fédéral[10].

La société perd donc aussi au change, puisque du fait de la privatisation de la science elle paie au prix fort des produits qui devraient en fait être à tous. Après tout, les fruits de la recherche scientifique ne sont-ils pas un bien commun ? Osons poser cette question aujourd'hui inaudible : est-il normal – est-il *juste* – que des produits d'utilité publique tels que les médicaments soient possédés par des firmes et que celles-ci puissent les mettre ou non à disposition des populations comme bon leur semble, à leurs conditions ? On ne s'en souvient déjà plus, mais il n'y a encore pas si longtemps la plupart des scientifiques et des médecins répondaient par la négative. Voici par exemple un échange datant de 1955 entre Jonas Salk, l'inventeur du vaccin contre la polio, et l'animateur de télévision Edward Murrows qui l'interviewait sur sa découverte, laquelle avait été subventionnée par la fondation à but non lucratif March of Dimes :

MURROWS. – Qui est-ce qui détient le brevet sur ce vaccin ?
SALK. – Eh bien, je dirais le peuple. Il n'y a aucun brevet. Est-ce que vous pourriez breveter le soleil[11] ?

Breveter le Soleil® : la réplique de Salk fait référence à la découverte en 1923 des rapports entre les rayons ultraviolets et l'activation de la vitamine D. Lorsque Harry Steenbock avait obtenu un brevet pour les applications pratiques de sa découverte, on lui avait reproché de breveter le soleil et il avait été obligé de transférer l'exploitation de son invention à une fondation à but non lucratif. Cette attitude vis-à-vis de la propriété intellectuelle et des brevets est tout à fait caractéristique de l'éthos médical classique et elle est restée dominante dans la plupart des pays jusqu'à très récemment. Ce n'est qu'en 1967 que les médicaments sont devenus brevetables pour vingt ans en Allemagne, en 1968 en France et en... 1978 en Suisse[12] !

De même, lorsque des chercheurs chinois développèrent au début des années 1970 l'antipaludique artémisine à partir de la plante armoise annuelle, le gouvernement communiste de Mao ne prit pas de brevet sur leur découverte, ce qui permit l'éradication quasi totale du paludisme en Chine. La plupart des médecins et des chercheurs, qu'ils soient communistes ou non, ont donc longtemps considéré comme allant de soi que la santé n'appartient à personne, car elle est un bien public et un droit universel.

On comparera avec la situation actuelle, où la moindre découverte faite dans un laboratoire universitaire est immédiatement transférée, c'est-à-dire vendue, à l'industrie et où même des êtres vivants font l'objet de brevets (jusqu'à une toute récente décision de la Cour suprême des États-Unis, la mutation dans le gène BRCA2 responsable du cancer du sein appartenait à la société de biotechnologie Myriad Genetics Inc.). Quasiment plus personne ne résiste à cette ruée vers l'or pharmaceutique et biotechnologique. Jonas Salk lui-même a fini par commercialiser certaines de ses découvertes ultérieures par l'intermédiaire d'une compagnie cofondée par lui, la Immune Response Corporation. Novartis a pris un brevet sur l'artémisine à la fin des années 1990, ce qui lui permet à présent de la commercialiser en combinaison avec de la luméfantrine sous le nom de marque Riamet® ou Coartem® à des prix inabordables pour les populations du tiers-monde concernées au premier chef par le paludisme (1,2 million de morts par an, soit plus de un mort toutes les 30 secondes). Ce qui était originellement un médicament absolument essentiel distribué gratuitement en Chine est maintenant réservé aux touristes occidentaux qui peuvent se permettre de payer un traitement de 4 euros par jour.

LA SPIRALE DE L'INFLATION PHARMACEUTIQUE

La vérité est que la privatisation de la science instaurée par les brevets autorise les firmes à dicter le prix des médicaments de façon complètement arbitraire et à saigner à blanc les systèmes de santé, qu'ils soient publics ou privés. Tout le monde s'accorde à dire que la fixation du prix des médicaments est entourée de l'opacité la plus

---

La fixation du prix des médicaments est entourée de l'opacité la plus totale. « Pourquoi demander moins quand on peut demander plus ? »

totale, mais le principe en est excessivement simple : « Pourquoi demander moins quand on peut demander plus ? »

Considérons le cas de la progestérone 17P de la compagnie américaine KV Pharmaceuticals. Voici une hormone qui depuis des décennies était vendue sous forme générique par les pharmaciens aux États-Unis pour prévenir les naissances prématurées, au prix de 200 à 400 dollars pour un traitement de 20 jours. KV Pharmaceuticals, qui était jusque-là un génériqueur, parvint en février 2011 à obtenir de la FDA une autorisation de mise sur le marché pour sa version de la 17P, commercialisée sous le nom de Makena®. Le Makena détenant désormais l'exclusivité du marché, KV Pharmaceuticals annonça son prix défiant toute concurrence : 30 000 dollars pour un traitement de 20 jours, soit cent fois plus qu'auparavant ! Pourtant, le Makena n'apportait aucune amélioration du service médical rendu et KV Pharmaceuticals n'avait pas dépensé un seul centime en R&D. La seule différence, c'est que la compagnie possédait maintenant la progestérone 17P.

L'histoire du Makena est particulièrement scandaleuse et elle a d'ailleurs suscité beaucoup d'émoi aux États-Unis, mais elle illustre une dérive tout à fait courante, et ce dans tous les pays occidentaux dans la mesure où les prix tendent à s'y aligner peu ou prou sur ceux pratiqués aux États-Unis. De plus en plus, les firmes extorquent des prix proprement punitifs pour des médicaments au marché relativement étroit mais indispensables aux patients (c'est ce que les acteurs de l'industrie appellent joliment les « nichebusters », les « défonceurs de niches de marché », par opposition aux blockbusters tout-terrain[13]).

Selon une enquête du Congrès américain publiée fin 2009, pas moins de 416 médicaments sous brevet ont ainsi vu leur prix

---

416 médicaments sous brevet ont ainsi vu leur prix augmenter en moyenne de 100 % à 499 % entre 2000 et 2008. L'augmentation la plus importante a été de 4 200 %.

augmenter en moyenne de 100 % à 499 % entre 2000 et 2008. Dans 71 des cas, l'augmentation « extraordinaire » est intervenue durant la seule année 2008 (comme par hasard celle qui a marqué le début de la crise financière actuelle). L'augmentation la plus importante a été de 4 200 %. Or comment expliquer cette spirale ascendante des prix, complètement déconnectée par rapport au taux moyen d'inflation (celui-ci a simultanément dégringolé à -1,3 % entre 2008 et 2009) ? La réponse des enquêteurs parlementaires est sans équivoque. Sur 6 médicaments pris comme cas d'étude, 2 avaient été

> brevetés au moment de l'augmentation de prix extraordinaire. D'après les experts, le transfert des droits d'exploitation d'un médicament et les consolidations entre compagnies pharmaceutiques peuvent entraîner une diminution des options médicamenteuses et contribuer à des augmentations de prix extraordinaires peu après que les droits d'exploitation ont été acquis. Par exemple, les droits de 4 de ces [6] médicaments choisis comme cas d'étude ont été acquis par une nouvelle compagnie pharmaceutique et 2 de ces médicaments ont eu une augmentation de prix extraordinaire peu après l'acquisition[14].

Autrement dit, la détention d'un brevet permet de pratiquer des prix prédateurs puisque les malades n'ont pas le choix. Et plus la situation de ces derniers est désespérée, mieux on peut presser le citron. Comment protester contre le prix d'un anticancéreux lorsque votre cancer est à un stade avancé et que ce traitement est votre dernier espoir de vivre un peu plus longtemps ?

LA VÉRITÉ SUR LES ANTICANCÉREUX : CHIMIOTHÉRAPIE ET TOXICITÉ FINANCIÈRE

Alors que le prix des médicaments aux États-Unis a progressé en moyenne de 13 % entre septembre 2011 et septembre 2012 (soit déjà six fois le taux moyen d'inflation durant cette période), celui des anticancéreux prescrits pour les stades avancés a augmenté quant à lui de 23 % [15] ! Étant donné qu'un traitement anticancéreux coûte déjà en moyenne entre 35 000 et 100 000 dollars par an, ce genre de petit coup de pouce à la hausse n'est évidemment pas insignifiant, surtout s'il se répète chaque année. Et pour quel bénéfice en termes de service médical rendu ? Pour quelques anticancéreux véritablement efficaces, comme l'Herceptin ou le Glivec (90 000 dollars par an), combien ne le sont qu'à la marge ?

Le prix d'une agonie

• Le Tarceva® de Genentech/Roche rallonge l'espérance de vie de 3 mois dans le cas des cancers du poumon, mais seulement de 12 jours dans le cas des cancers du pancréas.

• L'Erbitux coûte 10 000 dollars par mois et rallonge l'espérance de vie d'à peine un mois et demi.

• L'Avastin® de Genentech/Roche est un peu moins cher – 8 500 dollars par mois –, et pour cause : selon les études les plus récentes, il ne procure aucun rallongement de la vie tout en ayant des effets secondaires potentiellement mortels (ce pour quoi la FDA américaine l'a retiré du marché pour les cancers avancés du sein en 2011 ; il continue toutefois à être commercialisé pour cette indication en Europe).

• Le Zaltrap® de Sanofi, utilisé dans le traitement des cancers du côlon, coûte 11 000 dollars par mois pour un rallongement de l'espérance de vie d'un mois et demi.

• La palme du rapport inefficacité/prix revient incontestablement au Folotyn® d'Allos dans le traitement des lymphomes T périphériques, qui coûte 30 000 dollars par mois pour *zéro* rallongement de l'espérance de vie.

Ces coûts exorbitants restent le plus souvent ignorés des patients dans les pays qui comme la France ont la chance d'avoir un système de protection sociale universelle et un « trou de la Sécu » où enterrer ce genre de frais de santé. Ils ne sont en revanche que trop visibles aux États-Unis, où un nombre important de personnes ne sont (toujours) pas couvertes par une assurance maladie et où ceux qui le sont doivent souvent participer aux frais dans une proportion donnée (ce qu'on appelle le « copayment »). Aux effets secondaires des chimiothérapies anticancéreuses s'ajoute désormais pour ceux-là leur toxicité financière : 2 % des patients atteints de cancer aux États-Unis sont acculés à la faillite personnelle par leur traitement[16] et lèguent à leurs familles des factures qu'elles ne pourront jamais rembourser. Après l'acharnement thérapeutique, le harcèlement des huissiers.

Rares sont ceux qui dénoncent ce cruel chantage à la mort. Les patients et leurs familles se raccrochent forcément à n'importe quelle planche de salut, quoi qu'il en coûte. Les tiers payants règlent la facture sans broncher, de peur de paraître sans âme. Quant aux médecins et aux politiques, ils répètent dans les meilleures intentions du monde que la santé n'a pas de prix. C'est ce qu'objectait par exemple le parlementaire et médecin Gérard Bapt à Bruno Toussaint, directeur de la rédaction de la revue *Prescrire*, qui soulignait devant la commission Lemorton le prix excessif des anticancéreux :

> Jusqu'à maintenant, le discours a toujours été qu'on ne reculait pas devant le coût de thérapies nouvelles s'agissant du cancer. [...] personne n'a, jusqu'à présent, franchi le pas de dire qu'il ne faut pas prescrire un médicament parce qu'il est trop cher[17].

C'est pourtant ce pas qu'ont franchi l'année dernière trois oncologues du Memorial Sloan-Kettering Cancer Center de New York. Dans une tribune publiée dans le *New York Times*, ces spécialistes respectés ont annoncé qu'ils refusaient de prescrire à leurs patients le nouvel anticancéreux Zaltrap de Sanofi, car il est deux fois plus cher que d'autres médicaments déjà disponibles sans pour autant apporter la moindre amélioration du service médical rendu :

> Ignorer le coût de la santé n'est plus possible. [...] Quand nous choisissons des traitements pour les patients, nous devons tenir compte des difficultés financières qu'ils sont susceptibles de causer à côté des bénéfices qu'ils peuvent apporter[18].

Devant l'écho rencontré par cette tribune, le groupe Sanofi fit savoir quelques semaines plus tard qu'il maintiendrait officiellement le prix du Zaltrap, mais en pratique le vendrait à moitié prix aux hôpitaux américains dans un geste de bonne volonté. Merci Sanofi !

Cet épisode montre à quel point la fixation du prix des médicaments par les compagnies pharmaceutiques est arbitraire et cynique. Il montre aussi qu'il est possible de dénoncer leur bluff, car celui-ci ne repose sur rien. Il n'y a finalement *aucune* raison de payer la taille

---

La fixation du prix des médicaments par les compagnies pharmaceutiques est arbitraire et cynique.

et la gabelle prélevées par les firmes sur leurs médicaments – aucune, si ce n'est le véritable système de privilèges instauré par les brevets. On comprend dans ces conditions que les firmes défendent bec et ongles ce système, car il est au fondement de leur capacité à manipuler les marchés. C'est ce que notait déjà la commission Kefauver du Sénat américain en 1959 : les prix des médicaments dans les pays autorisant les brevets sur les produits pharmaceutiques étaient à l'époque de 18 à 255 fois plus élevés que dans les pays n'ayant pas de réglementation à ce sujet.

Ce genre de comparaison n'est malheureusement plus possible de nos jours, car non seulement une majorité de pays ont adopté entretemps le système des brevets, mais les accords internationaux TRIPS (Trade-Related Aspects of Intellectual Property Rights) signés en 1995 sous l'égide de l'Organisation mondiale du commerce (OMC) l'ont mondialisé. Depuis le 1er janvier 2005, en effet, tous les pays signataires sont tenus de respecter les brevets décernés dans d'autres pays. Un pays ne peut donc plus accorder un brevet « national » à un médicament déjà protégé ailleurs et encore moins autoriser la production de génériques. La main invisible de Big Pharma s'étend désormais à tout le globe, puisque les firmes peuvent imposer leurs prix à travers le monde sans plus craindre la moindre concurrence. À l'heure de la mondialisation, nous sommes tous égaux devant la loi internationale : un malade en Tanzanie ou au Pérou paiera le même prix pour un anticancéreux qu'un habitant de Paris ou de Manhattan.

BIG PHARMA ET LE SIDA

Les compagnies pharmaceutiques ont exercé ce moderne droit de suite de façon particulièrement inique à la fin des années 1990, au moment de la crise du sida en Afrique. À l'époque, des dizaines de millions de personnes étaient infectées et l'espérance de vie avait reculé de 25 % à 30 % dans certains pays d'Afrique, faute d'accès aux molécules utilisées dans les onéreuses trithérapies antisida qui venaient d'être développées en Occident. Devant cette situation désespérée, le gouvernement de l'Afrique du Sud décida en 1997 d'autoriser la production et/ou l'importation de génériques à bas prix afin d'enrayer l'épidémie.

Il s'agissait manifestement d'une situation d'urgence absolue, mais 39 des plus grosses compagnies pharmaceutiques mondiales, appuyées par les États-Unis, traînèrent immédiatement l'Afrique du Sud devant les tribunaux pour violation des accords TRIPS. Il était hors de question de laisser des considérations d'ordre humanitaire remettre en cause les avantages si durement acquis à l'OMC. Où irait-on si des États voyous faisaient éclater la bulle pharmaceutique en mettant sur le marché des génériques moins chers que les « me-toos » brevetés ? L'administration Clinton, toujours prête à soutenir son industrie, mit promptement l'Afrique du Sud sur la liste des États pirates violant les accords internationaux et la menaça de représailles économiques si elle persistait dans sa politique.

En 2001, les 39 firmes abandonnèrent toutefois leurs poursuites contre l'Afrique du Sud. Leur attitude inflexible avait certes suscité une réprobation quasi universelle, mais ce n'était pas la raison de leur revirement. Depuis le début de cette même année, l'Afrique du Sud importait des trithérapies génériques produites en Inde et coûtant 1 dollar par jour, soit 3 % du prix pratiqué par les firmes occidentales. L'Inde faisait en effet partie des pays en voie de développement à qui l'OMC avait donné jusqu'à 2005 pour s'aligner sur la législation internationale, ce qui lui a permis de devenir le plus important producteur mondial de médicaments génériques. Les firmes occidentales ne pouvaient donc pas faire grand-chose pour s'opposer au dumping des génériqueurs indiens, pour le plus grand bien des populations africaines. En 2003, GlaxoSmithKline autorisa même 4 génériqueurs sud-africains à produire ses médicaments antisida et à les vendre à prix discount dans les pays de l'Afrique subsaharienne.

Happy end ? Depuis 2005, l'Inde met docilement en œuvre les accords TRIPS, ce qui se traduit par une augmentation du nombre de médicaments protégés par des brevets. Du coup, les prix sont repartis partout à la hausse. Quant aux Indiens eux-mêmes, ils ont maintenant droit comme tout le monde à des médicaments plus chers[19]. Bienvenue au club.

Des prix trop élevés :
Le point de vue de la revue *Prescrire*

Les firmes pharmaceutiques justifient souvent le prix de vente élevé de leurs médicaments par les coûts de recherche et développement « colossaux » qu'elles auraient à supporter.

Cet argument permet aux firmes de jouer sur plusieurs tableaux en même temps : justifier économiquement le prix élevé des nouveaux médicaments ; culpabiliser les autorités chargées du médicament, dont les demandes sont supposées rendre plus difficile et long, et donc coûteux, le développement des médicaments ; faire un chantage à l'abandon de la recherche, en cas de prix insuffisant des médicaments.

Les pouvoirs publics ont largement abandonné aux firmes pharmaceutiques la responsabilité de la recherche et du développement des médicaments. Ils sont donc assez mal placés pour résister au chantage à l'abandon de celle-ci.

Et pourtant, le rapport entre le coût de la recherche et prix de vente des médicaments peut être facilement analysé à partir de 3 critères : le coût réel de recherche et développement ; le progrès réel pour les patients que représentent les nouveaux médicaments ; les besoins réels couverts et non couverts par la recherche et développement financés par les firmes.

Quel coût ? Le premier critère pertinent pour les professionnels de la santé et les patients est de savoir si le prix de vente des médicaments permet aux firmes de recouper leurs frais de recherche et développement, sans bénéfice excessif mettant en danger l'accessibilité financière de ces médicaments pour les patients qui en ont besoin.

Cet impératif de « rentabilité raisonnable » suppose une transparence sur le coût réel de recherche et développement, dont les firmes affirment aujourd'hui qu'il est un motif essentiel à l'envolée des prix.

Quel progrès ? Le deuxième critère pertinent pour les professionnels de santé et les patients pour juger du prix de vente des médicaments est leur apport thérapeutique. Il semble utile et juste en effet que le prix de vente des médicaments soit indexé, d'une manière ou d'une autre, sur leur apport thérapeutique relatif, au moins pendant une phase de leur cycle de vie.

Une telle indexation du prix de vente sur l'intérêt thérapeutique peut agir comme une incitation pour les firmes à poursuivre les voies les plus ambitieuses de la recherche, et non pas la quête du énième « me-too » d'un marché déjà bien fourni mais toujours profitable.

Une telle indexation peut permettre aussi le financement des essais cliniques comparatifs de grande ampleur et à long terme, qui sont nécessaires dans la plupart des cas pour démontrer la place relative des différents médicaments dans une stratégie thérapeutique optimale.

Là aussi, force est de constater que le prix de vente des médicaments peut être aujourd'hui très élevé, sans que la preuve de l'intérêt thérapeutique des médicaments, notamment l'intérêt comparatif, ait été apportée.

Quels besoins ? Le problème du prix de vente des médicaments tient aujourd'hui au fait que les pouvoirs publics ont abandonné pratiquement totalement aux firmes pharmaceutiques la responsabilité de financer la recherche et développement en matière de médicaments. Ce choix de société implique que les firmes choisissent les domaines de recherche et développement les plus rentables, fixent des prix de vente très élevés aux médicaments (elles sont en position de force, les brevets leur conférant un monopole), et abandonnent sur le bord de la route des pans entiers de recherche et les populations qui pourraient en bénéficier[20].

_____

4

Fast science : pourquoi les laboratoires n'inventent-ils plus rien ?

PHILIPPE PIGNARRE

Historien de formation et militant anticapitaliste de la première heure, Philippe Pignarre a commencé sa carrière dans l'industrie pharmaceutique en 1983 comme « magasinier gros travaux cariste » en intérim chez Delagrange, dans le cadre de la politique de « prolétarisation » des cadres de l'ancienne Ligue communiste révolutionnaire. Gravissant les échelons de l'entreprise, il est vite devenu directeur de la communication, un poste qu'il a gardé jusqu'en 2000 au fil des absorptions successives de Delagrange dans Synthélabo, puis dans Sanofi. Ce statut privilégié d'« insider » lui a permis d'observer l'industrie pharmaceutique de l'intérieur et de devenir l'un de ses meilleurs et tout premiers connaisseurs en France. Il a rassemblé les résultats de son enquête de terrain dans toute une série de livres passionnants[1] qu'il a eu l'élégance de publier ailleurs que dans la maison d'édition « Les Empêcheurs de penser en rond » qu'il a créée et qu'il continue d'animer depuis qu'il a quitté l'industrie pharmaceutique.

Dans le texte qui suit, il s'interroge sur les raisons profondes de la panne d'innovation qui affecte l'industrie pharmaceutique et propose, tout comme

Kalman Applbaum, un remède radical (et politiquement explosif) : séparer complètement la recherche pharmacologique des intérêts économiques à court terme de l'industrie pharmaceutique. On espère qu'il sera entendu de tous ceux qui pensent au contraire que le salut viendra, ici comme ailleurs, d'un partenariat toujours plus poussé entre la recherche et l'industrie.

QUEL MODÈLE POUR L'INNOVATION ?

L'industrie pharmaceutique a commencé son développement avant la Seconde Guerre mondiale. Il s'est articulé à une double nouveauté : l'invention des sulfamides (à partir des colorants chimiques) *et* l'idée de trier les molécules (ce qu'on appelle le « screening »). L'idée de disposer de la quantité la plus grande possible de molécules les plus diverses (dans des « chimiothèques » jalousement protégées) pour les passer ensuite au tamis représenté par des tests sur des animaux de laboratoires (tout aussi jalousement gardés secrets dans la mesure du possible) est née à cette époque et s'est maintenue vaille que vaille jusqu'aux années 2000. La richesse d'un laboratoire, son identité, c'était sa chimiothèque (de plus en plus fournie grâce aux outils automatisés de synthèse chimique) et sa maîtrise de tests biologiques prédictifs de bonne qualité (sur des animaux, des organes, des cellules).

Le pouvoir des chimistes est la principale donnée *politique* de cette période. J'emploie le mot politique à dessein car c'est la place des chimistes dans la hiérarchie des participants au processus d'invention qui détermine alors tout le reste. Il n'est pas étonnant de constater que cette révolution commence en Allemagne dans les grandes entreprises chimiques à l'origine des colorants (la pharmacie sera alors un département d'un ensemble chimique plus grand), même si cette révolution va toucher ensuite les laboratoires nés de l'arrière-boutique des officines pharmaceutiques qui auront la bonne idée d'embaucher des chimistes (cas de la France). Les autres professions que l'on trouve dans les laboratoires pharmaceutiques, qu'ils soient biologistes, médecins, statisticiens, sont alors très peu nombreuses et en position subordonnée. *Il faut alors trois ans entre la synthèse chimique et la mise sur le marché d'un médicament.*

Dès que le pouvoir de cette machine à inventer de manière proliférante devient manifeste, des inquiétudes se font jour chez certains médecins hospitaliers aux États-Unis. Avant la Seconde Guerre mondiale, des publicités délirantes envahissent la presse grand public pour des produits dont personne ne sait s'ils sont vraiment efficaces. Il n'existait alors aucune modalité de contrôle. Il a fallu de gigantesques scandales pour que changent les rapports de force et soit remis en cause le fonctionnement de ce qui s'appelle désormais l'« industrie » pharmaceutique. L'exemple de la thalidomide est le plus connu.

C'est ainsi que le modèle né en Allemagne va être profondément remodelé et, à terme, bouleversé. Quelle est l'arme des réformateurs thérapeutiques ? *Les études cliniques contre placebo, en double aveugle.*

Les chimistes vont commencer, à partir des années 1960, à se trouver subordonnés à un autre pouvoir : celui des cliniciens et des statisticiens qui établissent les protocoles de ces études. Le cœur de l'invention des médicaments se déplace du *screening* vers les études cliniques. Un nouveau mécanisme se met en place qui sera conforté par de nouvelles législations dans tous les pays du monde. Très vite, *il ne faudra plus trois mais dix ans pour qu'une molécule soit mise sur le marché.* C'est un ralentissement dramatique.

Au départ, l'industrie pharmaceutique – en particulier en France – s'est opposée aux études cliniques. Elle avait peur, à juste titre, que les principales substances qu'elle commercialisait ne réussissent pas à franchir cette épreuve. Le compromis qui a été adopté dans tous les pays a consisté à *rendre ces essais obligatoires mais à en confier la responsabilité aux industriels eux-mêmes.* Ils se sont un peu retrouvés ainsi juge et partie. En France, on a décidé que seuls les nouveaux médicaments devraient être soumis à cette épreuve et on a promis de faire preuve de beaucoup de compréhension pour les vieux médicaments qui sont donc restés longtemps sur le marché en dépit de leur totale inutilité, voire de leur danger. Il fallait protéger le savoir-faire français. Pendant des années (jusque dans les années 1990 !), les laboratoires français ont bricolé des synthèses en regroupant de minuscules études disparates et faites sans aucune règle pour que les autorités de santé ne leur retirent pas leurs autorisations de mise sur le marché.

Mais rien n'a pu empêcher que l'obligation grandissante de faire d'importantes études cliniques favorise les laboratoires les plus puissants aux dépens des plus faibles, incapables de financer les études cliniques de grande envergure. Une myriade de petits laboratoires (Delalande, Fournier, Delagrange, Servier, etc.) vont tenter de survivre par tous les moyens avant, le plus souvent, de rendre les armes et de se laisser absorber par une multinationale. Pour résister, tous les moyens vont être bons. Ils continuent à mettre sur le marché des molécules inventées avec les méthodes précédentes. Ils n'acceptent qu'à contrecœur de faire des études cliniques et n'hésitent pas à utiliser les moyens dont ils disposent pour truquer les résultats, corrompre les autorités administratives et médicales pour leur faire accepter des études qui n'ont aucune fiabilité.

On assistera ainsi en France et dans d'autres pays d'Europe (Espagne, Grèce, Italie) des années 1960 aux années 1980 à la mise sur le marché de nouveaux médicaments qui n'avaient aucune chance d'être homologués aux États-Unis ou au Royaume-Uni. Souvent, ils ont été le plus discrètement possible retirés du marché au moment de la fusion/absorption dans une multinationale (ou, pire, vendus à un laboratoire de petite taille qui cherche à survivre). De ce point de vue, Synthélabo et Sanofi ont servi pendant plusieurs années de *stations d'épuration* à la petite industrie pharmaceutique française (avant de fusionner entre elles, une fois le travail fait). L'affaire du Mediator est la dernière illustration de cette situation particulière de la France. Son inventeur et exploitant, le laboratoire Servier, est le dernier petit laboratoire qui a refusé toutes les propositions d'absorption. L'épuration de ses produits a donc été beaucoup plus longue et aura coûté très cher en vies humaines sacrifiées sur l'autel du profit.

Une classe très spécifique de médicaments va jouer un rôle essentiel dans ce tournant : les antibiotiques. Ce n'est pas seulement à cause de

---

Le laboratoire Servier est le dernier petit laboratoire qui a refusé toutes les propositions d'absorption. L'épuration de ses produits a donc été beaucoup plus longue et aura coûté très cher en vies humaines sacrifiées sur l'autel du profit.

leurs effets sur les maladies infectieuses que les antibiotiques ont été un événement. Ils ont eu un effet réorganisateur dans tous les champs de la médecine. *Les antibiotiques étaient les médicaments idéaux pour mettre au point les essais cliniques contrôlés.* Le premier essai clinique moderne aura donc lieu avec la streptomycine. Cette méthode va devenir la définition même du médicament moderne : une substance plus puissante qu'un placebo dans un essai contrôlé en double aveugle dont les résultats sont vérifiés avec les outils mathématiques statistiques.

Les antibiotiques permettent de créer un « laboratoire » au sens des sociologues des sciences, c'est-à-dire un lieu où l'on peut sélectionner des phénomènes qui sont difficiles à étudier avec tout leur environnement dans la nature, de les purifier, de les rapetisser pour les rendre observables dans ce milieu clos qu'est le laboratoire. On peut donc parler du « laboratoire des essais cliniques contrôlés ».

On va apprendre entre 1945 et jusqu'à aujourd'hui à raffiner de plus en plus les méthodologies de ces essais cliniques et tous les nouveaux médicaments devront d'une manière ou d'une autre passer par ce type d'épreuves, quelle que soit leur classe thérapeutique.

Malgré toutes les proclamations sur les « révolutions médicales » ou biologiques, la méthode des études cliniques est restée indépassable et on ne voit pas comment on pourrait s'en passer, comment on pourrait un jour donner directement à des substances élaborées dans des laboratoires high-tech le statut de médicaments sans les faire passer par cette épreuve empirique. C'est la limite absolue et indépassable de toutes nos connaissances biologiques.

Tout semblait donc aller pour le mieux.

LA CRISE DU MODÈLE DE CONNAISSANCE

Il y a pourtant une chose qu'on ne sait pas rapetisser et qui va être à l'origine de la crise du système. On peut réaliser un petit échantillon de patients qui représente bien l'ensemble des patients concernés (âge, sexe, antécédents, caractéristiques de la maladie, etc.), mais *on ne sait pas réduire le temps*. On ne peut pas savoir ce que fera un médicament qui est consommé pendant dix, vingt ou trente ans avec une étude qui dure un, voire deux ans (maximum). *Le temps ne se réduit pas.*

111

Pour les antibiotiques, le problème est sans importance puisqu'ils ne sont pas des médicaments d'usage chronique, mais des « magic bullets » : il n'est pas question de les prendre plus que quelques jours ou quelques semaines[2].

Mais dans les autres secteurs de la médecine où l'on importe ce modèle, il se trouve que les choses sont bien différentes. Les antibiotiques comme « magic bullets » n'ont malheureusement pas inauguré un nouveau type de médicaments ; ils ont plutôt été une exception. On ne dispose pas en médecine de médicaments qui interviennent au niveau des *causes* des maladies au sens où les antibiotiques agissent sur les *causes* des maladies infectieuses (destruction d'un agent extérieur). Dans la plupart des maladies, il est extrêmement difficile de se mettre d'accord sur ce qui pourrait recevoir le statut de « cause » ultime. Tous nos médicaments agissent à des niveaux intermédiaires entre une éventuelle cause et les symptômes.

Or, on a fait comme si le modèle des études cliniques qui marchait si bien avec les antibiotiques pouvait marcher avec tous les médicaments. Là est l'origine de la première crise du modèle d'invention. Une crise qui se développe à une vitesse accélérée. Toutes les affaires qui surgissent désormais régulièrement à la une de la presse ont un point commun : nous ne savons pas ce que font les médicaments ! Ou si nous le savons, c'est à très court terme. *Nous ne savons pas ce que font les médicaments quand ils sont pris sur une longue période et le modèle des études cliniques nécessaire à l'obtention d'une autorisation de mise sur le marché ne permet pas de le savoir.*

Les responsables des agences publiques chargés de surveiller et d'homologuer les médicaments n'arrêtent plus de le dire : nous ne sommes pas corrompus, mais « nous ne savions pas ». Nous ne savions pas pour le Vioxx (ce qui dans ce cas précis est contestable), nous ne savions pas pour les traitements substitutifs de la ménopause, etc.

Quand on lit chaque mois une revue comme *Prescrire* qui examine les dossiers cliniques des nouveaux médicaments homologués, on ne peut qu'être frappé par le fait que dans l'immense majorité des cas, la conclusion des rapports d'expertise indépendants peut se résumer avec ces mots : *dans l'état actuel du dossier nous ne savons pas si ce médicament est utile ou nuisible !*

Si le modèle du « magic bullet » ne s'est pas imposé, c'est celui des neuroleptiques (inventés en 1952 avec la chlorpromazine) qui triomphe. Les neuroleptiques ne soignent pas la schizophrénie mais en atténuent les symptômes les plus gênants. Il faut dans la plupart des cas les prendre toute une vie. On découvre, vingt ans après leur commercialisation, de terribles effets secondaires irréversibles : les dyskinésies tardives, qu'aucune étude clinique ne pouvait facilement mettre en évidence.

DE LA CRISE DE LA CONNAISSANCE À LA CRISE DE L'INNOVATION

L'aspect le plus évident de la crise est le retrait de plus en plus fréquent de médicaments qui avaient pourtant franchi l'épreuve des essais cliniques. L'incertitude et le doute qui se répandent comme une traînée de poudre à propos de classes entières de médicaments : les antihypertenseurs, les traitements de substitution au moment de la ménopause, les neuroleptiques. Quel est leur véritable bénéfice/risque ? Les nouveaux sont-ils meilleurs que les anciens ?

Pour bien savoir si le rapport entre bénéfices et risques est positif, il faudrait faire des études qui durent au moins dix ans. C'est évidemment totalement contradictoire avec les exigences de l'innovation pour des entreprises dont le seul objectif est le profit et avec la logique des brevets. Le problème ne cesse de s'aggraver car les médicaments qui ont le plus de potentiel en termes de chiffre d'affaires sont les traitements chroniques.

L'industrie pharmaceutique a tenté de trouver une solution : elle a proposé de définir l'efficacité d'un médicament sur des « critères intermédiaires » et non plus sur le résultat final, comme la durée de survie. Ce sera donc sur des constantes biologiques qu'on vérifiera l'efficacité d'un médicament dans une étude clinique.

Pour savoir si le rapport entre bénéfices et risques est positif, il faudrait faire des études qui durent au moins dix ans. C'est totalement contradictoire avec les exigences des entreprises dont le seul objectif est le profit.

Mais avec le temps on s'aperçoit que ce genre de critères se révèle peu fiable : un antihypertenseur peut certes faire baisser la tension mesurée, mais savoir s'il protège efficacement contre un accident vasculaire cérébral est une autre affaire, alors que c'est la seule chose qui importe. Les équipes universitaires qui mènent ce genre d'étude sur de très longues périodes publient souvent des résultats dévastateurs (ce fut le cas avec les antihypertenseurs : les plus efficaces appartiennent manifestement aux classes chimiques les plus anciennes !).

On n'échappe donc pas au problème du temps : pour savoir si un médicament est utile il faudrait le plus souvent disposer de vastes études de cohortes durant vingt, trente ans, que l'industrie pharmaceutique n'a aucune raison de financer : elle n'a que des coups à prendre ! On commence à sérieusement douter de la crédibilité des études faites sur des critères intermédiaires. Les autorités de régulation américaines ont, par exemple, refusé de donner une autorisation de mise sur le marché à un médicament (le torcetrabip de Pfizer) augmentant le « bon » cholestérol qui n'était jugé que sur des critères « intermédiaires »[3]. Or, les études cliniques prenant en compte non plus des critères intermédiaires mais les taux de mortalité se sont révélés catastrophiques... et le produit a fini à la poubelle !

Cette prudence, justifiée, pourrait faire exploser à terme tout le système car la phase des essais cliniques s'allongera alors de manière considérable (il faudrait étudier les candidats médicaments pendant la même période de temps que celle pendant laquelle les patients sont susceptibles de les utiliser). Il n'y a plus alors de modèle fiable pour l'innovation ! La crise apparaît désormais sans fin.

LA BUREAUCRATISATION DE LA RECHERCHE

Mais ce problème n'est pas le seul et la crise a une autre dimension. Le modèle inventé avec la synthèse massive de molécules, le *screening*, n'était pas pour l'industrie pharmaceutique un « mode de connaissance » mais un « mode d'invention » dont le maître mot est la *prédictivité*. Les allers et retours devaient permettre de se fier à des tests précliniques qui soient le plus prédictifs possible de ce que fera la molécule chez un être humain.

La prédictivité est, depuis ces travaux jusqu'à aujourd'hui, le concept clé qui définit la recherche pharmaceutique : pouvoir tester des molécules, quelle que soit leur origine, sur « quelque chose » qui donnera de sérieuses indications sur son usage ultérieur chez un être humain. Ainsi, dans les années 1970, les molécules synthétisées dans les laboratoires étaient très vite essayées sur les patients des services hospitaliers sans de véritables études de toxicité. Un laboratoire comme Delagrange avait l'avantage d'être dirigé par le grand patron d'un service hospitalier !

Mais quand les études cliniques, telles que nous venons de les décrire, se sont imposées, avec leur logique imparable, elles sont venues contredire, heurter, relativiser le modèle de prédictivité auquel on faisait confiance.

La logique des études cliniques et celle du modèle prédictif sont contradictoires. La prédictivité suppose en effet le maximum d'interactions, d'allers et retours entre patients et modèles animaux, alors que la connaissance du ratio bénéfices/risques suppose des opérations *menées de manière linéaire, prudente, les unes après les autres*. Seuls, les résultats d'une phase (il y a 4 phases dans le développement d'un médicament : elles font l'objet de recommandations extrêmement précises de la part des autorités de santé et il est devenu quasiment impossible de les contourner) permettent de passer à la suivante. Les allers et retours, les interactions, sont ce qui menace alors la rigueur du déploiement de l'appareil de connaissance. Progressivement, tout ce qui fait interaction entre la phase du développement et la phase de la recherche sera éliminé. C'est le modèle même d'invention des médicaments qui, sans que les acteurs en aient eu une claire conscience, était mis en cause, *bureaucratisé*. Pfizer prétend ainsi avoir dépensé 800 millions de dollars en vain pour la mise au point du malheureux torcetrabip. Ce n'est sans doute pas loin de la vérité.

On pourrait résumer les choses ainsi : la régulation qui accompagne la montée en puissance du modèle des études cliniques impose de séparer de plus en plus la phase de « recherche » de la phase de « développement ». Elles deviennent techniquement et logiquement différentes alors qu'elles formaient auparavant un tout en interaction s'autojustifiant. La question est de savoir si la « recherche » peut continuer à être productive quand elle est ainsi, pratiquement, séparée de la phase du « développement ».

LE RÊVE D'UN NOUVEAU MODÈLE

L'industrie pharmaceutique n'a cessé de rêver à un nouveau modèle d'invention des médicaments qui renouvelleraient l'exploit des antibiotiques (des médicaments qui agissent sur la *cause* de la maladie). L'idée a été de substituer au modèle des chimiothèques et du *screening* une connaissance scientifique approfondie des maladies : la génétique a été emblématique de ce nouvel espoir. Beaucoup ont cru (ou laissé croire) que les travaux de génétique permettraient d'identifier les causes de nombreuses pathologies et d'intervenir à leurs niveaux. Ces espoirs ont été pour le moment déçus, peut-être à cause d'une mauvaise conception du rôle des gènes dans les organismes vivants comme certains chercheurs le pensent. Les travaux sur les gènes n'ont pas créé de raccourcis entre thérapie et cause des maladies, mais ont ouvert sur de nouveaux labyrinthes dont personne ne sait quand on sortira.

Les sociétés de biotechnologie se sont insérées dans ce rêve et ont connu un essor considérable. Elles étaient souvent créées par des chercheurs universitaires désireux de tirer un profit financier maximal de leurs recherches ou par des chercheurs de l'industrie pharmaceutique ne supportant plus les lourdeurs bureaucratiques des grandes multinationales. L'industrie pharmaceutique y a vu une planche de salut : elle a massivement investi dans ces nouvelles sociétés, les achetant à prix fort, fermant ses propres centres de recherche dans un souci d'économie.

Mais là encore, les résultats sont souvent décevants. Une fois le rachat opéré, les cerveaux fuient à nouveau... Les molécules sont moins prometteuses que promis... Rien, pour le moment, ne permet de penser que l'industrie pharmaceutique ait trouvé le moyen de s'en sortir en enrayant son déclin.

On ne peut pas écarter l'hypothèse que l'innovation thérapeutique soit devenue contradictoire avec la recherche privée (qui suppose rapidité, prise de brevets, etc.). C'est évidemment une proposition

---

La mise au point de médicaments qui ne soient pas plus dangereux qu'utiles peut-elle être assurée par un système dont la règle absolue est d'aller vite ?

très audacieuse mais il nous semble qu'elle doit désormais être prise au sérieux.

La mise au point de médicaments qui ne soient pas plus dangereux qu'utiles peut-elle être assurée par un système dont la règle absolue est d'aller vite ? L'industrie pharmaceutique est l'exemple le plus extraordinaire d'une « fast science » qui vient heurter de plein fouet les intérêts des usagers de la médecine.

Peut-être n'y a-t-il aucune voie de sortie de la crise sans une totale remise en cause du modèle de la recherche privée. La recherche pharmaceutique a besoin d'être lente parce que les conséquences des accidents sont monstrueuses et ne peuvent être assumées par aucun pouvoir politique un peu démocratique. L'invention des médicaments réclame une science « ralentie », donc qui ne soit pas obsédée par le profit. Cela veut dire qu'elle doit être confiée à des centres de recherche déconnectés des centres de profit pharmaceutiques. Personne ne le dira, car c'est absolument contradictoire avec tous les efforts faits en Europe comme ailleurs pour lier de plus en plus recherche publique et recherche privée. On préférera sans doute sacrifier la possibilité de nouvelles inventions thérapeutiques que de s'y résoudre.

Le point de vue de Kalman Applbaum

Toute proposition visant à réorganiser les arrangements existants, *a fortiori* à accorder un pouvoir de contrôle à l'État, est de nature à susciter la crainte d'une intervention indue dans le secteur privé. Néanmoins, nous avons atteint un point où ni les intérêts de la santé publique ni ceux du patient individuel ne sont servis par une industrie qui a été chargée, de façon officielle ou non, de fournir une part importante de nos produits de santé.

Je propose de mettre sous contrôle public la R&D pharmaceutique en tant qu'industrie stratégique et humanitaire, de la même façon qu'on parle d'industries relevant de la défense nationale comme l'aérospatiale ou les télécommunications et les semi-conducteurs. Personne ne peut nier que ces industries ont généré des avancées scientifiques ou que leur commercialisation au bout du compte a été rentable. Seule la foi obstinée des dévots de l'économie de marché en l'idée que l'innovation ne naît pas de systèmes paternalistes d'expertise mais de la concurrence industrielle fait obstacle à l'acceptation d'un tel cadre réglementaire

[...] Le public est directement concerné par la façon dont la recherche pharmaceutique est menée ; sa participation à la gestion de l'industrie devrait refléter cet intérêt. À l'heure actuelle, la participation du public à la gestion des compagnies pharmaceutiques est restreinte parce que ces dernières, étant des entreprises privées, sont autorisées par la loi à garder secrètes la plupart de leurs pratiques, stratégies et données (commerciales et scientifiques). Ce privilège accordé au secteur privé de déterminer quelles doivent être les priorités de la santé publique dérive de la croyance incongrue décrite par Richard Henry Tawney il y a près d'un siècle : « La jouissance de la propriété et la gestion de l'industrie sont considérées comme des choses n'exigeant aucune justification, car on y voit des droits qui ont leur propre vertu, et non des fonctions à juger sur leur capacité à contribuer à un but social[4]. »

5
Du Prozac dans l'eau du robinet

Je crois fermement que si toute la *materia medica*, telle qu'elle est utilisée de nos jours, pouvait être jetée au fond de la mer, l'humanité s'en porterait mieux – et les poissons bien plus mal.

Oliver Wendell Holmes (1860)[1]

C'EST TOUJOURS AVEC LES POISSONS QUE ÇA COMMENCE

Le 4 novembre 1987, dans son discours de clôture à la rencontre annuelle de la Société de Toxicité Aquatique à Toronto, le toxicologue suédois Bengt-Erik Bengtsson fit état d'un fait extrêmement troublant : on avait noté chez les poissons de la mer Baltique une réduction de la taille des testicules, vraisemblablement due à une contamination par des pesticides organochlorés contenus dans l'eau. Bengtsson ne pouvait guère en dire plus, car on ne savait ni quel pesticide en particulier il fallait incriminer (il y en avait tellement qui étaient déversés dans la Baltique !), ni quel mécanisme était à l'origine de cette étrange mutation. Son exposé, toutefois, intrigua l'une des spécialistes dans l'assistance.

Theo Colborn venait d'être chargée par la Conservation Foundation, une ONG américaine, d'évaluer l'impact de la pollution chimique sur la faune des Grands Lacs du nord des États-Unis.

Colborn avait d'abord cherché à voir si l'on pouvait constater une augmentation des cancers chez les poissons et les animaux qui s'en nourrissaient, mais les remarques de Bengtsson lui firent comprendre qu'elle faisait fausse route. La faune des Grands Lacs présentait bien des pathologies dont on pouvait penser qu'elles étaient dues à la pollution aquatique, mais ce n'était pas de cancers qu'il s'agissait.

Certains poissons avaient des problèmes de thyroïde, d'autres des organes reproductifs à la fois mâles et femelles. Les œufs des oiseaux qui se nourrissaient de poissons ne voulaient pas éclore, ou bien les oisillons naissaient avec des difformités et mouraient peu après la naissance. Les mâles semblaient se désintéresser des femelles et des oisillons, au point que les femelles se mettaient à deux dans les nids pour couver leurs maigres portées (on parlait d'« oiseaux gays »). Des populations entières de goélands, de mouettes, de cormorans, mais aussi de visons et d'otaries étaient en voie de disparition du fait de ces étranges problèmes reproductifs.

LES PERTURBATEURS ENDOCRINIENS : UNE CATASTROPHE ÉCOLOGIQUE

Qu'y avait-il de commun entre toutes ces pathologies ? Alertée par les remarques de Bengtsson, Theo Colborn finit par comprendre de quoi il s'agissait. Tous ces phénomènes relevaient d'un dysfonctionnement du système endocrinien, le complexe réseau de glandes et d'hormones qui régule, entre autres, la croissance et la maturation de l'organisme. C'était le début d'une des découvertes les plus importantes de ces trente dernières années, celle des « perturbateurs endocriniens » : certaines substances synthétiques omniprésentes dans l'environnement comme le DDT, la dioxine ou encore les polychlorobiphényles (PCB) et le bisphénol A (BPA) imitent ou au contraire bloquent les hormones naturelles et perturbent, même à des doses infinitésimales, le système endocrinien qui contrôle les phases critiques du développement prénatal[2].

Comme on devait s'en apercevoir par la suite, ce ne sont pas seulement les poissons et les oiseaux dont le système endocrinien est affecté par ces perturbateurs chimiques, mais aussi les humains. On s'accorde maintenant à penser[3] que les perturbateurs endocriniens, comme le bisphénol A, sont à l'origine de phénomènes aussi divers que l'augmentation des cancers du sein et de la prostate, les désordres métaboliques tels que le diabète de type 2 et l'obésité, l'avancement de la puberté chez les filles, les malformations urogénitales chez les garçons et plus généralement le déclin alarmant de la concentration en spermatozoïdes du sperme masculin dans tous les pays développés (moins 32 % chez les Français entre 1985 et 2005 !), qui semble nous condamner à terme à la même disparition progressive que les goélands des Grands Lacs.

Que des produits synthétiques puissent dérégler le système endocrinien humain, c'est au demeurant ce que prouve au-delà de tout doute possible le désastre sanitaire du distilbène (DES), antérieur d'une quinzaine d'années à la découverte de Theo Colborn. Administrée sous forme de comprimés à partir des années 1940 à des millions de femmes pour faciliter leur grossesse, cette hormone de synthèse imitant l'œstrogène s'est révélée une génération plus tard causer chez leurs filles des cancers du vagin, des malformations de l'utérus et des troubles du système immunitaire. Comme dans le cas des produits chimiques étudiés par Theo Colborn, le distilbène produisait des effets délétères non pas sur les adultes, mais sur leur progéniture. Et pourtant, le distilbène avait été prescrit pendant toutes ces années comme un *médicament*...

À la fin des années 1980, les recherches de Theo Colborn et de ses collègues s'étaient tout naturellement portées vers des produits industriels comme les pesticides et les PCB, car c'étaient les seuls dont on pouvait à l'époque mesurer la présence dans l'eau des lacs et des rivières. Dix ans plus tard, les techniques d'analyse ayant progressé, les chercheurs détectèrent un peu partout dans les cours d'eau la trace d'autres substances qui avaient jusque-là échappé à leur attention : hormones, antibiotiques, bêtabloquants, antidépresseurs, antiépileptiques, anti-inflammatoires, anticancéreux, antihistaminiques, antihypertenseurs, statines[4.] Toute la pharmacie du monde se retrouvait

---

Toute la pharmacie du monde se retrouvait dans un seul et grand bouillon chimique arrosant les berges des rivières et des lacs avant de se jeter dans la mer.

dans un seul et grand bouillon chimique arrosant les berges des rivières et des lacs avant de se jeter dans la mer.

Certaines de ces substances pharmacologiquement actives provenaient de médicaments inutilisés et jetés dans les toilettes, mais la plupart avaient été excrétées après avoir été absorbées par des humains ou des animaux d'élevage. Le métabolisme des médicaments dans l'organisme aboutit en effet à des composés, appelés métabolites, qui peuvent parfois être aussi actifs que la molécule originale ou même le redevenir par hydrolyse bactérienne au moment du passage dans une station d'épuration. Une grande partie des médicaments ne fait en réalité que passer à travers l'organisme, lequel est tout aussi incapable d'éliminer ces déchets que les stations d'épuration. Ils se retrouvent donc dans les cours d'eau, d'où ils se répandent dans l'environnement en traversant d'autres organismes et en y provoquant d'autres effets.

Comme d'habitude, ce sont les poissons qui sont en première ligne. En 2006, une équipe du U.S. Geological Survey rapporta que les perches mâles de la rivière Potomac développaient des œufs à l'intérieur des testicules[5]. Des phénomènes identiques ont été observés un peu partout dans le monde et ils rappellent évidemment les poissons bisexués de Theo Colborn. Et pour cause : dans tous ces cas, on a trouvé dans l'environnement aquatique des traces d'éthinylestradiol, un œstrogène synthétique présent dans quasiment toutes les pilules contraceptives. Il fallait bien s'attendre à ce que ces hormones déversées dans les cours d'eau provoquent le même type de disruption endocrinienne chez les poissons que d'autres « perturbateurs » chimiques.

Mais voici plus étrange. Des phénomènes analogues ont été notés chez des animaux aquatiques exposés à d'autres types de médicaments, tels que les antidépresseurs inhibiteurs sélectifs de la recapture de la sérotonine (ISRS), les inhibiteurs calciques utilisés dans le traitement des troubles cardiaques et les rétinoïdes, des dérivés de la vitamine A souvent prescrits pour des problèmes de croissance. Les antidépresseurs ISRS ralentissent la croissance des têtards de grenouilles et altèrent les fonctions reproductives des mollusques et des crustacés. Les inhibiteurs calciques bloquent l'activité spermatique chez les oursins et les tambours brésiliens. Les rétinoïdes provoquent des difformités chez certains amphibiens. Tous ces médicaments se comporteraient-ils donc comme des perturbateurs endocriniens, à l'instar du DDT et du distilbène ? Et si oui, ne présentent-ils pas les mêmes dangers pour les humains qui les consomment, que ce soit directement sous forme de pilules ou en mangeant un plat de fruits de mer au restaurant[6] ?

Les antidépresseurs sont-ils
des perturbateurs endocriniens ?

Selon un rapport du Center for the Evaluation of Risks to Human Reproduction du département de la Santé américain datant de 2004[7], la prise d'antidépresseurs ISRS tels que la fluoxétine (Prozac) comporte une forte « toxicité reproductive ». De 33 à 60 % des adultes sous fluoxétine souffrent de troubles divers de la fonction sexuelle – impossibilité d'atteindre l'orgasme, retard à l'éjaculation, dysfonction érectile (impuissance), lubrification vaginale insuffisante. Chez les femmes, le cycle menstruel est soit allongé, soit raccourci, vraisemblablement à cause d'une réduction du métabolisme œstrogénique.

Le rapport note également une forte « toxicité développementale » associée à la prise de fluoxétine durant la grossesse, notamment le dernier trimestre : naissances prématurées, réduction du poids des bébés et mauvaise adaptation néonatale. Les nouveau-nés ne réagissent pas ou peu à la douleur, ne crient pas, souffrent de tremblements, d'hypoglycémie ou d'hypothermie, manquent de tonus musculaire. Certains développent de l'hypertension artérielle pulmonaire (HTAP), une constriction des artères pulmonaires qui provoque de très graves troubles respiratoires et est le plus souvent mortelle, comme l'a montré en France l'affaire du Mediator. On observe également un ralentissement de la croissance chez les bébés nourris au sein lorsque la mère continue à prendre de la fluoxétine (les auteurs du rapport notent que ce phénomène est peut-être aussi dû à l'exposition *in utero*).

La réaction d'Eli Lilly & Co., le fabricant du Prozac, ne s'est pas fait attendre. Tarra Rykers, la porte-parole du groupe, fit une déclaration aux médias : « Nous ne croyons pas qu'il y a assez de preuves permettant de conclure que le Prozac est une toxine développementale ou reproductive. Il se peut qu'il y ait des effets secondaires qui ne peuvent pas être évités, mais les bénéfices de ce médicament sont potentiellement si grands qu'ils l'emportent sur les risques. » Le docteur Lee S. Cohen, directeur de recherche à l'université Harvard et consultant pour Eli Lilly, mit quant à lui en garde contre les risques présentés par... le rapport : « Si les femmes arrêtent de prendre des antidépresseurs durant la grossesse, leur risque de rechuter dans leur dépression sous-jacente est très, très élevé. Et la dépression durant la grossesse est associée à de mauvais résultats pour les nouveau-nés et à de très mauvais résultats pour les femmes. [...] J'ai peur pour les femmes enceintes avec des antécédents dépressifs qui vont tomber par hasard sur ce rapport[8]. »

Les antidépresseurs ISRS continuent à ce jour à être largement prescrits aux femmes enceintes, notamment pour les troubles de l'humeur courants durant la grossesse. 5 % des femmes enceintes en prennent, selon une estimation américaine. En revanche, les cigarettes sont fortement déconseillées, ainsi que la consommation d'alcool et de café. Le distilbène est bien sûr strictement interdit.

Les agences de protection de l'environnement commencent à s'inquiéter de la toxicité des médicaments présents dans l'environnement, mais plus encore l'industrie pharmaceutique car les enjeux sont pour elle évidemment énormes. Qu'adviendrait-il de Big Pharma si les médicaments s'avéraient aussi dangereux pour l'environnement et la santé publique que de vulgaires déchets chimiques ? Un rapport de synthèse préparé en interne par P*h*RMA, l'association mondiale des industries du médicament, reconnaît à cet égard que les « produits pharmaceutiques tels que les hormones sexuelles naturelles et synthétiques sont potentiellement susceptibles de présenter des risques importants[9] ». Mais c'est pour conclure plusieurs pages plus loin :

> De façon générale, le potentiel d'un danger environnemental aigu [*sic*] dû à la présence de produits pharmaceutiques ayant pénétré l'environnement par l'intermédiaire d'un usage humain est minime, car les niveaux sont si bas[10].

On croirait lire un communiqué du ministère de la Défense minimisant les risques de contamination de l'environnement après un essai nucléaire. En effet, c'est précisément ce dogme quantitatif de la toxicologie classique (« c'est la dose qui fait le poison », *dixit* Paracelse) que les recherches sur les perturbateurs endocriniens ont fait voler en éclats

---

Qu'adviendrait-il de Big Pharma si les médicaments s'avéraient aussi dangereux pour l'environnement et la santé publique que de vulgaires déchets chimiques ?

depuis une vingtaine d'années. Non seulement ces substances peuvent exercer leurs effets à des doses infinitésimales (jusqu'à des fractions de billionnième de gramme), mais c'est moins la quantité qui importe que le moment d'exposition, à tel point qu'une quantité cent fois supérieure n'aura aucun effet à un autre moment. De plus, il convient de tenir compte du phénomène de la bioaccumulation, c'est-à-dire la capacité de certains organismes à retenir des substances chimiques et à les transmettre à des doses toujours plus élevées aux organismes situés plus haut dans la chaîne alimentaire.

Pourquoi alors refuser *a priori* de considérer que certains médicaments présents dans l'environnement puissent agir comme des perturbateurs endocriniens sur des humains, du moment que cet effet est déjà attesté chez des animaux ? La réponse est dans la question, bien sûr. Couvrez ce risque que je ne saurais voir.

LA POLLUTION PHARMACEUTIQUE

Tous ces exemples montrent à l'envi que les médicaments sont loin d'être des produits inoffensifs, que ce soit pour notre corps ou pour les écosystèmes dont nous faisons partie. Qu'ils transitent par l'organisme humain ou par celui d'animaux, ils continuent à être actifs et à exercer toutes sortes d'effets largement imprévisibles sur leurs hôtes en modifiant les équilibres écologiques. Cet effet est déjà très clair dans le cas des œstrogènes synthétiques, mais il est encore plus frappant dans celui des antibiotiques.

Les antibiotiques sont des médicaments merveilleux, qui ont sauvé des millions de vies depuis qu'ils sont apparus dans les années 1930-1940. Mais précisément à cause de leur efficacité, ce sont aussi des médicaments prescrits sur une très grande échelle, souvent pour des affections bénignes qui pourraient très bien être traitées autrement. Rien qu'en France, on consomme ainsi plus de 30 doses d'antibiotiques par jour pour 1 000 habitants[11]. À cette consommation déjà excessive s'ajoutent les tonnes d'antibiotiques utilisées par l'industrie agroalimentaire. Aux États-Unis, par exemple, pas moins de 80 % des antibiotiques sont donnés aux animaux d'élevage – veaux, vaches, cochons, couvées – afin de leur faire prendre du poids (aux poulets, on donne également les molécules actives de l'antihistamine Benadryl®, de l'anti-inflammatoire Tylénol®, du Prozac et même de l'arsenic)[12]. Ces substances antimicrobiennes se retrouvent à faible dose dans l'alimentation humaine ou dans la grande soupe chimique que sont devenues nos rivières, avec pour résultat le développement de bactéries résistantes aux médicaments antibiotiques.

C'est devenu l'un des grands problèmes de santé publique de ce début de millénaire : trop d'antibiotiques tuent les antibiotiques – et tuent tout court. Partout dans le monde, des maladies infectieuses qui étaient jusque-là maîtrisées à l'aide de médicaments antimicrobiens ne répondent plus aux traitements : salmonellose, otites, angines streptococciques, pneumonies, tuberculose, paludisme. Même la vieille gonorrhée refait surface, annulant les gains en matière de lutte contre cette maladie sexuellement transmissible. Selon une étude gouvernementale américaine effectuée en 2006, plus de 70 % des 2 millions d'infections nosocomiales contractées dans des hôpitaux aux États-Unis sont résistantes aux antibiotiques, causant 90 000 morts par an[13], soit trente fois autant que les attaques du 11 Septembre ! Si cette tendance mondiale persiste, elle est susceptible de remettre en cause le succès de traitements aussi vitaux que les greffes d'organes, les chimiothérapies anticancéreuses et les interventions chirurgicales majeures. Par un extraordinaire retournement écologique, l'une des avancées majeures de la pharmacologie moderne menace de s'autodétruire et de ramener brutalement la médecine quatre-vingts ans en arrière, à l'époque où l'on pouvait encore mourir pour avoir marché sur un clou rouillé.

La peste médicamenteuse

À la fin des années 1990, les naturalistes signalèrent un déclin extraordinairement rapide de trois espèces de vautours en Inde et au Pakistan. En l'espace d'à peine quelques années, elles avaient diminué de près de 99 %, plaçant les vautours de ces régions sur la liste des espèces en voie de disparition. Pourtant, on ne notait chez eux aucune maladie susceptible d'expliquer cette hécatombe. En 2003, une équipe de chercheurs américains parvint à résoudre le mystère : tous ces vautours étaient morts d'insuffisance rénale après avoir dévoré les carcasses de vaches traitées au diclofénac (Voltarène®), un anti-inflammatoire couramment donné aux humains souffrant d'arthrose et que les paysans indiens et pakistanais administraient quant à eux aux vaches pour prévenir la fièvre et le boitement. Le diclofénac est peut-être bon pour les humains et les vaches, mais il est mortel pour les vautours.

D'ordinaire, les vautours n'ont pas bonne presse, mais ils ont (ou plutôt avaient) en Inde et au Pakistan une fonction écologique extrêmement importante. En effet, les hindous ne mangent pas la viande de leurs 200 millions de vaches, car elles sont sacrées. Ils laissent donc aux vautours le soin de nettoyer leurs cadavres (ainsi que ceux des humains dans le cas des parsis, qui n'incinèrent pas leurs morts). À présent que les vautours ne sont plus là, ce sont les chiens errants et les rats qui s'en chargent. La nature ayant horreur du vide, la disparition des vautours a entraîné une prolifération des chiens sauvages et des rats, et par voie de conséquence une augmentation de la rage et des risques de maladies comme la peste bubonique.

Qui sème le diclofénac récolte la peste.

Que les médicaments se comportent comme des perturbateurs écologiques n'a finalement rien de surprenant. Les médicaments sont des produits synthétiques industriels, comme tels fabriqués et consommés sur une très grande échelle. Il est donc normal qu'ils affectent l'environnement, exactement au même titre que les millions de tonnes d'autres produits synthétiques que nous déversons depuis près d'un siècle dans l'eau, l'air et le sol de notre planète – pesticides, herbicides, gaz à effet de serre, nitrates, phosphates, amiante, dioxine, phtalates, PCB, PVC, bisphénol A. Ce n'est que parce que nous avons coutume de considérer les médicaments comme des substances destinées uniquement à assurer notre santé et notre bien-être que nous restons aveugles à cette évidence. Il suffit pourtant d'adopter un regard un peu moins anthropocentré pour voir l'énorme éléphant qui se trouve dans la pièce : *l'industrie pharmaceutique est une industrie polluante.*

Big Pharma, tout comme Big Oil ou Big Tobacco, n'a qu'un objectif : nous faire consommer ses produits, quel qu'en soit le prix sociétal, économique ou écologique. La seule chose qui lui importe est de faire passer toujours plus de molécules par le corps humain, conçu comme canal d'évacuation infiniment expansible. Du fait de l'extraordinaire expansion de l'industrie pharmaceutique depuis la Seconde Guerre mondiale, il ne faut donc pas s'étonner si les principes actifs de tous ces médicaments sont omniprésents dans notre environnement. De même que le bisphénol A est présent dans les urines de 95 % de la population occidentale et qu'on relève des traces de PCB jusque chez les ours polaires du Grand Nord, les médicaments se retrouvent littéralement partout – dans nos corps, mais aussi dans les lacs où nous nous baignons, dans l'eau que nous buvons, dans les poissons ou les poulets que nous mangeons. Et bien sûr, nous n'avons aucune idée des effets à long terme de cette accumulation de produits potentiellement toxiques. Comme l'écrivent Theo Colborn et ses collaborateurs dans *L'Homme en voie de disparition?*, la dispersion dans la nature de dizaines de milliers de substances synthétiques produites par la société industrielle constitue une sorte d'expérience planétaire dont nous ne connaissons pas le résultat à l'avance, et cela vaut évidemment aussi pour les médicaments. La pharmacisation de la société équivaut, très littéralement, à un gigantesque essai clinique dans lequel nous sommes tous enrôlés à nos risques et périls, que nous le voulions ou non.

On le sait maintenant : la société industrielle ne produit pas seulement des biens de consommation mais aussi des risques[14], car elle modifie la niche écologique où nous vivons (la Terre) avec des substances qui n'existaient pas auparavant dans la nature et dont nous ne pouvons jamais prévoir les effets. À l'ampleur de ce bouleversement « anthropocénique » correspond inévitablement l'ampleur des déséquilibres qu'il introduit dans les écosystèmes. L'histoire de l'industrialisation est jalonnée depuis le début de catastrophes sanitaires et écologiques : maladies professionnelles dues au plomb, au mercure, à l'amiante ou au PVC, pesticides cancérigènes, herbicides tératogènes, agent orange, vaches folles, poulets à la dioxine, déforestation provoquée par les pluies acides, disparition d'espèces vivantes, nuage brun d'Asie, trou de la couche d'ozone, réchauffement climatique, Seveso, Bhopal, Texas City, Anniston, Love Canal, AZF, Tchernobyl, Three Mile Island, Fukushima.

À cette liste non limitative s'ajoute tout naturellement celle des multiples désastres pharmaceutiques. À peine les premiers

---

La pharmacisation de la société équivaut à un gigantesque essai clinique dans lequel nous sommes tous enrôlés à nos risques et périls.

antibiotiques (sulfamides) ont-ils été lancés sur le marché au milieu des années 1930, ouvrant la voie à l'ère pharmacologique moderne, que le premier grand accident industriel a éclaté. En 1937, l'Elixir Sulfanilamide, une présentation liquide de sulfanilamide commercialisée par la Massengill Company du Tennessee, provoqua la mort de 106 personnes dans la semaine qui suivit son lancement : la sulfanilamide avait été dissoute dans du diéthylène-glycol, un solvant qui s'avéra provoquer des insuffisances rénales aiguës immédiates chez ceux qui l'absorbaient.

Suivirent au fil des ans les scandales de la thalidomide, du MER/29, de l'Orinase, du distilbène, de l'hormone de croissance, du Tambocor, du Fen-Phen, du Vioxx, du Rezulin, du Propulsid, de l'Avandia, du Mediator, des pilules contraceptives de 3e et 4e génération (liste non limitative, là encore, et dont on peut être certain qu'elle s'allongera indéfiniment). À chaque fois, des médicaments présentés initialement comme des avancées de la médecine se sont révélés tératogènes, toxiques, addictifs ou carrément mortels, selon un schéma identique à celui observé dans le cas d'autres produits synthétiques fabriqués par l'homme.

C'était parfaitement prévisible, car l'industrie pharmaceutique est une industrie chimique comme une autre. Dans une interview accordée en 2006 à la revue *Pharmaceutical Executive*, Matthew Emmens, le P-DG de Shire Pharmaceuticals, faisait mine de s'en étonner : « Je n'aurais jamais imaginé que ce secteur devienne comme le secteur chimique, mais à certains égards c'est ce qui se passe, avec des produits qui se ressemblent de plus en plus[15]. » Mais ce n'est pas seulement de ressemblance qu'il s'agit : les médicaments *sont* des produits chimiques et les grandes firmes pharmaceutiques sont quasiment toutes issues de l'industrie chimique, quand elles n'en font pas carrément partie.

Historiquement, l'industrie pharmaceutique a commencé durant la seconde partie du XIXe siècle avec la production de colorants synthétiques à partir de la houille de goudron par quelques compagnies germaniques telles que Bayer, BASF, Geigy et Hoechst. Hoechst, parallèlement à ses activités pharmaceutiques, alimentait l'armée allemande en explosifs et en gaz moutarde durant la Première Guerre mondiale, avant de se fondre dans le conglomérat chimique I.G. Farben et de collaborer à ce titre à la production de l'insecticide

Zyklon B, utilisé dans les camps par les nazis pour exterminer la « vermine » juive. Le Prontosil, le premier sulfamide, a été développé par I.G. Farben. Geigy est à l'origine du DDT. Sandoz produisait des pesticides. AstraZeneca, un descendant d'Imperial Chemical Industries, continue à le faire. Rhône-Poulenc, dissous depuis dans Aventis et Sanofi, fabriquait du PVC. Solvay, avant de se séparer de sa branche pharmaceutique au profit des laboratoires Abbott, produisait simultanément des plastiques et d'autres produits synthétiques. G. D. Searle, qui fait maintenant partie du géant agrochimique Monsanto, a inventé l'aspartame, l'un des additifs alimentaires les plus controversés.

Et ainsi de suite. Les passerelles entre l'industrie pharmaceutique et l'industrie chimique sont innombrables, car elles sont toutes deux engagées dans la même activité prométhéenne : la fabrication, à l'aide de procédés en laboratoire, de molécules synthétiques imitant des molécules présentes dans les plantes, les animaux ou le sol. Or ces molécules artificielles agissent de façon largement imprévisible sur les organismes avec lesquels elles entrent en contact pour la première fois ou à des doses introuvables dans la nature.

Toute nouvelle molécule de synthèse comporte un pari, un coup de dés : tel pesticide destiné à détruire telle espèce nuisible ne va-t-il pas aussi affecter les abeilles, ou certaines plantes, ou les humains ? Tel additif alimentaire utilisé pour rendre les mets plus appétissants ne risque-t-il pas de causer également des cancers, ou de l'obésité, ou de l'hyperactivité ? Tel médicament efficace contre le diabète va-t-il se révéler toxique ou provoquer chez les patients une augmentation des accidents cardio-vasculaires ? On ne peut jamais le savoir à l'avance, quels que soient les tests toxicologiques, essais cliniques et contrôles de sécurité effectués. Il faut attendre que les cadavres s'accumulent : la science des poisons arrive toujours trop tard.

6
Il n'y a pas d'effets secondaires

Le *pharmakon* ne peut jamais être simplement bénéfique.
Jacques Derrida[1]

Depuis Paul Ehrlich, l'inventeur du premier traitement efficace contre la syphilis, nous avons pris l'habitude de considérer les médicaments comme des « balles magiques » ciblant des agents pathogènes avec la précision infaillible d'un Lucky Luke. En réalité, comme le signale involontairement la métaphore du « blockbuster », ce sont des bombes sales qui causent toutes sortes de dommages collatéraux, pudiquement appelés « effets secondaires ». Il suffit de parcourir la notice d'utilisation de n'importe quel médicament pour constater que la liste de ces effets est pratiquement sans fin – 70 en moyenne, parfois jusqu'à 500[2]. Elle est souvent contradictoire, le même médicament pouvant provoquer soit de la somnolence, soit de l'insomnie, ou bien de la diarrhée *et* de la constipation. Et immanquablement, on trouve dans la liste des effets franchement inquiétants.

UN MÉDICAMENT, MÊME BÉNÉFIQUE, EST UNE SUBSTANCE DANGEREUSE

C'est ainsi que les consommateurs de Viagra ou de Cialis® peuvent se retrouver aveugles. Les statines prises par des millions de personnes pour réduire leur taux de cholestérol entraînent parfois de la rhabdomyolyse, une quasi-liquéfaction du tissu des muscles striés susceptible d'être mortelle. Le paracétamol, la substance active d'antalgiques aussi courants que le Tylénol ou le Doliprane®, est toxique pour le foie et cause chaque année des décès par hépatite fulminante. L'utilisation prolongée du Primpéran® contre le reflux gastrique peut entraîner de la dyskinésie tardive, un trouble neurologique irréversible d'ordinaire associé à la prise de neuroleptiques. Sans parler des effets neurotoxiques potentiellement associés à pratiquement *tous* les médicaments, tels que l'akathisie et les pensées suicidaires[3]...

Il est tentant de se rassurer en se disant qu'il s'agit d'effets « secondaires », mais la vérité est qu'ils sont tout à fait primaires, notamment pour ceux qui en sont les victimes (ou les bénéficiaires). Parle-t-on d'effets secondaires à propos des cancers de la plèvre causés par l'amiante ou de la chloracné provoquée par la dioxine ? La notion d'effet secondaire n'a de sens que par rapport à l'indication pour laquelle une molécule a obtenu son autorisation de mise sur le marché, indication qui est le plus souvent arbitraire et varie au gré des stratégies commerciales de la firme qui en détient le brevet. Un inhibiteur sélectif de la recapture de la sérotonine (ISRS) développé initialement pour l'incontinence urinaire peut ainsi être commercialisé plus tard comme antidépresseur, puis contre les douleurs chroniques (cas du Cymbalta de Lilly). Ou bien il sera lancé sur le marché pour venir en aide aux éjaculateurs précoces, puisque l'un des effets des antidépresseurs ISRS est de retarder l'éjaculation (cas du Priligy® de Janssen).

Aucun de ces effets n'est plus « primaire », « naturel » ou spécifique que les autres, d'autant que ce qui est bénéfique pour telle personne (le retard à l'éjaculation, par exemple) sera toxique pour telle autre. Non seulement les effets des médicaments sont divers et variés, non seulement ces molécules peuvent se lier aux nôtres de multiples

---

Il est tentant de se rassurer en se disant qu'il s'agit d'effets « secondaires », mais la vérité est qu'ils sont tout à fait primaires, notamment pour ceux qui en sont les victimes.

façons en les bloquant ou en les potentialisant, mais leur action dépend aussi de l'organisme d'accueil, de ses caractéristiques génétiques, des autres molécules qui y sont présentes, du dosage, du moment d'exposition – et de l'âge du capitaine. Aucun organisme n'est identique à un autre, contrairement aux voitures produites en série ou aux Big Mac de chez McDonald's, et chacun réagira différemment. Comment calculer ces singularités, autrement que par une standardisation statistique forcément inadéquate?

Puis il y a le problème des interactions. Le pamplemousse, par exemple, interagit avec de très nombreux médicaments, soit en les rendant inefficaces, soit au contraire en renforçant leur action et en provoquant des surdoses aux effets très graves, parfois mortels. D'autres aliments, comme le jus d'orange ou le jus de raisin, présentent des interactions analogues. Quant aux interactions médicamenteuses, elles sont quasi inévitables à une époque où la plupart des gens prennent plusieurs médicaments à la fois (parfois pour un seul problème de santé), sans compter les vitamines et autres compléments alimentaires. C'est ainsi que les hospitalisations dues à des effets secondaires indésirables sont multipliées en moyenne par 6 chez les personnes âgées du fait de la polypharmacie et que leur probabilité augmente à proportion du nombre de médicaments consommés[4].

À quoi s'ajoutent les médicaments que nous absorbons sans le savoir dans l'eau du robinet, les multiples produits chimiques que nous mangeons dans les aliments industriels ou que nous appliquons sur notre peau à des fins cosmétiques, les polluants que nous inhalons avec l'air et les substances synthétiques avec lesquelles nous sommes quotidiennement au contact dans les champs, à l'usine, dans les bureaux ou chez nous.

Dans ces conditions, prédire l'effet qu'aura un médicament sur telle ou telle personne équivaut à jouer à la roulette. Toute prescription comporte un risque, car un médicament autorisé pour telle indication peut très bien se révéler toxique pour certains ou causer à la longue des effets non prévus. Comme l'a rappelé Jacques Derrida dans un essai fameux, le mot grec *pharmakon* voulait dire à la fois « remède » et « poison », et cela reste vrai de notre pharmacie moderne. Les antibiotiques, les vaccins, les neuroleptiques, la cortisone et des dizaines d'autres médicaments opèrent quotidiennement des miracles, mais tout comme les drogues, philtres et onguents d'antan ils peuvent aussi être vénéneux et néfastes. La streptomycine guérit la tuberculose, mais elle rend également sourd. La cortisone est un puissant anti-inflammatoire, mais elle cause de l'ostéoporose. Les antipsychotiques (neuroleptiques) de première génération ont été une bénédiction pour les malades mentaux, mais cela ne les empêche pas de provoquer des symptômes extrapyramidaux extrêmement débilitants, comme les mouvements incontrôlés de la bouche et de la langue causés par la dyskinésie tardive.

Tout médicament est par principe « indécidable » (Derrida encore), à la fois bénéfique et toxique, et très souvent il faut attendre longtemps avant de savoir s'il est plutôt l'un ou plutôt l'autre. Nous l'avons oublié, mais bien de nos drogues et poisons étaient à l'origine vantés pour leurs vertus thérapeutiques : l'alcool (au XIXe siècle), l'opium, la cocaïne, l'Héroïne® des laboratoires Bayer, le chloral, les bromures, les barbituriques, les amphétamines. Même les cigarettes étaient réputées guérir l'asthme et les infections pulmonaires[5] ! Inversement, d'anciens poisons s'avèrent avoir des applications thérapeutiques prometteuses, comme la thalidomide par exemple, qui serait efficace contre certaines formes de cancers, ou encore le cannabis dont on s'avise maintenant qu'il atténue la raideur musculaire dans la sclérose en plaques.

Pourtant, nous continuons la plupart du temps à considérer les médicaments uniquement comme des remèdes bienfaisants, comme s'il ne s'agissait pas aussi de substances dangereuses, à manier avec précaution. Pendant la plus grande partie de l'histoire de l'humanité, les remèdes et ceux qui les administraient ont suscité la méfiance et l'appréhension. Nous qui venons après la révolution thérapeutique de la fin du XIXe siècle, nous leur accordons au contraire une confiance quasi automatique. Comment, pensons-nous, des traitements prescrits par des médecins et contrôlés par les autorités sanitaires pourraient-ils bien être nocifs ? Du coup, nous n'adoptons pas à l'égard des médicaments la même attitude critique qu'à l'égard d'autres substances. Les médicaments jouissent de ce fait d'une véritable exception ou immunité pharmaceutique, que l'industrie exploite bien sûr à son avantage.

Pourquoi, par exemple, obligeons-nous les cigarettiers à mettre d'énormes étiquettes clamant « FUMER TUE » sur les paquets de cigarettes, alors que les risques souvent mortels des médicaments sont enfouis en petits caractères à peine lisibles dans des notices d'utilisation interminables que personne ne regarde ? Pourquoi le cannabis est-il interdit (en France), mais non les nombreuses benzo-diazépines utilisées comme de vulgaires « street drugs » par les toxicomanes ? Pourquoi les autorités sanitaires organisent-elles réguliè-rement des campagnes de sensibilisation pour mettre en garde contre les ravages du tabagisme, de l'alcoolisme et de la toxico-manie, alors qu'elles restent silencieuses sur les très réels dangers d'accoutumance et de modification comportementale liés à la consommation au long cours d'antidépresseurs, de tranquillisants, de somnifères ou d'antalgiques ?

Pourquoi considérons-nous la conduite sous alcool comme une infraction passible de poursuites, mais non la conduite sous somnifères ou psychotropes, pourtant tout aussi dangereuse pour la sécurité routière ? Pourquoi fait-on passer aux conducteurs des éthylotests, mais non des pharmacotests ? Les études sur le sujet des dangers des médicaments au volant sont rares, précisément à cause de ce préjugé propharmaceutique, mais celles qui existent sont tout à fait édifiantes.

Ainsi, une équipe française de l'Inserm (Institut national de la santé et de la recherche médicale) estime à 4 % le nombre des accidents corporels de voiture associés rien qu'aux antidépresseurs, notamment en début de traitement[6]. D'après une enquête effectuée pour le Congrès américain, la prise de médicaments (en général) serait à l'origine de 26 % des accidents corporels ayant impliqué des camions aux États-Unis entre 2001 et 2003[7]. Selon une autre estimation américaine datant de 1992, la consommation de médicaments psychotropes par les personnes âgées de plus de 65 ans serait la cause de 16 000 accidents de voiture par an[8]. Encore ne s'agit-il que des personnes âgées et des psychotropes, car pour avoir une idée de l'étendue du problème il faudrait ajouter les accidents provoqués chez les conducteurs de tous âges non seulement par les psychotropes, mais aussi par les antalgiques, les somnifères, les antihistaminiques, les myorelaxants et

---

Une équipe française de l'Inserm estime à 4 % les accidents de voiture associés aux antidépresseurs, notamment en début de traitement.

certains médicaments contre la maladie de Parkinson qui causent des endormissements soudains. On obtiendrait vraisemblablement des chiffres supérieurs à celui des accidents dus à l'alcool et aux stupéfiants.

Y a-t-il un conducteur dans la voiture ?

Peu avant 8 heures le 13 juillet 2012, Kerry Kennedy, la fille de Robert Kennedy et ex-épouse du gouverneur de l'État de New York Andrew Cuomo, s'engagea avec sa Lexus 2008 sur l'autoroute Interstate 684 en direction du comté de Westchester, au nord de New York. Après avoir conduit de façon erratique et évité plusieurs autres voitures dans le trafic matinal, elle fit une violente embardée et entra en collision avec un semi-remorque. Mme Kennedy continua néanmoins sa route comme si de rien n'était et prit la prochaine sortie.

L'officier Joel Thomas, de la police de North Castle, la retrouva au volant de sa voiture à l'arrêt au bord de la route, hébétée. Le moteur continuait à tourner et Mme Kennedy semblait complètement désorientée, comme si elle venait de se réveiller. Arrêtée pour conduite dangereuse et délit de fuite, on lui fit passer des tests toxicologiques pour voir si elle était sous l'emprise de l'alcool ou de drogues illicites. Les tests s'avérèrent négatifs, mais on trouva en revanche des traces infimes (14 ng/ml) de zolpidem, le principe actif du somnifère Stilnox (Ambien en anglais) que Mme Kennedy prenait parfois sous forme générique pour dormir. Mme Kennedy avait apparemment été victime du phénomène de « sleep-driving », c'est-à-dire de conduite en état somnambulique.

Afin d'éviter une condamnation à sa cliente, l'avocat de Mme Kennedy préféra invoquer un accident vasculaire léger, séquelle possible d'un ancien traumatisme crânien.

EFFETS INDÉSIRABLES ET DOMMAGES COLLATÉRAUX : L'HÉCATOMBE INVISIBLE

Le même biais en faveur des médicaments nous empêche d'évaluer correctement leur effet global. On n'hésite pas à chiffrer le nombre de morts dues chaque année aux cigarettes ou à la pollution atmosphérique, mais on reste étonnamment discret sur celles dues à la iatrogénie médicamenteuse. Au lieu de quoi on nous répète que les médicaments sont la cause de l'extraordinaire allongement de l'espérance de vie dans les pays occidentaux – 30 ans de plus depuis 1900! Alan F. Holmer, le président de P*h*RMA, le rappelait en 2002 à ceux qui l'auraient oublié:

> L'introduction continue au cours des ans de médicaments innovants [a] permis aux patients du monde entier d'avoir des vies plus longues, plus saines et plus productives. L'espérance de vie s'allonge, la mortalité infantile diminue, le taux d'invalidité chez les personnes âgées décroît et nous faisons des progrès continus dans la lutte contre bien des maladies. À cela une raison principale: les grandes percées pharmaceutiques des années 1990[9].

Personne ne songe bien sûr à nier les bienfaits apportés par toutes sortes de médicaments, mais l'allongement de l'espérance de vie est une autre affaire. Comme le remarquait le biologiste René Dubos il y a déjà plus d'un demi-siècle, la disparition des grands fléaux d'antan comme la tuberculose ou le typhus doit beaucoup plus à l'amélioration des conditions de vie et d'hygiène qu'à l'apparition des médicaments antibactériens[10]. L'allongement de l'espérance de vie observée au cours du XXᵉ siècle relève de facteurs identiques et les campagnes de prévention contre le tabagisme, par exemple, ont plus fait pour combattre les maladies cardio-vasculaires et le cancer du poumon que tous les médicaments du monde. À quoi s'ajoute que les États-Unis, pays qui de nos jours consomme le plus de médicaments par tête d'habitant, n'arrivent qu'en 17ᵉ position en termes d'espérance de vie parmi les pays développés (75,6 ans, soit une *chute* de plus de un an par rapport à 2000). Ils arrivent en revanche en 1ʳᵉ position en termes de mortalité infantile[11].

Difficile dans ces conditions de corréler pharmacisation et santé publique. De fait, une fois qu'on se défait du préjugé propharmaceutique et qu'on adopte une vue épidémiologique d'ensemble, les médicaments apparaissent tout aussi bien comme un *problème* de santé publique. C'est l'énorme problème de la iatrogénie médicamenteuse, c'est-à-dire des effets indésirables causés par les médicaments (EMI) – effets secondaires, interactions toxiques, chocs allergiques, surdosages et autres accidents thérapeutiques.

Les chiffres sont édifiants, terrifiants. Selon le rapport de la commission Lemorton, on estime que la iatrogénie médicamenteuse est responsable de 130 000 hospitalisations par an en France, soit de 5 à 10 % des hospitalisations au total. Les données de la Commission européenne sont à peu près identiques : 5 % des admissions à l'hôpital sont dues à des EMI. Mieux (ou pire) : 5 % des patients hospitalisés développent des EMI pendant leur séjour. Vous allez à l'hôpital pour une procédure bénine et vous vous retrouvez en salle de réanimation à cause d'un médicament qu'on vous a administré. Au total, les effets médicamenteux indésirables sont responsables en Europe de 197 000 morts par an, ce qui en fait la cinquième cause de décès à l'hôpital. Coût : 79 milliards d'euros[12]. Ce n'est d'ailleurs qu'un début, car le nombre d'EMI progresse deux fois plus vite que le nombre de prescriptions[13]. C'est normal, puisque plus il y a de médicaments en circulation, et plus il y a d'interactions indésirables.

La situation n'est guère meilleure aux États-Unis. Une étude souvent citée et datant de 1998 estime à 2,2 millions le nombre d'EMI graves par an, dont 100 000 décès[14]. Cela ferait des EMI la cinquième cause de décès aux États-Unis[15]. Toutefois, la situation est très certainement bien plus grave encore que ne l'indiquent ces statistiques déjà alarmantes, car on sait que les EMI sont en fait rarement déclarés. Les patients ne font le plus souvent pas le lien entre leurs symptômes et la prise de médicaments. Les médecins, quant à eux, préfèrent les attribuer à la maladie et les hôpitaux ne tiennent pas particulièrement à ternir leur réputation – sans parler du désir des uns et des autres d'éviter les procès en responsabilité médicale. D'après Jerry Phillips, directeur associé du Bureau d'évaluation des risques des médicaments à la FDA américaine,

> dans le domaine des données portant sur les réactions médicamenteuses indésirables en général, les 250 000 signalements que nous recevons annuellement [à la FDA] ne représentent probablement que 5 % des réactions qui ont effectivement lieu[16].

On ose à peine faire le calcul : cela voudrait dire que le nombre annuel d'EMI aux États-Unis serait en fait plus proche de 5 millions. Et combien de morts ?

Au total, les effets médicamenteux indésirables sont responsables en Europe de 197 000 morts par an, ce qui en fait la cinquième cause de décès à l'hôpital.

Ces estimations ne concernent au demeurant que les cas où le lien entre un médicament et la réaction indésirable est attesté. Elles ne tiennent donc pas compte des EMI invisibles, parce non encore repérés. Lorsqu'on sait que 20 % des médicaments sont retirés du marché ou voient leur utilisation sévèrement restreinte à cause d'effets mortels constatés après coup, on comprend que les EMI déclarés ne représentent que la partie émergée d'un iceberg dont nous ne pouvons par définition pas connaître la taille.

Puis il y a tous les EMI chroniques ou comportementaux qui n'appellent aucune hospitalisation et qui échappent donc eux aussi aux statistiques : l'obésité causée par les antipsychotiques qu'on donne maintenant aux adolescents pour contrôler leur humeur ; la dépendance due aux somnifères, aux antalgiques ou aux tranquillisants ; la dépression causée par la pilule antiacnéique et contraceptive Diane 35 ; le désintérêt pour le sexe engendré par les antidépresseurs ISRS ; l'hypersexualisation provoquée par le Requip® prescrit pour la maladie de Parkinson et le syndrome des jambes agitées ; l'apathie et l'engourdissement affectif des personnes sous antidépresseurs ISRS, qui les amènent à se désintéresser des autres et d'activités qui leur tenaient à cœur auparavant[17]. Aucun de ces problèmes ne requiert une intervention médicale, et pourtant il s'agit bien d'effets hautement indésirables des médicaments.

La vérité est que les effets indésirables des médicaments affectent la santé et le bien-être de millions de personnes et causent chaque année plusieurs centaines de milliers de morts dans le monde. Dans tout autre domaine, des polluants ou un virus provoquant des effets aussi dévastateurs sur la population déclencheraient immédiatement une alerte de grande envergure de la part des autorités, ainsi que la mise en place de cordons sanitaires et de mesures de protection draconiennes. Pas dans le cas des médicaments. Pourquoi ?

DEUXIÈME PARTIE

MARKETING PHARMACEUTIQUE : TOUS LES MOYENS SONT BONS

7
Fidéliser les clients :
la pharmacodépendance

Drug [drʌg] **1** *n* drogue, stupéfiant, narcotique ; (*Med.,*
Pharm.) drogue, médicament.
Le Robert & Collins, dictionnaire anglais-français

Il est dans la nature d'une industrie, quelle qu'elle soit, de s'étendre
toujours plus afin d'assurer sa croissance dans un environnement compétitif. Il lui faut donc constamment conquérir de nouveaux marchés et
c'est ce à quoi sert le marketing, la science des besoins du consommateur. On croit souvent que le marketing consiste à faire des études
de marché pour évaluer les « besoins non couverts » des consommateurs et y adapter les produits offerts par la compagnie. En réalité, c'est
l'inverse : le marketing est l'ensemble des techniques souvent extrêmement sophistiquées visant à *créer* des besoins chez les consommateurs afin que ceux-ci ne puissent pas se passer du produit X ou Y.

S'agissant de l'industrie pharmaceutique, on pourrait penser que
la création de besoins trouve là sa limite. Quels sont en effet les
« besoins » en médecine ? Il s'agit, à première vue, de guérir ou de
soulager des maladies. Or celles-ci sont en nombre fini et on
n'imagine pas que Big Pharma en crée de nouvelles pour nous faire

avaler ses pilules. C'est pourtant bien ce qui se passe. Dans nul autre domaine, peut-être, les marketeurs n'ont déployé autant d'invention pour susciter, stimuler, façonner les besoins des consommateurs. Y compris sous la forme la plus élémentaire : celle de la dépendance physique.

LES « DEALERS »

C'est sans doute l'un des secrets les plus ouverts et en même temps l'un des mieux gardés de la pharmacologie : un grand nombre de médicaments créent de l'accoutumance et de l'addiction, ce qui rend leur arrêt parfois aussi difficile, sinon plus, que le sevrage de l'héroïne ou de la nicotine. L'affirmation pourra paraître à première vue choquante, car nous avons tendance à associer l'addiction avec le crime ou du moins avec le vice. Le junkie, l'alcoolique, l'accro à la cigarette sont perçus avant tout comme des personnes incapables de résister à un plaisir excessif et/ou défendu, serait-ce au prix de l'autodestruction ou de la transgression. C'est dans le même sens moralisateur qu'on parle d'« addiction sexuelle » ou d'« addiction au jeu », comme s'il s'agissait simplement d'un comportement compulsif qu'on pourrait et devrait en principe modérer. Rien de commun, dira-t-on, avec un médicament prescrit pour guérir ou soulager une maladie.

Mais il s'agit là de représentations sociales de l'addiction, qui ont plus à voir avec ce qui est considéré comme licite ou illicite dans une société donnée qu'avec la réalité physique de la dépendance. D'un point de vue pharmacologique, l'addiction est tout simplement un besoin impérieux de continuer à prendre une substance auquel l'organisme s'est habitué et elle n'implique souvent aucun plaisir, si ce n'est celui du rétablissement de l'équilibre après une période de manque. Beaucoup de médicaments créent une accoutumance qui n'est perçue

---

Un grand nombre de médicaments créent de l'accoutumance et de l'addiction, ce qui rend leur arrêt parfois aussi difficile, sinon plus, que le sevrage de l'héroïne ou de la nicotine.

qu'au moment de l'arrêt du traitement, lorsque apparaissent des symptômes physiques parfois extrêmement marqués et déplaisants.

C'est ce que les pharmacologues appellent le «phénomène de rebond», décrit pour la première fois dans les années 1960 par Ian Oswald et ses collègues du Royal Edinburgh Hospital chez les personnes prenant des somnifères comme le Mogadon®. Ces personnes ne pouvaient plus se passer du médicament pour dormir car l'insomnie revenait, plus intense qu'auparavant, dès qu'elles essayaient d'arrêter. (C'est ainsi qu'aujourd'hui encore des millions de gens prennent des somnifères pour combattre des insomnies provoquées par ces mêmes somnifères.) Le phénomène de rebond s'observe également ailleurs. À l'arrêt de certains antihypertenseurs, par exemple, la tension artérielle monte à des valeurs plus élevées qu'avant le traitement. L'arrêt des bêta-bloquants, de même, provoque une augmentation du pouls, celui des antimigraineux provoque une recrudescence des migraines. L'interruption de certains décongestionnants nasaux résulte en congestion accrue. Le sevrage de psychostimulants comme la Ritaline ou l'Adderall®, utilisés dans le traitement du trouble du déficit de l'attention avec hyperactivité (TDAH), cause une aggravation des symptômes initiaux (agitation, anxiété, irritabilité) qui peut aller jusqu'à la franche psychose.

Quant aux tranquillisants de la classe des benzodiazépines, tels que le Valium ou le Xanax®, il est bien connu depuis une trentaine d'années qu'ils créent souvent une forte dépendance qui se marque au sevrage par une impressionnante série de manifestations: anxiété, attaques de panique, agitation, dépression, sautes d'humeur, insomnie, sentiments de déréalisation, pensées violentes ou suicidaires, symptômes grippaux, étranges sensations de décharge électrique, formication (démangeaisons de la peau qu'on retrouve aussi chez les cocaïnomanes et héroïnomanes en manque), parfois même convulsions et pertes de connaissance. Le même tableau vaut peu ou prou (comme on le sait beaucoup moins) pour les antidépresseurs ISRS.

Ces symptômes de dépendance varient dans leur longévité et leur sévérité selon les personnes et les médicaments, mais rien ne les distingue fondamentalement du manque des toxicomanes si ce n'est qu'ils sont l'effet de médicaments prescrits par un médecin, alors que celui-là est dû à des substances illicites achetées sous le manteau à des dealers douteux. Il suffirait que la Ritaline ou le Valium soient interdits ou sévèrement encadrés à cause de leurs propriétés addictives pour qu'ils deviennent instantanément des «street drugs», comme le sont devenus par le passé ces médicaments qu'étaient initialement la cocaïne des laboratoires Parke-Davis et l'Héroïne des laboratoires Bayer.

Si les effets de dépendance provoqués par les médicaments sont si souvent méconnus, c'est qu'il n'est que trop facile de les confondre avec une rechute du mal qu'ils sont censés combattre: «Docteur, ne m'enlevez pas mon Stilnox, car je ne vais pas pouvoir dormir sans ça!» «Si je ne prends pas mon Deroxat, je déprime tout de suite.» «Pas question d'arrêter le Xanax, sinon je panique.» C'est la raison pour laquelle la dépendance aux antidépresseurs ISRS a mis si longtemps à être repérée: les symptômes de sevrage tels que l'anxiété ou la dépression étaient interprétés comme un retour du problème initial, nécessitant par conséquent une reprise du médicament. Le psychiatre et «leader d'opinion» Martin Keller, bien connu pour ses liens avec GSK et d'autres fabricants d'antidépresseurs, y voyait en 1994 une raison pour prolonger indéfiniment le traitement:

> Certains éléments laissent à penser que les antidépresseurs [...] augmentent le risque de rechute, mais [*sic*] sans un traitement d'entretien les patients vont avoir un nouvel épisode de la maladie, avec des conséquences désastreuses. Je pense qu'une décision de commencer un traitement d'entretien signifie qu'on s'engage pour une thérapie au long cours car [re-*sic*] arrêter le médicament provoquera une rechute[1].

Autrement dit, une fois prescrit, *dosim repetatur*. Il aura fallu que les témoignages de patients incapables d'arrêter le traitement s'accumulent sur les forums de discussion et que des journalistes de la BBC – pas des médecins – enquêtent sur la question pour que le problème éclate enfin au grand jour en Grande-Bretagne[2]. Ce dont tous ces patients avaient besoin, ce n'était pas d'une reprise du traitement. C'était d'une cure de désintoxication!

Pourtant, aucun de ces médicaments créateurs de pharmaco-dépendance n'est considéré comme une drogue (du moins pour l'instant). Au contraire, certains sont des blockbusters prescrits à des millions de personnes. Rien qu'aux États-Unis, 94 millions d'ordonnances ont été écrites pour des benzodiazépines en 2011, dont 48,7 millions pour le tranquillisant et anxiolytique Xanax, qui a clairement pris la place du « Mother's little helper » chanté naguère par les Rolling Stones :

> Mother needs something today to calm her down/And though she's not really ill/There's a little yellow pill/She goes running for the shelter of a mother's little helper/And it helps her on her way, gets her through her busy day[3].

Toujours aux États-Unis, une personne sur dix âgée de plus de 12 ans a pris ou prendra des antidépresseurs (voir plus haut p. 22). 11 % des écoliers sont diagnostiqués comme souffrant de TDAH et les deux tiers d'entre eux, soit plus de 4 millions d'enfants et d'adolescents, sont traités avec des psychostimulants comme la Ritaline, le Concerta® ou l'Adderall[4], bien que la formule chimique de ces médicaments soit proche de celle de la cocaïne et qu'ils soient inscrits au Tableau 2 de la Convention de 1971 sur les substances psychotropes susceptibles de créer de l'addiction. À quoi s'ajoutent, selon IMS Health, 14 millions d'ordonnances pour ces mêmes psychostimulants prescrites à l'intention de jeunes adultes de 20 à 30 ans.

Il ne faut donc pas s'étonner si la dépendance à ces divers médicaments prend des proportions proprement épidémiques. On manque de chiffres en ce qui concerne la dépendance aux antidépresseurs, mais on sait par diverses études que 66 % à 78 % des patients arrêtant un traitement au Deroxat, au Zoloft ou à l'Effexor® ont des réactions de sevrage (c'est-à-dire de manque)[5]. En extrapolant, on arrive rapidement à des millions de personnes concernées par ce problème.

Les chiffres de la dépendance aux benzodiazépines sont eux aussi extrêmement élevés. Vers le milieu des années 1980, on estimait à 500 000 le nombre de personnes en Grande-Bretagne qui n'arrivaient pas à arrêter la prise de « benzos » comme le Valium ou le Tranxène®[6]. Une étude plus récente arrive à un chiffre de 40 % de dépendance aux benzodiazépines chez les patients suivis par un médecin et de 97 % (!)

Aux États-Unis, plus de 4 millions d'enfants et d'adolescents sont traités avec des psychostimulants comme la Ritaline, le Concerta ou l'Adderall, dont la formule chimique est proche de la cocaïne.

chez les personnes s'automédiquant[7] – soit, à nouveau, des millions de personnes à travers le monde. Les chiffres sont inférieurs, mais néanmoins très inquiétants en ce qui concerne les psychostimulants. D'après une étude publiée aux États-Unis en 2006, 10 % des usagers entre 12 et 25 ans développent une dépendance les amenant à se procurer des psychostimulants hors ordonnance[8], à quoi il convient d'ajouter tous ceux (combien ?) dont la dépendance est cachée par une prise régulière du médicament dans le cadre d'un traitement prescrit par leur médecin.

La descente aux enfers du jeune Richard Fee

Voici les faits[9]. Richard Fee, un étudiant en biologie fraîchement émoulu du Greensboro College de Caroline du Nord, était rentré chez ses parents à la fin 2009 pour préparer son concours d'entrée en médecine. Ses parents notèrent tout de suite chez lui un changement marqué. Il restait debout plusieurs jours de suite, avait des sautes d'humeur inhabituelles et prenait compulsivement des notes dans un cahier. Il expliqua à ses parents qu'il souffrait de TDAH et qu'il prenait depuis un an du Vyvanse®, un psychostimulant amphétaminique recommandé par les médecins pour ce type de trouble de l'attention avec hyperactivité.

Ses parents étaient très étonnés, car Richard n'avait jamais eu de problèmes de ce genre durant sa scolarité. Au contraire, c'était un enfant et un élève tout à fait normal, qui avait toujours eu d'excellentes notes. Mais Richard, comme tant d'autres étudiants sur les campus américains, avait pris l'habitude de prendre des amphétamines pour mieux se concentrer pour ses examens. De nos jours, tous les jeunes gens aux États-Unis savent qu'il suffit d'aller chez un médecin et de prétendre « zapper d'une pensée à l'autre » pour se faire prescrire de la Ritaline ou de l'Adderall, et c'est ce qu'avait fait Richard. Comme il avait déclaré par la suite au médecin que le médicament lui avait fait du bien, celui-ci n'avait pas hésité à renouveler son ordonnance, en augmentant régulièrement les doses à sa demande.

En réalité, les choses n'allaient pas bien du tout. Richard avait de plus en plus de mal à se concentrer, il était déprimé, insomniaque, agité. Après avoir raté son concours d'entrée en médecine, il alla consulter un psychiatre qui lui prescrivit de l'Adderall à la place du Vyvanse. Son état ne fit qu'empirer. Constamment fiévreux, il se promenait avec des packs de glace autour du cou pour faire baisser sa température. Il devenait violent avec ses parents, à tel point que ceux-ci durent un jour appeler la police pour l'emmener hors de la maison. La nuit, il parlait à la télévision et aux étoiles. Persuadé qu'il était espionné, il se mettait de l'adhésif sur le bout des doigts afin de ne pas laisser d'empreintes. Malgré les supplications de ses parents, persuadés que son état était causé par le médicament, son psychiatre continuait pourtant à lui prescrire des comprimés qu'il avalait toujours plus vite et à des doses toujours plus élevées pour compenser les effets du manque.

S'étant rendu aux arguments des parents, son psychiatre avait finalement arrêté de lui prescrire l'Adderall et Richard avait eu un accès de rage folle. S'emparant d'une batte de baseball, il avait fracassé tous les pots du jardin en hurlant « Vous m'enlevez mon médicament ! », puis avait disparu pendant plusieurs semaines. De retour, il réussit à persuader son psychiatre de reprendre le traitement, au grand désespoir des parents. Le cycle infernal reprit, ponctué par un séjour en clinique psychiatrique pour suicidalité et psychose paranoïaque. Chaque fois que son psychiatre et/ou ses parents essayaient de le sevrer, il parvenait à se faire prescrire l'« Addie » par un autre médecin, en déployant toutes les ruses du toxico.

Menacé de procès par les parents, son psychiatre finit par refuser une fois pour toutes de renouveler son ordonnance. Un mois après le début du sevrage, Richard Fee était mort. Le 7 novembre 2011, ses parents le retrouvèrent pendu à côté de ses vêtements dans le placard de son appartement.

Il n'avait jamais acheté d'« Addie » sur le marché noir. D'après son ami d'enfance Ryan Sykes, « il s'imaginait que parce que ça venait d'un docteur, c'était OK ».

Tout cela fait beaucoup, beaucoup de monde – et beaucoup de pilules vendues par l'industrie pharmaceutique. Du point de vue de celle-ci, la pharmacodépendance est évidemment une véritable aubaine commerciale. Imagine-t-on meilleure façon de fidéliser la clientèle que de l'accrocher à une molécule, exactement comme le « pusher » accroche le futur toxicomane en lui proposant du crack ou de l'héroïne ? Le rapprochement, là encore, pourra choquer. Rien de comparable, dira-t-on, entre un laboratoire qui vend des médicaments satisfaisant un véritable besoin médical et une organisation criminelle qui crée délibérément un besoin artificiel et destructeur chez ses victimes afin d'en tirer profit. Que certains médicaments provoquent de l'accoutumance, c'est là un effet indésirable comme tant d'autres et non pas un stratagème machiavélique imaginé par des marketeurs désireux de se tailler un marché juteux. Ce n'est quand même pas la faute des laboratoires si certains patients se mettent à acheter de la Ritaline sur le marché noir ou falsifient des ordonnances pour se procurer le Mogadon qui leur manque! Ceux-là *abusent* des médicaments, ils ont franchi la limite qui sépare l'usage médical, licite, de l'usage dit par euphémisme « récréatif ». Ce sont des drogués, des camés, des toxicos, des défoncés, des criminels en puissance.

Oui, mais *s'ils ne peuvent pas s'en empêcher* ? Régulièrement invoqués par les laboratoires lorsqu'un de leurs médicaments est impliqué dans la mort par overdose de quelque personnalité médiatique, les arguments ci-dessus reposent sur une distinction complètement artificielle entre la « bonne » dépendance aux médicaments et la mauvaise addiction toxicomaniaque. En réalité, c'est le même besoin physique qui pousse à se faire prescrire indéfiniment un médicament par un médecin et à l'acquérir sur un circuit parallèle. Favoriser la dépendance à un médicament ou rendre un client accro à une substance illicite, quelle est alors la différence ?

Or, c'est bien ce que font les firmes pharmaceutiques, ou du moins certaines d'entre elles. Bien sûr, personne ne prétend qu'elles développent délibérément des médicaments créant une pharmacodépendance ou qu'elles manipulent leurs produits afin de les rendre plus addictifs, à l'instar de l'industrie du tabac et de l'industrie alimentaire[10]. Mais le fait est qu'elles les démarchent à grand renfort de publicité auprès de populations toujours plus larges tout en passant sous silence des dangers de dépendance qu'elles connaissent très bien, exactement comme les industriels du tabac, pendant des décennies, ont caché les propriétés addictives de leurs cigarettes. Comme le disait avec candeur un cigarettier dans un mémo confidentiel cité par Robert Proctor : « Heureusement pour nous, les cigarettes sont une habitude qu'ils [les fumeurs] ne peuvent pas rompre[11]. » De même, on peut gager que les

---

L'un des principaux arguments de vente des benzodiazépines puis des antidépresseurs ISRS a été qu'ils ne provoquent *pas* d'accoutumance.

fabricants de benzos, de psychostimulants et d'antidépresseurs se sont secrètement félicités de l'accoutumance créée chez leurs clients, car comment comprendre sinon qu'ils l'aient tant cachée ou du moins niée ?

Il se trouve en effet que l'un des principaux arguments de vente des benzodiazépines puis des antidépresseurs ISRS a été qu'ils ne provoquent *pas* d'accoutumance. Lors du lancement des benzos Librium®, Valium et Mogadon au début des années 1960, les laboratoires Hoffmann-La Roche (*alias* Roche) firent savoir au monde entier que ces tranquillisants et somnifères ne présentaient pas les mêmes dangers d'addiction et d'overdose que les barbituriques utilisés jusque-là. Une publicité particulièrement perfide montrait même une pierre tombale avec l'inscription suivante : « Certains prennent des barbituriques jusqu'à la fin de leur vie. » Pourtant, les propriétés addictives du Librium ont été très tôt connues[12] et Ian Oswald, comme on a vu plus haut, notait le phénomène de rebond créé par le benzo Mogadon dès 1968. Tout au long des années 1970, les études se sont succédé qui montraient que les benzodiazépines n'étaient pas moins addictives que les barbituriques et pouvaient provoquer lors du sevrage des convulsions, de la confusion mentale et même de la psychose paranoïaque.

La réponse des experts enrôlés par Roche et d'autres fabricants de benzodiazépines était toujours la même, exprimée dans la même langue de bois :

> Je n'ai jamais vu un cas de dépendance aux benzodiazépines.
> Le Valium ne produit rien qui ressemble à de l'addiction.
> C'est seulement à des doses extraordinairement hautes sur une longue période que nous observons de la tolérance et des effets de sevrage[13].

Il fallut attendre 1979, lorsque Betty Ford, la femme de l'ex-président des États-Unis, fit publiquement état à la télévision de son addiction au Valium, pour que le problème apparaisse dans toute son ampleur et provoque finalement un rejet massif des benzos parmi les utilisateurs. (Trente ans après, la leçon semble avoir été complètement oubliée, à en juger par la reprise quasi universelle de la consommation de benzos comme le Stilnox, le Lexomil® ou le Xanax : 20 millions de prescriptions annuelles en France.)

L'industrie ayant horreur du vide, Big Pharma s'empressa de combler le manque (si l'on ose dire) créé par la chute des benzos en promouvant une nouvelle catégorie de psychotropes, les antidépresseurs ISRS du type Prozac. Une fois de plus, ces médicaments de substitution furent présentés comme ne causant pas les mêmes problèmes d'accoutumance que la génération précédente. Pendant très longtemps, on put lire ainsi sur les notices des paquets de Prozac et de Paxil (Seroxat, Deroxat) vendus dans les pays anglo-saxons : « N'ayez pas peur de prendre le Prozac sur une longue période – le Prozac ne provoque pas de dépendance (*is not addictive*) » ; « Rappelez-vous qu'on ne peut pas développer de dépendance (*addiction*) au Paxil ». En interne, les firmes savaient pourtant pertinemment qu'il n'en était rien. David Healy, qui a pu avoir accès aux archives de SmithKline (aujourd'hui GSK) en sa qualité d'expert appelé dans le cadre d'un procès, affirme que des études effectuées par la firme avant le lancement du Paxil faisaient apparaître qu'un nombre important de volontaires non dépressifs avaient développé des symptômes de manque après l'interruption du traitement. Toujours selon Healy, Pfizer avait de son côté fait des constatations analogues en ce qui concerne le Zoloft[14].

Qu'il se soit agi d'un secret de polichinelle, c'est ce que montre au demeurant un épisode savoureux de la compétition entre fabricants d'antidépresseurs. En 1996, menacée commercialement par la progression du Paxil et du Zoloft sur le marché des antidépresseurs, la compagnie Eli Lilly fit en sorte de porter à l'attention du public éclairé une étude comparative montrant que ces médicaments rivaux provoquaient un « syndrome de discontinuation », contrairement au Prozac produit par la maison[15]. La démonstration, particulièrement retorse, reposait sur le fait que la demi-vie du Prozac est plus longue que celle de ses concurrents (la demi-vie d'un médicament est le temps mis par la substance pour perdre la moitié de son activité dans l'organisme). L'étude sponsorisée par Lilly était calibrée de telle sorte que les symptômes de manque provoqués par le Paxil et le Zoloft apparaissent *avant* que ne se développent ceux du Prozac, lesquels restaient du

---

Oui, ils avaient vécu l'enfer lorsqu'ils avaient voulu arrêter le traitement. Oui, ils étaient bel et bien accros, drogués, *addicted* aux antidépresseurs.

même coup invisibles[16]. Mais ce que démontrait surtout l'étude, c'est que tout ce beau monde savait parfaitement à quoi s'en tenir au sujet des propriétés addictives des antidépresseurs !

Ce n'est pourtant pas cette étude randomisée qui a fait éclater le scandale au grand jour, mais, là encore, une émission de télévision. Dans la meilleure tradition du journalisme d'investigation, la première chaîne de la BBC diffusa en octobre 2002 et en mai 2003 deux émissions retentissantes consacrées aux problèmes de suicidalité et d'accoutumance présentés par le Seroxat (nom britannique du Paxil-Deroxat). Immédiatement après la diffusion de la première émission, la chaîne fut submergée de milliers d'appels téléphoniques et d'e-mails de téléspectateurs confirmant ce qui avait été catégoriquement nié à l'écran par un porte-parole de GSK, le docteur Alastair Benbow. Oui, ils avaient vécu l'enfer lorsqu'ils avaient voulu arrêter le traitement. Oui, c'était bien pire que le problème pour lequel ils avaient pris le médicament initialement. Oui, ils étaient bel et bien accros, drogués, *addicted* aux antidépresseurs.

Devant l'avalanche de témoignages (et un sérieux remontage de bretelles de la part de l'Agence britannique du médicament, brutalement réveillée de sa pharmacosomnolence), GSK finit par admettre dans une lettre envoyée aux médecins britanniques qu'affirmer que le Seroxat-Paxil-Deroxat n'est « pas addictif (*not addictive*) crée un malentendu et peut suggérer aux patients que le traitement au Seroxat peut être arrêté brutalement[17] ». Autrement dit, GSK savait que son produit créait de la dépendance, mais s'était mal exprimée…

On doute fort que ce genre de défense permette à un vendeur de crack d'échapper à la prison, mais cela suffit apparemment lorsqu'il s'agit d'une industrie.

Le cartel de Bâle

Au tournant du XXe siècle, bien avant qu'elle n'accroche le monde entier au Valium, la compagnie suisse Hoffmann-La Roche était l'un des principaux producteurs de dérivés de l'opium. L'un de ses produits phares était le Pantopon Roche, une forme injectable d'opium qui concurrençait l'Héroïne de Bayer (William Burroughs, qui était un expert en la matière, raconte dans *Junkie* qu'on trouvait encore du Pantopon dans les rues de Mexico dans les années 1950). Roche exportait également des quantités massives d'opium vers la Chine, qui était le plus gros marché pour ce produit après que les puissances occidentales l'eurent créé *manu militari* lors des deux guerres de l'Opium (1839-1842 et 1856-1860).

À partir de 1906, diverses réglementations nationales et internationales furent mises en place afin de limiter et de contrôler la libre circulation des produits opiacés. Directement menacée dans ses intérêts économiques, la firme de Bâle décida de passer outre. Elmer Bobst, qui dirigeait la branche américaine de Roche avant de devenir plus tard P-DG de Warner-Lambert, raconte dans ses mémoires qu'au début des années 1920 la maison mère expédiait encore des chargements de morphine à la mafia américaine en les dissimulant dans des caisses marquées « bicarbonate de soude ». Jusqu'au début des années 1930, Roche continua à inonder la Chine d'opium par l'intermédiaire de trafiquants de drogue (les transactions financières étaient opportunément protégées par le secret bancaire suisse). Lors du procès dit de la « Route de Canton » tenu à Shanghai en 1925, il fut révélé que Roche avait expédié 180 caisses d'opium et 26 caisses d'héroïne à un trafiquant chinois nommé Gwando. Un autre cas de contrebande illicite avec la Chine fut discuté lors d'une réunion de la Commission sur l'opium de la Société des Nations en 1927, ce qui amena le représentant britannique, sir John Campbell, à s'exclamer qu'il n'avait « absolument aucun doute sur le fait que la compagnie Hoffmann-La Roche n'[était] pas une firme à qui l'on devrait accorder une licence pour produire des médicaments[18] ». De son côté, le représentant suisse fit savoir que son gouvernement n'avait aucune intention d'intervenir.

Dans ses mémoires, Elmer Bobst nie pourtant que les dirigeants de la compagnie bâloise aient été des canailles. Ces gens, écrit-il, étaient d'honorables citoyens et de bons pères de famille. « Mais en affaires, ils agissaient comme s'ils étaient foncièrement amoraux. [...] Ils avaient deux règles de conduite éthiques, l'une pour leur vie privée et l'autre pour les affaires. En tant que citoyens privés, ils agissaient honorablement et se conformaient aux lois ; en tant qu'hommes d'affaires, ils cherchaient de toute évidence à contourner la loi si la compagnie pouvait en tirer bénéfice[19]. »

OXYCONTIN, L'OPIUM DU PEUPLE

En octobre 2003, Rush Limbaugh, l'animateur de radio le plus écouté aux États-Unis, prit son micro doré pour annoncer à ses auditeurs qu'il était devenu accro à des médicaments antidouleur à la suite d'une opération de la colonne vertébrale et qu'il allait entrer en clinique pour suivre une cure de désintoxication. Cette confession publique faisait suite à un article de tabloïde dans lequel une domestique racontait comment elle le rencontrait secrètement dans un parking pour lui remettre contre petites coupures des boîtes de cigares remplies d'OxyContin®, l'antalgique dont il était devenu dépendant. Alertées, les autorités avaient poursuivi Limbaugh pour obtention illégale de médicaments sous ordonnance. Étant donné que Limbaugh, un conservateur particulièrement virulent, vitupérait volontiers contre la permissivité des « libéraux » en matière de drogue, la nouvelle ne manquait pas de sel. Mais comment en était-il arrivé là ?

L'OxyContin n'est pas une « street drug ». C'est un antalgique opiacé prescrit le plus légalement du monde à des millions de patients, exactement comme ses cousins « me-toos » Percocet®, Oxycocet® ou Vicodin®, que le personnage de la série télévisée *Dr House* a rendu célèbre. En 2010, cette classe de médicaments a généré à elle seule 254 millions de prescriptions aux États-Unis, rapportant en tout 11 milliards de dollars aux compagnies qui les produisent. Celles-ci ne sont pas des laboratoires clandestins cachés dans la jungle colombienne, mais des firmes multinationales parfaitement légitimes : Purdue Pharma, Novartis, Johnson & Johnson, Abbot Laboratories, Pfizer, Union chimique belge (UCB).

L'OxyContin et ses copies ne sont pas pour autant des médicaments anodins. L'OxyContin contient de l'oxycodone, un analgésique très puissant synthétisé en 1916 à partir d'un alcaloïde de l'opium, la thébaïde. Comme toutes les substances de la même famille des opioïdes – morphine, codéine, héroïne, méthadone –, l'oxycodone est hautement addictive et inscrite de ce fait au Tableau 1 de la Convention internationale sur les stupéfiants. C'est pourquoi elle n'a été utilisée pendant très longtemps que dans le cas des douleurs associées à un cancer en phase terminale, tout comme la morphine.

La situation changea du tout au tout en 1995, lorsque la firme Purdue Pharma obtint une autorisation de mise sur le marché pour l'OxyContin, une version d'oxycodone à libération prolongée dont l'action est censée durer au moins 12 heures. Le mécanisme de libération prolongée était une amélioration du point de vue des patients, lesquels n'avaient plus à prendre de médicaments à intervalles rapprochés, mais il ne changeait absolument rien aux propriétés pharmacologiques de l'oxycodone (ni d'ailleurs à son efficacité). Purdue en profita néanmoins pour présenter son antalgique comme non addictif en prétendant que la libération prolongée de l'Oxy-Contin allait empêcher les toxicomanes de le prendre pour obtenir un « rush ». D'après le département de la Justice américain,

> les cadres et employés de Purdue organisèrent des formations où l'on utilisait des graphiques qui exagéraient les différences entre les niveaux de plasma sanguin de l'OxyContin et ceux des opioïdes à libération immédiate. Les graphiques étaient utilisés pour enseigner fallacieusement aux commerciaux que l'OxyContin provoquait moins de « hauts et bas » dans les niveaux sanguins et donc moins d'euphorie, avec un potentiel d'abus moindre que les opioïdes à action rapide[20].

La notice d'utilisation de l'OxyContin, inexplicablement approuvée par la FDA, déclarait également :

> Le développement d'une dépendance aux analgésiques opiacés chez des patients algiques suivis correctement est rare d'après les études (*is reported to be rare*).

Une vidéo « éducative » distribuée à 15 000 médecins généralistes (et non soumise pour approbation à la FDA) affirmait que seulement 1 % des patients étaient susceptibles de développer une dépendance toxicomaniaque au médicament. Un article scientifique sponsorisé par Purdue et distribué à 10 000 exemplaires sous forme de tirés à part établissait de même que sur une cohorte de 106 patients souffrant d'arthrose, deux seulement avaient montré quelques signes de manque à l'arrêt du traitement après avoir pris des doses supérieures à 60 mg par jour[21]. Conclusion : on pouvait sans souci prescrire de l'OxyContin à des patients souffrant de douleurs chroniques comme l'arthrose, les migraines, le mal de dos, les douleurs au genou ou la fibromyalgie. Pour renforcer le message, les visiteurs médicaux de Purdue distribuaient aux généralistes des échantillons gratuits à donner à leurs clients pour qu'ils essaient l'OxyContin sur une période de sept à trente jours[22].

Essayer l'OxyContin, c'est l'adopter. Les patients aimaient beaucoup et les ventes s'envolèrent en conséquence. De 40 millions de dollars en 1996, le chiffre d'affaires de l'OxyContin est passé à 1,5 milliard en 2002, puis à 3,1 milliards en 2010. Le gros du marché était représenté par les douleurs non cancéreuses. Alors qu'au départ les ordonnances pour celles-ci s'élevaient à 670 000 en 1997, en 2002 il y en avait déjà 6,2 millions. L'année suivante, plus de la moitié des ordonnances étaient écrites par des médecins généralistes. Grâce à son blitz marketing (200 millions de dollars dépensés rien qu'en 2001), Purdue s'était taillé un empire en délogeant les antalgiques classiques.

Comme il fallait s'y attendre, l'expansion du marché de l'Oxy-Contin s'est accompagnée d'une explosion sans précédent de cas de dépendance aux opiacés. Des gens qui s'étaient fait prescrire de l'Oxy-Contin pour soulager un banal mal de dos se sont retrouvés incapables d'arrêter le médicament et contraints d'augmenter constamment les doses pour éviter les effets du manque – vomissements, migraines atroces, douleurs diffuses, suées, tremblements. Très vite, certains trouvèrent le moyen de contourner le mécanisme de libération prolongée du médicament en grattant l'enrobage du médicament et en réduisant l'oxycodone à l'état de poudre susceptible d'être sniffée comme de la cocaïne ou injectée comme de l'héroïne. Ils étaient devenus d'abjects junkies, prêts à tout pour satisfaire leur besoin.

Des citoyens au-dessus de tout soupçon étaient arrêtés après s'être procuré leur médicament auprès de dealers ou avoir tué quelqu'un pour quelques comprimés. En 2012, un ex-officier de police de New York fut inculpé pour le braquage à main armée de sept pharmacies, toutes situés dans son quartier. À chaque fois, il repartait avec le stock d'OxyContin. Il avait, semble-t-il, développé une accoutumance au médicament après s'être démis l'épaule en poursuivant des cambrioleurs[23]. Cindy McCain, femme d'affaires, philanthrope et épouse du sénateur John McCain, est devenue si dépendante à l'OxyContin après une opération du dos qu'elle détournait à son profit les analgésiques de l'American Voluntary Medical Team, une équipe médicale à

En 2012, il y avait aux États-Unis 2 millions de personnes ayant une dépendance aux médicaments opiacés et 16 500 morts par overdose d'antalgiques opiacés, soit plus de cadavres que ceux dus à la cocaïne et à l'héroïne combinées.

but non lucratif qu'elle avait fondée en 1988 pour intervenir à travers le monde lors de crises humanitaires. D'autres, comme l'acteur Heath Ledger, ont été retrouvés morts après une overdose d'«OC» (nom de rue de l'OxyContin).

En 2012, on estimait à 2 millions le nombre de personnes aux États-Unis ayant une dépendance aux médicaments opiacés. Cette année-là, on comptait également 16 500 morts par overdose d'antalgiques opiacés, soit plus de cadavres que ceux dus à la cocaïne et à l'héroïne combinées. Certaines régions rurales qui n'avaient jamais connu auparavant de problème de toxicomanie sont particulièrement touchées. Des communautés entières dans le Kentucky ou dans le Maine sont dévastées par ces drogues médicales, tout comme les ghettos urbains le sont par le crack, obligeant les États concernés à multiplier les cliniques de traitement à la méthadone[24].

Pire encore : de plus en plus de nouveau-nés sont accros aux opiacés du fait d'avoir été exposés aux médicaments dans le ventre de leur mère. Selon une étude parue l'année dernière aux États-Unis, quelque 13 500 bébés par an – soit un toutes les heures – naissent atteints de «syndrome d'abstinence néonatal[25]». À peine voient-ils le jour qu'ils sont déjà en manque et présentent tous les symptômes habituels du sevrage : convulsions, tremblements, troubles respiratoires, déshydratation, irritabilité, désintérêt pour la nourriture. Il faut les mettre en soins intensifs pendant des semaines et leur donner de la méthadone ou de la morphine en diminuant progressivement les doses afin de les sevrer. Le dosage est très délicat et certains des malheureux bébés-junkies meurent d'overdose, à l'instar de leurs collègues adultes. Prix moyen d'une de ces cures de désintoxication précoce : 53 400 dollars.

Dans des dépositions faites sous serment dans le cadre d'une enquête ouverte par le département de la Justice, les dirigeants de Purdue Pharma devaient affirmer n'avoir eu connaissance des problèmes de dépendance toxicomaniaque causés par l'OxyContin qu'à partir de 2000, quand les autorités de l'État du Maine avaient pour la première fois tiré la sonnette d'alarme. Il s'agissait manifestement d'un parjure. Une étude effectuée par la firme elle-même et annexée par elle à son dossier d'AMM auprès de la FDA établissait dès 1995 qu'il était parfaitement possible à un toxicomane d'extraire 68 % d'oxycodone d'un comprimé d'OxyContin rien qu'en l'écrasant (il est vrai que cette étude ne semble pas avoir inquiété outre mesure la FDA à l'époque)[26]. La correspondance interne de la firme montre aussi qu'elle n'ignorait rien de la situation sur le terrain, qu'elle surveillait comme le lait sur le feu. Dans un e-mail adressé en octobre 1997 au directeur général Michael Friedman, un responsable du marketing rapporte que les références à l'OxyContin sur les forums de discussion consacrés à l'addiction « suffisent à occuper une personne pendant toute la journée. Nous avons trois personnes qui visitent les forums de discussion[27]. »

L'enquête menée par le département de la Justice établit en outre que Purdue avait délibérément falsifié les données de son étude sur l'arthrose afin de cacher les dangers d'accoutumance présentés par l'OxyContin. Avant même que cette étude soit publiée et généreusement distribuée à 10 000 exemplaires, une analyse interne avait établi que 8 (et non pas seulement 2) des 106 patients avaient eu des symptômes de manque et que « comme on s'y attendait (*as expected*), certains patients [avaient] développé une dépendance physique aux comprimés d'OxyContin) ». Une analyse plus tardive mettait le chiffre à 11 patients sur 106, en ajoutant plus vaguement que « *de multiples patients* ont affirmé directement ou indirectement qu'un effet indésirable pouvait être dû à des symptômes de manque[28] ». Purdue Pharma était donc parfaitement au courant des risques d'addiction, ce qui ne l'a pas empêché de faire de cette étude trompeuse l'une des pièces maîtresses de son marketing.

Rattrapés par leurs mensonges, Purdue Pharma et trois de ses dirigeants furent condamnés en mai 2007 à payer une amende de 634 millions de dollars pour « misbranding », c'est-à-dire marketing trompeur. L'amende des trois dirigeants fut épongée par la compagnie. Selon le magazine *Fortune*, les autorités fédérales voulaient initialement inculper la firme et ses dirigeants pour d'autres crimes également, tels qu'association de malfaiteurs, fraude postale, fraude électronique et blanchiment d'argent. Purdue avait réussi à éviter ces inculpations infamantes en recourant aux services juridiques de Rudolph Giuliani, l'ex-maire républicain de New York, lequel avait été en mesure de négocier directement avec le département de la Justice en passant par-dessus les procureurs chargés de l'affaire (c'était l'époque de la seconde administration Bush, particulièrement sensible aux besoins des grandes compagnies américaines).

LA VÉRITÉ SUR LES MÉDICAMENTS

UNE FIRME AU-DESSUS DE TOUT SOUPÇON

L'OxyContin n'a pas été retiré du marché pour autant. Désireuse de se défaire de son image de marque négative, Purdue Pharma s'est énergiquement lancée dans la « guerre contre la drogue » en général et dans celle contre l'abus des médicaments en particulier. La compagnie sponsorise maintenant des formations destinées à enseigner aux policiers à reconnaître les signes d'addiction aux médicaments. Elle a également créé un site, www.rxpatrol.com, où sont postés les rapports de police sur les crimes liés à la drogue et où les internautes sont invités à dénoncer anonymement les dealers contre une récompense pouvant allant jusqu'à 2 500 dollars. Surtout, Purdue a obtenu en 2010 une autorisation de mise sur le marché pour une nouvelle version d'Oxy-Contin, plus difficile à détourner par les toxicomanes (quand on l'écrase, le contenu du comprimé se divise en morceaux au lieu de former de la poudre). De la sorte, seuls les consommateurs se procurant l'OC par l'intermédiaire d'un médecin peuvent désormais satisfaire leur addiction.

L'OxyContin est redevenu un médicament respectable, qu'on peut prescrire *ad libitum*. La FDA vient d'ailleurs de récompenser la bonne conduite de Purdue Pharma en interdisant la mise sur le marché de génériques de l'ancienne version de l'OxyContin, dont le brevet venait à expiration[29]. Le monopole de l'organisation Purdue sur la distribution de l'OC est donc maintenu jusqu'à expiration du nouveau brevet. Les fermiers du Kentucky peuvent s'attendre à voir le prix des comprimés grimper. Un grand nombre d'entre eux ont d'ailleurs déjà abandonné l'OC pour l'héroïne, moins chère et plus facile à se procurer. Selon des chercheurs de la Washington University à Saint Louis, 66 % des accros à l'OC sont passés depuis 2009 à d'autres opiacés[30] :

> Nous recevons maintenant des rapports venant de partout dans le pays signalant de grosses quantités d'héroïne dans les banlieues[31] et les zones rurales. Comme ils n'ont pas un accès facile à l'OxyContin, qui était un médicament [*drug*] très populaire dans les banlieues et les zones rurales, les toxicomanes qui préfèrent sniffer ou se faire des injections sont passés à présent à des opioïdes plus puissants s'ils peuvent mettre la main dessus, ou bien à l'héroïne.[32]

Purdue Pharma mettra bien sûr tout en œuvre pour aider les autorités à traquer cette concurrence criminelle.

8
Détourner l'usage des médicaments : la prescription « hors AMM »

> D'un point de vue commercial, et c'est naturel pour tous les commerces, ils n'auront de cesse jusqu'à ce que tout le monde – hommes, femmes et enfants, jusqu'au dernier – prenne leur médicament.
>
> *Kalman Applbaum*[1]

Il y a bien d'autres moyens d'étendre le marché d'un médicament et tous ne sont pas aussi extrêmes que la mise sous dépendance physique, même s'ils sont en fin de compte tout aussi dangereux pour les consommateurs. Le plus courant consiste à favoriser la prescription hors indication ou hors AMM, c'est-à-dire la prescription par le médecin d'un médicament pour une affection pour laquelle ce médicament n'a pas reçu d'autorisation de mise sur le marché.

La recette est très simple. Prenez une molécule que vous avez synthétisée dans votre laboratoire et obtenez de l'agence du médicament la plus proche une AMM pour l'indication X, Y ou Z – peu importe laquelle, en fait. Parmi les multiples effets produits par votre molécule, vous en trouverez bien un qui provoque un frémissement statistiquement supérieur au placebo auquel vous aurez comparé votre produit lors d'un essai clinique randomisé en double aveugle. La seule chose qui importe est d'obtenir une AMM pour une indication quelconque, car vos visiteurs médicaux pourront alors aller chez les médecins pour leur faire savoir que votre molécule est également efficace pour l'affection U, V ou W : « Savez-vous, docteur, que les dernières études montrent que notre traitement hormonal de substitution Premarin est également indiqué pour la prévention de la maladie d'Alzheimer et du cancer du côlon ? » « Vous ai-je dit que notre médicament Acthar Gel® contre les spasmes infantiles fait des miracles pour la sclérose en plaques, le syndrome néphrotique et les affections rhumatologiques[2] ? » « Voyez-vous, l'avantage de notre antiacnéique Diane 35, c'est qu'il sert simultanément de contraceptif[3]. »

PANACÉES, HUILE DE SERPENT ET DÉMARCHEURS DE VENT

La prétention à guérir tout et n'importe quoi est aussi vieille que la pharmacopée. Pendant deux mille ans, la thériaque a été utilisée pour remédier aux maux les plus divers (on ne parlait pas à l'époque de blockbuster, mais de panacée). Dans l'Ouest américain, les « médecins » itinérants vendaient aux naïfs cow-boys du « snake oil » (huile de serpent) censé tout guérir. Encore à la fin du XIXᵉ siècle, la compagnie Parke-Davis mobilisait toutes les ressources du marketing naissant pour promouvoir la cocaïne comme anesthésique et traitement de l'asthme, de la dyspepsie, de la cachexie, du mal de mer, de l'impuissance, de l'alcoolisme, de la timidité, de la morphinomanie, de l'hystérie et de la neurasthénie (le jeune docteur Sigmund Freud s'en était fait l'écho enthousiaste à Vienne[4]). En Allemagne, Bayer faisait de même avec son médicament Héroïne, présenté comme un somnifère, un analgésique et un traitement « héroïque » (c'est-à-dire très puissant) contre la toux, les affections pulmonaires et la tuberculose.

La prétention à guérir tout et n'importe quoi est aussi vieille que la pharmacopée. Pendant deux mille ans, la thériaque a été utilisée pour remédier aux maux les plus divers (on ne parlait pas à l'époque de blockbuster, mais de panacée).

Une publicité de l'Ouest Américain : Huile de serpent SEO. Guérit tout.
Préparée spécialement par Old West Products LLC.

C'est précisément pour encadrer ce genre de prétentions thérapeutiques excessives et limiter les dangers qu'elles présentaient pour les consommateurs qu'ont été introduites au cours du XXe siècle toutes sortes de réglementations subordonnant l'usage des médicaments à l'obtention d'une ordonnance médicale. Les premières substances à tomber sous le coup de ces réglementations (aux États-Unis d'abord, puis ailleurs) ont été les opiacés et la cocaïne, qui pouvaient jusque-là être achetés librement en pharmacie ou sur catalogue (Harrison Narcotics Act, 1914). Puis, à la suite du scandale de l'Elixir Sulfanilamide (voir plus haut p. 129), ce furent des classes entières de médicaments telles que les sulfamides, les barbituriques, les amphétamines et les traitements à la thyroïde (Food, Drug, and Cosmetic Act, 1938 ; Durham-Humphrey Amendment, 1951). Et enfin, après le désastre de la thalidomide, ce sont tous les nouveaux médicaments ayant reçu une AMM pour une indication donnée qui ont été soumis à ordonnance (Kefauver-Harris Amendments, 1962).

L'idée derrière toutes ces réglementations était de défendre les consommateurs contre le marketing trompeur des compagnies pharmaceutiques en déléguant aux médecins le soin de juger du caractère approprié ou non des traitements médicamenteux. À eux de décider, sur la base de leur expertise et de leur jugement clinique, quel médicament prescrire pour quelle indication et quel patient. C'est pourquoi une grande latitude est accordée aux médecins dans leurs prescriptions. Alors que les compagnies pharmaceutiques n'ont pas le droit de promouvoir leurs médicaments pour d'autres indications que celles pour lesquelles elles ont reçu une AMM, les médecins, eux, sont libres de les prescrire hors AMM s'ils le jugent bon – et c'est tant mieux. Il faut en effet qu'ils aient la possibilité de prescrire un médicament pour un autre usage que celui pour lequel il a été mis sur le marché s'ils estiment que c'est dans l'intérêt de leur patient.

Souvent les agences du médicament tardent à autoriser un usage qui n'a pas fait l'objet d'une demande d'AMM de la part d'une firme et il est donc bon que les médecins ne soient pas prisonniers de ce genre de blocage administratif. Cela a été le cas récemment avec le baclofène, un médicament d'ordinaire utilisé dans le traitement des maladies neuromusculaires, que quelques médecins courageux ont pris sur eux de prescrire à fortes doses dans le sevrage alcoolique en dépit des mises en garde dissuasives (et fortement teintées de conflits d'intérêts) de l'Agence française du médicament[5].

Il faut bien voir toutefois que le pouvoir qui est ainsi conféré aux médecins de décider à la place de leurs patients fait d'eux la cible privilégiée du marketing pharmaceutique. Comme les firmes ne peuvent plus vendre leurs produits directement aux consommateurs, ils les « vendent » aux médecins prescripteurs. Ce sont eux qu'il faut persuader d'« acheter » (c'est-à-dire de prescrire) tel ou tel médicament, à coup de millions dépensés en essais cliniques, en colloques scientifiques, en « éducation médicale », en articles dans la presse professionnelle, en visiteurs médicaux. C'est ce qui explique que le marketing pharmaceutique soit un marketing *scientifique*, puisque seule l'apparence de la science est susceptible de convaincre des médecins qui s'enorgueillissent d'être imperméables aux sirènes marchandes et de prendre leurs décisions cliniques uniquement sur la base de preuves objectives.

Tout le jeu consiste donc à flatter la confiance des médecins dans leur propre jugement et à les amener à prescrire hors AMM afin d'étendre le marché de tel ou tel médicament. On pourrait croire qu'il s'agit là d'une gageure, mais ce n'est pas le cas. Il suffit de quelques études cliniques bien formatées et d'une bonne agence de communication pour surmonter les hésitations qu'un médecin pourrait avoir à mettre en pratique les « dernières-avancées-de-la-science ». La vérité est que les médecins n'ont tout simplement pas le temps d'étudier de près les études sur lesquelles ils basent leurs décisions et ils font donc confiance à leurs auteurs présumés et aux revues scientifiques qui les publient. Le plus souvent, ils n'ont d'ailleurs même pas conscience de prescrire hors AMM. Selon une enquête effectuée aux États-Unis en 2009 auprès de 600 médecins, ceux-ci se trompaient en moyenne une fois sur deux sur les indications des médicaments les plus courants et étaient persuadés de les prescrire pour des usages approuvés par la FDA alors que ce n'était pas le cas[6] !

Démarcher un médicament hors AMM est donc en réalité un jeu d'enfant et c'est pourquoi toutes les firmes le font. Mais c'est aussi un crime. Pousser les médecins à prescrire hors indication n'est pas seulement une façon particulièrement insidieuse de contourner le contrôle des agences du médicament, cela revient aussi à jouer à la roulette avec la vie et la santé de dizaines de milliers de patients. Combien de cancers du sein dus au marketing du Premarin comme élixir de jouvence, alors qu'il n'avait été autorisé initialement que pour les symptômes de la ménopause ? Combien de morts dues au démarchage du Prépulsid pour les bébés, alors qu'il avait été approuvé seulement pour les adultes ? Combien d'overdoses dues à la campagne de Purdue Pharma pour étendre l'usage inconsidéré de l'OxyContin aux douleurs non cancéreuses ?

DE LA CHLOROMYCÉTINE AU MEDIATOR : COMBIEN DE MORTS ?

La liste des catastrophes sanitaires causées par le marketing hors AMM est sans fin et elle montre à quel point cette pratique est

---

Pousser les médecins à prescrire hors indication n'est pas seulement une façon particulièrement insidieuse de contourner le contrôle des agences du médicament, cela revient aussi à jouer à la roulette avec la vie et la santé de dizaines de milliers de patients.

courante, constante, irrépressible. Elle a d'ailleurs commencé aussitôt que la circulation des médicaments a été réglementée, comme le montre l'affaire de la Chloromycétine® (chloramphénicol) de la firme Parke-Davis. Lancé sur le marché en 1949, cet antibiotique est très efficace dans le traitement d'un nombre limité de maladies infectieuses graves comme la fièvre typhoïde et l'*Haemophilus influenzae* de type b. Reprenant la stratégie qui lui avait si bien servi naguère avec la cocaïne, Parke-Davis démarcha immédiatement son médicament comme un antibiotique *universel*, valable aussi bien pour les rhumes que pour l'acné ou les morsures de moustique infectées. Dès 1950, pourtant, on savait que la Chloromycétine était susceptible de provoquer de l'aplasie médullaire, une maladie du sang très rare et quasiment toujours fatale. Plusieurs personnes qui avaient pris de la Chloromycétine pour une bronchite ou une opération dentaire en étaient mortes, après d'innombrables transfusions sanguines.

Alertée par ces cas, la FDA fit paraître en 1952 un communiqué officiel dans lequel elle déclarait notamment que la Chloromycétine devait rester disponible

> pour une utilisation prudente par la profession médicale dans le cas de maladies graves et parfois mortelles pour lesquelles elle est nécessaire. [...] La Choloromycétine ne doit pas être utilisée de façon inconsidérée ou pour des infections mineures[7].

La réponse de Parke-Davis ? Le P-DG envoya une « Lettre du Président » aux visiteurs médicaux chargés de démarcher la Chloromycétine auprès des médecins :

> La Chloromycétine a été officiellement validée par la FDA [...] *sans restrictions concernant le nombre ou l'extension des maladies pour lesquelles la Chloromycétine peut être administrée*[8].

La Chloromycétine continua donc à être prescrite à travers le monde pour tout et n'importe quoi. En 1967, on estimait que près de 4 millions d'Américains en prenaient par an. Étant donné que la fièvre typhoïde est très rare aux États-Unis (500 à 1 700 cas par an à l'époque) et que la Chloromycétine cause de l'aplasie médullaire dans 1 cas sur 60 000[9], le calcul est très facile : le marketing hors AMM de Parke-Davis a vraisemblablement entraîné la mort d'environ 66 personnes par an. 66 morts absurdes, scandaleuses, inadmissibles, puisque la Chloromycétine n'aurait jamais dû être prescrite à ces malheureux. Mais une fois le train du marketing hors AMM lancé, il est quasiment impossible à arrêter. En 1975, vingt-quatre ans après que les effets secondaires mortels de la Chloromycétine eurent été clairement établis, elle faisait encore l'objet de 93 000 ordonnances pour de simples rhumes[10].

Le scénario macabre s'est répété d'innombrables fois depuis. L'épisode le plus récent (mais assurément pas le dernier) est l'affaire du Mediator, laquelle n'est elle-même que la répétition somnambulique de l'affaire du Fen-Phen/Redux sur le sol français. On se souvient que les laboratoires Servier, en tandem avec Wyeth, avaient agressivement marketé leurs amphétaminiques fenfluramine et dexfenfluramine comme coupe-faim aux États-Unis, alors qu'ils n'avaient obtenu d'AMM que pour le traitement de l'obésité caractérisée et qu'ils étaient au courant par ailleurs des dangers d'hypertension artérielle pulmonaire et de valvulopathies cardiaques présentés par leurs molécules (voir plus haut p. 48). Or, parallèlement à la fenfluramine et à sa jumelle dexfenfluramine, Servier avait également développé un autre amphétaminique de la même famille chimique, le cousin benfluorex, commercialisé à partir de 1976 sous le nom de marque Mediator.

Selon le témoignage de deux ex-chercheurs de Servier, le pharmacologue Jacques Duhault et le neurochirurgien Jean Charpentier, l'objectif du laboratoire était clairement de développer un nouvel anorexigène (coupe-faim) amphétaminique susceptible de se tailler une part du juteux marché de la perte de poids[11]. Toutefois, le dossier de demande d'AMM déposé en France en 1973 ne mentionnait ni les propriétés anorexigènes du benfluorex, ni sa proximité avec les amphétaminiques de la famille des fenfluramines, car les amphétamines avaient à l'époque mauvaise presse à cause de l'épisode de l'aminorex (voir plus haut p. 47). Le médicament était présenté au contraire comme un respectable antidiabétique. Le professeur Charpentier avoue avoir été à l'époque

> beaucoup étonné de voir le Mediator sortir comme antidiabétique, car ça n'a rien à voir sur le plan expérimental, ni sur le plan clinique. [...] Notre but était de montrer que le caractère anorexigène principal de cette molécule avait également un mécanisme d'action faible sur les lipides et les glucides. C'est ensuite qu'il y a eu déviation quand ils ont fait de cette action secondaire l'action principale pour qualifier cette molécule d'antidiabétique[12].

Et ni vu ni connu, je t'embrouille. L'obtention d'AMM du Mediator comme antidiabétique n'était qu'une formalité destinée à permettre en sous-main son démarchage comme coupe-faim, qui plus est remboursé à 65 % par la Sécurité sociale! Servier l'a toujours nié, mais la littérature promotionnelle du laboratoire ne laisse aucun doute sur la véritable cible du Mediator. C'était le « polysurchargé métabolique », c'est-à-dire la personne qui ferait mieux de perdre quelques kilos. Sur la première page d'une plaquette d'information envoyée aux médecins en 1980, on pouvait voir la photo d'un homme souriant et un peu joufflu: « Il est dans votre salle d'attente, c'est votre prochain malade. Il a entre 40 et 50 ans. Sa bonne santé n'est qu'apparente, derrière son aspect jovial et rubicond, son excès de poids et quelques anomalies sont alarmants, le risque vasculaire le guette. » Fort heureusement, le Mediator est là, qui « agit au carrefour des métabolismes lipidiques, glucidiques et puriniques[13] ».

Il est dans votre salle d'attente

Il est dans votre salle d'attente ; c'est votre prochain malade, vous allez devoir commenter les résultats d'examens complémentaires et prendre une décision.

L'alerte
Ce qui l'a amené à consulter? Peut-être un signe fonctionnel d'alarme vasculaire, peut-être le décès d'un proche par infarctus, ou encore sa propre inquiétude ou celle de sa femme qui l'a poussé à un examen de principe.

Les anomalies
Il a entre 40 et 50 ans, sa bonne santé n'est qu'apparente : derrière son aspect jovial et rubicond, son excès de poids et quelques anomalies sont alarmants, le risque vasculaire le guette. En effet, sa tension artérielle est limite, son fond d'œil montre de discrètes altérations. Outre une enquête clinique et électrique complète et soigneuse allant jusqu'à l'E.C.G. d'effort, des examens biologiques complets ont été faits.

Il en ressort : VS, NFS, urée, créatinine sont normales, cependant la glycémie est à 1,15 g, le cholestérol à 2,90 g, les triglycérides à 1,80 g, l'acide urique à 65 mg.

Ces élévations modérées mais multiples, sont autant de facteurs de risque se majorant réciproquement.

Le choix de l'option thérapeutique
Chez ce malade particulièrement exposé, le traitement suppose des mesures symptomatiques, à poursuivre indéfiniment et à contrôler régulièrement.
1 / En premier lieu, le régime, après une enquête diététique, s'impose.

2 / Si le régime est insuffisant ou s'il est mal suivi, 2 options thérapeutiques sont possibles :

● associer 3 médicaments symptomatiques, un hypoglycémiant, un normolipémiant et un hypo-uricémiant.

● ou Mediator seul, car il agit sur les 3 anomalies métaboliques décelées : hyperlipidémie, hyperglycémie, hyperuricémie.

Voilà l'intérêt majeur de Mediator,

une seule molécule pour corriger 3 anomalies parce que Mediator agit au carrefour des métabolismes lipidiques, glucidiques et puriniques.

Plaquette d'information sur le Mediator distribuée aux médecins pas les laboratoires Servier au début des années 1980.

Pendant les trente-trois ans qu'il est resté sur le marché, le Mediator a été prescrit à quelque 5 millions de Français et dans 70 % des cas comme coupe-faim[14]. La plaquette de Servier disait du replet « polysurchargé » qu'il était guetté par le risque vasculaire. En réalité, les 5 millions de consommateurs du Mediator étaient guettés par un risque bien plus direct, celui de développer de l'hypertension artérielle pulmonaire ou des valvulopathies cardiaques. On pouvait s'en douter depuis fort longtemps (du moins en ce qui concerne l'hypertension artérielle pulmonaire), puisque le Mediator était en fait une amphétamine, tout comme l'aminorex de triste mémoire. Et le doute aurait dû devenir une certitude après l'énorme scandale du Fen-Phen/Redux aux États-Unis, puisque les deux molécules incriminées, la fenfluramine et la dexfenfluramine de Servier, étaient les cousines chimiques du benfluorex, alias Mediator, du même laboratoire Servier.

De façon tout à fait étonnante, quasiment personne parmi les spécialistes ne fit pourtant le rapprochement en France. Ni les experts de l'AFSSAPS, l'Agence française du médicament, ni les pneumologues, ni les cardiologues, ni la presse médicale. On apprendra plus tard que les « silencieux » de Servier ont parfaitement fonctionné, bloquant à tous les étages les alertes venues de France ou d'autres pays comme l'Espagne et l'Italie. Ce n'est qu'en 2010, grâce à la publication du livre de la pneumologue Irène Frachon, *Mediator, combien de morts ?*[15], et à l'écho que lui a donné la journaliste Anne Crignon dans *Le Nouvel Observateur*, que la vérité tant retardée a enfin éclaté : l'antidiabétique si pratique à prescrire pour les personnes désireuses de perdre quelques kilos était en fait rigoureusement identique dans ses effets à ses mortelles cousines fenfluramine et dexfenfluramine.

Rubrique des chiens écrasés

Extrait de la déposition du docteur Gérard Kouchner, P-DG du *Quotidien du médecin*, à la commission d'enquête du Sénat sur le Mediator, 7 mars 2011 :

« Sénateur François Autain : Je lis bien sûr le *Quotidien du médecin*. [...] Je n'ai pas vu de compte-rendu du livre de Mme Frachon. J'ai juste eu, comment dirais-je, un communiqué de l'AFP [...] que le laboratoire Servier avait fait au sujet du bouquin de Mme Frachon. Alors, je voulais savoir, est-que c'est un oubli ou est-ce que c'est délibéré ?

Docteur Gérard Kouchner : Non, c'est délibéré. Nous avons décidé de prendre le recul. Nous ne sommes pas une presse à sensation. Nous sommes médecins, nous mettons en premier la rigueur scientifique et méthodologique. [...] Nous ne faisons pas les chiens écrasés, Monsieur[16]. »

Nous dédions cette rubrique aux quelque 1 300 à 2 000 personnes mortes à cause du Mediator, étouffés par l'hypertension artérielle pulmonaire[17], ainsi qu'aux 100 000 personnes souffrant à présent de valvulopathies cardiaques minimes à modérées[18].

LE TRIBUNAL DES FLAGRANTES DÉRIVES

Le scandale du Mediator a suscité une forte émotion dans l'opinion publique française, choquée d'apprendre qu'un laboratoire puisse faire preuve de tant de cynisme et manipuler aussi aisément les médecins et les autorités sanitaires. Mais la vérité est que Servier n'est nullement une exception. Le marketing hors AMM dont le laboratoire s'est rendu coupable est une pratique si courante dans l'industrie pharmaceutique mondiale, et ce depuis des décennies, qu'on se demande comment le public français a pu garder si longtemps son innocence et continuer à croire à la bienveillance des pourvoyeurs de pilules. Il n'y a qu'à voir le nombre et le montant croissant des amendes imposées dernièrement aux États-Unis pour marketing hors AMM pour réaliser à quel point cette pratique est devenue « business as usual » parmi les multinationales pharmaceutiques.

Rapide florilège :

Mai 2004 – Warner-Lambert est condamnée à 430 millions de dollars d'amende pour le marketing « criminel » de l'antiépileptique Neurontin® par sa division Parke-Davis. La FDA avait autorisé le Neurontin (gabapentine) pour le traitement de seconde intention de l'épilepsie. Parke-Davis, décidément incorrigible, l'avait promu comme panacée contre la migraine, le sevrage alcoolique, la neuropathie périphérique et la sclérose latérale amyotrophique (maladie de Charcot)[19]. Comme l'expliquait un cadre de Parke-Davis aux visiteurs médicaux, il fallait qu'ils murmurent à l'oreille des médecins : « Neurontin pour la douleur, Neurontin pour la monothérapie, Neurontin pour le trouble bipolaire, Neurontin pour tout et n'importe quoi (*Neurontin for everything*)[20]. » Problème : les antiépileptiques comme le Neurontin sont susceptibles de provoquer des défaillances rénales, de l'obésité, du diabète, de la confusion mentale, des pertes de mémoire, des hallucinations, de la fatigue extrême et du vertige.

• Août 2004 – Au terme d'un règlement à l'amiable, GSK accepte de payer 2,5 millions de dollars à l'État de New York pour avoir marketé son antidépresseur Paxil (Deroxat) pour les enfants et les adolescents tout en dissimulant les risques de suicidalité qu'il présentait pour cette population.

• Décembre 2005 – Eli Lilly plaide coupable pour le marketing hors AMM de son médicament contre l'ostéporose Evista®, démarché auprès des médecins comme traitement préventif contre le cancer du sein. Amende : 36 millions de dollars.

• Mai 2007 – Purdue Pharma est condamnée à payer 634 millions de dollars pour le « misbranding » de son analgésique OxyContin (voir plus haut p. 159).

• Juillet 2007 – La compagnie Jazz Pharmaceuticals est condamnée à verser une amende de 20 millions de dollars pour avoir improprement démarché le Xyrem®, un médicament autorisé spécifiquement pour la narcolepsie, en le recommandant pour la fatigue, l'insomnie, la douleur chronique, la perte de poids, la dépression, le trouble bipolaire et la maladie de Parkinson. Effets secondaires connus : dépression [*sic* !], somnambulisme, nausées, difficultés respiratoires, confusion mentale. Le Xyrem est aussi très apprécié comme « street drug » et « drogue de viol ».

• Septembre 2007 – Bristol-Myers Squibb fait l'objet d'une amende de 515 millions de dollars pour le marketing hors AMM de son antipsychotique « atypique » Abilify®. Alors qu'il n'était autorisé que pour la schizophrénie et le trouble bipolaire I, BMS a démarché ce puissant neuroleptique pour la dépression courante, l'hyperactivité infantile et la démence sénile. Comme tous les antipsychotiques atypiques, l'Abilify a pourtant de nombreux et graves effets secondaires : prise de poids importante, augmentation du taux de cholestérol, diabète, pancréatite, accidents cardio-vasculaires, dyskinésie tardive (mouvements involontaires extrêmement handicapants et irréversibles), akathisie.

• Septembre 2008 – Au terme d'un règlement à l'amiable, Cephalon accepte de payer 444 millions de dollars pour le « misbranding » de trois de ses médicaments : le Provigil, un médicament autorisé pour la narcolepsie, promu comme stimulant contre la fatigue ; le Gabitril®, autorisé comme antiépileptique, vendu aux médecins comme traitement contre la douleur, l'anxiété et l'insomnie ; l'Actiq®, un analgésique extrêmement puissant autorisé comme substitut des opiacés dans le traitement des douleurs cancéreuses, marketé pour les migraines et d'autres douleurs non cancéreuses.

• Janvier 2009 : Tout comme Bristol-Myers Squibb, Eli Lilly est condamnée à 1,415 milliard de dollars pour le marketing hors AMM de son antipsychotique atypique Zyprexa® et pour avoir dissimulé les risques de diabète et d'obésité associés au médicament.

• Septembre 2009 – C'est au tour de Pfizer de payer 301 millions de dollars pour la promotion illicite de son antipsychotique atypique Geodon®, dans le cadre d'une amende globale de 2,3 milliards de dollars pour marketing frauduleux de plusieurs autres médicaments comme l'antibiotique Zyvox®, l'antalgique Bextra® et l'antiépileptique Lyrica®.

• Avril 2010 – Idem pour AstraZeneca, qui est condamnée à 520 millions de dollars pour le démarchage hors AMM de son antipsychotique Seroquel® (Xeroquel® en France).

• Septembre 2010 – Allergan accepte de payer 600 millions de dollars pour avoir promu illégalement son médicament antirides Botox® pour la douleur chronique, la spasticité et la paralysie cérébrale infantile.

• Septembre 2010 – Forest Laboratories doivent débourser 313 millions de dollars pour avoir démarché leurs antidépresseurs Celexa® et Lexapro® pour les enfants.

• Septembre 2010 – Tout comme Warner-Lambert/Parke-Davis et Cephalon, Novartis est condamnée pour avoir marketé un antiépileptique, le Trileptal®, pour toutes sortes de douleurs et de troubles psychiatriques. L'amende s'élève à 422,5 millions de dollars.

• Janvier, avril et août 2012 – Johnson & Johnson est condamnée à trois reprises pour le marketing hors AMM de son antipsychotique Risperdal®. Total : 1,439 milliard de dollars.

• Mai 2012 – GSK est poursuivie au niveau fédéral pour le marketing frauduleux de ses antidépresseurs Paxil (Deroxat) et Wellbutrin, ainsi que pour avoir dissimulé les risques présentés par son antidiabétique Avandia. Amende record : 3 milliards de dollars.

• Mai 2012 – Abbott Laboratories sont la quatrième compagnie être condamnée pour le marketing illicite d'un antiépileptique, le

Depakote®. Autorisé comme sédatif pour les états maniaques dans la psychose, le Depakote a été agressivement promu comme « thymoré-gulateur » pour traiter tout le spectre des troubles de l'humeur. Sanction : 1,6 milliard de dollars.

• Décembre 2012 – Le géant biotechnologique Amgen accepte de payer 762 millions pour avoir promu son médicament Aranesp® pour toutes les formes d'anémie alors qu'il n'avait été autorisé que pour l'anémie causée par un traitement chimiothérapique, et ce au risque de mettre en danger la vie des patients. (Amgen pouvait difficilement contester l'accusation, car des propos incriminants de ses dirigeants avaient été secrètement enregistrés par un employé pour le compte du département de la Santé.)

À suivre, donc. La liste des infractions n'a aucune raison de s'ar-rêter. Le montant des amendes a beau donner le tournis, il est minime comparé aux profits phénoménaux rapportés par la pratique du mar-keting hors AMM. Comme le déclarait récemment au *New York Times* Eliot Spitzer, le procureur général qui avait poursuivi GSK pour le compte de l'État de New York en 2004 :

> Ce que nous constatons, c'est que l'argent ne dissuade pas les grandes entreprises [pharmaceutiques] de commettre des délits. À mon avis, la seule chose efficace serait de forcer les P-DG et les cadres à démissionner et de les poursuivre individuellement[21].

De plus, une fois la machine à prescrire mise en marche, elle est imperméable aux péripéties judiciaires d'un médicament. Les fabri-cants d'antipsychotiques ont beau avoir été condamnés pour leur cynique marketing de cette classe de médicaments pour la gestion des enfants et des vieillards agités, leurs produits ont été prescrits à plus de 3 millions d'Américains en 2012 pour des maux allant de l'irrita-bilité à la dépression en passant par l'insomnie et l'anxiété, générant un chiffre d'affaires global de 18,3 milliards de dollars. Entre 2005 et 2011, le nombre d'ordonnances prescrites pour ces médicaments d'ordinaire réservés aux malades mentaux a augmenté de 22 % (et de 1 083 % chez les soldats, visiblement victimes de prescriptions hors AMM sur une grande échelle !)[22]. Même chose en ce qui concerne les antiépileptiques comme le Neurontin et le Lyrica, qui ont vu le nombre d'ordonnances augmenter de 94 % entre 2005 et 2011, bien qu'ils aient pratiquement tous fait l'objet de condamnations pour marketing irresponsable.

Peu importe que les enfants et les adolescents deviennent obèses et diabétiques, que les personnes âgées meurent comme des mouches dans les maisons de retraite et que les consommateurs d'antiépileptiques sédatifs perdent la mémoire ou aient des problèmes de coordination. Importe seulement qu'un maximum de pilules soient avalées par un maximum de personnes – hommes, femmes, adultes, enfants, vieillards, pauvres, riches, malades et bien-portants. La situation n'a pas beaucoup changé depuis l'époque où les charlatans du Far West vendaient aux gogos leur huile de serpent, si n'est que celle-ci est maintenant ornée d'un beau caducée.

Rubrique judiciaire

Pourquoi faire compliqué quand on peut faire simple ? Novartis, qui avait déjà été condamnée en 2010 pour le marketing hors AMM de son antiépileptique Trileptal, est maintenant accusée par les autorités fédérales américaines d'avoir versé des pots-de-vin déguisés aux médecins et aux pharmaciens – un moyen bien plus direct de les inciter à prescrire ses médicaments. D'après l'acte d'accusation, fondé sur le témoignage de lanceurs d'alerte, les pharmaciens étaient incités à favoriser les ventes de l'immunosuppresseur Myfortic® en échange de rabais artificiels. Par ailleurs, la compagnie achetait systématiquement la fidélité des médecins à la marque Novartis en leur offrant de juteux honoraires de conférence et des dîners fastueux dans les restaurants les plus huppés. D'après le communiqué du procureur Preet Bharara, « Novartis a corrompu le système de prescription sur ordonnance »[23].

À vrai dire, le plus surprenant n'est pas la révélation de ces pratiques, qui sont courantes dans l'industrie et connues de tous. C'est qu'il ait fallu si longtemps aux autorités pour s'aviser qu'elles constituent de la corruption caractérisée, exactement comme lorsqu'une entreprise offre des cadeaux à un fonctionnaire qui en retour lui attribue un marché public. À quand des poursuites contre les autres compagnies pharmaceutiques, tout aussi coupables d'inonder les médecins d'avantages en nature ? À quand la mise en examen desdits médecins pour corruption passive ?

9
Le procès du Risperdal : la promotion hors AMM et pourquoi il est si difficile de l'empêcher*

KALMAN APPLBAUM

Kalman Applbaum est professeur d'anthropologie médicale à l'université du Wisconsin à Milwaukee (États-Unis). Alors que ses collègues anthropologues étudient d'ordinaire les pratiques et systèmes de représentation de peuplades lointaines, Applbaum scrute depuis des années ceux d'une tribu encore bien plus opaque et indéchiffrable : Big Pharma. La pratique centrale des grandes entreprises capitalistes modernes est le marketing, qu'Applbaum a enseigné à la Kellogg School of Management et auquel il a consacré un livre pionnier, *L'Ère du marketing*[1]. Comme il le montre dans ses travaux plus récents, c'est aussi la pratique directrice de l'industrie pharmaceutique, que rien ne distingue à cet égard des autres industries multinationales. Pour comprendre les médicaments et plus largement la médecine moderne, il faut d'abord, nous dit-il, comprendre le marketing et ses techniques souvent extrêmement sophistiquées et efficaces — ce à quoi ni les médecins ni les patients ne sont préparés.

Dans l'article qu'on va lire, Applbaum décortique la mécanique du marketing hors AMM des médicaments en se faisant chroniqueur judiciaire à l'occasion

* Traduit de l'anglais par Laurent Bury.

d'un procès intenté récemment par l'État du Texas au géant industriel Johnson & Johnson et à sa division pharmaceutique Janssen. La transparence n'étant pas le fort de Big Pharma, c'est en effet seulement lorsque les compagnies pharmaceutiques sont forcées par un juge à divulguer leurs documents internes que l'anthropologue a quelque chance de pénétrer les arcanes de l'industrie. Ce qu'il y trouve est stupéfiant, scandaleux – et d'une grande banalité : la banalité du marketing.

En 2011, alors que je travaillais à un projet de pharmacovigilance destiné à contrebalancer l'absence de réactivité de l'industrie pharmaceutique, des régulateurs et des médecins face aux événements iatrogènes médicamenteux, je reçus l'appel d'un cabinet d'avocats new-yorkais représentant des retraités qui cherchaient à obtenir une compensation pour la baisse subite de leurs actions de Medtronic Corporation. Cette firme implantée à Minneapolis fabrique des dizaines d'appareils médicaux vitaux (valves cardiaques mécaniques, pacemakers, cœurs-poumons artificiels) et toutes sortes de pompes, cathéters et autres fournitures chirurgicales. Medtronic était impliquée dans une escroquerie visant à élargir les ventes d'un de ses produits, la greffe osseuse INFUSE® Bone Graft (protéine morphogénétique osseuse 2 ou BMP-2), au-delà de l'usage approuvé par la FDA.

Alors que les médecins ont le droit de prescrire des médicaments ou des appareils hors AMM, il est illégal pour les fabricants de promouvoir ce type d'usage. L'interdiction est là pour décourager l'usage généralisé d'un appareil ou d'un médicament dont l'efficacité et l'innocuité ne sont pas démontrées. Suite à des rumeurs de procès intentés par des victimes, de pots-de-vin illégaux versés aux médecins et de falsification de données publiées dans des revues scientifiques, le cours de l'action Medtronic avait chuté. Une enquête révéla qu'en 2006-2007 pas moins de 85 % des ventes d'INFUSE Bone Graft concernaient des usages non approuvés, un chiffre qui selon les experts avait difficilement pu être atteint sans une promotion hors AMM.

INFUSE, qui avait reçu son autorisation de mise sur le marché en 2002, représentait des possibilités révolutionnaires pour la fusion des vertèbres. Le but de cette intervention chirurgicale est de limiter les douleurs de dos en éliminant ou en réduisant la friction entre les vertèbres. 450 000 opérations de ce type sont réalisées chaque année aux États-Unis, bien qu'il soit avéré que pour la plupart des patients, la kinésithérapie produit d'aussi bons résultats. La méthode traditionnelle consiste à prélever de l'os de la hanche pour le greffer dans le dos, entre les vertèbres. L'intervention est longue et douloureuse pour le patient. La BMP-2, agent de croissance osseuse issu du génie génétique, était destinée à éviter le processus de greffe traditionnel.

Le *Milwaukee Journal Sentinel* fut parmi les premiers à signaler les méfaits probables du marketing d'INFUSE. Néanmoins, affirmait-il :

> Bien que le marketing ait certainement boosté la BMP-2, il est important de noter que sa popularité a également été aidée par le fait qu'il élimine la nécessité d'une greffe dans le cadre d'une fusion des vertèbres ; ce produit a révolutionné son domaine à cause de sa capacité à transformer en os tout ce qu'il touche – ce qui est une bonne chose si l'on se borne à l'espace étroit situé entre deux vertèbres[2].

Or les protéines morphogénétiques osseuses comme la BMP-2 peuvent aisément stimuler une croissance osseuse dangereuse hors de la zone de fusion…

Quand INFUSE fut approuvé, la FDA en limita l'usage à une gamme limitée d'interventions sur les vertèbres. Le produit ne pouvait être utilisé qu'en « infusion à niveau unique » dans la zone L4-S1 du rachis lombaire, lors d'interventions visant à traiter les douleurs liées à l'effondrement des disques ; la colonne ne pouvait être approchée que par une incision dans l'abdomen (soit une approche antérieure plutôt que postérieure) ; et enfin il fallait utiliser INFUSE en conjonction avec un procédé appelé LT-Cage. Ces contraintes découlaient des essais cliniques initiaux, qui avaient révélé de fréquents effets iatrogènes quand le produit était utilisé au-delà de ses applications spécifiques. Les causes de ces effets iatrogènes restent indéterminées – la réaction sur différentes zones du corps à la BMP-2 est encore à étudier – mais les conséquences d'une mauvaise application du produit pouvaient être terribles à cause de l'endroit où on l'insère : tout près de la colonne vertébrale.

Si l'on suivait les restrictions et précautions figurant sur la notice, cela limitait clairement le marché potentiel du produit. Il est difficile d'évaluer quel aurait été le potentiel de ventes en l'absence de promotion hors AMM, mais il était certainement bien inférieur aux 800 millions de dollars de chiffre d'affaires signalés rien que pour l'année 2007. Dans le recours collectif (*class action*) des plaignants, on pouvait lire :

> Bien que cela n'ait pas été divulgué aux investisseurs, les récits de première main d'une bonne douzaine d'ex-employés de Medtronic mentionnés plus bas prouvent que cet extraordinaire usage hors AMM a été encouragé par le marketing de la firme, qui orientait les médecins vers des consultants payés par Medtronic ou vers des « leaders d'opinion clés » *(Key Opinion Leaders)* qui étaient en fait des chirurgiens payés par Medtronic pour assurer la promotion de l'usage hors AMM d'INFUSE Bone Graft. [...] Medtronic a délibérément induit les investisseurs en erreur, en cachant que les ventes d'INFUSE Bone Graft dépendaient avant tout de la promotion hors AMM, plus risquée[3].

En juin 2011, fait sans précédent, *The Spine Journal* consacra un numéro entier à démentir les études financées par la firme et qui avaient encouragé un très large usage hors AMM d'INFUSE. La revue révélait que les médecins « coauteurs » des études préconisant l'usage hors AMM d'INFUSE avaient en réalité signé des articles rédigés par une agence de communication engagée par Medtronic et avaient touché en moyenne de 12 à 16 millions de dollars par étude. Pour leur part, les auteurs du *Spine Journal* associaient le produit à certains des risques suivants :

> Formation osseuse incontrôlée et besoin d'interventions chirurgicales supplémentaires ; inflammation mortelle ; infections ; déplacement d'implant ; risque de cancer ; effets sur les nerfs, avec douleur irradiée dans la jambe, rétention urinaire et complications pouvant entraîner la stérilité chez les hommes[4].

En partie à cause de la pression due à la publication de cette démolition en règle, Medtronic accepta en mars 2012 de payer 85 millions de dollars aux plaignants au terme d'un compromis à l'amiable (je n'étais pas impliqué dans le procès). La firme a continué à nier toute infraction.

Le cas d'INFUSE est loin d'être un exemple isolé de promotion illicite de médicaments et d'appareils médicaux, ou encore de poursuites devant les tribunaux américains pour ce genre de pratiques. Avec l'arrivée de nouvelles techniques de marketing conçues pour masquer la promotion hors AMM, on a pu voir se multiplier le nombre des procès les dénonçant. Ces dernières années, plusieurs grands procès de ce genre ont eu lieu aux États-Unis, qui ont obligé les laboratoires pharmaceutiques les plus réputés à verser plus de 13 milliards de dollars. À l'heure où j'écris, Abbott Laboratories viennent d'être condamnés payer une amende de 1,6 milliard de dollars pour allégations frauduleuses et promotion illégale de leur médicament antiépileptique Depakote. Comme dans l'affaire Medtronic, le règlement ne représente dans presque tous ces cas qu'une infime fraction des bénéfices engrangés grâce à la promotion hors AMM et ne semble donc guère dissuasif. La multiplication de ces cas devrait avoir un certain effet sur les pratiques de l'industrie pharmaceutique, mais il reste à voir si cela découragera le marketing hors AMM ou le poussera simplement à adopter des stratégies toujours mieux dissimulées.

En attendant, la promotion hors AMM reste difficile à poursuivre en justice pour toutes sortes de raisons qu'illustre bien l'exemple de l'INFUSE de Medtronic (voir encadré). Une démonstration plus détaillée, s'appuyant sur un cas spécifique, nous renseignera mieux sur la façon dont s'exerce la surveillance de la promotion hors AMM et surtout sur les pratiques actuelles de marketing pharmaceutique. Il s'agit du procès intenté par l'agence Medicaid (programme fédéral d'assurance santé des personnes les plus démunies) de l'État du Texas contre Janssen/Johnson & Johnson à propos du marketing du Risperdal, auquel j'ai pu assister en janvier 2012.

Dix raisons pour lesquelles la promotion hors AMM est irrésistible

Corruption systémique : la pratique est si répandue qu'elle est considérée comme la norme et non comme une exception.

Obstacles juridiques : les documents stratégiques d'une entreprise, notamment ceux qui se rapportent aux essais cliniques, sont considérés comme sa propriété exclusive. Les preuves révélatrices sur ces pratiques viennent en général de « lanceurs d'alerte » au sein de la firme, dont les jurys considèrent les motivations comme suspectes.

Articles rédigés par des « nègres » (ghostwriting) : le marketing s'avance souvent sous le masque de la science désintéressée, dans des revues médicales réputées et diffusées auprès des médecins par les visiteurs médicaux.

Leaders d'opinion clés (KOL, Key Opinion Leaders) : les fabricants de médicaments et d'appareils médicaux emploient des dizaines de milliers de médecins réputés pour servir leurs objectifs marketing et promouvoir la prescription hors AMM.

Flou artistique entre information et propagande : ce phénomène s'apparente à la rédaction d'articles par des auteurs à gages, mais il s'étend aussi à la formation médicale continue, à l'explication des maladies dans les médias (prospectus, sites Internet, émissions de radio), aux séminaires d'information dirigés par des KOL et financés par l'industrie pharmaceutique.

Vérités partielles : beaucoup de prescriptions hors AMM (qu'elles soient promues de manière illicite ou non) s'avèrent médicalement justifiées, de sorte que les médecins n'ont guère de raisons de critiquer les promotions hors AMM ou de s'en méfier.

Savoir ténu : les promotions hors AMM sont très fréquentes dans certaines branches de la médecine comme la psychiatrie (et la fusion vertébrale) où l'issue de la procédure ou du traitement est ambiguë.

Confiance excessive des médecins en leur propre jugement, absolument sûrs qu'ils sont de tout savoir sur l'influence des laboratoires pharmaceutiques et d'y être imperméables.

Effets indésirables insuffisamment signalés : la recherche indépendante sur la sécurité des médicaments arrive en général trop tard pour lutter contre les mauvaises pratiques et les médecins ne signalent que de 1 % à 5 % des effets indésirables.

Idéologie politique : l'idée que le marché « libre » se corrige de lui-même et a toujours raison. Le lobby des médicaments au Congrès des États-Unis garantit l'indulgence de la loi envers les entreprises.

UNE ÉTUDE DE CAS EN TEMPS RÉEL : LE PROCÈS DU RISPERDAL AU TEXAS

Ces deux dernières années, les laboratoires Johnson & Johnson (J&J) et leur filiale Janssen Pharmaceuticals ont été condamnés à des amendes de 257,7 millions de dollars en Louisiane, 327 millions de dollars en Caroline du Sud et 1,1 milliard de dollars dans l'Arkansas pour pratiques de marketing frauduleuses. Le 10 janvier 2012, l'État du Texas a ouvert son procès contre J&J, affirmant que la firme avait volé 579 millions de dollars à l'État.

Il n'est pas facile de résumer l'histoire à la fois médicale et commerciale des antipsychotiques de seconde génération (ASG), dits

« atypiques », dont le Risperdal fait partie, mais il est clair que leur succès est d'ordre commercial plus que médical. On en veut pour preuve que, curieusement, depuis plusieurs années, ce groupe de médicaments à la cible apparemment limitée est celui qui se vend le mieux en Amérique. En 2010, le chiffre d'affaires d'un petit nombre d'ASG (parmi lesquels figurent principalement le Risperdal, le Zyprexa, le Seroquel, l'Abilify et le Geodon) représentait 14,6 milliards de dollars rien qu'aux États-Unis, soit une fois et demie l'ensemble des dépenses publiques de santé en Inde.

Le Risperdal a rapporté 34 milliards de dollars à J&J durant les dix-sept ans qu'a duré son brevet. Ceux qui n'ont pas une connaissance de première main du fonctionnement des multinationales auront du mal à saisir l'ampleur et la complexité de la machinerie nécessaire pour générer de tels revenus. C'est ce que le bureau du procureur général du Texas devait expliquer aux jurés, tâche particulièrement difficile. Des millions de données avaient été rassemblées, mais le dossier devait être plaidé en quelques heures. Présentant le point de vue de l'accusation, le procureur Tom Melsheimer accusa J&J/Janssen d'avoir mis en place un « projet systématique [...] pas un événement isolé, pas un hasard » en vue de faire d'un médicament conçu pour un usage limité au traitement de la schizophrénie une pilule rapportant 34 milliards avec une marge bénéficiaire de 97 %, et de dérober 579 millions de dollars aux contribuables texans.

Comment la firme avait-elle accompli cet exploit ? Melsheimer lista quatre moyens. J&J avait :

1) influencé les recommandations de bonne pratique clinique de l'État en soudoyant des fonctionnaires du Texas ;

2) promu illégalement l'usage du médicament pour les enfants (la moitié des patients auxquels le Risperdal est prescrit sont âgés de moins de 13 ans) ;

Le marketing s'avance souvent sous le masque de la science désintéressée, dans des revues médicales réputées et diffusées auprès des médecins par les visiteurs médicaux.

3) prétendu faussement que le Risperdal est moins dangereux que d'autres antipsychotiques ;

4) prétendu que, malgré son coût 45 fois supérieur à celui de génériques sur lesquels le Risperdal n'a aucune supériorité avérée, le rapport qualité-prix était meilleur pour le contribuable.

Il s'agissait dans tous ces cas, de près ou de loin, de marketing hors AMM.

Melsheimer mentionna les lettres d'avertissement envoyées par la FDA pour contester les affirmations promotionnelles selon lesquelles le Risperdal était plus efficace ou moins dangereux que les antipsychotiques de première génération (comme le Haldol®, développé par Janssen dans les années 1950). Selon lui, des pots-de-vin avaient été versés sous forme de « subventions éducatives illimitées » et d'honoraires à des responsables de la santé publique participant au très influent Texas Medication Algorithm Project (TMAP). Il déclara que la firme avait « semé » la littérature scientifique d'articles écrits sur commande pour affirmer la supériorité du Risperdal.

L'avocat de la défense, Steve McConnico, en appela au bon sens des jurés, invoquant leur confiance dans le jugement des médecins et leur foi dans l'économie de marché américaine. McConnico énuméra les effets secondaires handicapants des antipsychotiques de première génération et suggéra fortement que ces effets, ainsi que d'autres encore, étaient évités grâce au Risperdal. Vous voulez « parler de rapport qualité-prix ? Vous vous débarrassez de tous ces effets secondaires ».

Selon lui, alors que les médicaments de première génération traitent uniquement les symptômes « positifs » de la schizophrénie (psychose, illusions, hallucinations auditives), le Risperdal traite également les symptômes « négatifs » (inexpressivité, manque d'intérêt pour la vie, discours monosyllabique), de sorte que les patients peuvent reprendre le travail et mener une vie plus normale. Les chercheurs indépendants considèrent qu'il s'agit là de publicité plus que de vérité scientifique, mais c'était précisément le but de McConnico : la défense voulait soumettre le jury aux mêmes messages marketing de J&J qui avaient si bien fonctionné sur les médecins et d'autres personnes.

Contrairement à l'accusation, l'avocat de la défense s'adressa aux jurés dans la langue de monsieur Tout-le-Monde, en leur parlant du « monde réel ».

> L'idée que nous sommes des marionnettistes qui manipulons tous ces médecins dans notre pays et dans le monde entier, et que nous leur disons « vous allez prescrire ce médicament », ça ne tient tout simplement pas debout [...] Toute leur théorie, c'est que nous avons jeté de la poudre aux yeux de toute la communauté médicale [...] Ça n'a absolument aucun sens. L'idée qu'un visiteur médical dicte à un médecin comment prescrire un médicament est absurde. Ces produits sont prescrits par les médecins.

Enfin, McConnico recourut à la doctrine de la valeur et de la vérité selon le Saint Marché, censément acceptée par les jurés : « Si Risperdal s'est bien vendu, c'est parce que c'est un produit supérieur. C'est aussi simple que ça. Le marché l'a prouvé. »

ÉTABLIR NON DES FAITS, MAIS L'ÉTALON SELON LEQUEL ON LES MESURE

La première déposition émanait d'un ex-chef de projet chez Janssen, Thomas Anderson, l'un des deux responsables du lancement du Risperdal en 1993. Le document présenté au jury, intitulé « Construire un consensus », remontait à l'époque de la conception du produit. Vraisemblablement dessiné par Anderson, le schéma projeté sur l'écran invitait l'équipe marketing à « rassembler un groupe d'experts et un corpus de connaissances [et à] formuler des recommandations de bonne pratique clinique » :

Experts clés → Leaders d'opinion → Médecins de base

Les experts clés étaient un trio de psychiatres : le docteur Allen Frances, directeur du département de psychiatrie de l'université Duke[5] ; le docteur John P. Docherty, professeur et vice-directeur du département de psychiatrie de l'université Cornell ; et David A. Kahn, professeur associé de psychiatrie à l'université Columbia. Ces messieurs ont touché un total de 942 669 dollars, essentiellement sous la forme de subventions éducatives illimitées accordées à une société nouvellement créée par eux, Expert Knowledge Systems (EKS), afin de préparer des recommandations de bonne pratique clinique dans le traitement de la schizophrénie. Ces recommandations, qui servirent de base au Texas Medication Algorithm Project (TMAP), préconisaient l'emploi du Risperdal comme traitement de première intention, supplantant la première génération d'antipsychotiques.

Tommy Jacks, l'avocat de l'État du Texas, demanda à Anderson :

> Avez-vous jamais songé qu'en autorisant des versements substantiels à leur firme vous compromettiez leur indépendance ou leur objectivité ?
>
> Anderson – Non. Il s'agissait d'universitaires.
>
> Jacks – Quand EKS s'est engagé à vous aider « à atteindre des objectifs stratégiques plus larges [...] à influencer le gouvernement de l'État [...] à développer l'engagement et la fidélité à la marque (*brand loyalty*) d'importants groupes de prestateurs de service clés dans tout le pays [...] à développer des études pharmaco-économiques » et à entrer en contact avec la NAMI [l'Alliance nationale pour la maladie mentale] afin de créer du matériel éducatif pour la mise en place rapide des recommandations de bonne pratique [...]. Quand ils ont dit : « Nous voulons veiller à satisfaire tous les besoins de Janssen afin que Janssen réussisse à promouvoir le Risperdal dans l'ensemble du pays » [...] faites-vous une différence entre promotion et information ?

Le matin du 11 janvier, la première déposition examinée fut celle du docteur Alexander L. Miller, professeur de psychiatrie au Health Center de l'Université du Texas à San Antonio. Selon la biographie figurant sur le site web de l'université, Miller était directeur du Module schizophrénie du TMAP. Il confirma que Janssen avait en partie financé le TMAP, mais s'offensa qu'on ose suggérer que la somme reçue de Janssen (plus de 70 000 dollars) avait pu affecter son objectivité lorsqu'il avait proposé des recommandations concernant les directives qui avaient finalement désigné le Risperdal comme traitement de première intention pour la schizophrénie.

Si l'accusation mettait en question l'intégrité et l'objectivité de Miller, celles-ci ne semblaient guère en question lorsque durant le

---

Ces messieurs ont touché un total de 942 669 dollars, afin de préparer des recommandations de bonne pratique clinique dans le traitement de la schizophrénie.

contre-interrogatoire les avocats de la défense parcoururent en détail le CV en or massif de Miller : Yale, Washington University, NIMH (National Institute of Mental Health), hôpital général du Massachusetts, Harvard, Distinguished Life Fellow de l'Association psychiatrique américaine, vingt ans au service du Grand État du Texas, et enfin chaire à l'université du Texas.

J'ai d'abord pensé que cet examen minutieux du parcours de Miller était censé asseoir sa crédibilité aux yeux des jurés, afin qu'ils ne le croient pas susceptible d'être corrompu par l'argent des labos. Mais j'ai changé d'avis quand Miller mentionna, parmi ses titres de gloire, qu'il était cochercheur et membre du conseil consultatif de CATIE (Clinical Antipsychotic Trials of Intervention Effectiveness), ces tests financés par le NIMH que l'accusation employait justement pour établir que la seconde génération d'antipsychotiques n'était pas supérieure à la première.

Les avocats de la défense n'essayaient pas de disculper Miller, aussi important que cela puisse être pour leur dossier, ni même de justifier les « alliances stratégiques » que Janssen cultivait avec des experts clés en les comblant de subventions et d'honoraires. En fait, la liste des titres et hauts faits de Miller avait pour but d'établir une unité de mesure de la fiabilité dans un domaine d'activité professionnelle sur lequel le jury devait prononcer un verdict. Sur ce point, le bon sens en matière de conflits d'intérêts semblait ne pas devoir s'appliquer. Si tout le monde touche des pots-de-vin, peut-on encore parler de corruption ? Comme l'avait dit Tom Anderson pour se défendre quand l'accusation l'avait questionné sur l'argent versé aux leaders d'opinion clés (KOL), le financement des conférenciers et autres subventions illimitées : « Je ne me souviens pas des détails, mais c'est une pratique tout à fait habituelle dans l'industrie pharmaceutique. »

En médecine, on n'est pas considéré indigne de confiance si l'on reçoit l'argent des laboratoires alors qu'on rédige des recommandations de bonne pratique, qu'on est membre d'un conseil éditorial ou qu'on travaille à la rédaction du DSM (Diagnostic and Statistical Manual for Mental Disorders). Au contraire, il est aujourd'hui difficile d'atteindre un certain degré d'éminence dans la recherche médicale sans participer à la relation donnant-donnant avec les entreprises pharmaceutiques. Ce n'est pas seulement le statut universitaire mais la science et l'institution même de la médecine psychiatrique qui sont coconstitués par les laboratoires commerciaux et les mandarins de la psychiatrie. En ce sens, comme un « méchant » shakespearien estimant être pleinement dans son droit, Miller avait raison de répondre à l'avocat de la défense qui demandait ce que lui inspiraient ces accusations contre sa réputation : « Je les trouve terriblement inexactes et injustes – et j'ai l'impression de servir de pion dans une partie dont les enjeux me dépassent. »

Fut aussi convoqué à la barre le docteur Steven Shon, ex-directeur médical du Mental Health and Mental Retardation (MHMR) du Texas. L'accusation montra qu'il avait systématiquement violé le contrat le liant à l'État du Texas. Ils appelèrent comme témoin un enquêteur de l'agence Medicaid du Texas spécialisé dans les fraudes, qui établit notamment que Shon faisait du marketing pour Janssen pendant ses heures de travail et qu'il avait touché des sommes qui lui avaient été offertes uniquement à cause de son poste au MHMR, ce qui était contraire à la loi. Comme le trio de psychiatres sus-mentionné, Shon s'était apparemment beaucoup investi dans le marketing de Janssen en aidant la compagnie à établir la stratégie qui avait fait du Risperdal l'un des médicaments les mieux vendus à travers le pays[6].

D'autres, comme les docteurs John Rush, Lynn Crismon et John Chiles, furent nommés comme ayant reçu des versements de Janssen alors qu'ils étaient membres de l'équipe du TMAP. Le directeur de la NAMI pour le Texas, Joe Lovelace, avait aussi touché de l'argent de Janssen, dont une partie avait été déposée sur un compte au nom du cabinet d'avocats de son épouse.

Pour un chercheur comme moi, qui s'intéresse à la rationalité (et à l'irrationalité) des pratiques de prescription de médicaments en psychiatrie, le premier point souligné dans le contre-interrogatoire de Steven Shon était frappant. Selon Shon, le TMAP avait été créé parce que les pratiques de prescription variaient considérablement d'un bout à l'autre de l'État. Un patient allant voir six psychiatres différents pouvait se faire prescrire six médicaments différents alors même qu'il aurait reçu de leur part un seul et même diagnostic.

On sait que le DSM-III a été rédigé, entre autres raisons, pour standardiser les critères de diagnostic. Pourquoi alors ne pas créer un autre acronyme, comme TMAP, pour standardiser les programmes de traitement ? La faille de cette logique réside dans la non-spécificité des médicaments et dans la variabilité des réactions bénéfiques ou négatives des patients à différents médicaments. La tentative d'établir un algorithme relativement strict (le « A » de TMAP) pour le traitement en psychiatrie revient à imposer un progrès pharmacologique là où il n'est pas encore été accompli.

Pour Janssen et les autres fabricants d'antipsychotiques de seconde génération, les principaux messages implicites qu'ils voulaient diffuser tout au long de la période de marketing intensif, y compris durant le TMAP, étaient : a) que ce progrès avait en fait été accompli et que les psychiatres devraient adopter la standardisation du traitement ; b) que le même remède valait pour tous les patients. Beaucoup d'honnêtes chercheurs en psychiatrie ont pu, dans un élan de naïf optimisme, se réjouir du progrès qu'annonçaient les laboratoires pharmaceutiques avec leur seconde génération d'antipsychotiques. Les cliniciens et les psychiatres ne furent pas les seuls à avaler la pilule.

UNE QUESTION DE CONFIANCE : ESSAIS CLINIQUES VERSUS JUGEMENT CLINIQUE DANS LE PRÉTOIRE

C'est un véritable système d'influence qui a permis de créer des marchés énormes à partir de médicaments valables ou non, peu importe. Une des principales sources d'influence employées par les entreprises pharmaceutiques réside dans la présentation, la publication et la diffusion des données d'essais cliniques.

Que sont les données d'essais cliniques ? Depuis un quart de siècle, les essais randomisés controlés (ERC) de grande ampleur sont devenus la méthode de référence pour évaluer l'efficacité et la sécurité des nouveaux médicaments, ainsi que pour en concevoir de nouveaux. La théorie sur laquelle reposent les ERC est que l'usage de données statistiques corrige les variations dans l'issue des traitements cliniques et qu'il s'agit donc d'un moyen fiable de prouver les effets réels d'un médicament. Le mouvement soutenant les essais cliniques randomisés s'appelle la « médecine basée sur les preuves » (« evidence-based medicine », ou EBM). La foi dans les mérites scientifiques de l'EBM a réduit la valeur des études de cas, qui apparaissent désormais rarement dans la littérature médicale alors qu'elles y étaient jadis dominantes. L'expérience clinique, fondement traditionnel de l'expertise médicale, a été supplantée par la médecine basée sur les preuves.

Le procès du Risperdal s'est en grande partie articulé autour de la présentation et de l'interprétation des données d'essais cliniques associés à ce médicament. L'accusation avait déjà fait plusieurs fois référence à CATIE et CUtLASS, deux essais testant l'efficacité des antipsychotiques. Beaucoup considèrent ces études comme dignes de confiance parce qu'elles ont été réalisées non par des entreprises pharmaceutiques, comme c'est très souvent le cas de nos jours, mais par des chercheurs indépendants (CATIE aux États-Unis, CUtLASS en Grande-Bretagne).

Les résultats de CATIE et de CUtLASS ont été publiés vers le milieu des années 2000, alors que le brevet du Risperdal arrivait à échéance. Dans les deux cas, ils prouvèrent que le Risperdal et les autres antipsychotiques de seconde génération n'étaient pas supérieurs aux médicaments antérieurs en matière d'efficacité ou de tolérabilité. Des études complémentaires indiquèrent que les antipsychotiques de seconde génération entraînaient toute une série d'effets secondaires qui s'ajoutaient à ceux des antipsychotiques de première génération. Pour la plupart des gens ce fut une découverte inattendue, car les études réalisées jusque-là, comme celles qui soutenaient les recommandations du TMAP, avaient apparemment prouvé le contraire. Si les preuves scientifiques à l'appui de la supériorité des antipsychotiques de seconde génération s'avéraient douteuses, voire truquées, alors le TMAP ressemblait encore plus à une escroquerie.

De manière préemptive, mais aussi dans la ligne de la position depuis longtemps adoptée par J&J/Janssen, les avocats de la défense proclamèrent d'entrée de jeu les déficiences scientifiques de CATIE, qu'ils opposèrent aux nombreuses études prouvant l'inverse. Ils montrèrent une carte indiquant les nombreux endroits dans le monde où le Risperdal avait été étudié, ce qui en faisait « l'un des médicaments les plus étudiés dans l'histoire ». Toutefois, même si les preuves recueillies par ECR allaient former une partie importante du procès, elles ne pouvaient pas par elles-mêmes confirmer ou infirmer les allégations de la défense quant à la supériorité du Risperdal comme agent antipsychotique, et ce pour plusieurs raisons.

Premièrement, il existe trop de preuves à l'appui de revendications diamétralement opposées. L'exactitude des études ne peut jamais être entièrement garantie. Aucune étude clinique n'est parfaite. On peut toujours y trouver des défauts qui encourageront les sceptiques à juger leurs conclusions peu probantes. Seule une poignée de chercheurs cliniques est qualifiée pour interpréter les études très spécialisées portant sur les antipsychotiques et ces personnes campent sur des positions mutuellement contradictoires – désaccords qui sont parfois rendus acrimonieux par des accusations de recherche biaisée.

En dehors de l'inévitable controverse sur l'interprétation des résultats des essais cliniques, le recours à ce type de preuves est problématique dans un tribunal parce que la vérification qui est jugée suffisante en clinique et celle qu'exige la justice sont très différentes. Les tribunaux requièrent de l'absolu (coupable/innocent) alors que les cliniciens se contentent en général de probabilités parce que c'est tout ce qu'ils ont à leur disposition.

En outre, personne ne peut demander à des jurés de comprendre les résultats d'essais cliniques randomisés, quelle que soit la patience avec laquelle on les leur explique. En fin de compte, la plupart des jurés devront se fier à la confiance que leur inspire l'expert choisi pour présenter les preuves scientifiques. Retour à l'expérience clinique.

L'accusation appela à la barre le docteur Jim Van Norman, un psychiatre ayant fait toutes ses études au Texas et pratiquant depuis vingt-trois ans dans le comté de Travis, où se trouvait le tribunal. Van Norman y dirige un centre de santé mentale – précisément le genre de clinique qui traite les personnes non assurées et autres patients démunis couverts par le programme Medicaid, dont le budget était selon l'accusation visé par J&J/Janssen par le biais du TMAP.

Van Norman supervise l'équivalent de 15 « prescripteurs » à plein-temps (je me demande si je suis le seul à avoir remarqué l'usage du mot « prescripteur » à la place de « psychiatre ») qui traitent chaque année environ 6 500 adultes et 1 100 enfants, soit le double de ce que

---

Aucune étude clinique n'est parfaite. On peut toujours y trouver des défauts qui encourageront les sceptiques à juger leurs conclusions peu probantes.

prévoit leur budget. (Comme dans tout bon drame de prétoire, la mise en valeur par l'accusation de cette pénurie de ressources budgétaires préparait le terrain pour l'indignation qui allait être suscitée par la présumée promotion criminelle d'un médicament coûtant 45 fois plus cher que des pilules tout aussi efficaces.)

Question de l'avocat de l'État, Tommy Jacks : quand le Risperdal a été introduit dans les années 1990, « vous rappelez-vous les messages commerciaux émis par les visiteurs médicaux de Janssen à propos de ce médicament ? ». Réponse de Van Norman :

> Le principal argument de vente dont je me souviens était que [...] ce médicament était beaucoup plus efficace [...] pour gérer les symptômes négatifs [...] comme le refus de sortir de chez soi pour chercher un emploi, le manque de goût pour la vie [...] Le Risperdal m'a été présenté comme un médicament plus sûr que les antipsychotiques de première génération, et nous n'avions pas besoin de nous soucier autant des symptômes moteurs extrapyramidaux [...] Avantage supplémentaire : à long terme il coûtait moins cher au système parce qu'il était si efficace qu'il éviterait aux gens d'être hospitalisés.

Jacks demanda à Van Norman si le TMAP affectait les procédures : « Oui. »

Cette question était importante car les avocats de la défense avaient à plusieurs reprises affirmé que le TMAP n'avait nullement contraint les médecins à un choix de médicament en particulier : « Ce n'était qu'une recommandation. » Si le TMAP n'avait rien d'obligatoire, il n'avait rien à voir avec l'excédent de 579 millions de dollars dont l'accusation réclamait le remboursement.

Van Norman expliqua que chaque clinique passait chaque année un contrat avec l'État. Si un médecin choisissait de s'éloigner de l'algorithme du TMAP (s'il décidait par exemple de ne pas prescrire un antipsychotique de seconde génération comme traitement de première intention), il lui fallait expliquer pourquoi, sinon il s'exposait à des sanctions et à des pénalités financières. Les médecins devaient en outre suivre des programmes de formation et assister à des réunions trimestrielles.

Jacks demanda à Van Norman comment il utilisait les antipsychotiques de première et de seconde génération. Van Norman prescrivait parfois des antipsychotiques de seconde génération, mais il avait été très influencé par les études CATIE et CUtLASS, qu'il décrivit comme n'étant pas biaisées par un financement de la part de firmes pharmaceutiques. Il utilisait donc plus fréquemment les antipsychotiques de première génération, en particulier l'halopéridol et la perphénazine. Jacks lui demanda s'il prescrivait ces médications de la même manière qu'au début des années 1990, avant l'introduction du Risperdal. Cette question comptait beaucoup pour l'accusation. Selon les fabricants d'antipsychotiques de seconde génération et en l'occasion J&J/Janssen, les antipsychotiques de première génération causent en effet des symptômes extrapyramidaux, de la dyskinésie tardive et d'autres problèmes moteurs que ne présentent pas les antipsychotiques de seconde génération. Or si l'on s'en tient à la pratique la plus récente du dosage d'antipsychotiques, un dosage moins élevé d'antipsychotiques de première *et* de seconde génération n'affecte guère les bénéfices du produit mais réduit en revanche fortement le risque d'effets secondaires. Van Norman confirma ce point en s'appuyant sur son expérience. Il ajouta que les antipsychotiques de première génération avaient l'avantage de ne pas exposer le patient au fort risque de diabète associé aux antipsychotiques de seconde génération. On réalisait ainsi des économies considérables, non seulement parce que ces médicaments coûtent moins cher mais aussi parce que les patients qui les prennent ont moins besoin d'être surveillés pour la prise de poids, la tolérance au glucose et le taux de lipides.

Van Norman détailla ensuite les effets secondaires des antipsychotiques de seconde génération par rapport à ceux des antipsychotiques de première génération. Ses collègues et lui étaient souvent très étonnés par la rapidité et la gravité de la prise de poids chez les patients sous antipsychotiques de seconde génération : de 10 à 15 kg en trois mois. Même avec une dose infime de Risperdal (1 mg), certaines femmes souffraient d'hyperprolactinémie et produisaient du lait – un symptôme fort perturbant pour quelqu'un qui n'allaite pas.

   Jacks – Et la dyskinésie tardive ? En avez-vous constaté avec les anciens médicaments ?
   Van Norman – Pas dans ma pratique.

Ce n'est peut-être qu'une impression personnelle, mais il m'a semblé que l'avocat de la défense John McDonald chargé du contre-interrogatoire de Van Norman était sidéré par le témoignage de ce dernier. Ce que ce médecin affirmait s'éloignait sans doute radicalement des informations que lui avait communiquées J&J. McDonald s'en tint toutefois à la stratégie de son équipe : a) tenter de discréditer le témoin en montrant qu'il s'exprimait sur un domaine échappant à son expertise (Van Norman n'est pas chercheur) ; b) réitérer l'affirmation selon laquelle le TMAP n'avait jamais dicté leurs conduites aux médecins (« Et pour être clair, docteur, vous n'êtes pas en train de suggérer aux jurés que vous ne prescririez pas à un patient le médicament approprié simplement parce que vous auriez un peu plus de paperasserie à remplir, n'est-ce pas ? ») ; c) faire avouer au témoin qu'il utilisait bien le Risperdal dans sa pratique ; d) tenter de discréditer les études CATIE et CUtLASS.

LA BANALITÉ DE LA CORRUPTION : LE « SERVICE REMBOURSEMENT » DE JANSSEN APPELÉ À LA BARRE

Je me rappelle que lorsque j'ai commencé à visiter des entreprises pharmaceutiques dans le cadre de mon travail d'anthropologue, j'ai été stupéfié par l'ampleur de leurs services administratifs. Certes, les questions réglementaires sont complexes et importantes dans l'obtention du brevet pour un médicament, mais la gestion de cette tâche exigeait-elle vraiment un service entier d'employés à plein-temps ? Cela resta pour moi un mystère jusqu'au jour où je compris que ces services étaient une subdivision du marketing, comme d'ailleurs toutes les autres fonctions au sein de l'entreprise pharmaceutique moderne.

Le 12 janvier, la première déposition fut celle de Mme Nancy Bursch-Smith, chargée de gérer les relations entre Janssen et le Mental Health and Mental Retardation (MHMR) de l'État du Texas.

L'avocat de l'État commença par faire écouter au jury un extrait d'une interview avec Mme Bursch-Smith, au moment où étaient cités des propos tenus dans des documents internes de Janssen : « C'est nous qui avons lancé Steve Shon. » Steven Shon était le directeur du MHMR à l'époque du TMAP. Mme Bursch-Smith répondit : « Je pense que beaucoup d'entreprises travaillaient vraisemblablement avec le docteur Shon. Je ne dirais pas que Janssen était la seule. » Cela signifiait bien sûr que Shon touchait sans doute de l'argent et avait acquis sa notoriété grâce à ses relations avec bien d'autres fabricants d'antipsychotiques de seconde génération, et pas seulement avec Janssen.

Mme Bursch-Smith appartenait au service étrangement baptisé « remboursement ». Comme la discussion tournait autour de l'origine et du montant des chèques adressés aux docteurs Steven Shon, John Rush et autres membres du conseil consultatif du TMAP, j'ai d'abord pensé que le « Service remboursement » était celui qui gérait cette comptabilité. Il m'a fallu du temps pour comprendre que ce terme renvoyait aux remboursements de soins par l'agence Medicaid, et que le travail de Nancy Bursch-Smith consistait à trouver des moyens de détourner autant de dollars que possible du système fédéral de santé vers les caisses de Janssen. Les chèques adressés à Shon et aux autres conseillers du TMAP étaient rédigés en échange d'« objectifs à atteindre » que le procès visait à démasquer.

Mme Bursch-Smith avait beau prétendre ne rien se rappeler, l'avocat de l'accusation possédait des courriels incriminants détaillant comment, en échange des sommes versées à Shon et à Rush, Janssen voulait obtenir « un positionnement favorable au Risperdal ». Les courriels internes émanant de Mme Bursch-Smith attestaient également que Janssen n'était pas le seul laboratoire à courtiser les faveurs de Steve Shon. Un courriel dans lequel Nancy Bursch-Smith avait été mise en copie contenait ceci : « Lilly envoie son jet d'affaires pour aller chercher [Shon]… Tu n'as pas assez bien vendu nos avantages à Shon. »

Le contre-interrogatoire par la défense chercha à faire confirmer par Bursch-Smith que Janssen ne « vendait » rien à Shon mais participait seulement à un « échange d'informations » :

> Avocat de la défense – Pourquoi ne croyez-vous pas que Janssen ait influencé le travail de Shon ?
> Bursch-Smith – Parce qu'ils nous ont dit qu'ils prenaient leurs propres décisions.

Le témoin suivant était Bill Struyk, directeur régional du service des relations avec les États de Janssen pendant sept ans :

> Avocat de l'État – Vous travailliez dans l'équipe Remboursement. Quel était votre produit ?
> Struyk – Nous nous concentrions essentiellement sur le Risperdal.
> Avocat [prenant un document interne de Janssen] – Parmi la liste de vos mérites, on peut lire « A grandement contribué à influencer les

directives de traitement et de remboursement des soins de la santé mentale au Texas ».

Struyk préférait employer le mot « éducation » pour décrire le premier colloque organisé par trois universités en 1996, ainsi que les autres activités impliquant Steven Shon et d'autres psychiatres. L'avocat de l'État demanda à Struyk si les activités de son service visaient à augmenter les ventes du Risperdal avec l'aide des directives du TMAP. Agacé par cette question, Struyk rétorqua à deux reprises sur un ton d'ironie blasée : « Si cela a augmenté nos ventes, nous n'avons pas été déçus. »

Le contre-interrogatoire par la défense permit à Struyk de reformuler les objectifs de son équipe : « La mission de notre groupe était d'écarter les obstacles. Notre travail était d'éduquer les gens au sujet de la santé mentale et de veiller à ce que les médicaments soient accessibles pour ceux qui en avaient besoin. »

Toujours au sujet du financement du TMAP, l'accusation fit ensuite venir à la barre l'ex-directeur de la Robert Wood Johnson Foundation (RWJF), le docteur Stephen Schroeder. Cette fondation est, avec la Fondation Bill and Melinda Gates, l'une des deux plus grandes associations philanthropiques des États-Unis en matière de soins de santé. C'est elle qui avait apporté la contribution financière la plus importante au développement du TMAP.

Schroeder déclara ne pas croire que le TMAP était un « effort de marketing » et affirma ne jamais avoir été contacté par J&J. « Je crois qu'ils n'étaient pas au courant. »

L'accusation diffusa alors un extrait de la déposition filmée de Schroeder, au moment où un avocat soulignait que J&J était le principal actionnaire de la Robert Wood Johnson Foundation[7]. En 2009, trois des membres du conseil d'administration de la fondation étaient des cadres de J&J.

> Avocat de l'État – Je crois comprendre que le TMAP était un projet inhabituel [pour la RWJF].
> Schroeder – En général, nos projets ne concernaient pas la pratique clinique.
> Avocat – Alors pourquoi avez-vous fait une exception ?
> Schroeder – Je pensais que les avantages étaient vraiment, vraiment énormes.
> Avocat – La RWJF a-t-elle fait preuve de diligence raisonnable dans l'examen des motivations du TMAP ?

Schroeder – Nous n'avons pas sondé leurs cœurs.

L'avocat – Par exemple, vous n'avez pas cherché à savoir s'ils recevaient de l'argent des labos ?

Schroeder – Écoutez, ça arrive tout le temps. En fait, la plupart des chercheurs universitaires reçoivent de l'argent de l'industrie pharmaceutique pour prendre la parole, pour participer à des voyages, des dîners, des choses comme ça.

Le dernier témoin était Percy Coard II. Coard avait commencé à travailler comme visiteur médical pour Janssen et le Risperdal en 1998, puis il fut responsable régional de 1999 à 2002, avant d'être promu au Service remboursement.

Avocat de l'État [lisant le CV de Coard] – « Chercher des personnes supplémentaires et trouver leur importance au sein du système » Avez-vous compris que c'est ce qui figurait parmi les activités que vous étiez censé entreprendre dans le cadre de votre travail – « influencer d'autres personnes » ?

Percy Coard II : Oui, monsieur.

Le « système » désignait plusieurs entités – hôpitaux, système pénitentiaire et MHMR – où Coard était régulièrement en contact avec Steven Shon. Coard décrivait les docteurs Shon, Miller et Crismin comme des « leaders d'opinion clés » (KOL).

L'avocat de l'État examina le business plan de J&J/Janssen pour l'année 2002. Il y était fait mention d'une « menace » pesant sur la poursuite de la croissance : l'agence Medicaid du Texas, classée troisième dans la hiérarchie nationale des dépenses de Medicaid, cherchait à mettre en place des mesures de réductions des dépenses. Une des mesures citées dans le document était « l'autorisation préalable » : avant qu'un « consommateur » puisse voir un spécialiste ou recevoir un service ou traitement spécifique, il doit obtenir une approbation engageant le tiers payant, par exemple une compagnie d'assurances. Medicaid est une assurance santé publique. Sous le titre « Posséder le TMAP !!! – (en cours) », le business plan suggérait que le TMAP et une vigoureuse campagne de sensibilisation pourraient limiter la menace de l'autorisation préalable.

La discussion aborda ensuite les efforts de l'entreprise pour placer le Risperdal Consta®, la version injectable à longue durée du Risperdal, « dans une position favorable au sein du TMAP ». Il y eut un moment de confusion quand Coard fit un lapsus révélateur : il utilisa malencontreusement le mot «TMAP» pour dire «Consta». Une fois cette erreur corrigée, il expliqua que Steve Shon l'avait beaucoup aidé pour définir la meilleure stratégie pour placer le Consta sur le marché :

> Le docteur Shon pensait que la clé d'un lancement réussi pour le Consta au Texas était de se concentrer sur les patients hospitalisés. Selon lui, il est rare que des patients stables passent d'un antipsychotique à un autre quand ils arrivent au centre de santé mentale de leur communauté [...] En général, on les laisse continuer avec ce qui leur a été prescrit au début. Il faut donc impérativement agir sur l'utilisation dans les établissements hospitaliers.

QUEL FUTUR POUR LA PROMOTION HORS AMM ?

> Dans l'industrie pharmaceutique, il y a deux manières de marketer un médicament approuvé pour un nouvel usage : la stratégie «indication» (la réalisation d'études nécessaires à l'approbation réglementaire) et la stratégie «publication», qui stimule la prescription hors AMM en utilisant la recherche pour disséminer l'information aussi largement que possible à travers la littérature médicale du monde entier[8].

Depuis neuf ans, le marketing hors AMM fait l'objet aux États-Unis de poursuites judiciaires aux enjeux considérables. Le premier grand procès a concerné la promotion d'un antiépileptique, le Neurontin, en 2004, et déboucha sur une amende de 430 millions de dollars pour Warner-Lambert (Pfizer). Le procès du Neurontin fit jurisprudence pour les conditions sous lesquelles le False Claims Act (qui permet de poursuivre les personnes ou les entreprises qui volent de l'argent à l'État) pouvait s'appliquer au marketing hors AMM. Les procès ont vraiment commencé à s'accumuler à partir de 2007 avec les jugements prononcés contre Bristol-Myers Squibb au sujet de la promotion hors AMM de leur antipsychotique Abilify (515 millions de dollars d'amende), puis contre Purdue Pharma pour l'antalgique OxyContin (634 millions de dollars).

La promotion hors AMM peut être empêchée là où elle est le plus visible, dans les publicités imprimées ou sur les sites Internet des produits. Il est beaucoup plus difficile de contrôler et de poursuivre en justice ce que les visiteurs médicaux disent aux médecins lors des séances de présentation des produits ou au cours de dîners offerts dans des restaurants chic, ce que les leaders d'opinion payés par l'industrie disent lors de congrès et dans le cadre de la formation médicale continue, ou encore les études truquées publiées dans de prestigieuses revues scientifiques et reproduites et diffusées ensuite auprès des médecins du monde entier.

Curieusement, les récentes directives de la FDA ont accordé aux fabricants de médicaments et d'appareils médicaux une liberté encore plus grande dans la distribution de tirés à part d'articles approuvant l'usage hors AMM de leurs produits[9], malgré l'inquiétude exprimée entre autres par les rédacteurs en chef de revues médicales. En 2009, on pouvait ainsi lire dans le *New England Journal of Medicine* :

> Les causes d'inquiétude comprennent le biais de publications concernant les études positives dans la littérature scientifique, les décisions stratégiques de sponsors pharmaceutiques qui ne cherchent à publier que les résultats positifs de leurs essais cliniques, la présentation ou interprétation trompeuse des données dans les articles de revue, la dissémination d'études de faible qualité, la dissimulation des données sur les risques présentés par les médicaments, la rédaction d'articles par des « nègres » payés par les compagnies, et la capacité limitée des revues médicales et de la FDA à détecter ces problèmes [...] La FDA elle-même avait adopté cette position dans le passé, s'opposant à la dissémination des tirés à part de peur que cela n'incite les entreprises à chercher à faire approuver des usages très étroits, puis à utiliser les articles de revue pour en promouvoir d'autres plus lucratifs[10].

Les compagnies de Big Pharma travaillent au niveau politique pour empêcher la multiplication de ces procès et il ne fait guère de doute qu'elles y parviendront aux États-Unis, où les droits des grandes entreprises sont bien protégés. La menace de la promotion hors AMM s'étend pourtant bien au-delà des frontières américaines, pour trois raisons : a) s'il est vrai que l'assurance médicale est publique ou « socialisée » dans de nombreux pays, les industries produisant des technologies médicales sont des entreprises privées et leurs pratiques promotionnelles ne peuvent être contrôlées que par la législation ; b) les études cliniques faisant l'objet de publications scientifiques voyagent librement à travers les frontières internationales et peuvent transmettre de fausses informations aux médecins du monde entier ; les responsables du marketing pharmaceutique sont tout à fait conscients de la confiance universelle qu'inspire la science et leurs campagnes les plus rentables consistent à « vendre par la science » ; c) les entreprises pharmaceutiques adaptent leur « science sur mesure » à la perception de la marque et aux besoins réglementaires de chacun des pays où ils font des affaires. La promotion hors AMM est un problème de portée planétaire. En améliorant la prise de conscience publique du fonctionnement de la promotion hors AMM en vue de renforcer la législation internationale contre cette pratique, on peut espérer la réduire.

Le mécanisme judiciaire peut certes apparaître comme dissuasif pour le marketing hors notice, mais malgré son utilité je pense qu'il s'agit d'un instrument inadéquat. Son effet est trop faible et trop tardif. Les amendes sont faibles par rapport aux bénéfices encaissés par les cadres qui sont déjà passés à autre chose et qui sont rarement tenus pour responsables de leurs actions criminelles. J&J a versé 158 millions de dollars pour régler à l'amiable le litige concernant le Risperdal au Texas.

En mars 2009, quand ont été publiés les documents relatifs au procès fédéral contre le Seroquel, l'antipsychotique de seconde génération produit par AstraZeneca (affaire réglée à l'amiable moyennant le versement de 520 millions de dollars), je me suis fait la remarque que malgré l'ampleur proprement stupéfiante de la tromperie organisée autour du Seroquel, ce qui devrait nous étonner le plus dans les stratégies marketing mises en place est leur côté apparemment routinier. En ce sens, le spectacle des procès ne fait que détourner notre attention en la concentrant sur la violation, sur l'infraction. Or s'il est vrai que les actes sur lesquels porte l'enquête contreviennent à la loi, ils ne contreviennent pas aux pratiques managériales. Au contraire, ces pratiques marketing sont conformes à des normes professionnelles et organisationnelles qui sont partout considérées comme de bons principes de management d'entreprise.

De ce fait, les infractions les plus époustouflantes se situent simplement dans la continuité de toutes les autres pratiques du marketing pharmaceutique. Entre les cas poursuivis en justice et les pratiques qui ne le sont pas, il n'y a guère qu'une différence de degré, pas de nature. Ne serait-ce que parce que les pressions compétitives poussent les entreprises à agir de façon similaire, on peut être certain que les stratégies et les tactiques de marketing de tous les médicaments d'une certaine catégorie se ressembleront. Quand le Vioxx fut impliqué dans un vaste système de marketing frauduleux qui comportait entre autres la promotion hors AMM, les observateurs du secteur savaient déjà que les autres coxibs ou inhibiteurs sélectifs de la COX-2 (Celebrex® et Bextra) allaient bientôt suivre. De même, quand le Zyprexa (l'antipsychotique de seconde génération de Lilly) fut mis sur la sellette, les spécialistes savaient déjà que les autres fabricants d'antipsychotiques atypiques (dont font partie le Seroquel et le Risperdal) étaient coupables de crimes similaires, qui deviendraient évidents si l'occasion se présentait d'examiner leurs documents marketing internes.

À présent, la participation de la société à la gouvernance pharmaceutique est restreinte parce que les laboratoires, en tant qu'entreprises privées, sont légalement autorisés à tenir secrètes la plupart de leurs pratiques, stratégies et données (commerciales et scientifiques). Le public ne sait guère comment les médicaments sont développés et marketés. L'écart entre notre savoir (qui est minime) et notre intérêt (qui est immense) est comblé par la confiance : confiance dans les agences du médicament comme la FDA pour superviser l'approbation des médicaments efficaces et sans danger ; confiance dans les médecins et dans l'enseignement de la médecine ; et enfin, confiance dans la justice pour réparer les torts et dissuader les criminels potentiels.

Notre objectif devrait être de concevoir et de mettre en place une gouvernance qui reflète les intérêts de la société. Pour y parvenir, nous devons comprendre en détail les pratiques des entreprises de ce secteur. Les grandes firmes pharmaceutiques sont aussi riches que des nations et bien mieux organisées comme forces agissantes dans le monde. Elles déploient des campagnes de propagande massives et ciblées pour noyer la recherche indépendante sur les véritables caractéristiques de leurs produits et pour dissimuler leurs pratiques marketing. Elles unissent leurs forces pour promouvoir leurs intérêts sur l'ensemble de la planète par le biais d'associations comme PhRMA (Pharmaceutical Research and Manufacturers of America) en faisant du lobbying pour que soient établis des lois et des accords internationaux comme les TRIPS (Trade Related Aspects of Intellectual

---

Les grandes firmes pharmaceutiques sont aussi riches que des nations et bien mieux organisées comme forces agissantes dans le monde.

Property Rights) ou l'ICH (International Conference on Harmonization of Technical Requirements for Registration of Pharmaceuticals) et en favorisant le recrutement et le financement au niveau planétaire de groupes de consommateurs favorables aux labos comme la NAMI (National Alliance on Mental Illness). Ces mesures combinées contribuent à transformer le monde en un marché unique pour leurs produits et leur message, tandis que le marketing permet de formater le savoir médical et l'expérience vécue des patients pour les ajuster à la consommation desdits produits. Pour reprendre contrôle de la science et de la réglementation, et pour évaluer quelle réponse raisonnable donner aux maladies en fonction des capacités actuelles, un effort citoyen tout aussi global et unifié sera nécessaire.

10
Fabriquer des maladies

Pour une affection que les médecins guérissent avec des médicaments (on assure du moins que c'est arrivé quelque-fois), ils en produisent dix chez des sujets bien portants, en leur inoculant cet agent pathogène, plus virulent mille fois que tous les microbes, l'idée qu'on est malade.

Marcel Proust[1]

Sur l'écran de télévision, une femme d'une cinquantaine d'années est assise à une table encombrée de pinceaux et de cahiers à dessin[2]. Elle suit vraisemblablement un cours d'arts plastiques, car on voit derrière elle d'autres personnes occupées à peindre ou à dessiner. Indifférente à ce qui l'entoure, la femme lit à mi-voix le contenu de ce qui semble être un journal intime : « Aujourd'hui, je me suis battue avec ma fibromyalgie. J'avais des douleurs partout. » Puis elle se tourne vers vous, le téléspectateur vautré sur son canapé, et vous fixe droit dans les yeux comme pour mieux vous dévoiler son âme : « Oui, la fibromyalgie est une maladie réelle et très répandue. »

Nous sommes aux États-Unis, où la publicité pharmaceutique ciblant directement les consommateurs[3] est autorisée depuis 1997. Le spot qu'on vient de voir fait partie d'une campagne publicitaire lancée en 2007 par Pfizer afin de promouvoir son nouveau blockbuster, le

Lyrica. Jusque-là utilisé comme antiépileptique, le Lyrica a été approuvé par la FDA pour la fibromyalgie en juin 2007. Pourtant, le spot mentionne à peine le Lyrica. Ce qu'on nous vend, en fait, c'est la fibromyalgie, maladie dont personne n'avait entendu parler avant la fin des années 1980, qui affecte notamment les femmes d'âge mûr et qui se caractérise par une fatigue généralisée, des troubles du sommeil et des douleurs musculaires diffuses[4].

Le téléspectateur qui ne connaîtrait pas les symptômes de cette nouvelle maladie est invité à aller sur le site www.lyrica.com pour s'informer. Là, on lui indiquera les 18 « points sensibles » du corps qu'il convient de surveiller (la carte de ces zones corporelles, dessinée sur un corps féminin schématisé, rappelle curieusement celle des « points hystérogènes » sur lesquels Jean-Martin Charcot, à la fin du XIXe siècle, pressait pour diagnostiquer une hystérie). Si 11 au moins de ces points semblent particulièrement sensibles, le site recommande de consulter un médecin et de lui demander ce qu'il pense du Lyrica, « le premier médicament approuvé par la FDA pour le traitement des douleurs associées à la fibromyalgie ».

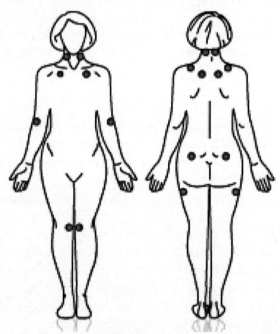

Carte des « points sensibles » du corps censés indiquer une fibromyalgie. (Collège américain de rhumatologie)

La fibromyalgie est-elle une vraie maladie ? À ce jour, on ne lui a trouvé aucune cause précise et la plupart des rhumatologues chez qui aboutissent les patients s'accordent (du moins quand ils ne sont pas consultants auprès de Pfizer) à y voir un syndrome psychosomatique aux contours aussi flous que la dépression, le syndrome de fatigue chronique ou le syndrome du côlon irritable. Cela n'empêche pas Pfizer et d'autres compagnies pharmaceutiques de la promouvoir à grand renfort de campagnes publicitaires et de séminaires de formation médicale continue destinés aux généralistes, car cet ensemble de symptômes correspond à un marché très profitable, celui des douleurs chroniques sans cause connue. À preuve, les ventes du Lyrica de par le monde ont atteint 1,8 milliard de dollars en 2007 – un joli retour sur investissement pour les 46 millions dépensés par Pfizer en publicité[5].

MALADIES À VENDRE : LE « CONDITION BRANDING »

Le spot publicitaire de Pfizer n'est qu'un exemple parmi d'autres de ce que les marketeurs pharmaceutiques appellent des « unbranded campaigns », c'est-à-dire des campagnes où il n'est pas fait explicitement mention de la marque (*brand*) qui est promue. Tout comme dans les campagnes de prévention et de sensibilisation sponsorisées par les autorités de santé nationales ou internationales, on nous apprend simplement à reconnaître les signes de maladies dont nous ignorions jusque-là la gravité, la prévalence et peut-être même l'existence.

> LE TAMBOUR. – Quand j'ai dîné, il y a des fois que je sens une espèce de démangeaison ici. Ça me chatouille, ou plutôt ça me gratouille.
> KNOCK. – Attention. Ne confondons pas. Est-ce que ça vous chatouille, ou est-ce que ça vous gratouille ?
> LE TAMBOUR. – Ça me gratouille. Mais ça me chatouille bien un peu aussi...
> KNOCK. – Est-ce que ça ne vous gratouille pas davantage quand vous avez mangé de la tête de veau à la vinaigrette ?
> LE TAMBOUR. – Je n'en mange jamais. Mais il me semble que si j'en mangeais, effectivement, ça me gratouillerait plus.

Après les dangers du sida, du tabac et de l'hypertension, voici donc ceux de la fibromyalgie, du reflux gastro-œsophagien, du syndrome des jambes agitées, du syndrome du côlon irritable, du syndrome métabolique, de la vessie hyperactive, de l'andropause, du papilloma-virus, de l'ostéopénie, de la préhypertension, du prédiabète, de la dysfonction érectile, de la dysfonction sexuelle féminine, de la spondylarthrite ankylosante. Depuis une trentaine d'années, il ne se passe pas de jour qu'on n'apprenne l'existence d'une nouvelle maladie ou la gravité insoupçonnée d'un «facteur de risque». C'est vrai notamment dans le domaine psychiatrique, où l'on a assisté à une véritable explosion de troubles psychiques inconnus ou précédemment négligés: le trouble bipolaire, le syndrome dysphorique prémenstruel, le syndrome de fatigue chronique, le stress post-traumatique, le trouble du déficit d'attention avec hyperactivité (d'ordinaire réservé aux enfants et aux adolescents, mais étendu à présent aux adultes), le trouble affectif saisonnier, la phobie sociale (naguère appelée «timidité», rebaptisée depuis «trouble d'anxiété sociale»), les attaques de panique, la boulimie nerveuse ou encore le trouble de l'expression involontaire des émotions.

Le nombre des troubles mentaux répertoriés dans le DSM, le manuel diagnostique de l'Association américaine de psychiatrie, ne cesse d'ailleurs d'augmenter à chaque nouvelle édition. Le DSM-I, qui date de 1952, en comptait 106. Le DSM-III, sorti en 1980, en comptait déjà 265. Quatorze ans plus tard, le DSM-IV portait ce nombre à 297. Le récent DSM-V a encore ajouté de nouvelles catégories diagnostiques telles que le «trouble neurocognitif mineur», l'«ingestion alimentaire excessive», le «trouble de la dérégulation d'humeur avec dysphorie», sans oublier le «trouble de l'accumulation» qui affecte les malheureux qui ont du mal à se débarrasser des objets.

Comment expliquer dès lors cette multiplication générale de maladies, de syndromes et de facteurs de risques? Est-ce la science médicale qui progresse et découvre chaque jour, pour notre plus grand bien, des morbidités contre lesquelles il convient de lutter à coup de traitements ciblés ou de campagnes de prévention, sur le modèle des antibiotiques et des vaccinations? Ou bien n'est-ce pas plutôt qu'on

---

Au lieu de promouvoir une marque de médicament pour telle ou telle maladie existante, on promeut une marque de maladie pour tel ou tel médicament.

assiste à une vaste entreprise de marketing destinée à nous convaincre d'être plus malades que nous ne le sommes afin de nous vendre toujours plus de médicaments ?

Il se trouve en effet que quasiment toutes les pathologies mentionnées à l'instant sont censées répondre à des molécules commercialisées par des firmes pharmaceutiques. À chaque trouble ou facteur de risque correspond de nos jours une molécule spécifique, à tel point que l'un semble inséparable de l'autre : la ménopause ne va pas sans le Premarin ou le Prempro de Wyeth/Pfizer, la dysfonction érectile ne va pas sans le Viagra de Pfizer, le papillomavirus ne va pas sans le Gardasil® de Merck, la dépression ne va pas sans le Prozac de Lilly ou le Deroxat/Seroxat/Paxil de GSK. De là à penser que ces maladies ou conditions sont promues dans le seul but d'écouler lesdits médicaments, il n'y a évidemment qu'un pas. Pfizer et les autres dépenseraient-ils autant de millions pour nous éduquer sur les symptômes de la phobie sociale, du trouble neurocognitif mineur (pré-Alzheimer) ou de la spondylarthrite ankylosante s'ils n'espéraient pas en tirer quelque profit ?

C'est ce que les marketeurs de l'industrie appellent le « condition branding », terme quasiment intraduisible qui désigne l'ensemble des techniques mises en œuvre pour vendre des maladies : on lance des affections (des *conditions*) exactement comme on lance une nouvelle marque (*brand*) de parfum ou d'aspirateur. Dans le jargon des marketeurs, le branding (littéralement, le « marquage ») est ce qui permet d'attacher une image de marque à un produit en le distinguant des produits concurrents. En lançant une marque et en gérant son image, on capte et on fidélise ainsi des consommateurs qui n'achèteront plus que des ordinateurs Apple®, des jeans Levi Strauss® ou du soda Coca-Cola®. Sauf que d'ordinaire on « brande » des produits, alors que dans l'industrie pharmaceutique on « brande » la maladie que le produit est censé traiter. Au lieu de promouvoir une marque de médicament pour telle ou telle maladie existante, on promeut une marque de maladie pour tel ou tel médicament. Exemple :

> Les marques de maladie (*condition brands*) ont les mêmes éléments que les marques de produit. Les éléments d'une marque de maladie comprennent le nom (par ex. « cancer du sein »), le logo (par ex. ruban rose) et les signes et symptômes de la maladie (par ex. une grosseur au sein). Les associations suscitées par une marque de maladie

comprennent les croyances au sujet de la prévalence et du pronostic de la maladie, les émotions (par ex. peur, colère) et tout autre élément de connaissance au sujet de la maladie (par ex. [la chanteuse et actrice] Kyle Minogue a eu un cancer du sein). [...] Le cancer du sein est un exemple de marque de maladie forte. La sensibilisation au cancer du sein est à présent très élevée chez les femmes, les médecins, les assureurs et les sponsors publics et privés[6].

Le « condition branding » est l'une des grandes techniques de vente de l'industrie pharmaceutique, à côté du marketing hors AMM avec lequel on pourrait être tenté de le confondre. En réalité, les deux stratégies diffèrent dans leur principe, même s'il arrive bien souvent qu'elles se confondent dans la pratique. Dans le cas du marketing hors AMM, il s'agit d'élargir le marché d'un médicament en le promouvant pour une maladie ou « condition déjà existante pour laquelle il n'a pas été autorisé. Dans le cas du « condition branding », en revanche, on *crée* un marché pour le médicament en promouvant une maladie *ad hoc*. L'objectif est de convaincre les consommateurs qu'ils ont un « besoin non couvert », comme disent les marketeurs, en leur apprenant à percevoir différemment un état du corps et/ou de l'esprit : « Est-ce que ça vous chatouille, ou est-ce que ça vous grattouille ? »

Le grand théoricien du « condition branding » est Vince Parry, président de l'agence de communication Parry Branding Group. Parry, qui a travaillé pour les plus grandes compagnies pharmaceutiques, a publié sur la question une série d'articles lumineux et troublants, tant on hésite à croire qu'ils ont été écrits sérieusement (c'est pourtant le cas)[7]. « L'idée derrière le "condition branding" », y apprend-on, « est relativement simple » :

> Si vous parvenez à définir telle ou telle condition et les symptômes qui y sont associés dans l'esprit des médecins et de leurs patients, vous pouvez également déduire quel est le meilleur traitement pour cette condition. [...] Le produit peut mieux posséder (*own*) les perceptions des consommateurs au sujet d'états morbides existants/en évolution, définir de nouveaux segments de patients ayant des besoins actuellement non satisfaits et guider les attitudes vis-à-vis de nouvelles modalités scientifiques promettant des bénéfices thérapeutiques accrus[8].

Il y a, poursuit Parry, « trois grandes stratégies pour favoriser la création d'une maladie et l'aligner sur un produit » :

1. On peut, par exemple, élever un état non pathologique au statut de maladie. C'est ce que les sociologues appellent d'habitude

« médicalisation », sauf qu'il ne s'agit pas ici d'une évolution sociétale impersonnelle mais d'un reformatage soigneusement scripté par des agences de communication ou des « fondations »-écran. On se souvient par exemple comment le Glaxo Institute of Digestive Health avait transformé les banales brûlures d'estomac en une « maladie du reflux gastro-oesophagien » aux graves conséquences pour la santé, que seul le Zantac pouvait traiter efficacement. Ou bien comment la ménopause est devenue, grâce aux communicants de Wyeth, un appauvrissement *pathologique* en œstrogènes qu'il convenait de corriger avec du Premarin. On pourrait citer aussi la promotion de l'alopécie (alias la perte de cheveux). Ou celle de l'andropause (alias le vieillissement masculin, qu'on peut ralentir grâce aux traitements à base de testostérone comme l'AndroGel® de Solvay). Ou encore l'extraordinaire campagne de sensibilisation à la « phobie sociale », ou « trouble d'anxiété sociale », orchestrée à la fin des années 1990 par l'agence de communication Cohn & Wolfe pour le compte de SmithKline Beecham : « Imaginez que vous soyez allergique aux gens. » Êtes-vous anxieux avant de parler en public ? Rougissez-vous comme une pivoine lorsque vous êtes seul avec une personne du sexe opposé ? « Paxil est le premier et le seul médicament approuvé par la FDA pour le traitement du trouble d'anxiété sociale[9]. » (En effet : les antidépresseurs ISRS comme le Paxil/Seroxat/Deroxat émoussent complètement les émotions, donc vous ne vous préoccupez plus du regard des autres.)

Publicité

Imaginez que vous soyez allergique aux gens...

Vous savez ce que c'est que d'être allergique aux chats, ou à la poussière, ou au pollen. Vous éternuez, vous avez des démangeaisons, vous êtes mal physiquement. Imaginez maintenant que vous soyez allergique aux gens. Vous rougissez, vous suez, vous tremblez – vous avez même du mal à respirer. Voilà ce que c'est de souffrir du trouble d'anxiété sociale. Plus de 10 millions d'Américains souffrent du **trouble d'anxiété sociale**, une peur excessive, persistante, handicapante d'être embarrassé ou humilié en société, au travail ou en situation de représentation. La bonne nouvelle, c'est que ce trouble peut être traité. Il est possible de surmonter le trouble d'anxiété sociale. Par conséquent, si vous avez l'impression d'être «allergique aux gens», parlez-en à votre médecin ou à un autre professionnel de la santé.

Appelez le 1-800-934-6276 ou allez sur www.allergictopeople.com.

(Sponsorisé par l'Anxiety Disorders Association of America.)

---

2. On peut aussi apprendre au public et aux médecins à percevoir différemment un état existant, comme lorsque Pfizer a redéfini l'impuissance masculine en «dysfonction érectile» (DE) afin de mieux vendre son aphrodisiaque Viagra, ou lorsque Pharmacia a promu la notion de «vessie suractive» pour placer sur le marché son médicament contre l'incontinence urinaire Detrol®[10]. Dans les deux cas, un état perçu négativement a été «recadré» positivement en simple dysfonctionnement physique afin que les patients n'aient plus honte d'aller consulter un professionnel: «Parlez-en à votre médecin.» Reinhard Anglemar, qui enseigne le condition branding à l'école de commerce INSEAD de Fontainebleau, décrit de même comment les fabricants d'antidépresseurs ISRS ont uni leurs efforts au début des années 2000 pour déstigmatiser la dépression au Japon:

> Jusqu'à récemment, le terme «dépression» était rarement utilisé en dehors des cercles psychiatriques au Japon, où cette condition était traitée presque exclusivement en institution psychiatrique. Des campagnes de sensibilisation apprirent aux généralistes et aux consommateurs à reconnaître les symptômes de la dépression. La condition était expliquée à l'aide d'une métaphore – «Votre âme a pris froid» – qui suggérait que la condition avait une cause médicale, était courante et pouvait, tout comme un rhume, être combattue à l'aide d'un médicament. La stigmatisation associée à la dépression a été atténuée quand des célébrités vinrent parler publiquement de leur dépression et quand on apprit que la princesse impériale Masako prenait des antidépresseurs[11].

3. Enfin, on peut carrément «développer une nouvelle maladie pour faire reconnaître un besoin de marché non satisfait[12]». Parry donne ici l'exemple du «trouble panique», lancé à grand renfort de publications et de «conférences de consensus» par le laboratoire Upjohn dans les années 1970 afin de créer une niche de marché pour sa benzodiazépine Xanax:

> Depuis la publication du DSM-III en 1980, qui pour la première fois reconnaissait le trouble panique comme une condition distincte

[séparée de l'anxiété], sa prévalence a été multipliée par 1000 et de nouveaux antidépresseurs sont arrivés qui ont encouragé encore plus d'idées au sujet de la panique[13].

Un autre « besoin non satisfait » pour la reconnaissance duquel les laboratoires s'emploient à créer une maladie est... l'absence de désir chez les femmes (« Non, pas ce soir, chéri »). Eh bien, ce besoin ou ce désir, on va le susciter ! Depuis des années maintenant, des firmes comme Pfizer, Boehringer et Procter & Gamble s'activent pour lancer l'idée d'une « dysfonction sexuelle féminine » ou d'un « désir sexuel hypoactif » susceptible de répondre à un équivalent féminin du Viagra. À ce jour, aucun « Viagra rose » n'a encore reçu d'autorisation de mise sur le marché, mais la « maladie » qu'il va guérir a déjà été créée[14].

On aura compris qu'il importe peu que les conditions ou syndromes ainsi promus affectent réellement un certain nombre de patients ou bien soient au contraire le produit d'une médicalisation arbitraire (des « maladies imaginaires », aurait dit Molière). Importe peu aussi que les molécules concernées aient véritablement une action sur les maladies propulsées sur le devant de la scène (ça, c'est pour la galerie). La seule chose qui compte aux yeux des marketeurs est que les maladies en question représentent un marché potentiellement important et ne soient pas déjà « possédées », *owned*, par le médicament d'une compagnie rivale. En effet, les entreprises évoluant dans un environnement hautement compétitif, l'enjeu du marketing est toujours la différenciation, la « petite différence » qui permet de se tailler une niche de marché et d'attirer les consommateurs vers votre produit plutôt que vers ceux de vos rivaux. Comme pour tous les autres produits de consommation, le renouvellement incessant des maladies et conditions correspond à la nécessité d'inventer constamment des besoins qui ne soient pas déjà couverts par la concurrence.

MALADIES JETABLES

Un exemple fera tout de suite comprendre comment fonctionne le « condition branding ». Le brevet de la fluoxétine, qui est la molécule commercialisée comme antidépresseur par la compagnie Eli Lilly sous le nom de marque Prozac, est arrivé à expiration en 1999. Le Prozac ne possédait donc plus le marché de la dépression, qui était désormais ouvert à la concurrence de génériques identiques et moins chers. C'est un exemple de ce que les théoriciens du marketing appellent « commoditization », terme là encore intraduisible qui désigne la banalisation ou dé-différenciation d'un produit et qui représente le cauchemar de tout marketeur. Les documents internes de Lilly, rendus publics à l'occasion d'un procès aux États-Unis[15], montrent que la compagnie se préparait depuis plusieurs années à la « commoditisation » du Prozac. L'une des solutions imaginées par les marketeurs de la compagnie a consisté à recycler la fluoxétine en lui donnant un nouvel enrobage et un nouveau nom de marque, Sarafem®, puis en l'attachant à une maladie lancée spécialement pour l'occasion : le trouble dysphorique prémenstruel.

Ce trouble de l'humeur, présenté comme différent à la fois du banal syndrome prémenstruel et de la dépression, a été obligeamment intégré dans le DSM-IV par un comité d'experts dont 83 % avaient des liens avec l'industrie pharmaceutique et notamment avec Eli Lilly[16]. L'unique objectif de cette création de maladie était bien sûr de tailler un nouveau marché pour la fluoxétine : au lieu de la vendre sous le nom de Prozac pour la dépression, Lilly la vend à présent – plus cher – sous le nom de Sarafem pour le trouble dysphorique prémenstruel. (Le Sarafem n'a toutefois pas eu d'autorisation de mise sur le marché dans l'Union européenne.) Nul doute que la compagnie vendra la fluoxétine pour une troisième maladie tout aussi inédite le jour où le brevet du Sarafem viendra à expiration. On voit bien ici comment les maladies ne sont pas aux yeux des marketeurs des réalités aux contours bien arrêtés, mais des marchés qu'on peut segmenter, redéfinir ou étendre à volonté. Quant aux molécules, ce sont pour eux des sortes de jokers polyvalents qu'on peut utiliser pour à peu près n'importe quoi.

Publicité

Image : une femme, visiblement excédée, essaie en vain de sortir un charriot de son emplacement au supermarché. Voix off : « C'est la semaine avant vos règles : irritabilité, sautes d'humeur, ballonnements. *Think it's PMS ? It could be PMDD* – Vous pensez que c'est le Syndrome Pré-Menstruel ? Il se pourrait que ce soit le Trouble Dysphorique Pré-Menstruel »[17].

(Sponsorisé par Eli Lilly & Co. Consultez votre médecin.)

Le recyclage du Prozac en Sarafem a donc permis à Lilly de continuer à tirer profit de la fluoxétine. Fallait-il pour autant laisser en jachère le marché désormais «commodotisé» de la dépression? Il se trouvait que Lilly avait dans ses tiroirs une molécule inutilisée, la duloxétine. La duloxétine est un inhibiteur sélectif de la recapture de la sérotonine-noradrénaline (ou ISRSNA), très proche de la classe des inhibiteurs sélectifs de la recapture de la sérotonine (ISRS) comme la fluoxétine. Lilly l'avait développée initialement pour l'incontinence urinaire puis, au début des années 1990, pour le marché alors beaucoup plus prometteur de la dépression. Toutefois, la FDA ne l'avait pas approuvée comme antidépresseur à l'époque et la chose en était restée là.

Vers la fin de la décennie, au moment où il s'agissait de redéfinir la stratégie du groupe en prévision de la «commodotisation» du Prozac, les marketeurs de Lilly ont décidé de demander à nouveau une autorisation de mise sur le marché de la duloxétine pour une indication légèrement différente: non pas la dépression tout court, mais la dépression *accompagnée de douleur*. L'un des chercheurs de Lilly avait noté que la duloxétine pouvait avoir des propriétés antalgiques (ce qui, soit dit en passant, est plus vrai encore des anciens antidépresseurs tricycliques comme l'imipramine et l'amitriptyline). La duloxétine fut finalement approuvée en 2004 pour la dépression et les douleurs diabétiques, et lancée sur le marché sous le nom de marque Cymbalta, avec le slogan «Depression hurts» – «La dépression fait mal». L'idée qu'il s'agissait de vendre était que la dépression est toujours accompagnée d'algies, de douleurs somatiques. Stacy Miller, responsable du marketing du Cymbalta chez Lilly, s'en expliquait au magazine *Medical Marketing & Media*:

> Nous essayons de mettre en lumière des symptômes plus mineurs dont les gens ne sont peut-être pas conscients. Alors que les gens connaissent les symptômes classiques [de la dépression] comme la tristesse, l'absence de joie et la fatigue, ils sont moins conscients des symptômes physiques comme le changement de poids, les troubles du sommeil et la douleur. Il n'est pas aussi intuitif de considérer que cela fait partie de la maladie mentale[18].

C'était là une idée tout à fait nouvelle et elle était basée sur des considérations purement commerciales. Les marketeurs de Lilly avaient en effet établi qu'il n'y avait pas de compétition sur ce segment de marché de la part des autres antidépresseurs. La décision de ressortir la duloxétine des tiroirs n'avait pas d'autre raison, car, comme le disait le slogan interne de l'équipe marketing chargée du Cymbalta, « No pain, no gain » – « Sans douleur, pas de profit »[19]. Plus récemment, Lilly a fait approuver le Cymbalta pour la fibromyalgie, nébuleuse symptomatique que la compagnie promeut à présent de façon agressive tout en la disputant au Lyrica de Pfizer et au Savella® de Forest Laboratories, un autre antidépresseur ISRSNA recyclé en antalgique.

Les deux exemples du Sarafem et du Cymbalta illustrent à merveille le principe de la segmentation de marché : si la fluoxétine a été recyclée pour le trouble dysphorique prémenstruel et la duloxétine a été marketée pour la dépression avec algies, puis pour la fibromyalgie, c'est parce qu'il s'agissait de marchés vierges, non encombrés par la concurrence – et nullement parce qu'il s'agissait de maladies en mal de traitement. Au contraire, ces maladies ont été inventées et/ou promues pour mieux vendre des molécules en déshérence.

LE RAPT DE LA PSYCHIATRIE

Ces deux exemples illustrent aussi un autre aspect du « condition branding » qui est plus particulier au domaine psychiatrique et à ce qu'on pourrait appeler le psychopharmarketing, à savoir l'exploitation délibérée de la fluidité des troubles dits « mentaux ». Comme le savent bien les historiens de la psychiatrie et les anthropologues médicaux, rien n'est plus flou, plus fluctuant, plus variable que les troubles mentaux. Le plus souvent, ils se fondent les uns dans les autres, se chevauchent, se combinent (c'est ce qu'on appelle la comorbidité), de sorte qu'une personne dépressive pourra aussi être anxieuse, développer des troubles psychosomatiques ou avoir des moments d'hyperactivité maniaque. De plus, il est bien souvent difficile dans ce domaine de tracer avec exactitude les frontières entre le normal et le pathologique, le naturel et le culturel-social, le somatique et le psychologique. La timidité de cette personne est-elle un trait de caractère ? Le résultat de son histoire familiale ? Un comportement sanctionné socialement, comme au Japon ? Ou bien une véritable pathologie, une « phobie sociale » ?

Cette fluidité du champ psychiatrique, qui est un handicap pour le nosographe, est évidemment une véritable aubaine commerciale pour les marketeurs engagés dans le « condition branding. » Comme l'écrit avec un cynisme tranquille Vince Parry :

> Aucune catégorie thérapeutique n'est plus hospitalière au « condition branding » que le champ de l'anxiété et de la dépression, où la maladie est rarement basée sur des symptômes physiques mesurables et où elle est donc ouverte à une définition conceptuelle[20].

La même chose vaut évidemment pour la quasi-totalité des autres troubles psychiatriques, y compris la schizophrénie et la psychose maniaco-dépressive. Les marketeurs peuvent donc les « définir conceptuellement » comme ils l'entendent et charger les leaders d'opinion avec lesquels ils travaillent de faire entériner les nouvelles maladies ainsi créées par les commissions du DSM et de l'OMS. Grâce aux moyens énormes dont disposent les compagnies pharmaceutiques pour diffuser leur message, elles sont ainsi en mesure de formater très efficacement la façon dont tel ou tel état du corps et/ou de l'esprit sera perçu tant par les médecins que par les patients-consommateurs. Alors que cette perception était par le passé le résultat de changements culturels sur le long terme, elle est à présent directement contrôlée par des marketeurs qui déterminent des années à l'avance quels syndromes seront mis en valeur en fonction de stratégies commerciales et de la durée des brevets. La façon dont nous allons nous sentir mal dans notre peau dans cinq ou dix ans se décide dans les bureaux aseptisés de l'industrie, exactement comme la couleur de nos chemises ou la coupe de nos jeans.

L'équipe chargée chez Lilly de marketer l'antipsychotique Zyprexa à la fin des années 1990 avait ainsi un échéancier listant les maladies à cibler, et dans quel ordre, dans les années suivant le lancement du médicament[21]. Parmi les marchés à investir en « première priorité », il y avait le trouble bipolaire, la démence sénile avec psychose, la dépression

---

La façon dont nous allons nous sentir mal dans notre peau dans cinq ou dix ans se décide dans les bureaux aseptisés de l'industrie, exactement comme la couleur de nos chemises ou la coupe de nos jeans.

unipolaire, la dysthymie, la maladie de Parkinson avec psychose due au traitement, etc. En « deuxième priorité », il y avait la toxicomanie, les troubles de l'anxiété, l'anorexie, les troubles de la personnalité « borderline », le délire avec traits psychotiques. « Troisième priorité » : l'autisme, le trouble du déficit d'attention, les troubles alimentaires, la démence sénile sans psychose, les douleurs chroniques, le trouble dysphorique prémenstruel, la dysfonction sexuelle, le trouble somato-forme (*sic*), le syndrome vestibulaire (vertige), la nausée et les vomissements – tout cela à traiter, donc, avec un puissant antipsychotique initialement autorisé pour la schizophrénie... Un document comme celui-là montre éloquemment que si de nouveaux troubles psychiatriques surgissent constamment, les uns chassant les autres à un rythme accéléré, ce n'est nullement parce que la science psychiatrique irait de découverte en découverte. C'est tout simplement parce qu'elle suit maintenant le « cycle de vie » des médicaments mis sur le marché.

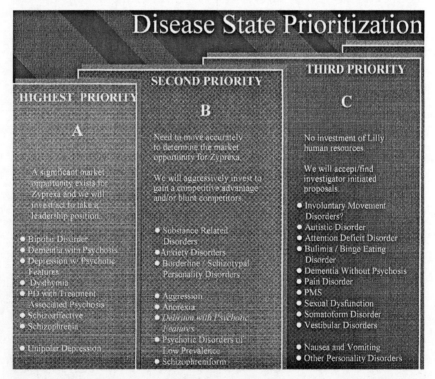

Document interne de la compagnie Lilly listant les maladies à cibler en priorité avec l'antipsychotique Zyprexa.

LE LANCEMENT COMMERCIAL DE LA DÉPRESSION

Prenons le cas de la dépression. Dans les années 1960, il s'agissait d'un trouble relativement rare affectant les personnes atteintes de dépression dite « endogène » (c'est-à-dire non causée par des événements extérieurs) et qui était traité en hôpital psychiatrique. L'expression de la détresse psychique courante, quant à elle, prenait de préférence la forme d'anxiété et de « crises de nerfs » pour lesquelles on prescrivait des benzodiazépines ou « tranquillisants » comme le Valium. La dépression était même si rare que dans les années 1950 le laboratoire Geigy avait d'abord décliné de développer l'imipramine, le premier antidépresseur, parce qu'il estimait le marché non rentable. En 1996, pourtant, un rapport de l'OMS annonçait que la dépression allait bientôt être l'un des deux grands problèmes de santé publique de la planète, tout juste après les troubles cardio-vasculaires. Comment expliquer une progression aussi phénoménale? Les sociologues et les psychanalystes invoquent une prétendue « société dépressive », mais la raison est en fait beaucoup plus simple: c'est que la dépression a été « brandée » par des compagnies pharmaceutiques désireuses de créer un nouveau marché pour des médicaments dits « antidépresseurs ».

On se souvient qu'au début des années 1980 une grande publicité avait été accordée dans les médias au caractère addictif des tranquillisants comme le Valium, ce qui avait immédiatement provoqué une chute des ventes de benzodiazépines. Il fallait donc leur trouver d'urgence des remplaçants. Le choix de l'industrie pharmaceutique, entraînée initialement par Lilly, s'est porté sur une nouvelle catégorie de molécules, les inhibiteurs sélectifs de la recapture de la sérotonine ou ISRS. L'ironie est que ceux-ci n'étaient nullement perçus au départ comme des antidépresseurs. Lilly, qui avait synthétisé l'ISRS fluoxétine en 1972, ne savait toujours pas quoi en faire à la fin de la décennie et avait même explicitement décidé de ne *pas* la développer pour la dépression, car les essais cliniques faits en ce sens n'avaient pas été concluants (voir plus haut, p. 24). Lors d'une réunion avec des chercheurs, le vice-président du département Recherche & Développement avait ainsi déclaré au terme d'un exposé d'Alec Coppen sur les relations entre sérotonine et dépression:

Je remercie le Dr Coppen pour sa contribution, mais je peux vous dire que nous ne développerons pas la fluoxétine comme antidépresseur[22].

Toutefois, la crise des benzodiazépines ayant brutalement ouvert à la concurrence le vaste marché de l'anxiété et des troubles nerveux, Lilly décida de remplir le vide ainsi créé en marketant la fluoxétine comme un *antidépresseur* non addictif sous le nom de marque Prozac[23]. Cette décision n'était nullement dictée par les propriétés antidépressives de la fluoxétine, lesquelles n'étaient pas particulièrement remarquables (pour ne pas dire nulles, ainsi qu'on va voir plus bas avec Irving Kirsch), et encore moins par son caractère non addictif (voir plus haut, p. 152). Il s'agissait simplement d'éviter toute association du Prozac avec les « tranquillisants » anxiolytiques, désormais perçus par les consommateurs comme addictifs et dangereux. Grâce à ce tour de passe-passe, qui était une pure décision marketing, les anxieux traités précédemment à coup de Valium ont été convertis en dépressifs souffrant d'une insuffisance en sérotonine à qui il convenait de donner du Prozac.

Soucieuse d'élargir le marché de son antidépresseur au-delà de la dépression « endogène » traitée en hôpital, Lilly a alors très délibérément concentré son marketing sur les généralistes plutôt que sur les psychiatres, en leur présentant le Prozac comme une version « soft » et sans effets secondaires des antidépresseurs de première et seconde génération et en les « éduquant » à reconnaître les symptômes de la dépression commune chez leurs patients : fatigue, insomnie, alcoolisme, etc.[24] Le succès de cette campagne a été fulgurant. Décomplexés vis-à-vis de leurs collègues psychiatres, les généralistes européens et américains se sont mis à prescrire des antidépresseurs pour tout et n'importe quoi, fournissant ainsi à leurs patients un nouvel idiome – un nouveau *condition brand* – dans lequel ils pouvaient faire entendre leur souffrance et leur mal-être. Tous ceux qui auparavant se considéraient comme anxieux ou « nerveux » se sont reconnus dépressifs, calquant ainsi leurs symptômes sur les médicaments réputés agir sur ces symptômes.

La progression quasi épidémique de la dépression durant les années 1990 ne peut pas être séparée de la promotion des ISRS par Lilly et d'autres compagnies pharmaceutiques : la dépression « fin-de-siècle » est une création des antidépresseurs. Elle n'est pas la seule, car d'autres troubles psychiatriques ont vu le jour dans le sillage du Prozac et de ses sosies Zoloft, Deroxat/Seroxat/Paxil, etc. N'oublions pas que la règle d'or du marketing est la différenciation : il faut à tout prix éviter que votre produit puisse être comparé avec ceux de la concurrence, faute de quoi cela entraînera sa « commoditisation » et sa mort commerciale. Or, les compagnies produisant des ISRS après Lilly se sont trouvées face à un marché de la dépression déjà dominé par le Prozac et elles ont donc dû promouvoir d'autres syndromes pour différencier leurs « me-toos ».

L'une des stratégies a consisté à remettre en valeur l'anxiété en la segmentant différemment. C'est ainsi que SmithKline Beecham, comme on a vu, a lancé la « phobie sociale », rebaptisée ensuite « trouble de l'anxiété sociale », afin de créer une niche de marché pour la paroxétine ou Deroxat/Seroxat/Paxil, dont la structure moléculaire est pourtant quasiment identique à la fluoxétine de Lilly. Le même jeu de chaises musicales s'est poursuivi tout au long des années 1990, les compagnies faisant approuver leurs ISRS pour les conditions les plus diverses et variées. Entre 1987 et 2001, la FDA a ainsi accordé aux firmes produisant des ISRS des autorisations de mise sur le marché pour la dépression majeure, la dysthymie, la dépression gériatrique, les troubles obsessifs-compulsifs (TOC), le trouble panique (un marché jusque-là détenu par la benzodiazépine Xanax), la boulimie nerveuse, la phobie sociale, le trouble de l'anxiété sociale, le trouble dysphorique prémenstruel, le trouble d'anxiété généralisée, le trouble de stress post-traumatique et la neuropathie diabétique périphérique.

En à peine plus de dix ans, on a donc créé ou promu une nuée de syndromes censés répondre à une seule et même classe de molécules. Quant aux patients, ils ont généralement suivi le mouvement, en changeant de symptômes (ou plutôt de perception des symptômes) autant de fois qu'on le leur suggérait. Exactement comme dans le domaine de la mode, la demande des patients-consommateurs s'adapte constamment à l'offre qui leur est faite par l'industrie

LA RÉSISTIBLE ASCENSION DU TROUBLE BIPOLAIRE

La dernière mode s'appelle le trouble bipolaire[25]. La dépression, en effet, n'est plus un marché profitable dans la mesure où les brevets des antidépresseurs sont tous arrivés à expiration et elle est donc en train de disparaître du paysage psychiatrique. Comme on vu avec le Cymbalta et le Sarafem, le « condition branding » a déjà commencé à coloniser d'autres marchés, comme la fibromyalgie ou les troubles dysphoriques. Mais le gros marché est celui du trouble bipolaire, un terme obligeamment élastique qui a été introduit en 1980 dans le DSM-III pour remplacer celui de psychose maniaco-dépressive. De même qu'on avait naguère transformé les anxieux en dépressifs, on traite maintenant les dépressifs pour des troubles bipolaires, par quoi l'on entend toutes sortes de troubles de l'humeur qui n'ont plus rien à voir avec la psychose maniaco-dépressive décrite à la fin du XIXᵉ siècle par Emil Kraepelin.

Celle-ci se définissait classiquement comme un trouble de l'humeur faisant alterner le patient entre des états d'élation (d'optimisme) et d'hyperactivité maniaques et des états de dépression profonde. Il s'agissait clairement d'une psychose grave requérant des hospitalisations répétées et qui touchait une population adulte et très réduite. On l'appelle désormais le « trouble bipolaire I » en distinguant celui-ci d'un tout nouveau « trouble bipolaire II » auquel ont été annexées des formes moins sévères de dépression et/ou d'hyperactivité, ainsi que toutes sortes de troubles névrotiques que Kraepelin n'aurait jamais rêvé inclure dans la psychose maniaco-dépressive. On parle maintenant d'un « spectre bipolaire » qui inclut, outre les troubles bipolaires I et II, la cyclothymie (version atténuée du bipolaire II) et le trouble bipolaire « non autrement spécifié » (catégorie fourre-tout où l'on peut mettre quasiment n'importe quelle instabilité affective) – à quoi certains ajoutent les troubles bipolaires II ½, III, III ½, IV, V, VI et même un fort accueillant « trouble bipolaire sous-liminaire » (*subthreshold bipolar disorder*).

Rares sont ceux, du coup, qui ne sont *pas* bipolaires, d'autant qu'on applique libéralement le diagnostic à toutes les tranches d'âge. Alors qu'on considérait classiquement que la psychose maniaco-dépressive s'éteint avec l'âge, on entend de plus en plus parler dans les congrès de psychiatrie du trouble bipolaire gériatrique (TBG). Des vieillards déprimés ou agités se voient ainsi diagnostiqués bipolaires pour la première fois de leur vie et on leur prescrit des antipsychotiques qui ont toutes les chances d'écourter leur espérance de vie. En 2010, près de 40 % des personnes traitées pour démence sénile dans les maisons de retraite américaines recevaient des antipsychotiques[26].

De même, on admet depuis les travaux du pédopsychiatre et «leader d'opinion» Joseph Biederman que le trouble bipolaire peut frapper dès la petite enfance et non pas seulement à partir de l'adolescence, comme on pouvait le lire jusque-là dans les manuels de psychiatrie à propos de la psychose maniaco-dépressive[27]. Résultat: le nombre de diagnostics de trouble bipolaire pédiatrique (TBP) est passé aux États-Unis de quasiment zéro en 1993 à plus de 1,5 million en 2002-2003. En août 2002, le magazine *Time* titrait en couverture: «Jeune et bipolaire – Naguère appelée maniaco-dépression, cette maladie touchait les adultes. À présent elle frappe les enfants. Pourquoi?» Le corps de l'article énumérait ensuite à l'intention des parents une série de «signes avant-coureurs» de la maladie: «mauvaise écriture», «se plaint de s'ennuyer», «est très créatif», «a du mal à se lever le matin», «ne supporte pas les délais», «jure comme un sapeur lorsqu'en colère», «états d'allégresse, d'étourderie, fait l'idiot».

Pourquoi donc tout ce battage autour du trouble bipolaire? Pour les observateurs de l'industrie pharmaceutique, la réponse va de soi: il s'agit de réinvestir le marché désormais sans intérêt de la dépression. L'argument de vente, cette fois-ci, est que les patients qui n'ont pas été soulagés par les antidépresseurs – et Dieu sait s'il y en a! – ne sont pas en réalité des dépressifs *uni*polaires, mais des *bi*polaires mal diagnostiqués. Il convient donc, dit-on, de leur donner des médicaments thymorégulateurs (ou «stabilisateurs d'humeur»), tels que l'antiépileptique Depakote des laboratoires Abbott ou l'antipsychotique de seconde génération Zyprexa de Lilly.

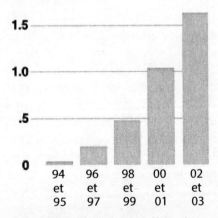

Consultations privées entraînant un diagnostic de bipolarité chez des Américains en dessous de 20 ans, en millions

Source: Mark Olfson, Columbia University

Publicité

On voit sur un écran de télévision une jeune femme qui danse joyeusement dans une boîte de nuit.

Voix off : « Votre médecin ne vous voit jamais comme cela. » Le plan suivant montre un visage sombre et défait : « Voilà la personne que voit votre médecin. » Nouveau plan, la même jeune femme se livre à une frénésie d'achats dans un grand magasin : « Voilà pourquoi tant de gens souffrant de trouble bipolaire sont traités pour une dépression et ne vont pas mieux – parce que la dépression n'est que la moitié de l'histoire. »

(Sponsorisé par Eli Lilly & Co. Consultez votre médecin.)

Voici par exemple ce qu'on pouvait lire en 2002 dans un document interne de Lilly à l'intention des visiteurs médicaux chargés de vendre le Zyprexa auprès des médecins généralistes :

> De même que le Prozac a révolutionné le traitement de la dépression à la fin des années 1980 et durant les années 1990, le Zyprexa va définitivement changer la façon dont les généralistes perçoivent et traitent le trouble bipolaire. [...] On pensait dans le temps que la prévalence du trouble bipolaire se situait entre 1 % et 2 %. Des études plus récentes indiquent qu'elle atteint 6 %. Mais quand vous considérez des patients qui ont déjà été diagnostiqués comme souffrant de troubles dépressifs et traités pour cela, il se peut que près de 30 % d'entre eux soient en fait bipolaires.[28]

Autrement dit, recyclons les dépressifs non rentables en bipolaires auxquels nous pourrons vendre notre thymorégulateur Zyprexa. Et « Viva Zyprexa! », comme le claironnait un slogan interne de Lilly[29].

Il s'agit là d'une remarquable opération de « condition branding » qui repose non seulement sur une extension indue de la notion de psychose maniaco-dépressive, mais également sur une invention terminologique des plus créatives. Il se trouve en effet que le Zyprexa, tout comme le Seroquel d'AstraZeneca et le Risperdal de Johnson & Johnson, est un antipsychotique autorisé initialement pour la schizophrénie et les états maniaques du trouble bipolaire I. Il en va de même pour le Depakote, qui n'a été approuvé au départ que pour la manie. Cependant, tous ces médicaments ont été marketés comme des « stabilisateurs de l'humeur » (*mood stabilizers*), terme inventé par les laboratoires Abbott et parfaitement trompeur dans la mesure où il suggère une action préventive sur le trouble bipolaire qui n'a jamais été établie par aucune étude[30]. Un document stratégique de Lilly montre clairement que ce glissement vers les troubles de l'humeur courants était tout à fait prémédité :

> Vision – Étendre le marché du Zyprexa en redéfinissant la façon dont les généralistes traitent les troubles de l'humeur, de la pensée et du comportement.
> Stratégie – Établir une position de « solution sans risque et prouvée pour les troubles de l'humeur, de la pensée et du comportement ».
> Mettre l'accent sur le marketing direct auprès des médecins [...]
> Cibler largement les cabinets de généralistes.
> Baser le message sur les symptômes et comportements des patients (plutôt que sur les diagnostics)[31].

À la faveur de cette étonnante re-« définition conceptuelle », comme dirait Vince Parry, les démarcheurs de l'industrie ont pu suggérer aux médecins de prescrire des antiépileptiques ou des antipsychotiques extrêmement puissants et aux effets secondaires parfois très graves pour « stabiliser » l'humeur de dépressifs ne présentant *a priori* aucune hyperactivité maniaque ou, inversement, d'enfants hyperactifs n'ayant jamais présenté la moindre dépression. Quand on sait à quel point le marché de la dépression et de l'hyperactivité infantile a été lucratif durant les années 1990 pour les laboratoires produisant des antidépresseurs ISRS ou des psychostimulants comme la Ritaline, on comprend tout de suite l'intérêt de l'opération. Le marché des antipsychotiques atypiques représente actuellement un chiffre d'affaires de 18 milliards de dollars, soit le double de celui des antidépresseurs en 2001.

Le pauvre Kraepelin doit se retourner dans sa tombe en voyant ce que les psychopharmarketeurs ont fait de sa psychose maniaco-dépressive. Car le trouble bipolaire n'est pas la même chose que la

---

Les antipsychotiques prescrits aux personnes âgées diagnostiquées avec un trouble bipolaire gériatrique sont responsables de 15 000 morts par an aux États-Unis.

psychose maniaco-dépressive, ainsi qu'on le répète sans cesse pour lui donner des titres de noblesse historiques. C'est un concept attrape-tout promu de façon opportuniste par l'industrie pharmaceutique pour capter le vaste marché des dysthymies et des troubles du comportement au profit de médicaments antiépileptiques ou antipsychotiques.

C'est aussi un concept toxique : selon le témoignage de l'expert de la FDA américaine David Graham devant le Congrès américain, les antipsychotiques prescrits aux personnes âgées diagnostiquées avec un trouble bipolaire gériatrique sont responsables de 15 000 morts par an aux États-Unis – cinq fois autant que les attentats du 11 Septembre[32]. Quant au million d'enfants et d'adolescents américains mis d'office sous antipsychotiques pour leurs prétendus troubles bipolaires, ils ont toutes les « chances » de prendre en moyenne 10 à 15 kg en trois mois et de développer à terme du diabète et des troubles cardio-vasculaires.

Les philosophes aiment à dire que le concept de chien n'aboie pas. En médecine, pourtant, certaines « définitions conceptuelles » peuvent bel et bien tuer.

11

Marketer l'information médicale : Internet et associations de patients sous influence

ANTOINE VIAL

Après avoir travaillé avec *Médecins sans frontières*, Antoine Vial a animé pendant vingt ans l'excellent magazine médical de France Culture, « Archipel Médecine ». Expert en santé publique, il a été membre de la Commission « Qualité et diffusion de l'information médicale » de la Haute Autorité de santé (HAS) tout en siégeant au conseil d'administration de la revue *Prescrire* et en coordonnant le Collectif Europe Médicament dans ses premières années. Créé en mars 2002, ce collectif réunit plus de 60 organisations de l'Union européenne – associations de patients et de consommateurs, organismes d'assurance maladie, organisations de professionnels de la santé – en vue de peser sur la politique européenne du médicament et d'assurer aux citoyens de l'Union de meilleures garanties dans ce domaine en termes d'efficacité, de sécurité et de prix. Vial est également consultant en système d'information et stratégie de communication. Autant dire qu'il est particulièrement bien équipé pour déchiffrer les messages marketing que nous envoie en permanence Big Pharma. Au début de son texte, Antoine Vial vient d'apprendre qu'il souffre vraisemblablement de spondylarthrite ankylosante, un mal qui à terme va le faire se courber à angle droit comme une équerre...

> Aujourd'hui le savoir n'est plus réservé à ceux qui le produisent, il circule, s'échange, se discute sur la scène publique.
>
> *Paul Milliez (1989)*

PROLOGUE

Plusieurs fois cette nuit je me suis réveillé avec un mal de dos épouvantable, comme verrouillé dans un étau. Cela fait déjà plusieurs mois que cela dure... J'ai appelé mon médecin pour prendre rendez-vous, mais il n'avait pas de place pour moi avant le lendemain. Alors, inquiet, j'ai ouvert mon ordinateur et j'ai tapé sur Google : « Mal de dos qui réveille ». Un premier lien vers un article d'une revue suisse m'apprend que c'est peut-être une spondylarthrite ankylosante. Le lien suivant me propose : « Qui connaît le mal de dos au réveil ». Un clic encore et je suis sur le Forum santé de Doctissimo[1], un site très fréquenté, ce qui *a priori* a de quoi me rassurer sur sa pertinence et sa qualité. Je commence ma lecture des échanges. En premier il y est question de hernie, puis de disques qui se touchent et au troisième post, à nouveau ce mot étrange de spondylarthrite :

> Bonsoir, les douleurs dans le bas du dos qui réveillent la nuit, cela peut être une spondylarthrite, j'ai cette maladie et c'est l'un de ses symptômes. As-tu mal au talon ?

Hernie et disques, je connais, mais qu'est-ce donc que la spondylarthrite ? Je retourne sur Google. Wikipédia me propose une définition. Je me retrouve bien dans la description des symptômes : mal de dos au réveil, douleur dans les talons, personne jeune... Une vérification s'impose, Doctissimo propose aussi sa définition. Je clique. Là encore je me reconnais dans les symptômes, mais mon inquiétude grandit car on parle plus loin de « maladie invalidante ». Le site me propose une page sur les traitements, j'y vais. Un titre : « Les anti-TNF alpha, des "molécules miracles" ? »

Si la maladie et son évolution me font peur, du moins existe-t-il un traitement efficace. Trois médicaments sont présentés[2] : deux disposent d'un lien direct avec le guide des médicaments du site et un seul est cité dans son nom commercial. Pourquoi le troisième ne se trouve-t-il pas dans le guide des médicaments ? Pourquoi un seul est-il présenté sous son nom commercial ? Je ne comprends pas cette différentiation, peut-être certains sont-ils moins efficaces que d'autres ? Ou encore, peut-être certains laboratoires achètent-ils leur référencement dans le guide des médicaments de Doctissimo ? Pour lever ce doute, je clique sur une interview de la présidente de l'Association France spondylarthrites (AFS) en me disant que si les sites d'informations santé sont peut-être achetés par l'industrie pharmaceutique, du moins les associations de malades sont-elles à l'abri d'intérêts commerciaux. La présidente enfonce le clou sur les traitements :

> Après les indications concernant la polyarthrite rhumatoïde, les arthrites chroniques juvéniles et le rhumatisme psoriasique, les anti-TNF alpha apparaissent aujourd'hui comme des traitements efficaces de la spondylarthrite ankylosante.

Couronne de lauriers inattendue ! Que la présidente de l'association de malades atteints de spondylarthrite ankylosante (SPA) donne son opinion sur l'efficacité d'un médicament pour sa pathologie, je l'entends. C'est le savoir des patients et il a son utilité à côté de celui des scientifiques. Mais quelle est sa connaissance du vécu des autres maladies dont elle parle ? Son opinion est-elle indépendante, sa parole exempte de tout lien d'intérêt ? Je cherche les comptes de l'association sur le site. Rien. Rien, mais une information attire mon attention. Cette association présente un programme de communication soutenu par le laboratoire Wyeth :

> Le diagnostic de la spondylarthrite ankylosante n'est pas facile à poser, c'est un fait. Mais la méconnaissance de la maladie ne fait qu'empirer l'incompréhension de l'entourage du spondylarthritique. [...] Une délégation de l'AFS a donc décidé d'exprimer cette souffrance dans le cadre d'une campagne de communication destinée aux salles d'attente des médecins généralistes et rhumatologues, en espérant que les lecteurs poseront enfin un vrai regard pour mieux savoir et mieux comprendre. Ainsi sont nées les affiches et dépliants « Des mots sur des maux ». Les laboratoires Wyeth, partenaires de l'AFS, ont accompagné l'association dans la réalisation de ce projet...

Que penser ? Cette association est-elle digne de confiance ? Je poursuis mes recherches. Me voilà sur le site de la Haute Autorité de santé (HAS) dans les pages qui livrent depuis 2009 les informations sur les ressources des associations de patients. L'Association France Spondylarthrites a reçu 32 500 €[3] de trois laboratoires : Abbott, Pfizer et Schering Plough! Les trois firmes qui commercialisent des anti-TNF alpha. Mais une chose m'étonne dans cette liste, car je ne retrouve pas le financement apporté par Wyeth[4]. Une autre page de la HAS, signée du responsable en charge de la mission «Relations associations de patients et d'usagers» m'apprend ceci :

> Il n'existe pas non plus de définition précise des aides à déclarer. Les dons et les subventions en font partie, mais les contrats commerciaux, dont les industriels sont les commanditaires et les associations les exécutantes, prêtent à discussion. Actuellement, n'est à déclarer que la partie des contrats dont la valeur est supérieure au prix du marché.

Autrement dit, ne sont à déclarer que les cadeaux sans aucune autre contrepartie que... que quoi ? Que de faire l'apologie des médicaments produits par les firmes qui subventionnent les associations de patients ?

Mais alors, si je ne peux pas faire confiance aux sites spécialisés les plus visités, si je ne peux pas compter sur les associations de patients et si je n'ai pas accès à une information publique claire et solide pour me fournir une information médicale fiable, indépendante, complète et accessible, comment faire pour m'informer sur ma santé et celle de mes proches ?

DE L'INFORMATION MÉDICALE

Mais au fait, de quoi parle-t-on lorsqu'on parle d'information médicale ou d'information de santé ?

Dans son acception courante, l'information désigne des faits ou des commentaires sur des faits véhiculés par les médias ou relatés par des proches. L'information ainsi entendue suffit-elle à s'orienter dans le système de santé lorsqu'on est confronté à la maladie ? Évidemment non et cela nécessite qu'on s'arrête un instant sur ce qui induit notre comportement en matière de santé. L'information – celle qui nous parvient le soir en regardant le journal de 20 heures, celle que nous lisons dans notre «gratuit» en prenant le métro – y joue certes son rôle au côté de notre éducation et de notre vécu. Mais, isolée, cette information reste parcellaire, souvent stérile. Ce qui fait que l'information va induire un comportement, c'est son appropriation, la résonance qu'elle va provoquer chez son destinataire. Si j'apprends qu'un nouveau traitement existe contre le diabète alors que ni moi-même ni l'un de mes proches n'est atteint de cette maladie, l'information restera au stade du fait; si, à l'inverse, je souffre de cette pathologie, je détaillerai l'information, je l'analyserai pour la rejeter ou l'assimiler. Ce qui était destiné à un plus ou moins large public se personnalise et dès lors constitue un savoir[5] que l'individu va enrichir de son expérience. On voit bien l'importance de cette question dans le domaine de la santé : face à la maladie nous avons certes besoin d'informations, mais ces informations n'auront de sens et d'intérêt que si, les ayant faites nôtres, nous pouvons nous en servir pour appréhender notre maladie, en gérer le parcours et, surtout, partager les décisions importantes avec les professionnels qui nous suivent.

Or, l'émergence du Web santé a de ce point de vue profondément changé la donne. Revenons à notre patient atteint de diabète. Il n'apprendra rien en regardant le journal de 20 heures. Depuis longtemps, grâce à son réseau social dédié aux diabétiques, il sait qu'un nouveau traitement est en phase d'essai et que sa mise sur le marché est programmée. Mieux encore, il se sera déjà forgé une opinion par ses échanges avec d'autres « diabétonautes ». L'information n'est plus désormais exclusivement descendante, elle ne va plus d'un sachant à un apprenant. Elle circule, s'agrège, se complète en fonction du vécu et des compétences des uns et des autres, au point que certains chercheurs[6] parlent aujourd'hui de la constitution de savoirs « profanes » dans le sens où ceux-ci n'émanent pas des professionnels de santé mais naissent des échanges entre patients sur les forums Internet. Sans remettre en cause le savoir médical, un nouveau corpus de connaissances vient s'agréger et permettre à la personne confrontée à la maladie de la gérer au mieux de sa personnalité et de ses décisions.

INFORMATION OU PUBLICITÉ ?

On peut tout mettre sous l'expression « information sur la santé », depuis l'information sur des maladies graves jusqu'à la cosmétologie. Un fourre-tout bien pratique pour les médias qui vivent de la publicité. Aujourd'hui la distinction n'existe pratiquement plus entre publicité et information et il ne sert plus à rien de prendre la publicité directe des marques pour indicateur de leur présence dans les contenus mêmes des médias. Malheureusement, il ne semble pas que cette confusion majeure, voulue par le marketing des firmes, ait été prise en compte par les pouvoirs publics et les observateurs du secteur. Pourtant les leaders de la publicité ne s'en cachent pas, ainsi Frédéric Bedin, président du directoire de Public Système Hopscotch, l'un des leaders de la communication événementielle :

> C'est un peu la nouvelle manière que les marques ont de s'exprimer, de créer des contenus, de raconter des histoires, [...] c'est souvent dans ces cas-là un événement, mais aussi à travers les médias, à travers des partenariats avec les médias, à travers les journalistes, de façon assez innovante. Quand on sait imbriquer les relations publiques, la pro-duction d'événements et aujourd'hui le marketing sur les réseaux sociaux, on a des techniques très efficaces[7].

Puisque c'est ainsi que les marques, ici les firmes pharmaceutiques, nous parlent, explorons rapidement ce concept. Le «contenu de marque» a été créé pour faire face à la saturation des messages publi-citaires traditionnels et pour s'adresser particulièrement aux inter-nautes, public éclaté s'il en est. Sa mise en œuvre passe par trois grands principes : on ne cherche pas à transmettre directement un message ; on n'expose pas un produit, mais on présente par exemple son usage sous un angle narratif ou encyclopédique ; on s'adresse au client non pas en tant qu'acheteur potentiel mais en tant que membre d'un public. Parfait pour l'industrie pharmaceutique, d'une part parce que la marque n'apparaît plus en tant que telle, ce qui est un atout lorsqu'on n'a pas le droit de faire de la publicité sur ses produits[8], et d'autre part parce que la santé correspond parfaitement à cette notion de membre d'un public, de communautés de patients réunis par le vécu d'une même pathologie.

INTERNET ET SANTÉ : LE MARIAGE IDÉAL

Support idéal de ces bouleversements, Internet est devenu en toute logique et en quelques années le premier médium[9] dans le paysage de l'information de santé ; 7 Français sur 10 l'utilisent aujourd'hui pour s'informer sur la santé. Il est intéressant de s'ar-rêter quelques instants sur les raisons de ce succès fulgurant. Qu'est-ce qui explique que le personnage de notre prologue se soit mis tout naturellement devant son ordinateur, plutôt que d'attendre son rendez-vous chez le médecin ou de se rendre dans la librairie la plus proche ? Qu'est-ce qui explique que vous, lecteurs, ayez suivi cette histoire sans en mettre en cause le réalisme ? La réponse est dans la question : instantanément accessible, Internet est en parfaite adéquation avec la problématique de l'information de santé dans le sens où, contrairement à tous les autres médias, il permet à l'internaute d'obtenir l'information sur la thématique de son choix, au moment de son choix et enfin – et peut-être surtout – conformément à l'attente et aux possibilités de chacun.

De plus, l'Internet santé est gratuit, ce qui pose immédiatement la question : si ce n'est pas l'internaute qui paie, alors de quoi vivent ces sites ? Leur modèle économique repose sur la vente d'espaces, de contenus, sur la présence ou non d'un produit dans le guide des médicaments du site. Mais surtout, ces sites vivent – et plus ils ont de visites, plus c'est vrai – de la vente des données sur les malades participant à leur réseau social. Ces informations sont en effet recueillies et vendues pour le marketing des firmes, ainsi que le décrit parfaitement cet extrait d'article du *Figaro*[10] :

> [...] les internautes ont un profil, un réseau, des actus. La différence [avec les réseaux sociaux généralistes du type de Facebook], c'est qu'ils se répartissent selon des « communautés » correspondant aux principales maladies chroniques : asthme, diabète, dépression, épilepsie... Une trentaine au total.

Le modèle économique de ces réseaux sociaux repose sur la vente d'informations tirées des internautes et de leur expérience personnelle de la maladie.

> Le modèle a été inspiré par le site américain patientslikeme.com, qui compte aujourd'hui 150 000 membres après huit ans d'existence. Les membres, dont l'inscription au réseau est gratuite, sont fortement poussés à utiliser un pseudo. Ils sont invités à répondre à des enquêtes sur leur traitement, ses effets secondaires, leurs difficultés au quotidien. Ces informations sont ensuite revendues sous forme agrégée, donc

---

L'Internet santé est gratuit, ce qui pose immédiatement la question : si ce n'est pas l'internaute qui paie, alors de quoi vivent ces sites ?

anonyme, à des laboratoires pharmaceutiques, des sociétés de marketing ou des institutions publiques. « Cela permet de faire des études d'une ampleur jamais atteinte auparavant », confirme Denise Silber.

Cette franchise de la part de Denise Silber, spécialiste du @business santé, éclaire bien le modèle économique de ces sites : vente de contenus et de données, le tout enrobé d'un prétexte de santé publique. Mais chacun sait que l'on peut tout faire dire à un sondage, par exemple que les « patients se sentent peu informés ». C'est ce « besoin non satisfait » que les firmes invoquent ainsi pour avancer à Bruxelles leurs propositions de libérer la publicité grand public sur les médicaments. La stratégie est limpide. D'abord, on laisse entendre que les patients sont mal informés, sous-entendu : parce qu'on leur dénie le droit à l'information. Deuxième temps, on fait savoir que les firmes ont des informations clés, mais qu'elles n'ont pas le droit de les communiquer aux patients. Enfin, on abat les cartes : le droit à l'information des patients passe par le droit des firmes à communiquer directement auprès d'eux. CQFD.

À ceci près que, contrairement à ce que l'industrie tente de faire croire, nous ne manquons pas d'information sur la santé en général et sur le médicament en particulier ! Il suffit de passer cinq minutes sur le Web pour constater qu'elle est pléthorique et que le problème qui se pose n'est pas le manque d'informations mais au contraire leur surnombre. Comment dès lors s'y reconnaître dans cette jungle lorsqu'on n'est pas professionnel ? Et si l'information se révélait parfois être un poison ?

FABRIQUER PLUS POUR VENDRE PLUS

Quel est l'intérêt, ou plutôt la raison d'être même de toute industrie ? Fabriquer plus pour vendre plus, c'est-à-dire vendre au maximum de clients possibles, le plus longtemps possible. Et comment cela ? En élargissant le « portefeuille-client » et en « fidélisant » la clientèle. On aimerait croire que l'industrie du médicament échappe à cette règle marketing simple, mais il n'en est rien. Pour cela il faudrait des États forts qui considèrent la santé comme une mission régalienne d'un bout à l'autre de la chaîne : dans le contrôle des médicaments (efficacité, sécurité), dans l'information du grand public (fiabilité, accessibilité), dans la formation continue des médecins et pharmaciens (indépendance)... Or, il n'en est rien, là non plus.

En tout cas pas en France, qui, contrairement à la Grande-Bretagne[11] et au Danemark, laisse l'information médicale aux lois du marché. L'absence d'un guide des médicaments fiable et complet est, à cet égard, révélatrice. La Haute Autorité de santé, dont une des missions est l'information médicale, en reste à une vision archétypale et obsolète de la communication qui n'a toujours pas intégré le changement de paradigme imposé par le Web, c'est-à-dire la fin des « patients passifs » et l'émergence du « patienaute participatif » – et ce n'est pas la création d'un portail public qui y changera quelque chose. Quand donc les pouvoirs publics comprendront-ils que l'information médicale est un véritable outil de santé publique, le levier de changement en profondeur de notre système à bout de souffle ? Cette absence de vision est d'autant plus incompréhensible que la population elle-même reste en attente.

Pendant ce temps, l'industrie, qui elle a parfaitement compris cette appétence, exploite la situation en fournissant de l'information à qui veut bien s'en saisir.

PLUS DE CLIENTS, PLUS LONGTEMPS

Cette « information » n'a évidemment qu'un seul but, celui d'élargir toujours plus la clientèle. On apprendra donc aux personnes en bonne santé qu'elles sont des « malades qui s'ignorent », pour citer le bon docteur Knock. Comme le remarquait un article de la revue *Prescrire*[12] datant déjà de 2007 : « De plus en plus, au lieu de mettre au point des médicaments contre les maladies, on fabrique des troubles et des maladies pour développer un marché pour des médicaments. » Pour ce faire, toute une panoplie de techniques existent, déjà abondamment décrites ailleurs dans ce volume.

On peut, par exemple, élargir la définition des maladies. Le diabète existe, on crée le prédiabète. L'hypertension existe, on crée la préhypertension. L'ostéoporose existe, on crée l'ostéopénie. Le trouble cognitif de la démence sénile existe, on crée le « trouble cognitif mineur », puis le « prétrouble cognitif mineur ». La psychose maniaco-dépressive existe, on crée les troubles bipolaires I, II, III, IV, le « spectre bipolaire », etc. À chaque fois, bien sûr, on crée également des sites où les patients potentiels peuvent venir s'informer sur ces nouvelles maladies et apprendre à se reconnaître dans les symptômes à l'aide de tests ou de questionnaires.

On peut aussi transformer des facteurs de risques réels en maladies sans qu'on dispose de traitements opérants. Quelle femme, venu le moment de la ménopause, ne s'est pas interrogée sur la menace d'os-téoporose tant le matraquage médiatique sur ce risque a été important ? Sauf qu'à ce jour on ne dispose pas de médicament reconnu (SMR[13]) pour pallier ce risque. C'est pourtant ainsi que durant des années les THS ont été prescrits aux femmes, sans compter les compléments ali-mentaires riches en calcium.

LA MÉDICALISATION DES ÉVÉNEMENTS « NATURELS » DE LA VIE

Des fluctuations d'humeur prémenstruelle, on fait un « trouble dysphorique prémenstruel » (indication : fluoxétine[14] de chez Lilly). Mieux (ou pire) encore, d'enfants turbulents on fait des petits malades atteints d'un nouveau trouble, le « trouble déficitaire de l'attention avec hyperactivité » (TDAH). L'usage du méthylphénidate (nom de marque Ritaline) pour les calmer a été largement médiatisé et il n'est pas besoin de le redévelopper ici. Ou bien on appliquera à ces mêmes enfants turbulents le diagnostic plus *up to date* de « trouble bipolaire pédiatrique », à traiter d'urgence avec des antipsychotiques (neurolep-tiques) de seconde génération comme l'olanzapine ou la rispéridone.

Il n'y a aucune limite à la médicalisation de la vie quotidienne et de ses aléas. Faut-il prendre des antidépresseurs si l'on est confronté à un deuil ? À un chagrin d'amour ? Faut-il médicaliser une panne de désir ou, à l'inverse, un appétit sexuel « anormal » ? Administrer une pilule contre les sautes d'humeur ? L'éjaculation précoce relève-t-elle de la pharmacie ? À toutes ces questions, les firmes répondent « oui ! » et proposent désormais des produits censés nous aider à faire face aux aléas de la vie. Ce qui pose au moins trois questions : est-il souhai-table de médicaliser chaque moment délicat de nos vies ? Quel est le rapport bénéfices/risques des produits proposés et, corollaire, existe-t-il des alternatives thérapeutiques, médicamenteuses ou non ?

Prenons l'éjaculation précoce, pour laquelle les laboratoires Janssen-Cilag proposent un médicament : la dapoxétine. L'éjaculation précoce est-elle une maladie ? Les couples qui en souffrent répondent par la négative tout en reconnaissant l'épreuve que cela constitue et la détresse que cela peut occasionner chez certains hommes. La composante psychique de ce trouble, sa dimension individuelle permettent d'en donner n'importe quelle définition. C'est ainsi que les laboratoires ont inventé le concept d'éjaculation « prématurée » et non pas « précoce », car changer le nom d'une maladie suffit à en élargir l'indication, et donc le potentiel de « clients-patients ». Et selon Doctissimo, ils sont nombreux :

> Près d'un homme sur trois serait confronté à des problèmes d'éjaculation prématurée. Honteux de ne pas assurer, les victimes considèrent trop souvent ce trouble sexuel comme une fatalité… Un nouveau médicament pourrait bientôt les aider à faire tomber ce tabou.

Toujours la même logique : on commence par amplifier la gravité d'un problème, donc le nombre de personnes atteintes et l'on arrive, tel Zorro, avec le produit qui change tout. Ici le médicament miracle se nomme dapoxétine. Et comme la firme ne peut pas faire directement la publicité de son produit auprès du grand public, elle utilise les médias, au premier rang desquels se trouvent évidemment les sites santé. La dapoxétine est-elle efficace ? Sous le titre « Une molécule prometteuse », le même site Doctissimo nous l'affirme… doctement, en produisant comme preuve l'étude d'un professeur américain parue dans la très sérieuse revue *The Lancet*. Selon ce document rapporté par Doctissimo :

> Les hommes sous traitement ont amélioré le contrôle de leur éjaculation, leur satisfaction sexuelle, et triplé voire quadruplé la durée avant leur éjaculation (+ 3,20 minutes pour les plus chanceux). L'efficacité intervient dès la première ingestion. Les effets secondaires restent modérés et concernent surtout les doses de 60 mg : nausées et maux de tête principalement.

Les laboratoires ont inventé le concept d'éjaculation « prématurée » et non pas « précoce », car changer le nom d'une maladie suffit à en élargir l'indication, et donc le potentiel de « clients-patients ».

Au gré de mes requêtes, une fenêtre publicitaire de Google s'ouvre automatiquement qui me propose de la dapoxétine 60 mg à 1,50 € le comprimé – preuve qu'Internet, par essence transfrontalier, échappe à toute régulation ou réglementation. Alors que j'écris ces lignes, cette simple vérité s'impose : nos requêtes sur Internet sont tracées, nos problèmes de santé identifiés, compilés et vendus aux firmes !

Mais revenons à ce médicament miracle contre l'éjaculation « prématurée » dont nous parle Doctissimo et cherchons une autre source d'information, celle-ci exempte de tout lien d'intérêt. Allons sur le site de la revue *Prescrire* puisque, même conçue à destination des professionnels de santé, tout un chacun peut s'y abonner. Oui, s'abonner ! Car ici l'information à un prix et le lecteur qui souhaite bénéficier de données fiables et indépendantes devra nécessairement les payer. Or, on peut lire dans l'analyse de la revue que

> le placebo double le délai d'éjaculation. Quand la dapoxétine triple ce délai, la majeure partie de cet effet est donc due à un effet placebo.

Si Doctissimo et les très nombreux sites de santé souhaitaient vraiment apporter une information rigoureuse pourquoi ne publieraient-ils pas les résultats de *Prescrire* après les avoir analysés, comparés ? N'est-ce pas là l'essence même du travail de journaliste ?

FAIRE PEUR

Faites courir la rumeur qu'on va manquer de sucre ou d'eau et vous êtes sûr que les consommateurs se jetteront dans les grandes surfaces pour faire des provisions. La peur est un levier efficace pour générer un comportement de protection qui, traduit en termes de santé, se nomme prévention. C'est ce que les Anglo-Saxons appellent des « disease awareness campaigns », c'est-à-dire des campagnes de sensibilisation à la maladie. Tout le monde se souvient de la menace de la grippe H1N1 et de ce qu'elle fut en réalité. Il en va de même avec la maladie d'Alzheimer

---

La peur est un levier efficace pour générer un comportement de protection qui, traduit en termes de santé, se nomme prévention.

qui n'existait pratiquement pas il y a vingt-cinq ans, mais qui désormais menace les vieux jours de tout le monde. L'exemple qui nous retiendra ici concerne les risques d'accident vasculaire cérébral (AVC) ou d'infarctus vus du côté d'une entreprise de communication travaillant pour le compte d'un laboratoire :

> En France, les maladies cardio-vasculaires constituent la première cause de mortalité chez les femmes… **Brand Side Story** et son partenaire **Hopscotch** conçoivent et réalisent l'ensemble de la campagne « Infarctus, une question de vie ». Un dispositif contenu et média exceptionnel au service d'une cause de santé publique, réalisé en partenariat avec **AstraZeneca**. Un lancement « coup de poing » avec, pour la première fois en France, un spot radio de 40 secondes diffusé en simultané sur les 12 stations membres du Bureau de la Radio[15]. Le jeudi 13 janvier 2011, plus de la moitié des auditeurs français ont entendu le même message, à 7h37 […]. Ce lancement fut suivi par une campagne **presse** et **affichage** orchestrée au niveau national, soutenue par la mise en ligne sur **Internet** d'un site d'information complet sur la pathologie et les moyens d'action pour prévenir et traiter l'infarctus.

Le spot joue sur la peur avec battements de cœur et sirènes de SAMU mais s'achève sur un espoir. Le message est simple : le risque est grand, particulièrement chez les femmes, mais on peut s'en prémunir. Comment ? En se faisant prescrire le bon médicament censé prévenir le risque, bien sûr. Le tout entouré de ce qu'il faut de conseils de bien-vivre (alimentation, sport), évidemment bien plus difficiles à suivre que d'avaler une simple pilule qu'il suffira de demander à son médecin traitant à la prochaine consultation. La boucle du « Direct-To-Consumer » est ainsi bouclée.

Là encore, le laboratoire ne se cache pas, mais il ne s'affiche pas non plus en tant quel tel. Au contraire, la confusion entre information et publicité est savamment orchestrée, au détriment de l'information de qualité que mériterait un tel sujet.

AMALGAME

On ne saurait trouver meilleur exemple de la technique de l'amalgame que celui de la spondylarthrite ankylosante dont nous étions partis dans le prologue. Passer des quelques dizaines de milliers de clients-patients réellement atteints de spondylarthrite aux centaines de milliers, voire millions qui souffrent de mal de dos est une équation forcement gagnante pour la firme qui commercialise un médicament très spécialisé. Mais comment s'y prendre ? Par une campagne multimédia mêlant habilement spots publicitaires et site d'information, pseudo-études et réelle innovation. Et surtout, en entretenant volontairement la confusion entre un mal de dos un peu tenace, dont se plaignent 70 % des Français, et une maladie à la prévalence heureusement assez rare : entre 0,1 % et 0,2 % [16] soit moins de 130 000 malades et dont les signes caractéristiques sont des douleurs sacro-iliaques (fesses) et des tendons donnant une impression de verrouillage et, enfin l'horaire particulier de ces douleurs nocturnes ou matinales c'est-à-dire, paradoxalement, en cours ou en fin de repos.

Décortiquons donc cette campagne[17], car elle est exemplaire de la manière dont procède désormais un marketing pharmaceutique souterrain mais extrêmement efficace. Tout commence avant la Coupe du monde de football en Afrique du Sud avec un spot dans lequel l'ancien footballeur vedette Frank Leboeuf raconte :

> Vous êtes jeunes et vous souffrez d'un mal de dos persistant, un vrai cauchemar quotidien. Même au repos la douleur vous enflamme. Ce mal de dos peut cacher une spondylarthrite ankylosante, une maladie douloureuse et handicapante qui se traite bien si on la dépiste à temps.

Le spot s'achève par un site Internet : *dosaumur.com*, facile à mémoriser, et un commentaire : « Une initiative de la société française de rhumatologie en partenariat avec Pfizer[18]. »

Si je souffre d'un mal de dos persistant et que j'entends ce spot, comment ne pas me connecter à ce site ? Musique orientale, esthétique parfaite, ergonomie sans faille, la page d'accueil propose un menu dans lequel chacun trouvera une réponse adaptée à ses besoins et capacités : de la vidéo pour ceux qui n'ont pas envie de lire, du texte sur les principales caractéristiques de la maladie dans une rubrique « Comprendre », des témoignages de malade et de médecins – jusqu'au making of du spot avec Frank Leboeuf !

Dans un premier film, l'argumentaire du spot est repris point par point par un patient et un médecin rhumatologue :

• ici, la spondylarthrite ankylosante est décrite comme une « maladie fréquente », le chiffre de 0,5 % de la population y est avancé par la rhumatologue alors même que dans la rubrique « Comprendre » du même site elle est annoncée à 0,11 % ;

• là, on jette le discrédit sur le médecin généraliste en suggérant sa responsabilité dans le retard de cinq ans à poser le diagnostic de spondylarthrite ankylosante – un médecin généraliste est tout juste bon à « évoquer » le diagnostic, la confirmation et la prise en charge étant du seul ressort du rhumatologue (c'est la Société française de rhumatologie (SFR) qui parle) ;

• plus loin, on fait peur : « la spondylarthrite ankylosante peut être une maladie grave », le mot « handicap » est utilisé à plusieurs reprises ;

• plus loin encore, les traitements classiques sont balayés par le « progrès », côté patient : « il y a eu pour moi un avant et un après grâce à la biothérapie » ; et côté médecin : « les biothérapies nous ont permis de traiter efficacement ces patients ».

BLANCHIMENT D'INFORMATION

Il faut toujours un professeur dans une communication médicale de firme et c'est le cas avec le second film. Il faut également qu'il appartienne au monde des CHU, gage de sérieux en France. Ces professeurs sont ce que j'appelle des « agents de blanchiment », dans le sens où ils ont pour fonction de blanchir l'information que les laboratoires veulent faire passer. Écoutons donc ce que nous dit le professeur X., présenté en bandeau comme secrétaire général de la Société française de rhumatologie et comme appartenant au CHU de Z. Notons au passage la présence dans son dos (!) de trois logos Pfizer et d'un de la SFR. Le médecin commence par définir ce qu'est une société savante comme la sienne, gage supplémentaire de sérieux aux yeux du néophyte. Comment suspecter de liens d'intérêt un éminent professeur, appartenant à un service public prestigieux et de surcroît secrétaire général d'une société savante ?

En bas de la page d'accueil du site, une mention nous apprend que ce site d'information sur la spondylarthrite ankylosante est « une

---

Ces professeurs sont ce que j'appelle des « agents de blanchiment », dans le sens où ils ont pour fonction de blanchir l'information que les laboratoires veulent faire passer.

initiative de la SFR avec le soutien institutionnel de Pfizer ». Il nous faut donc imaginer que les rhumatologues de la société éponyme se sont réveillés un beau matin en se disant : « Tiens, si on faisait un spot télé avec Franck Leboeuf ? Et si on créait un site ? Et si on demandait aux laboratoires Pfizer leur "soutien institutionnel" ? » (Soit dit au passage, que recouvre au juste cette appellation de « soutien institutionnel » ? La permission de mettre le nom de Pfizer partout ?)

Le professeur X. continue :

> 150 000 personnes atteintes en France [...] des jeunes, [...] soulagés par certains antidouleurs, certains anti-inflammatoires mais cela peut être un piège, parce que bien sûr cela peut retarder la consultation et retarder le diagnostic, et peut-être la mise en route de traitements beaucoup plus spécifiques. [...] Ce mal de dos du sujet jeune est une maladie qui peut être particulièrement sévère, invalidante et qui peut donner ce que l'on appelle le remboursement à 100 %... MAIS on dispose aujourd'hui de traitements particulièrement efficaces depuis quelques années avec lesquels on peut rendre une vie tout à fait normale à ces sujets jeunes.

Quels sont les intérêts du professeur X. à soutenir et à porter ainsi le message de Pfizer ? Sans lui faire aucun procès d'intention, partons du principe qu'il considère en effet ce nouveau traitement comme apportant un réel bénéfice dans une pathologie où les traitements étaient notoirement limités et qu'il ne tire aucun avantage personnel à relayer les messages de Pfizer. Il est vrai que les études de médecine ne forment pas au marketing et qu'une certaine naïveté vis-à-vis des réalités du monde commercial existe chez les praticiens hospitalo-universitaires. À moins que ce ne soit nous, les internautes, qu'on prend pour des naïfs ?

Les mots ont un sens et leur absence aussi : nulle part il n'est écrit « laboratoire » Pfizer. Le mot laboratoire ferait-il peur ? Car, pour le néophyte, qui est Pfizer ? Comment saurait-il que la firme multinationale Pfizer est la première intéressée par cette pathologie, puisqu'elle commercialise justement un médicament qui en traite certaines formes ? Le site de la SFR nous apprend que cette société savante a aussi pour « partenaires » Abbott, Roche, Negma Lerads, Chugai – toutes des compagnies pharmaceutiques... Le lien d'intérêt est donc ici démontré, même s'il n'est nulle part énoncé comme l'exige pourtant la loi. Il est même démontré deux fois, car on n'imagine pas un professeur de rhumatologie, appartenant à un CHU, secrétaire général d'une société savante, ignorant les faits suivants :

• seules 25 % à 30 % des spondylarthrites ankylosantes sont graves et invalidantes[19] ;

• alors qu'il existe un test[20] en 12 questions très simples et spécifiques des spondylarthropathies, le site propose un test en 6 questions, forcément insuffisantes ;

• selon le site Orpahnet[21], « Les anti-inflammatoires non stéroïdiens (AINS) et la kinésithérapie sont la pierre angulaire du traitement. Pour *les formes graves et réfractaires de la maladie*, les agents anti-TNF sont très prometteurs » ;

• selon l'avis de la Haute Autorité de santé, la résistance aux traitements de première ligne concerne seulement 15 % des patients atteints de spondylarthrite ankylosante ;

• nulle part il n'est fait allusion aux effets indésirables et pourtant, à lire le résumé de *Prescrire*[22] : « Dans la spondylarthrite ankylosante, l'efficacité de l'étanercept [l'agent anti-TNF commercialisé par Pfizer sous le nom de marque Enbrel®] a été établie à court terme, alors que le traitement fait courir des risques d'infections graves à court terme, et à long terme, des risques liés à l'immunodépression encore mal cernés. [...] »

• le coût de la boîte est de plus de 1 000 € pour 4 injections portant le traitement à près de 15 000 € l'année, remboursé à 100 % par la Sécurité sociale. (On comprend que le professeur X. n'ait pas oublié de souligner ce dernier point !)

Question : qui a payé, et combien, pour une telle campagne comprenant : 1. la fabrication et la diffusion de spots TV et radio pendant cinq semaines aux heures de grande écoute sur les grandes chaînes ; 2. la création et l'animation d'un site Internet très performant ; 3. la présence de Franck Leboeuf dans les spots TV, radio, sur le site Web et dans des brochures ; 4. un mix-marketing avec l'equipe.fr ; 5. un spot TV de relance deux semaines plus tard ? C'est une grosse campagne, disent les publicitaires contactés, celles qu'on fait pour les produits de grande consommation avec un coût entre 5 et 7 millions d'euros minimum. Or est-ce un budget pour les 150 000 personnes atteintes de spondylarthrite ankylosante ? Même pas ! Seulement pour 15 % d'entre elles, c'est-à-dire celles pour qui le paracétamol et éventuellement les AINS sont sans effet, soit un peu plus de 22 000 personnes.

Alors faisons la division : 6 M€ / 22 000 = 272 euros le « coût-contact », selon la terminologie des publicitaires. On n'imagine pas un instant un fabricant de lessive payer 272 € le coût-contact, car combien devrait-il vendre sa boîte de détergent pour rentabiliser sa mise publicitaire ? Or, combien faudra-t-il que Pfizer vende de boîtes d'étanercept à ces 22 000 personnes pour récupérer son investissement en publicité ? La réponse est dans la question. Ces chiffres montrent à l'évidence que cette firme fait tout pour que son traitement soit prescrit beaucoup plus largement à des dorsalgies sans rapport avec des spondylarthrites.

QUESTION DE CONFIANCE

Mais au fait, qui donc vous a raconté tout cela ? Quels sont ses intérêts ? « Antoine Vial, expert en santé publique » a-t-on écrit à ma demande en tête de ce chapitre. Décrété expert par qui ? Lire ce texte en ignorant d'où parle son auteur rend cette lecture tout simplement caduque. J'y ai, entre autres, fait la promotion de la qualité de l'information que l'on trouve dans la revue *Prescrire*. À l'inverse je n'ai cessé de m'attaquer au site Doctissimo et à ses homologues. Devinez de qui je suis proche ? Voire qui me paie !

C'est à dessein que j'ai attendu cette conclusion pour revenir sur cette question : qui parle, qui est derrière l'information que vous recevez ? Je suis en effet proche de l'Association Mieux Prescrire qui édite la revue indépendante du même nom. Je siège à son conseil d'administration comme membre du collège des conseillers, ce qui signifie que je ne travaille pas au sein de l'équipe et que je n'en tire aucun revenu. Il n'y a donc pas de lien d'intérêt financier, mais un lien de conviction et de confiance sur ce qui fonde la relation de soin, de la pratique clinique à la prescription de médicaments en passant par la formation et l'information destinées aux professionnels de santé et au grand public.

Peut-on en dire autant des divers acteurs impliqués dans l'information de santé, après tant de scandales sanitaires et d'affaires de conflits d'intérêts ? Dans ce domaine, il faut constamment poser la question de confiance.

Question de confiance adressée aux industriels de la pharmacie, tout d'abord. Ceux-ci devraient apprendre de l'histoire récente, car seuls subsisteront à long terme ceux qui auront compris qu'Internet nous a tous fait basculer dans une autre dimension. La révolution numérique n'est pas achevée et ceux qui jouent encore de la crédulité et de l'ignorance des patients perdront à terme, car Internet garde la mémoire. Le propos pourra paraître inspiré par un idéalisme un peu naïf, auquel on opposera un réalisme de bon aloi. Pour ma part, je pense au contraire que c'est être dans la vraie vie que de dire aux chefs d'entreprise de la pharmacie : « Chaque fois que vous engagez une action, posez-vous la question de savoir si cette action est de nature à amplifier ou à diminuer la confiance que les patients ont en leur médicament. Sans confiance, dans un domaine comme celui de la santé, c'est votre avenir qui demain s'obscurcira. »

Question de confiance adressée aux médias et aux journalistes, ensuite. Lorsque je saurai combien tel ou tel laboratoire leur verse pour mettre en avant son produit contre l'éjaculation prématurée ou combien coûte la mention d'un produit en nom commercial dans le guide du médicament du site que je visite, lorsque la présentation des études au grand public sera faite de manière argumentée et loyale, lorsque les éventuels liens d'intérêts des auteurs de ces études et des journalistes seront systématiquement indiqués à côté de leur nom, ce jour-là ils auront repris leur fonction d'information et de contre-pouvoir. Ce jour-là ils pourront nous demander de payer à nouveau pour les lire.

Quant aux patients, ce rapide tour d'horizon de l'information médicale à l'heure d'Internet leur aura montré combien il faut être vigilant vis-à-vis des informations qu'on reçoit. À chacun de se demander chaque fois qu'il se pose une question importante pour sa santé ou celle de l'un de ses proches : qui me parle ? Quels intérêts défend-il ? Qui le paie pour dire ce qu'il dit ? Aujourd'hui grâce à Internet – la démonstration en est apportée dans ce chapitre – chacun

---

Il n'y a pas d'information gratuite, pour la bonne raison que cela coûte cher de produire de l'information. La conséquence est logique, même si elle est pénible : si l'on veut de l'information de qualité, il faut accepter de la payer.

peut exercer une lecture critique de ce qu'il lit ou écoute. À la condition toutefois de ne jamais oublier qu'il n'y a pas d'information gratuite, pour la bonne raison que cela coûte cher de produire de l'information. La conséquence est logique, même si elle est pénible : si l'on veut de l'information de qualité, il faut accepter de la payer.

12

Désinformer sur Internet :
la « stratégie Wikipédia »[1]

> Ces dernières années, nous avons fondamentalement
> changé nos procédures de conformité, de marketing et de
> vente [...] afin de garantir que nous opérons en respectant des
> critères élevés d'intégrité et que nous menons nos affaires de
> façon ouverte et transparente.
>
> *Andrew Witty, P-DG de GlaxoSmithKline*[2]

Naguère, un patient désireux de s'informer sur tel ou tel médicament allait consulter son pharmacien ou bien ouvrait un dictionnaire médical. De nos jours, son premier geste est de googliser le médicament sur Wikipédia. Le fait n'a bien sûr pas échappé aux départements marketing de l'industrie pharmaceutique. Sous le titre « Stratégies Wikipédia pour marketeurs pharmaceutiques et médicaux européens[3] » le site eyeforpharma.com rapporte ainsi les résultats d'une étude de marché sur les habitudes électroniques des consommateurs menée par Manhattan Research, une firme de consulting pharmaceutique :

> Un fil commun court à travers les sites de santé les plus fréquentés
> dans tous les marchés examinés – Wikipédia. [...] Dans la mesure où
> un nombre croissant de consommateurs se fient à Wikipédia pour leur

information médicale, il est crucial pour les marketeurs de comprendre comment ce médium social influe sur l'opinion des consommateurs et finalement sur leurs décisions au sujet du traitement et des produits. [...] Même si les compagnies ne peuvent pas contrôler Wikipédia de la même manière qu'une campagne de publicité classique, cela ne veut pas dire que les messages envoyés par le truchement de Wikipédia soient moins efficaces – au contraire, le fait que le contenu ne soit pas sponsorisé peut ajouter à la crédibilité d'une entrée.

Wikipédia offre la possibilité d'une publicité invisible, déguisée en information objective – le rêve de tout publicitaire! Les marketeurs européens auraient tort de se priver d'un tel instrument. Manhattan Research leur donne donc une série de conseils pour établir leur « stratégie Wikipédia » :

• S'assurer que leurs marques et produits soient présentés de façon uniforme dans toutes les entrées Wikipédia en Europe.

• Vérifier que les traitements indiqués dans les « entrées maladies » de Wikipédia soient « corrects » (autrement dit, ne soient pas ceux proposés par les compagnies concurrentes).

• « Les compagnies, lorsqu'elles surveillent et corrigent des entrées Wikipédia, devraient se contenter de garantir que celles-ci soient exactes et complètes. L'élimination sélective de contenu factuel, même si celui-ci est négatif, est susceptible de provoquer la réprobation des consommateurs et des médias. » (Autrement dit, soyez prudents.)

• « N'oubliez pas que Wikipédia est constamment mis à jour. Mettre en place un processus de surveillance permanente de Wikipédia et distribuer les tâches à cet effet peut aider à ce que les efforts soient constants. »

BIG PHARMA, BIG BROTHER

En réalité, les marketeurs pharma n'ont pas attendu l'étude de marché de Manhattan Research pour mettre en œuvre leurs stratégies Wikipédia. On le sait, car certains se sont fait prendre la main dans le sac à cause d'un nouvel outil de recherche appelé le WikiScanner[4]. Développé par Virgil Griffith, un étudiant du California Institute of Technology, le WikiScanner permet de détecter les modifications suspectes apportées aux entrées Wikipédia par des utilisateurs dont les ordinateurs sont enregistrés sous des adresses IP appartenant à des multinationales ou à des organisations comme la CIA ou le Vatican. C'est ainsi que l'association Patients No Patents a pu montrer qu'un ordinateur appartenant à Abbott Laboratories avait été utilisé pour enlever la mention d'un article scientifique qui révélait que le médicament contre l'arthrose Humira® augmentait considérablement les risques de développer des infections graves ainsi que certains types de cancer. Le même ordinateur avait servi à supprimer toute information au sujet des risques d'accidents cardio-vasculaires présentés par un autre produit d'Abbott, le médicament anti-obésité Meridia.

Il y a mieux. Toujours grâce au WikiScanner, un blogueur britannique officiant sur le site http://experimentalchimp.wordpress.com est tombé sur toute une série de modifications suspectes faites entre juillet et octobre 2006 par l'utilisateur chrisgaffneymd à partir d'un ordinateur appartenant à la compagnie AstraZeneca. Ces modifications avaient trait notamment à la quétiapine, un antipsychotique commercialisé par AstraZeneca sous le nom de marque Seroquel.

La quétiapine a été autorisée en 1997 par la FDA américaine pour le traitement de la schizophrénie et, plus récemment, pour celui des épisodes maniaques du trouble bipolaire I. Tout comme l'olanzapine (Zyprexa) d'Eli Lilly ou la rispéridone (Risperdal) de Johnson & Johnson/Janssen, la quétiapine est un antipsychotique de seconde génération. Ces antipsychotiques dits « atypiques » sont censés avoir moins d'effets secondaires extrapyramidaux que les antipsychotiques de première génération, dits « typiques ». Ainsi qu'on le sait mieux maintenant grâce à des procès comme celui décrit plus haut par Kalman Applbaum, les antipsychotiques de seconde génération ne sont en réalité pas plus efficaces que les antipsychotiques de première génération et ils ont de surcroît de graves effets secondaires, tels que prise de poids importante, diabète et accidents cardio-vasculaires. Ils sont également susceptibles de provoquer chez certains de l'akathisie accompagnée de suicidalité, tout comme les antidépresseurs ISRS du type Prozac ou Paxil/Deroxat. Ce sont, en bref, des médicaments puissants et dangereux qu'il convient de manier avec précaution et pour des indications bien précises.

Ces quelques rappels feront mieux comprendre les enjeux de certaines des modifications apportées par l'utilisateur chrisgaffneymd à l'entrée « quétiapine » de l'encyclopédie en ligne Wikipédia (en langue anglaise).

1. *Version originale :*

En dépit d'une recommandation générale des National Institutes of Health à l'encontre de [l']usage [de la quétiapine] chez les enfants et les personnes en dessous de 18 ans, ainsi que d'un risque connu que les adolescents prenant ce médicament « soient plus susceptibles de penser à se blesser ou à se suicider, ou d'avoir l'intention ou d'essayer de le faire », le Seroquel est démarché de façon controversée auprès des parents d'adolescents sujets à des sautes d'humeur et irritables dans des magazines comme *Parade* et *TV Guide.*

Version modifiée :

~~En dépit d'une recommandation générale du National Institute of Health à l'encontre de [l']usage [de la quétiapine] chez les enfants et les personnes en dessous de 18 ans, ainsi que d'un risque connu que les adolescents prenant ce médicament « soient plus susceptibles de penser à se blesser ou à se suicider, ou d'avoir l'intention ou d'essayer de le faire »~~. Le Seroquel est démarché de façon controversée auprès des parents d'adolescents sujets à des sautes d'humeur et irritables dans des magazines comme *Parade* et *TV Guide.*

Lesdits parents ne sont donc pas censés savoir que leurs enfants risquent de se suicider dans la semaine suivant la prise de quétiapine/Seroquel. Pour saisir toute la portée de ce caviardage, on se rappellera que les antipsychotiques atypiques tels que le Seroquel sont de plus en plus prescrits hors AMM à des adolescents ou à des enfants diagnostiqués comme souffrant de « trouble bipolaire pédiatrique » (voir plus haut, p. 219).

2. *Version originale :*

Certains patients utilisant la quétiapine peuvent avoir un problème de prise de poids causé par la persistance de l'appétit même après les repas.

Version modifiée :

Certains patients utilisant la quétiapine peuvent avoir un problème de prise de poids causé par la persistance de l'appétit même après les repas. **Toutefois, des essais cliniques déterminants ont montré que cet effet était (en moyenne) égal à 1,9 kg.**

Il était évidemment inutile de s'appesantir sur les patients devenus obèses qui échappent à cette « moyenne ».

3. *Version originale :*

Le syndrome neuroleptique malin et la dyskinésie tardive sont deux effets secondaires rares mais sérieux **de la quétiapine**[5]. **Toutefois, il semble que la quétiapine soit moins susceptible de provoquer des effets secondaires extrapyramidaux et de la dyskinésie tardive que les antipsychotiques typiques.**

Version modifiée :

Le syndrome neuroleptique malin et la dyskinésie tardive sont deux effets secondaires rares mais sérieux **des antipsychotiques atypiques. Toutefois, Seroquel est le seul antipsychotique atypique avec un profil ESEP [effets secondaires extrapyramidauxl] qui ne diffère pas de celui d'un placebo. De plus, le SNM [syndrome neuroleptique malin] n'a jamais été signalé par le système [de pharmacovigilance] AERS (FDA).**

Traduction : s'il y a un problème d'effets secondaires indésirables, il ne concerne que les antipsychotiques atypiques des compagnies rivales... Afin d'enfoncer le clou, l'utilisateur chrisgaffneymd s'est d'ailleurs transporté sur les entrées Wikipédia consacrées aux principaux concurrents du Seroquel pour y faire un peu de publicité négative. En voici quelques exemples.

4. *Version originale de l'entrée « aripiprazole » (Abilify) :*

Les effets négatifs mentionnés dans la notice explicative des paquets d'aripiprazole comprennent la migraine, les nausées, l'envie de vomir, la somnolence, l'insomnie et l'akathisie. **Il apparaît que l'aripiprazole a une incidence très faible d'ESEP (effets secondaires extrapyramidaux).** Le risque de dyskinésie tardive dans le cas d'un usage prolongé de l'aripiprazole n'est pas clair.

Version modifiée :

Les effets négatifs mentionnés dans la notice explicative des paquets d'aripiprazole comprennent la migraine, les nausées, l'envie de vomir, la somnolence, l'insomnie et l'akathisie. **On notera en particulier l'incidence élevée d'ESEP (notamment l'akathisie) survenant lors d'un traitement avec l'aripiprazole. Des études récentes ont pu corréler une incidence élevée d'akathisie avec un risque accru de dyskinésie tardive. Toutefois, à ce jour, le risque de dyskinésie tardive dans le cas d'un usage prolongé de l'aripiprazole n'est pas clair.**

5. Version originale de l'entrée «rispéridone» (Risperdal):

Comme tous les antipsychotiques, la rispéridone est susceptible de provoquer de la dyskinésie tardive (DT), des symptômes extrapyramydaux (ESEP) et le syndrome neuroleptique malin (SNM), bien que le risque soit généralement moindre que dans le cas des antipsychotiques typiques plus anciens.

Version modifiée:

~~Comme tous les antipsychotiques~~ La rispéridone est susceptible de provoquer de la dyskinésie tardive (DT) ~~des symptômes extrapyramidaux (ESEP)~~ et le syndrome neuroleptique malin (SNM), bien que le risque soit généralement moindre que dans le cas des antipsychotiques typiques plus anciens. **Toutefois, la rispéridone a été associée à une incidence accrue d'ESEP (quand comparée à un placebo) et elle est donc susceptible de comporter un risque plus élevé de DT que d'autres antipsychotiques atypiques.**

LA RÉÉCRITURE DE LA MÉDECINE

L'utilisateur chrisgaffneymd ne s'est pas contenté d'aller vandaliser les entrées Wikipédia des antipsychotiques concurrents. Le 13 septembre 2006, il a aussi modifié des pans entiers des entrées «Trouble bipolaire» et «Spectre bipolaire». On peut évidemment se demander pourquoi l'employé d'une compagnie pharmaceutique s'intéresserait ainsi à la définition d'un trouble psychiatrique, mais nous savons maintenant pourquoi: en redéfinissant les critères diagnostiques d'une maladie, on peut augmenter considérablement les indications – et donc les ventes – d'un médicament donné. Réécrire la définition d'une maladie donnée dans Wikipédia est la forme la plus simple et la plus expéditive de promotion hors AMM et/ou de «condition branding».

La FDA, on s'en souvient, avait autorisé la quétiapine pour le traitement de la schizophrénie, puis, en 2004, pour celui des états

Combien de marketeurs continuent aujourd'hui à réécrire Wikipédia pour promouvoir leurs intérêts commerciaux? Un conseil si vous êtes malade: ne consultez surtout PAS Wikipédia!

maniaques du trouble bipolaire I. C'est donc sur la définition du trouble bipolaire que s'est concentré l'utilisateur chrisgaffneymd, pour en étendre subrepticement le champ à la dépression et à l'hyperactivité communes. Lorsqu'on compare la version originale de l'entrée « Trouble bipolaire » à la version modifiée par chrisgaffneymd, on voit tout de suite que l'un des objectifs principaux de ses ajouts et amendements a été de redéfinir la dépression et l'hyperactivité en trouble bipolaire caché ou mal diagnostiqué :

> Les recherches montrent qu'au moins 30 % des patients traités en milieu non hospitalier pour un trouble dépressif majeur sont diagnostiqués plus tard comme souffrant de trouble bipolaire. Les patients ne cherchent souvent pas d'aide médicale pendant les épisodes maniaques car ils ne perçoivent pas que quelque chose ne va pas, et il faut donc que les praticiens leur fassent passer des tests de dépistage de la manie. Le Questionnaire d'humeur (*Mood Questionnaire*) est un outil de dépistage utile pour diagnostiquer la manie dans le trouble bipolaire.

(N'importe qui répondant honnêtement à ce questionnaire élaboré par un comité dirigé par le docteur Robert Hirschfeld, de l'université du Texas, a toutes les chances de se retrouver « bipolaire ».)

Ou encore :

> À n'importe quel point dans le temps, 49 % des personnes souffrant de trouble bipolaire n'ont pas été diagnostiquées.
> 31 % des personnes souffrant de trouble bipolaire sont incorrectement diagnostiquées comme souffrant de dépression majeure.
> [...] Cela peut prendre jusqu'à 10 ans avant qu'un trouble bipolaire soit correctement diagnostiqué et traité.

En d'autres termes, « le » trouble bipolaire (non spécifié) n'est pas, comme la dépression maniaco-dépressive d'antan, une psychose à la fois rare et immédiatement repérable. C'est une maladie invisible, cachée sous les symptômes et les comportements les plus divers – dépression, tempérament colérique, addictions diverses, fatigue, insomnie, douleurs chroniques, créativité, bonne humeur irrationnelle, etc. D'après l'entrée « Spectre bipolaire » modifiée par chrisgaffneymd,

> [...] durant la phase dépressive, les signes et les symptômes incluent : sentiments persistants de tristesse, d'angoisse, de culpabilité ou de désespoir, troubles du sommeil et de l'appétit, fatigue et perte d'intérêt dans les activités journalières, problèmes de concentration, irritabilité,

douleurs chroniques sans cause connue, pensées de suicide récurrentes.

À ce compte-là, nous sommes ou avons tous été bipolaires – et c'est bien sûr ce que veut suggérer l'homme d'AstraZeneca, car on pourra alors nous prescrire à tous du Seroquel autorisé par la FDA pour... « le » trouble bipolaire. On a là un cas typique et concret de maladie taillée sur mesure pour nous faire avaler une pilule.

Deux remarques pour finir :

1. La manipulation des entrées Wikipédia par l'homme d'AstraZeneca n'est pas seulement moralement condamnable et objectivement criminelle, elle est aussi, aux termes de la loi américaine, expressément illégale. Pourtant, la compagnie AstraZeneca n'a pas été poursuivie pour marketing illégal, bien que la presse se soit fait l'écho de la découverte de ses pratiques[6]. Il semble donc que la « stratégie Wikipédia » ne présente pas de grands risques pour les compagnies pharmaceutiques. Pourquoi dès lors s'interdiraient-elles d'y recourir, puisqu'elle permet d'orienter le marché dans le sens désiré ? Une version à libération prolongée de la quétiapine, le Seroquel XR®, a depuis été approuvée par la FDA pour la dépression et le trouble de l'anxiété généralisée.

2. L'utilisateur chrisgaffneymd a été détecté par le WikiScanner parce qu'il avait utilisé un ordinateur d'AstraZeneca. Il y a fort à parier qu'on ne l'y reprendra plus et que lui et ses collègues des autres compagnies lancent désormais leurs « stratégies Wikipédia » depuis le café Internet le plus proche. Pour un chrisgaffneymd pris en flagrant délit, combien de marketeurs continuent aujourd'hui à réécrire Wikipédia pour promouvoir leurs intérêts commerciaux ? Un conseil si vous êtes malade : ne consultez surtout PAS Wikipédia !

13

Exploiter nos peurs :
le mythe de la maladie d'Alzheimer *

PETER J. WHITEHOUSE

On rapporte que le poète Rainer Maria Rilke, atteint de leucémie, ne voulut jamais savoir de la bouche de son médecin de quoi il allait mourir. À quoi bon mettre un nom sur ce qui échappe à notre pouvoir ?

C'est aussi la question posée par Peter J. Whitehouse à propos de la maladie d'Alzheimer dans l'entretien qui suit, qui a été réalisé à Cleveland le 14 mai 2010.

Pourtant, Peter Whitehouse est médecin, professeur de neurologie à l'université Case Western Reserve à Cleveland (États-Unis) et chercheur associé à l'université de Toronto (Canada). Il est même un spécialiste mondialement reconnu du vieillissement cognitif et de la maladie d'Alzheimer, un concept qu'il a largement contribué à faire connaître par ses travaux et son activité de « leader d'opinion clé » (Key Opinion Leader ou KOL) choyé par les fabricants de médicaments anti-Alzheimer. Pourquoi alors refuser de parler de « maladie d'Alzheimer », comme il le fait également dans son livre *Le Mythe de la maladie d'Alzheimer*, coécrit avec l'anthropologue médical Daniel George[1] ?

Parce que ce concept, comme il s'en est rendu compte progressivement, a plus à voir avec les stratégies du complexe médico-industriel contrôlé par

* Traduit de l'anglais par Laurent Bury.

Big Pharma qu'avec une quelconque réalité scientifique. Whitehouse est un « repenti » et il décrit la promotion de la maladie d'Alzheimer comme une classique opération de « condition branding » destinée à jouer sur nos peurs pour mieux vendre des médicaments inutiles. Qui donc ne craint pas le déclin du vieil âge ? Oui, mais est-ce une raison pour y voir une maladie, comme si nous pouvions y remédier avec une petite pilule ? La vie n'est pas une maladie. Comme dit Hamm dans *Fin de partie* de Beckett : « Vous êtes sur terre, c'est sans remède ! »

Peter Whitehouse, dans votre livre coécrit avec Daniel George, vous vous attaquez à ce que vous appelez « Le mythe de la maladie d'Alzheimer ». C'est un titre très provocateur !

Nous savons tous – et nous le savons depuis que les êtres humains conservent des archives écrites – que des problèmes de mémoire et de cognition apparaissent avec l'âge. Cette expérience est réelle, nous devons tous l'affronter dans notre propre vie, à des degrés divers. La question qui se pose est la suivante : l'expression « maladie d'Alzheimer » apporte-t-elle quoi que ce soit à notre manière de gérer ces défis, en tant que communauté d'êtres humains ? Autrement dit, qu'ajoute à cette expérience sa médicalisation, sa transformation en maladie ? Le problème de la formule « maladie d'Alzheimer », c'est qu'elle implique qu'il s'agit d'un état univoque. C'est *une* maladie, un nom singulier. En réalité, bien peu de spécialistes croient vraiment que la maladie d'Alzheimer se réduise à un seul phénomène biologique. Ce sont plusieurs maux à la fois. C'est un ensemble de syndromes. Ce sont *les* maladies d'Alzheimer, et nous avons affaire à toute une catégorie

Il n'existe aucune preuve incontestable d'une distinction qualitative entre les processus de vieillissement que nous subissons tous et ceux de nos collègues qui ont le malheur de souffrir de ce qu'on appelle aujourd'hui « maladie d'Alzheimer ».

d'états pathologiques. Cette partie-là de notre livre *Le Mythe de la maladie d'Alzheimer* ne prête pas vraiment à controverse.

L'autre partie, qui est un peu plus difficile, concerne notre rapport au vieillissement. Nous pensons que, malgré les nombreuses recherches, il n'existe aucune preuve incontestable d'une distinction qualitative entre les processus de vieillissement que nous subissons tous et ceux de nos collègues sur cette planète qui ont le malheur de connaître des changements plus graves et de souffrir de ce qu'on appelle aujourd'hui « maladie d'Alzheimer ». Beaucoup d'experts, même si ce n'est pas la plupart d'entre eux, estiment qu'il est nécessaire de modifier la conception actuelle d'Alzheimer.

Si ce que vous dites est vrai, pourquoi continue-t-on alors à parler de « maladie d'Alzheimer » ?

Dans la société, ou du moins dans la médecine occidentale moderne, on pense que pour attirer l'attention sur la souffrance, c'est une bonne stratégie que d'en faire une maladie. De manière générale, il y a plus d'argent pour les systèmes de santé que pour les systèmes sociaux. C'est la raison pour laquelle le mouvement Alzheimer n'est pas prêt à renoncer à la notion de « maladie d'Alzheimer ». Si vous allez trouver les hommes politiques en leur disant : « Voici une maladie, donnez-nous assez d'argent et nous pourrons y remédier », on vous accorde volontiers l'argent. Mais si vous leur demandez d'améliorer la qualité du système de santé ou de faire du travail social, c'est beaucoup plus difficile. Voilà pourquoi le problème va bien au-delà d'Alzheimer. Si nous savons tirer de la maladie d'Alzheimer les leçons qui s'imposent en matière d'humanité et de société, nous améliorerons non seulement la vie de ceux qui souffrent de cette condition, mais aussi celle de tout le monde.

Vous parlez du « mouvement Alzheimer ». Qu'entendez-vous par là ?

Le mouvement Alzheimer présente de nombreuses facettes, mais concentrons-nous sur celle qui me paraît la plus importante, les sociétés ou associations Alzheimer qui existent dans différents pays. J'ai eu l'honneur de travailler pour Alzheimer's Disease International, qui fédère à l'échelle planétaire les diverses associations nationales. Quand ces groupes se sont formés – je connais surtout le cas des États-Unis –, il s'agissait surtout de faciliter l'échange entre les scientifiques et les profanes qui avaient été frappés dans leur famille par ces situations tragiques. Il y avait donc une puissante combinaison de science et de besoin social qui a débouché sur le message : « Nous allons y remédier. » C'est ce qui a conduit à la « Décennie du cerveau » (Decade of the Brain)[2]. Les gens étaient très enthousiastes à l'idée de créer des médicaments susceptibles de traiter les maladies neurologiques que l'on croyait jusque-là difficiles à traiter biologiquement.

Nous avions donc un espoir et j'ai participé à cette euphorie à cause de mes recherches sur une structure du cerveau appelée noyau basal de Meynert (NBM), un groupe de neurones qui produit un neurotransmetteur chimique appelé acétylcholine qui communique avec d'autres cellules du cerveau. Dans l'Alzheimer, on constate une baisse d'activité de l'acétylcholine. La première génération de médicaments qui ont reçu leur autorisation de mise sur le marché cherchait donc à relancer les fonctions de l'acétylcholine en essayant de compenser la mort de cellules entraînée par ce que nous appelions alors la maladie d'Alzheimer. Mais avant d'avoir conçu ces médicaments et avant de les avoir testés sur des individus, nous ne savions vraiment pas quelle serait leur efficacité. Il a fallu de nombreuses années pour s'apercevoir que ce type de médicaments, dans l'ensemble, ne vaut pas l'argent que les laboratoires pharmaceutiques veulent nous faire payer. Bien sûr, il y a toujours l'espoir que la semaine prochaine, le mois prochain, on découvrira un meilleur produit, et toute la recherche s'est orientée vers la biologie moléculaire où l'on nous promet des moyens de prévention et même, selon certains, de guérison – ce qui est à mon avis tout à fait irresponsable. En ce qui me concerne, je pense qu'il y a là beaucoup de battage médiatique, beaucoup de faux espoirs, et qu'il convient d'adopter une vision plus large en tant qu'êtres humains : le véritable espoir réside dans nos vies les uns avec les autres.

Quel rôle a joué l'industrie pharmaceutique dans cette évolution ?

Elle a joué un rôle clé, car il est clair que si nous voulons développer des pilules, nous devons travailler avec nos collègues de l'industrie pharmaceutique. Malheureusement, cela s'est traduit par une attitude très étroite, du genre : « À chaque mal sa pilule. » C'est comme si un impératif s'était créé : il faut trouver un remède à tout, sinon nous nous effondrons en tant que société. Donc les fabricants de médicaments envisagent les choses du point de vue du marketing : où y a-t-il le maximum de gens en souffrance ? Quelles pilules pouvons-nous proposer pour soulager cette souffrance ? Attention, ne me faites pas dire ce que je ne dis pas : je suis tout à fait favorable à ce qu'on identifie les sources de souffrance et à ce qu'on détermine où des médicaments peuvent s'avérer utiles. Mais toutes les pathologies n'exigent pas ce genre d'approche. Toutes ces maladies liées au style de vie, tous ces maux que nous nous créons à cause de mauvaises habitudes alimentaires et du manque d'exercice, voilà ce sur quoi nous devrions travailler du point de vue de la santé publique. Je pense par exemple que nous pourrions éviter ce qu'on appelle la maladie d'Alzheimer en lançant des programmes de santé du cerveau très tôt dans la vie et en apprenant aux gens quelques-unes des leçons fondamentales que nous avons oubliées quant à la manière de rester en bonne santé. Et cela ne consiste pas à se jeter d'entrée de jeu sur l'armoire à pharmacie.

Mais plus précisément, quel rôle l'industrie pharmaceutique a-t-elle joué dans la construction du concept de « maladie d'Alzheimer » ?

C'est une question historique intéressante. Il faut remonter à Alois Alzheimer qui a vu un jour cette malheureuse Auguste Deter dans sa clinique à Francfort, au début du XXe siècle. Elle n'avait que 51 ans et elle souffrait de pertes de mémoire à court terme. Après sa mort en 1906, il examina son cerveau lorsqu'il s'installa à Munich et il découvrit les plaques amyloïdes et les enchevêtrements neurofibrillaires qu'on associe aujourd'hui à cette pathologie. Alzheimer lui-même n'était pas sûr de décrire une maladie distincte. C'en est devenu une parce que son supérieur, Emil Kraepelin, a inclus la « maladie d'Alzheimer » dans l'édition 1910 de son très influent manuel de psychiatrie. C'était l'époque où les psychiatres s'émerveillaient de pouvoir découvrir au microscope des choses comme les plaques et les enchevêtrements. La promotion de la « maladie d'Alzheimer » a donc eu plus à voir initialement avec la politique de la psychiatrie cérébrale et la rivalité entre écoles médicales qu'avec les firmes pharmaceutiques.

À l'époque moderne, en revanche, on voit que l'industrie a plus clairement influé sur la construction du concept d'Alzheimer. Prenez par exemple la promotion des Symptômes comportementaux et psychologiques de la démence, ou SCPD, qui s'est faite avec un important soutien financier de la part de l'industrie. Dans ce cas précis, l'industrie a ciblé les symptômes non cognitifs de démence, comme l'agitation et les hallucinations, pour en faire la cible de thérapies médicamenteuses. Les neuroleptiques, des antipsychotiques initialement approuvés pour les jeunes souffrant de schizophrénie, sont à présent prescrits à des personnes plus âgées atteintes de démence, alors que ces symptômes seraient mieux traités par des interventions psychosociales et que ces médicaments peuvent être dangereux.

L'industrie pharmaceutique a également eu une influence sur les concepts de « trouble cognitif léger » (« mild cognitive impairment » ou MCI)[3] et de « troubles de la mémoire liés à l'âge » (« age associated memory impairment » ou AAMI). Ces concepts avaient été élaborés par des universitaires, essentiellement parce qu'ils voulaient identifier les gens qui n'étaient pas atteints de franche démence, de franc Alzheimer. Ces patients présentaient des symptômes qui s'orientaient peut-être sur cette voie. L'idée était que pour éviter quelque chose comme la « maladie d'Alzheimer », il fallait traiter les gens avant que les symptômes n'apparaissent. Le concept de trouble cognitif léger est extrêmement controversé, bien sûr, car beaucoup pensent que le déficit cognitif léger est tout simplement un pré-Alzheimer. On parle à présent de trouble cognitif léger précoce ou tardif. On parle même maintenant d'Alzheimer asymptomatique !

Les médecins adorent donner des noms à tout et n'importe quoi, et les compagnies pharmaceutiques les y encouragent car cela leur permet d'élargir leurs marchés à des gens dont les symptômes sont de moins en moins prononcés.

Pour plaisanter, j'ai un jour donné une conférence à la Johns Hopkins University sur le LNLMCI, le « Late No Longer Mild Cognitive Impairment, formerly called Alzheimer's » ou « Trouble-cognitif-tardif-et-non-plus-léger, autrefois appelé maladie d'Alzheimer ». Les médecins adorent donner des noms à tout et n'importe quoi, et les compagnies pharmaceutiques les y encouragent car cela leur permet d'élargir leurs marchés à des gens dont les symptômes sont de moins en moins prononcés.

Mon exemple préféré est celui du « trouble d'expression émotionnelle involontaire » (« involuntary emotionally expressive disorder » ou IEED)[4]. Le terme a été inventé par la firme pharmaceutique Avanir pour favoriser la promotion d'un agent traitant ce syndrome et pour étendre le marché du produit qu'ils prévoyaient de commercialiser. En neurologie, on sait bien que certains patients atteints de problèmes neurologiques libèrent involontairement leurs émotions – ils pleurent, ils rient. C'est causé par une rupture dans le mécanisme cérébral, mais c'est relativement rare. Il n'y avait donc pas un grand marché pour un médicament ciblant cet état rare, appelé « syndrome pseudobulbaire » (« pseudo bulbar affect » ou PBA). En revanche, si on pouvait faire croire en l'existence d'un « trouble d'expression émotionnelle involontaire », on pouvait imaginer qu'un journaliste du *New York Times* allait écrire un article sur ce nouveau médicament qui soigne les automobilistes excités qui conduisent sur les autoroutes de Los Angeles.

Donc, vous voyez, il y a toujours cette volonté de créer une étiquette qui permet à votre marché de dépasser la niche étroite où un médicament fonctionne vraiment. La firme en question a réellement essayé d'influencer les « leaders d'opinion », comme moi-même, pour faire approuver le concept de trouble d'expression émotionnelle involontaire. J'ai fait en sorte d'être inclus dans l'un des panels, car je voulais en faire une étude de cas et la publier comme un exemple de la façon dont l'industrie pharmaceutique construit des maladies. Mais il s'est trouvé que mon panel a été privé de financement, alors que les autres étaient maintenus. C'est ce qu'ils font avec les études, les panels et les experts. Ils balancent de l'argent et des idées jusqu'à ce qu'ils aient toute une écurie de gens disposés à dire ce qu'ils veulent leur faire dire. Et c'est le message qui finit par sortir. Dans le cas du trouble d'expression émotionnelle involontaire, le message n'est jamais sorti parce que la FDA n'a pas accepté cette nouvelle terminologie.

Vous avez donc été pendant un temps un de ces fameux « leaders d'opinion » courtisés par l'industrie ?

Oui. Il se trouve simplement que j'ai un peu échappé à leur contrôle. Sur une période de vingt ans, l'industrie pharmaceutique m'a versé plus de 50 000 dollars par an (en moyenne) en revenus personnels et j'ai touché plusieurs millions de dollars sous forme de bourses de recherche pour mon travail dans le domaine de la maladie d'Alzheimer. Plus récemment, j'ai tâché de ne plus toucher un sou des laboratoires pharmaceutiques, mais leurs financements sont si omniprésents qu'il est difficile de savoir à quel point leur argent est blanchi à travers les universités et les organisations professionnelles. J'ai arrêté de travailler comme consultant pour l'industrie pharmaceutique parce que je ne veux pas les aider à mettre la main non seulement sur notre système de santé, mais aussi sur notre conception même de la santé et de la maladie.

Ma vie de KOL a commencé quand ma femme et moi avons été emmenés skier à Saint-Moritz par un chef de produit de chez Sandoz. Il s'occupait du médicament Hydergine, approuvé il y a longtemps pour ce qu'on appelait l'« insuffisance cérébrale ». Cet homme a fini P-DG d'une grande entreprise pharmaceutique américaine. C'était ma stratégie. Alors qu'à ce moment de ma carrière la plupart de mes collègues refusaient tout contact avec l'industrie, j'ai décidé que si nous devions travailler ensemble, il fallait que je comprenne l'industrie. J'ai donc activement entretenu mes relations avec ces gens, pour essayer d'apprendre comment ils fonctionnaient. Plus tard, je me suis servi de ces relations, à bon escient je crois, quand j'ai fondé une organisation appelée International Working Group for the Harmonization of Dementia Drug Guidelines (Groupe de travail international pour l'harmonisation des recommandations de bonne pratique concernant les médicaments pour démence sénile).

C'est la seule organisation que j'aie jamais créée, avec une mission clairement exprimée. Il y a une quinzaine d'années, nous avions remarqué que la FDA, l'EMA (Agence européenne des médicaments) alors naissante et le ministère japonais de la Santé et du Bien-être créaient chacun de leur côté des directives sur l'autorisation de mise sur le marché d'un médicament pour Alzheimer. Le moment était donc bien choisi pour poser le problème à l'échelle internationale, en partie parce qu'il existait une Conférence internationale sur l'harmonisation (International Conference on Harmonisation of Technical Requirements for Registrations of Pharmaceuticals for Human Use, ou ICH) qui cherchait aussi à éviter les incohérences découlant du fait que les études doivent être conçues différemment pour chaque pays. Et bien sûr l'Europe essayait à l'époque de s'harmoniser dans le cadre de l'UE.

Nous avons donc lancé cette organisation, l'International Working Group for the Harmonization of Dementia Drug Guidelines, afin d'étudier les avantages d'une harmonisation sur le plan international des directives pour la création de médicaments contre l'Alzheimer. Je pense qu'un tel projet est utile à tout le monde. Mais évidemment, partant de là, vous concentrez toute votre énergie sur ce qui peut être traité à l'aide d'un médicament.

J'allais justement vous demander si vous n'avez pas l'impression, rétrospectivement, d'avoir servi les intérêts de l'industrie en collaborant ainsi à la promotion et à la standardisation internationales de ce concept de « maladie d'Alzheimer » que vous critiquez à présent ?

Je pense que vous avez raison de demander à qui tout cela a profité, et, rétrospectivement, il est assez clair que nous avons contribué au processus par lequel la FDA a défini ce qu'était la maladie d'Alzheimer afin de développer une thérapie. Je dois donc avouer que j'ai changé d'avis. Oui, j'ai contribué à la réification et à la médicalisation de l'Alzheimer, qui est devenu cette chose unique, cette terrible maladie affectant des millions de gens. Eh bien, je pense que beaucoup de gens à présent comprennent que ç'a été une erreur. Il ne s'agit pas d'une unique maladie. Il s'agit de beaucoup de choses différentes et c'est quelque chose qui demande à être traité autrement qu'avec une simple pilule.

Comment en est-on arrivé alors à la situation actuelle ?

La question que nous devons nous poser est celle-ci : comment se fait-il que sur une période d'une centaine d'années cette pathologie, la maladie d'Alzheimer, est passée d'une seule patiente dont le docteur Alzheimer n'était pas même sûr qu'elle souffrait d'un mal spécifique aux quelque 25 millions de personnes qu'elle affecte aujourd'hui dans le monde ? C'est très intéressant. Je dirais que dans les deux premiers cas connus, il y avait déjà une certaine hétérogénéité. La première patiente, Auguste Deter, avait des plaques et des enchevêtrements. Le deuxième, Johann F., n'avait que des plaques. Le problème des caractéristiques définissant Alzheimer s'est donc posé dès le départ. Mais au moins on tentait de distinguer la maladie d'Alzheimer de la démence sénile des vieillards. Au début, la maladie d'Alzheimer était censée toucher des individus jeunes, âgés de moins de 65 ans. Je dirais que c'est seulement quand j'ai commencé ma carrière que la maladie d'Alzheimer et la démence sénile ont été réunies.

Comment ? Eh bien, il y avait d'un côté l'Alzheimer, de l'autre côté la démence. Puis certains ont dit : « Oh, mais ce sont les mêmes plaques et les mêmes enchevêtrements. C'est pour ça que le docteur Alzheimer n'était lui-même pas sûr de décrire un mal distinct ou simplement un cas de démence sénile chez quelqu'un de jeune. » Nous sommes ainsi passés à la démence sénile de type Alzheimer. Puis on a dit : « Oh, mais c'est aussi une démence qui n'est pas liée à un AVC. Ce n'est pas de l'artériosclérose. Ce n'est pas un durcissement des artères. C'est quelque chose de spécifique, de différent. Et puis d'ailleurs, comme les victimes sont des gens âgés et qu'il y a de plus en plus de gens âgés, ça devient la cause de démence la plus fréquente. » Voilà comment cette pathologie s'est propagée : la maladie

---

Voilà comment cette pathologie s'est propagée : la maladie d'Alzheimer chez des gens jeunes est devenue une démence sénile de type Alzheimer, puis on a évacué la démence sénile et on appelle tout et n'importe quoi « Alzheimer ».

d'Alzheimer chez des gens jeunes est devenue une démence sénile de type Alzheimer, puis on a évacué la démence sénile et on appelle tout et n'importe quoi « Alzheimer ».

Autrement dit, la fameuse « épidémie » d'Alzheimer correspond en fait à une série de redéfinitions expansionnistes de la maladie. Selon vous, faut-il y voir le résultat de politiques délibérées ?

Les lobbies Alzheimer ont-ils joué un rôle dans le rétiquetage de la démence sénile en maladie d'Alzheimer ? La réponse est oui, et je pense qu'il en existe deux illustrations très claires. L'une est que l'Association Alzheimer aux États-Unis s'appelait autrefois l'Association pour la maladie d'Alzheimer et troubles apparentés (Alzheimer's Disease and Related Disorders Association ou ADRDA). À la création de l'association, on admettait donc qu'il existait différentes pathologies qui se chevauchaient. Mais la stratégie consistait en partie à faire passer un message clair : « Il y a cette chose qu'on pourra guérir pourvu qu'on dépense assez d'argent. » Le nom même de l'organisation est donc devenu officiellement « Alzheimer's Association », même si elle s'occupe en réalité de gens qui souffrent de toutes sortes de troubles cognitifs. Franchement, si elles étaient honnêtes, toutes ces associations s'appelleraient « Associations pour la démence sénile », puisque « démence sénile » est le terme le plus compréhensif. Mais en français, en allemand, en anglais et même en japonais, « démence » est péjoratif et on ne voulait pas employer ce mot avec ses connotations négatives. En fait, le gouvernement japonais vient de terminer une campagne de santé publique visant à abandonner le mot japonais de « démence », *chiho*, qui signifie maladie de la cognition associée à l'idiotie, pour le remplacer par *ninchicho*, qui signifie trouble cognitif.

L'autre illustration de la force des lobbies en matière de fabrication des maladies remonte à l'époque où le Cognex®, le premier médicament pour la maladie d'Alzheimer, a été approuvé aux États-Unis et ailleurs. Warner-Lambert/Parke-Davis (qui a fusionné depuis avec Pfizer, le fabricant de l'Aricept®, produit aujourd'hui leader sur le marché) a offert une bourse à l'Association Alzheimer pour promouvoir les dix signes montrant que l'on souffre d'Alzheimer. Il s'agissait donc d'une campagne de relations publiques pour faire comprendre aux gens qu'ils avaient peut-être ces symptômes. J'avais l'habitude de dire : « Ouais, ce sont surtout les dix signes montrant que vous pourriez devenir un client pour le médicament de Warner-Lambert/Parke-Davis. » Voilà comment ils ont sensibilisé le public au sujet de la maladie d'Alzheimer. Ça ressemble à une campagne éducative en matière de santé publique, mais très clairement il s'agissait aussi de vendre plus de médicaments.

Les médicaments censés traités la maladie d'Alzheimer ont-ils la moindre utilité ?

Il existe plusieurs médicaments approuvés pour le traitement de la prétendue « maladie d'Alzheimer ». La plupart agissent sur le neuro-transmetteur acétylcholine. Il y a une raison scientifique pour laquelle ces médicaments méritaient d'être testés : quand les médecins prescrivaient ces médicaments pour d'autres raisons, ils causaient des problèmes de mémoire. Il y en avait un qu'on donnait aux femmes pendant l'accouchement. Il n'affectait pas la douleur mais il leur permettait de ne pas s'en souvenir. Il bloquait leur mémoire, autrement dit. Donc l'idée était : « Si on renforçait l'acétylcholine au lieu de la bloquer, est-ce qu'on ne pourrait pas aider les gens qui ont des problèmes de mémoire ? »

Or le problème est que de nos jours, pour faire approuver un médicament il suffit de montrer qu'il a une efficacité quelconque. Avec une étude relativement petite, en utilisant des instruments auxquels les médecins n'auraient pas recours dans la pratique clinique, était-il possible de prouver un effet scientifiquement mesurable du médicament ? Oui, nous pouvions le faire. La vraie question reste de savoir si ces médicaments sont vraiment utiles dans la vie des gens. Affectent-ils la façon dont on fonctionne dans la vie de tous les jours ? Affectent-ils la qualité de la vie ? Il s'est trouvé que quand ces médicaments ont été mis sur le marché, ils ne se sont pas avérés si efficaces que ça. Cela a aussi été la conclusion du National Institute for Clinical Excellence (NICE) au Royaume-Uni. C'est un institut national qui rassemble les données, examine la pratique et demande : « Cela vaut-il la peine que le gouvernement britannique rembourse ces produits ? » Dans le cas des médicaments pour Alzheimer, la réponse a été : « Oui, mais seulement dans des circonstances très limitées. » Résultat, ils ont été poursuivis en justice par Eisai, le fabricant d'un de ces médicaments, auquel s'est jointe l'Alzheimer's Society britannique en tant que partie intéressée. L'affaire a été portée devant la Haute Cour du Royaume-Uni et elle doit faire l'objet d'un jugement au plus haut niveau, rendu par la Chambre des lords réunie en corps judiciaire[5].

Faut-il alors baisser les bras devant ces terribles effets du vieillissement ?

Il se passe beaucoup de choses dans le monde du fait que nous avons la chance d'être entourés de gens plus âgés que nous. C'est l'histoire de la réussite humaine. Mais quand les gens âgés ont des problèmes de mémoire, tout à coup cela nous apparaît comme une menace et chez certains êtres humains (surtout de la gent masculine) cela se traduit par un besoin de taper sur quelque chose. Vous avez donc toutes ces publicités, financées directement ou indirectement par l'industrie pharmaceutique, qui proclament : « Alzheimer est notre ennemi. » De même que nous avons déclaré la « guerre » au cancer, on nous dit qu'il faut mener la « guerre contre la maladie d'Alzheimer », il faut vaincre celle-ci. Et bien sûr, on en arrive à la métaphore de la « balle magique », parce qu'on va tirer sur l'Alzheimer et s'en débarrasser. Par bien des aspects, il existe dans le monde un mouvement pour lequel la vieillesse est une maladie. L'American Academy of Anti-Aging Medicine, par exemple, pense que nous devrions déclarer la « guerre » au vieillissement.

Eh bien, c'est un mythe. La métaphore guerrière sous-entend que la maladie est une chose contre laquelle nous devons lutter parce qu'elle n'est pas nous. Mais il y a tellement de choses dans la maladie qui viennent de nous et de notre mode de vie. Il est absurde de déclarer la guerre aux choses qui font naturellement partie du fait d'être humain, et cela inclut non seulement le vieillissement mais aussi la mort. J'aime les métaphores écologiques. J'aime envisager notre

---

Il est absurde de déclarer la guerre aux choses qui font naturellement partie du fait d'être humain, et cela inclut non seulement le vieillissement mais aussi la mort.

rapport à la maladie à l'aide de métaphores comme l'harmonie ou l'équilibre. Je crois en une médecine évolutionniste. Il faut voir les maladies non comme des maladies de molécules, mais comme des maladies qui se produisent en nous parce que nous sommes des créatures vivant dans des écosystèmes plus vastes.

Il ne faudrait donc plus selon vous parler de « maladie d'Alzheimer », mais tout simplement de vieillissement, de finitude ?

Vous posez la question qui est peut-être la plus importante. Tout au long de cet entretien, nous avons employé le mot « maladie », mais il faut plutôt se demander s'il est toujours bon d'invoquer ce modèle biomédical qui permet aux médecins et aux scientifiques d'entrer dans nos vies et de faire des promesses qu'ils ne pourront pas forcément tenir. Il y a beaucoup de souffrance dans le monde et une partie de cette souffrance pourrait être soulagée en améliorant notre alimentation en eau, par exemple – en veillant à la santé publique, autrement dit. L'histoire de la prétendue « maladie d'Alzheimer » doit nous servir de leçon. Elle nous incite à être très prudents avant d'imaginer qu'on puisse réunir toutes sortes de choses sous un seul terme et d'un seul coup élaborer une stratégie fondée sur une réparation moléculaire de cette seule chose. Ce n'est pas inutile si ça donne de l'espoir, mais, à long terme, tout ce battage médiatique et tous ces faux espoirs ne nous font pas de bien. Bien sûr, il existe une peur de la mort, qui se traduit en peur du vieillissement. Mais s'il y a bien une chose que nous devons apprendre à faire mieux, en tant qu'espèce, c'est à accepter notre finitude et à comprendre que la vieillesse est une étape de la vie qui peut être fêtée et qui devrait l'être. Et franchement, si vous acceptez votre mortalité, si vous comprenez cette finitude, vous vivrez une vie bien plus « vitale » jusqu'au moment de votre dernier soupir.

14

Psychiatriser la détresse normale :
la « DSM-Pharma Connection » *

JEROME C. WAKEFIELD

Le *Manuel diagnostique et statistique des troubles mentaux* ou *DSM* édité
à intervalles réguliers par l'Association psychiatrique américaine (APA) est
souvent décrit comme la « Bible » des psychiatres en raison de son énorme
influence sur la pratique clinique, la jurisprudence et les politiques de santé
mentale à travers le monde. C'est aussi la Bible des marketeurs de l'industrie pharmaceutique, qui y trouvent un commode inventaire des « besoins
médicaux » (des marchés) à cibler avec leurs médicaments psychotropes.
Pour vendre, disons, des antidépresseurs et les faire rembourser par des tiers
payants, il faut en effet qu'on puisse décrire et diagnostiquer de façon précise
et fiable un état appelé « dépression ». C'est ce à quoi servent les critères
diagnostiques « opérationnels » du DSM, qui sont tout autant des guides pour
le marketing des psychotropes que pour le diagnostic clinique des psychiatres
et le remboursement des tiers payants.

Comme le rappelle Jerome C. Wakefield dans le texte qu'on va lire, les critères opérationnels introduits en 1980 dans la troisième édition du manuel
– le fameux DSM-III – ont été élaborés indépendamment de toute influence

* Traduit de l'anglais par Laurent Bury.

pharmaceutique. Ce n'est plus le cas aujourd'hui, car les laboratoires ont compris entre-temps tout l'avantage qu'il y avait pour eux à peser sur les définitions des troubles mentaux élaborées en commission par les membres de l'Association psychiatrique américaine. Celle-ci est à présent financée à 30 % par l'industrie pharmaceutique et l'on ne compte plus les conflits d'intérêts parmi ses membres (y compris au plus haut niveau : une enquête parlementaire a récemment révélé que le président en exercice, le docteur Alan F. Schatzberg, détenait pour 4,8 millions de dollars d'actions dans une compagnie pharmaceutique)[1].

Selon une enquête menée par Lisa Cosgrove et Sheldon Krimsky, sur les 170 membres de commission chargés d'élaborer la quatrième édition du manuel (DSM-IV), 56 % avaient des liens financiers avec l'industrie pharmaceutique. Dans certaines commissions, comme celles consacrées aux « Troubles de l'humeur » et à la « Schizophrénie et autres troubles psychotiques », le pourcentage montait carrément à 100 % [2]. La situation n'avait guère changé lorsque Cosgrove et Krimsky ont répété leur enquête sur les membres de commission du DSM-V[3]. Dans ces conditions, il est assez clair que le constant redécoupage du champ « psy » par le DSM correspond autant aux impératifs du « condition branding » pharmaceutique qu'à ceux de la science.

Dans l'article qui suit, Jerome Wakefield s'interroge sur les failles dans la méthodologie du DSM qui ont permis à Big Pharma de s'engouffrer dans la psychiatrie contemporaine et de la transformer en une vaste entreprise de pharmacisation de la détresse humaine. Philosophe et mathématicien de formation, Jerome Wakefield détient la chaire des Fondements conceptuels de la psychiatrie à la New York University. Il est l'auteur, avec le sociologue Allan V. Horwitz, de *Tristesse ou dépression. Comment la psychiatrie a médicalisé nos tristesses*[4].

DEUX FAÇONS DE COMPRENDRE LA « DSM-PHARMA CONNECTION »

Comment expliquer la surprescription massive de psychotropes qui se produit à l'heure actuelle, à un rythme apparemment toujours plus rapide ? À l'heure où j'écris cet article, environ 10 % de toute la population adulte des États-Unis consomment des antidépresseurs ; ces dernières années, la prescription de médicaments pour les troubles bipolaires a augmenté de 2 000 % parmi les enfants ; et au cours de la décennie écoulée, alors que le taux de troubles mentaux reste stable, les prescriptions d'antipsychotiques ont doublé parce que ces médicaments sont désormais prescrits pour l'angoisse, la dépression et le comportement turbulent chez les enfants.

Pour chercher à comprendre ce phénomène, on pourrait s'interroger sur les liens entre la façon dont les troubles mentaux sont diagnostiqués et l'essor du recours aux psychotropes. Le diagnostic et la prescription vont généralement de pair : un diagnostic de trouble mental est généralement ce qui justifie la prescription de psychotropes. Il y a de bonnes raisons de penser que le système actuel de psychodiagnostic aux États-Unis et ailleurs est défectueux et que des diagnostics psychiatriques sont souvent appliqués par erreur à des patients dont l'état relève en fait du désarroi, de l'excentricité ou de difficultés existentielles, d'où un recours abusif aux médicaments.

Un exemple : les critères couramment employés par les psychiatres aux États-Unis pour identifier un trouble dépressif majeur exigent que le patient présente 5 sur 9 symptômes possibles pendant une durée de deux semaines. Ces symptômes incluent des sentiments qui sont répandus dans l'ensemble de la population et qui font partie des réactions normales aux événements stressants de la vie, comme la tristesse, l'insomnie, la perte d'intérêt pour les activités habituelles, la baisse d'appétit, la fatigue et l'incapacité à se concentrer sur les tâches ordinaires. Ces symptômes se produisent bel et bien dans les cas de troubles dépressifs, mais ils sont tout aussi courants dans les hauts et bas de notre vie affective. Pourtant, si vous présentez 5 de ces symptômes pendant 15 jours – même si cela vient après votre ruine financière, après que votre conjoint a brutalement mis fin à votre relation, après un diagnostic médical terrible ou après avoir perdu votre emploi –, vous serez considéré comme souffrant d'un trouble mental selon les critères officiels en vigueur et vous serez candidat pour un traitement médicamenteux.

À l'heure où j'écris cet article, environ 10 % de toute la population adulte des États-Unis consomment des antidépresseurs ; ces dernières années, la prescription de médicaments pour les troubles bipolaires a augmenté de 2 000 % parmi les enfants.

Pour prendre un autre exemple, un diagnostic d'anxiété sociale exige que le patient éprouve une peur déraisonnable de l'humiliation ou de la gêne dans une situation sociale qui le soumet à l'attention de personnes étrangères. Pourtant, loin d'être un trouble psychique, cette angoisse qu'inspire une prestation publique potentiellement humiliante ou un examen par des inconnus fait partie de la nature humaine, même si ces craintes peuvent être objectivement déraisonnables dans notre environnement.

De toute évidence, ces critères diagnostiques basés sur les symptômes présentés par la personne ne permettent pas réellement de distinguer entre une variation normale et un trouble mental, car ils ne tiennent pas compte du contexte qui peut expliquer ces symptômes comme une réaction humaine normale. D'importants segments de la population tombent sous le coup de ces définitions excessivement « gonflées » des troubles psychiques. On nous dit ainsi que bien plus de la moitié de la population souffre de dépression majeure à un moment ou à un autre dans sa vie. Dans la littérature clinique, la dépression est pourtant décrite comme un trouble mental chronique, récurrent et handicapant. En fait, la plupart de ces individus semblent plutôt présenter une réaction normale, intense et passagère aux difficultés de la vie, mais l'application des critères de diagnostic de la dépression majeure permet de leur prescrire des psychotropes pour traiter une prétendue maladie[5].

On a donc souvent tendance à situer la source de la surmédicalisation dans le système actuel de diagnostic des troubles mentaux. Aux États-Unis et dans une grande partie du monde, ce système est officiellement présenté dans le manuel diagnostique de l'Association américaine de psychiatrie, le fameux Diagnostic and Statistical Manual of Mental Disorders ou DSM. La méthodologie diagnostique actuelle a été formulée pour la première fois en 1980 dans la troisième édition du manuel, le DSM-III.

L'idée que le diagnostic est à la racine de la prescription excessive de psychotropes s'accompagne souvent d'une accusation supplémentaire :

D'importants segments de la population tombent sous le coup de ces définitions excessivement « gonflées » des troubles psychiques.

le système de diagnostic incarné par le DSM aurait été influencé et manipulé par les grands laboratoires pharmaceutiques, voire construit pour répondre à leurs exigences. Le système du DSM serait en fait *conçu* pour surdiagnostiquer des troubles afin de fournir un prétexte aux ventes massives de médicaments. Conséquence de cette alliance scabreuse, la psychiatrie et les labos engrangent les profits aux dépens des patients auxquels on prescrit des traitements inutiles et qui en subissent les effets secondaires potentiellement dangereux. Cette idée est si répandue que lorsque je prononce des conférences sur ce problème du surdiagnostic, l'objection la plus fréquente qu'on m'oppose est que je n'ai pas étudié suffisamment la manière dont Big Pharma manipule le DSM pour créer des catégories diagnostiques excessivement larges.

La vérité sur les relations entre le DSM et Big Pharma est beaucoup plus complexe que ne le suggère ce récit. En fait, rien ne prouve que la structure fondamentale du DSM ait été directement influencée par les labos dans le but d'élargir le marché des médicaments. Le système moderne de diagnostic est plutôt apparu comme réponse à une série de graves défis que la psychiatrie a dû affronter au milieu du XXe siècle, ainsi que je vais tenter de l'expliquer. La psychiatrie a su relever ces défis en élaborant un système descriptif de critères opérationnels basé sur les symptômes qui précisait les algorithmes à employer pour le diagnostic de chaque trouble mental. La construction de ce nouveau système s'est faite de manière assez indépendante de toute influence directe de Big Pharma, même si la connaissance des médicaments disponibles à l'époque a sans doute influencé le jugement des psychiatres quant aux catégories utiles à diagnostiquer. Les progrès de la psychopharmacologie, joints à la recherche de catégories diagnostiques fiables, ont aussi poussé le DSM-III à créer des catégories diagnostiques plus spécifiques que dans les éditions précédentes.

Cependant, ce nouveau système de diagnostic présentait aussi des défauts majeurs. Le principal était une attention insuffisante au contexte des symptômes du patient. Ignorer ce contexte a permis une application indue de diagnostics psychiatriques à la détresse courante et à de nombreuses conditions qui auraient jadis été considérées comme normales.

Ces défauts dans la méthodologie diagnostique du DSM-III venaient d'une mauvaise analyse conceptuelle, et non de l'influence de Big Pharma. Néanmoins, la possibilité d'un surdiagnostic massif, jointe à un changement de paradigme en psychiatrie qui l'a fait passer de la psychanalyse à la réflexion biologique, a entraîné une situation où une très large gamme de réactions émotionnelles humaines ont été perçues comme des troubles mentaux causés par des dysfonctionnements physiologiques du cerveau et nécessitant par conséquent un traitement médicamenteux. Bien que les défauts de la méthodologie du DSM soient apparus indépendamment de l'influence des labos, ceux-ci ont su exploiter au maximum les nouveaux critères diagnostiques qui leur étaient présentés sur un plateau. Ils se sont servis des larges définitions proposées par le DSM et de la publicité directe auprès du consommateur pour encourager le public profane à réinterpréter ses désarrois comme des symptômes de trouble mental et à consulter un médecin chaque fois que leurs « symptômes » paraissaient correspondre aux catégories du DSM.

La théorie selon laquelle « le DSM est influencé par les labos pour promouvoir le traitement médicamenteux » peut être vue comme « quasi marxiste », au sens où elle voit dans le DSM une entité délibérément créée pour servir les intérêts économiques de l'industrie pharmaceutique. La façon dont je vois les choses relèverait plutôt d'une approche quasi foucaldienne, fondée sur l'idée que de nouvelles relations de pouvoir social émergent souvent « par en bas », à partir de processus disparates qui convergent de manière imprévisible et sans que personne n'en soit responsable. Il me semble que la relation du DSM avec Big Pharma est un exemple de formation accidentelle de relations de pouvoir. La révolution diagnostique du DSM est apparue essentiellement pour des raisons indépendantes, mais elle a créé d'énormes possibilités pour Big Pharma.

Bien que les défauts de la méthodologie du DSM soient apparus indépendamment de l'influence des labos, ceux-ci ont su exploiter les nouveaux critères diagnostiques qui leur étaient présentés sur un plateau.

Ces occasions qu'offrait le DSM aux labos ont été amplifiées par les progrès impressionnants des psychotropes vers le milieu du XXe siècle. Ces progrès ont été pris comme un modèle pour réfléchir aux troubles psychiatriques en général. Ils ont donc fait passer la psychiatrie du paradigme psychanalytique à un paradigme biologique où les psychiatres embrassent le nouvel Évangile qui veut que les troubles mentaux sont liés à des dysfonctionnements du cerveau qu'on peut décrire en termes physiologiques et qu'il faut traiter avec des médicaments. Le passage à un paradigme biologique au sein de la psychiatrie a justifié la domination des traitements médicamenteux pour répondre aux diagnostics du DSM, alors même qu'existaient des traitements psychothérapeutiques d'une efficacité égale et démontrée.

DU PARADIGME PSYCHANALYTIQUE AU PARADIGME BIOLOGIQUE

Dans la première partie du XXe siècle, la psychanalyse était si dominante au sein de la psychiatrie américaine que dans les deux premières éditions du DSM, le DSM-I (1952) et le DSM-II (1958), la définition des troubles mentaux, qui se limitait alors à de brèves descriptions générales sans beaucoup de détails, était formulée en termes d'hypothèses psychanalytiques comme si la théorie psychanalytique était un fait établi. Par exemple, contrairement aux critères détaillés basés sur les symptômes du DSM-III, la dépression était simplement définie comme suit :

> **300.4 Névrose dépressive.** Ce trouble se manifeste par une réaction de dépression excessive, due à un conflit interne ou à un événement identifiable comme la perte d'un objet d'amour ou d'un bien chéri.

En affirmant que la dépression est souvent due à un conflit et qu'elle est (comme le voulait la définition générale des névroses parmi lesquelles était classée la dépression) une tentative de défense contre l'angoisse, le DSM entérinait des notions courantes dans la doctrine psychanalytique mais qui n'ont par ailleurs aucune base dans la recherche scientifique. Les hypothèses étiologiques de Freud s'étaient introduites jusque dans la définition même des troubles.

Néanmoins, vers le milieu du XXe siècle, la psychanalyse s'est trouvée dans une impasse scientifique. Ses théories n'avaient pas été scientifiquement démontrées et le bilan de la psychanalyse en matière de thérapie n'était guère convaincant. En outre, de puissants adversaires sont apparus qui revendiquaient des fondements scientifiques supérieurs. L'ère de la relative hégémonie psychanalytique aux États-Unis et dans la plupart des pays européens arrivait à sa fin, même si de nouveaux paradigmes psychanalytiques ont contribué à préserver l'influence de la psychanalyse en France et dans certains pays d'Amérique du Sud, comme l'Argentine et le Brésil. Ce qui a définitivement mis fin à l'hégémonie psychanalytique a été l'essor d'un nouveau paradigme biologique.

Au début des années 1950, Henri Laborit (1914-1995), chirurgien dans la marine française, cherchait un moyen de détendre les patients afin de pouvoir utiliser moins d'anesthésie. Il essaya des antihistaminiques récemment synthétisés qui entraînaient la somnolence. De la puissante compagnie pharmaceutique Rhône-Poulenc (aujourd'hui absorbée dans Sanofi), Laborit obtint un échantillon d'un antihistaminique de la catégorie des phénothiazines, récemment synthétisé par le chimiste Paul Charpentier et appelé chlorpromazine (plus tard commercialisée en France sous le nom de Largactil® et aux États-Unis sous celui de Thorazine®). Quand Laborit la testa sur des patients, la chlorpromazine eut l'effet souhaité. Elle les rendait nettement moins anxieux, mais Laborit remarqua que cela ne s'accompagnait pas d'une sédation générale profonde. Laborit baptisa l'état de «quiétude euphorique» qui en résultait «ataraxie», mot grec qui signifie littéralement «absence de tout trouble affectif». La chlorpromazine fut bientôt testée avec succès sur des patients psychiatriques. La firme pharmaceutique Smith Kline en acheta les droits et elle fut approuvée en 1954 par la FDA aux États-Unis.

L'ataraxie provoquée par la phénothiazine a permis aux psychiatres de vider les asiles psychiatriques. En 1955, alors que la chlorpromazine était sur le point d'atteindre les marchés américains, on comptait à peu près 550000 patients dans tous les hôpitaux psychiatriques des États-Unis, alors qu'on est aujourd'hui plus près de 100000. Quels que soient les aspects négatifs de l'usage généralisé de la chlorpromazine – et ils sont nombreux –, à la lumière des conditions qui régnaient jusque-là dans les asiles, la désinstitutionnalisation doit être considérée comme une révolution dans la vie des malades mentaux, au même titre que celle par laquelle Pinel libéra les fous de leurs chaînes à la Salpêtrière.

L'arrivée de la chlorpromazine fut suivie par le développement et la commercialisation d'autres psychotropes particulièrement efficaces : le lithium pour la psychose maniaco-dépressive, qui réduisit fortement les tentatives de suicide ; les anxiolytiques comme le Valium et ses dérivés ; les tricycliques, puis les ISRS pour la dépression ; et les différents hypnotiques pour les troubles du sommeil.

Prenant à tort l'efficacité des psychotropes pour la preuve d'une étiologie cérébrale, les psychiatres en sont venus à croire que chaque trouble mental est fondé sur un trouble du cerveau alors même que la nature exacte de cette étiologie cérébrale demeurait inconnue. Il s'ensuivait que le meilleur moyen de traiter les troubles mentaux était d'user de médicaments susceptibles de corriger le dysfonctionnement cérébral. C'était la thèse d'Emil Kraepelin, éminent psychiatre du XIXe siècle, et les progrès pharmacologiques du XXe siècle ont entraîné en psychiatrie un mouvement « néo-kraepelinien » qui reste à ce jour dominant dans la plupart des pays. Avec le paradigme du dysfonctionnement du cerveau à l'arrière-plan, toutes les failles du système actuel du DSM qui invitent au surdiagnostic pouvaient être exploitées pour justifier le recours aux médicaments.

LE DSM-III ET LES CONTESTATIONS DE LA PSYCHIATRIE

À l'époque de la rédaction du DSM-III, les prétentions scientifiques de la psychiatrie se heurtaient à toutes sortes de défis. Le principal avait trait à la fiabilité du diagnostic psychiatrique. Du fait que le DSM-II ne précisait pas sur quels symptômes spécifiques il convenait de déterminer les diagnostics psychiatriques et n'établissait pas clairement la limite entre le normal et le pathologique, les psychiatres étaient forcés d'utiliser leur propre jugement clinique pour évaluer jusqu'à quel point chaque patient correspondait à un diagnostic particulier. Cela entraînait de grandes disparités dans l'application des diagnostics, un fait qui fut relevé par les critiques. Des études montrèrent que les psychiatres aux États-Unis et en Grande-Bretagne n'avaient pas du tout la même manière de classer les patients schizophrènes ou maniaco-dépressifs. D'autres études montrèrent que sur la base des mêmes informations, les cliniciens pouvaient classer un patient comme psychotique, névrotique ou normal, ou encore qu'ils ne pouvaient distinguer une personne normale manifestant un symptôme isolé d'un vrai psychotique.

Inspiré par le psychiatre Thomas Szasz, le philosophe Michel Foucault et le sociologue Thomas Scheff, le mouvement « anti-psychiatrique » décrivait le diagnostic psychiatrique comme une utilisation oppressive et non scientifique de la terminologie médicale pour justifier un mode de contrôle social déguisé ciblant des comportements indésirables mais ne relevant pas réellement d'un trouble pathologique. De leur côté, les comportementalistes affirmaient que la science établit que tout comportement est le résultat normal d'un processus d'apprentissage et qu'il n'existe donc pas de trouble mental au sens médical.

De plus, la psychiatrie évoluait désormais dans un environnement théorique pluraliste, du fait de l'apparition de nouvelles écoles de pensée quant à l'étiologie et au traitement des troubles psychiatriques. Les adeptes des théories biologiques, comportementalistes, cognitives ou de la thérapie familiale proposaient tous leur propre conception des troubles mentaux, d'où une fragmentation du champ psychiatrique. Les hypothèses psychanalytiques non démontrées qui étaient intégrées dans les définitions des troubles mentaux du DSM commençaient à gêner beaucoup de gens dans le domaine. Chaque école théorique définissait tout simplement les troubles selon ses propres termes, d'où une tour de Babel psychiatrique où les différentes études utilisaient des cadres théoriques incompatibles et incomparables.

La solution du DSM-III fut de définir les troubles mentaux en fonction des symptômes. Fait remarquable, le nouveau système parvint à répondre d'un coup à tous les défis adressés à la psychiatrie. Surtout, les listes de critères explicites fondés sur les symptômes améliorèrent la fiabilité du diagnostic, rehaussant ainsi le prestige scientifique de la psychiatrie. De plus, ces définitions étaient théoriquement neutres, au sens où elles ne présupposaient aucune des théories étiologiques opposées. Elles éliminaient donc les hypothèses psychologiques dépassées tout en offrant un langage commun acceptable pour la recherche psychiatrique. Quoi que l'on pense de l'étiologie de la dépression, par exemple, on peut admettre qu'elle implique en général la tristesse, le manque d'intérêt et de plaisir face aux activités habituelles, l'insomnie, la fatigue, la perte d'appétit et d'autres symptômes de ce genre. Les symptômes fournissaient un langage commun, athéorique, qui permettait à la psychiatrie de quitter sa tour de Babel pour se lancer dans une recherche cumulative fructueuse et dans le débat théorique.

Cependant, des règles fiables pour le diagnostic ne garantissent pas que le diagnostic soit correct. Elles peuvent aussi aboutir tout simplement à ce que tout le monde commette la même erreur. L'approche du DSM-III créait en fait un système défectueux, avec des critères qui incluent abusivement la détresse normale dans la maladie mentale.

COMMENT LE DSM-III A-T-IL MAL TOURNÉ ?

À quel moment le DSM-III s'est-il donc engagé dans la mauvaise voie ? Dans leur quête de fiabilité accrue pour le diagnostic, les critères du DSM-III étaient entachés de défauts fondamentaux qui en compromettaient la validité. Le problème le plus fondamental est peut-être l'indépendance de tout contexte. Les émotions humaines, comme la peur ou la tristesse, sont biologiquement conçues pour être déclenchées dans certaines situations, comme le danger ou la perte, et pas dans d'autres. De ce fait, si l'on ne connaît pas le contexte, il est souvent impossible de dire si l'état d'un patient est une réaction normale ou non. Pour cette raison, la plupart des troubles mentaux étaient traditionnellement diagnostiqués en fonction du contexte, le clinicien examinant les circonstances du patient afin de juger si les symptômes étaient normaux dans ces circonstances précises. Un médecin savait jadis que les gens réagissent à toutes sortes d'événements négatifs – trahisons ou dépits amoureux, ruine financière, etc. – avec une tristesse extrême qui par ses manifestations extérieures peut ressembler à un trouble dépressif, mais qui est en fait une émotion normale qui s'estompe avec le temps. Cependant, en laissant aux cliniciens le soin de juger si les symptômes sont dus à ces événements, on réduit la fiabilité du diagnostic. C'est pourquoi le contexte fut généralement expurgé du DSM-III en faveur des symptômes. Cela laissait le psychodiagnostic dans une position logique intenable, avec des critères beaucoup trop larges.

L'impact de ces défauts ne saurait être sous-estimé. Avant le DSM-III, la dépression était un trouble dont on estimait qu'il touchait de 2 à 3 % de la population, mais lorsqu'on s'est mis à appliquer les critères symptomatiques du DSM à l'ensemble de la population, on s'est aperçu que plus de la moitié des gens étaient concernés. Ce résultat est présenté de façon peu plausible comme la découverte d'une épidémie cachée, alors qu'il s'agit en réalité d'une pathologisation de réactions normales aux difficultés de la vie.

Pour autant qu'on sache, ces défauts du DSM et le surdiagnostic massif qu'ils ont entraîné n'étaient pas dus aux intérêts des labos ou de leur influence. Ils résultaient des limites de la logique interne par laquelle le DSM tentait de répondre aux différents défis auxquels la psychiatrie était confrontée.

L'INFLUENCE DES LABOS SUR LE DSM

Tout en aspirant à servir de *lingua franca* psychiatrique, accueillant toutes les approches théoriques, le DSM fut aussi particulièrement influencé par certaines évolutions importantes de la psychopharmacologie. À cause de l'abus de Valium et autres anxiolytiques pour traiter les angoisses normales de la vie, la FDA a appliqué de façon plus stricte la réglementation de 1962 stipulant que tout médicament doit être approuvé pour le traitement d'un trouble biomédical spécifique et non pour n'importe quel problème de la vie. Il y avait donc soudain une incitation à distinguer les différents troubles mentaux de façon plus exhaustive et spécifique afin d'établir des cibles adéquates pour la création de médicaments.

Avant le DSM-III, la dépression était un trouble dont on estimait qu'il touchait de 2 à 3 % de la population, mais lorsqu'on s'est mis à appliquer les critères symptomatiques du DSM, on s'est aperçu que plus de la moitié des gens étaient concernés.

Par ailleurs, après que le républicain Richard Nixon fut devenu président des États-Unis, le Congrès fit peser une pression accrue sur l'Institut national de la santé mentale (NIMH), principale agence du gouvernement offrant des subventions à la recherche en psychiatrie, pour qu'il cesse de s'intéresser aux effets psychologiques de la pauvreté et autres formes de stress et se préoccupe exclusivement des troubles médicaux. Cela incita le NIMH à encourager l'élaboration de critères indiquant des troubles spécifiques qui pouvaient se différencier de la vague détresse normale dans la vie de tous les jours. Ainsi, l'agence pouvait se concentrer sur des traitements biologiques qui avaient l'air vraiment « médicaux ».

En outre, les associations de patients composées de parents de personnes atteintes de graves maladies mentales, comme la National Alliance on Mental Illness (NAMI), se mirent à faire pression de façon efficace sur le gouvernement pour que les troubles mentaux soient reconnus comme des dysfonctionnements biomédicaux. Ces associations avaient en général une orientation pharmacologique et biologique dans la mesure où c'était le meilleur moyen d'obtenir une parité entre troubles mentaux et troubles physiques. L'idée était qu'une telle approche était plus efficace pour combattre la stigmatisation liée à la maladie mentale.

Puis il y a des raisons sociales plus larges qui expliquent le recours aux traitements médicamenteux. Le rythme de vie dans les sociétés occidentales à l'époque de la mondialisation et d'une concurrence économique croissante, ainsi que l'exigence pour les deux membres du couple de travailler constamment alors même qu'ils ont une famille à élever, tout cela ne permet pas à la plupart des gens de prendre le temps de suivre une psychothérapie.

Le traitement médicamenteux paraît plus efficace que d'autres traitements à une époque qui privilégie la productivité économique. Cette pression entraîne un brouillage de la frontière entre le normal et le pathologique. Des individus jeunes rendus tristes par une perte dans leur vie peuvent être incités par la pression sociale à ne pas nuire à la productivité de leur entreprise, et donc à prendre tout de suite des antidépresseurs. De même, certains parents pensent que même s'ils ne considèrent pas leur enfant comme atteint d'un trouble de l'attention avec hyperactivité (puisqu'il est capable de se concentrer sur les tâches qu'il aime), le traiter avec des médicaments contre le TDAH lui vaudra de meilleures notes en classe, et donc un plus bel avenir.

PSYCHOPHARMACOLOGIE ET SPÉCIFICITÉ DU DIAGNOSTIC

La principale influence de Big Pharma sur le DSM a consisté à augmenter la spécificité des catégories diagnostiques. L'accroissement du nombre de catégories diagnostiques caractérise toute la pensée médicale depuis trente ans et c'est le résultat naturel d'un savoir et d'une spécialisation accrus. Dans le cas du DSM, cependant, le phénomène a été accéléré par l'évolution de la psychopharmacologie.

Le diagnostic différentiel compte beaucoup pour les cliniciens là où cela peut avoir des conséquences pour le traitement. L'évolution de la psychopharmacologie a souligné le besoin d'une différentiation diagnostique plus fine du fait de la spécificité potentielle de l'action des médicaments. Il est vraisemblable que l'ensemble complexe de mécanismes cérébraux qui sous-tend le fonctionnement psychique a bien des façons de dérailler. Les médicaments peuvent avoir un impact sur un mécanisme en particulier, dans un aspect particulier de ce fonctionnement, et donc être adaptés à une étiologie unique.

On sait par exemple que certains médicaments marchent bien pour la dépression unipolaire mais non pour la dépression faisant partie d'un cycle maniaco-dépressif, et vice versa. Certains anxiolytiques agissent mieux que d'autres sur l'angoisse sociale, mais pas aussi bien pour d'autres troubles anxieux. L'approche psychopharmacologique des troubles mentaux suggère donc de distinguer finement les troubles selon l'étiologie, afin de créer des cibles aussi homogènes que possible pour les essais cliniques. Même si les étiologies ne sont pas connues, il faut procéder à des distinctions chaque fois qu'il y a lieu de supposer que les étiologies pourraient être différentes.

C'est ainsi que le DSM-II ne distinguait pas entre névrose d'angoisse généralisée et attaques de panique ; on les considérait à l'époque comme des degrés divers d'un seul et même trouble, conformément aux théories étiologiques de Freud. La description du trouble était si vague qu'elle ne pouvait guère guider le diagnostic :

300.0. Névrose d'angoisse. Cette névrose se caractérise par une inquiétude anxieuse excessive allant jusqu'à la panique et souvent associée à des symptômes somatiques.

Pourtant, dans une étude très influente, Donald Klein et Max Fink expliquèrent que l'angoisse généralisée et les attaques de panique ne réagissaient pas de la même façon à un médicament appelé imipramine. Ce produit réduisait nettement l'angoisse associée aux attaques de panique, mais laissait intactes les attentes anxieuses d'ordre général du patient. On en déduisit que la panique et l'angoisse généralisée ont des étiologies différentes, et elles furent ensuite distinguées comme deux troubles différents dans le DSM-III.

Même quand il n'y a pas de médicaments pour distinguer entre les pathologies, toute divergence entre deux états peut suggérer des étiologies différentes et entraîner une différentiation des catégories de diagnostic afin de permettre le développement de médicaments différents. Le DSM-II, en accord avec la théorie freudienne selon laquelle toutes les phobies viennent d'un refoulement et d'un déplacement de la peur œdipienne de la castration, regroupait ainsi toutes les phobies dans une seule catégorie :

300.2 Névrose phobique. Cet état est caractérisé par la peur intense d'un objet ou d'une situation dont le patient reconnaît en temps normal qu'elle ne présente aucun danger réel pour lui. Son appréhension peut prendre les formes suivantes : évanouissement, fatigue, palpitations, transpiration, nausée, tremblements et même panique. Les phobies sont généralement attribuées au déplacement de peurs vers l'objet ou situation phobique, depuis un autre objet dont le patient n'a pas conscience. Une large gamme de phobies a été décrite.

Pourtant, un article d'Isaak Marks et Michael Gelder a montré que différents types de phobies tendent à commencer à des âges différents. Les phobies animales, selon eux, commencent toujours tôt dans l'enfance, les angoisses sociales apparaissent après la puberté et les agoraphobies ont une répartition plus complexe. Ces résultats suggéraient des différences inconnues dans l'étiologie, qui pouvaient être importantes pour le traitement.

En conséquence, le DSM-III a distingué trois catégories de phobie – phobie spécifique, phobie sociale et agoraphobie –, chacune ayant ses critères de diagnostic détaillés. Les critères proposés depuis pour la phobie sociale dans la cinquième édition du DSM, le DSM-V, sont les suivants :

> Une peur ou angoisse marquée face à une ou plusieurs situations sociales dans lesquelles l'individu peut être exposé à l'examen des autres. Les exemples incluent les interactions sociales (avoir une conversion), être observé (boire ou manger), se présenter devant les autres (prononcer un discours). Les craintes individuelles d'adopter un comportement ou de montrer des symptômes d'angoisse qui susciteront un jugement négatif (humiliation, gêne, rejet) ou offenseront les autres... La peur ou angoisse est disproportionnée par rapport à la réelle menace que constitue la situation sociale. La peur, l'angoisse et l'évitement causent une détresse cliniquement significative, ou un handicap dans d'importantes zones de fonctionnement sociales, professionnelles ou autres.

On peut évidemment se demander en quoi la peur de l'humiliation lorsqu'on est jugé par autrui est pathologique. Les critères de la phobie sociale montrent que les critères opérationnels du DSM continuent à ne pas tracer correctement la limite entre le normal et le pathologique.

Créer des distinctions plus fines entre les catégories donne aussi l'occasion d'augmenter le type, le nombre et la gamme des catégories. Le récent DSM-V propose de nombreuses nouvelles catégories de trouble mental, depuis le trouble de l'accumulation et les troubles du deuil jusqu'au trouble d'ingestion alimentaire excessive et même les crises de colère répétées chez les enfants. Au nom du changement de paradigme et de la créativité, le DSM-V a laissé plus d'autonomie que jadis aux groupes de travail chargés de concevoir la version révisée du manuel et le résultat a été une explosion sans précédent du nombre de catégories diagnostiques inédites ou élargies, sans qu'il y ait une claire justification scientifique à cela.

Les membres des groupes de travail du DSM manifestent une forte tendance à étendre les catégories diagnostiques, indépendamment de l'influence des laboratoires pharmaceutiques. Les cliniciens veulent aider les gens et des diagnostics nouveaux ou plus larges facilitent les choses lorsque des remboursements par des tiers payants sont impliqués. Les chercheurs qui étudient un problème aimeraient que leur travail soit reconnu par son inclusion dans le DSM, avec le prestige et les aides à la recherche que cela entraîne. Pour les cliniciens et les chercheurs, il est bien sûr humain de souligner l'importance et l'ampleur de leur domaine de compétence. Comme l'ont remarqué Allen Frances, le coordonnateur du DSM-IV, et son coauteur Tom Widiger,

> les experts ont tendance à montrer un biais bien précis. Ils redoutent toujours beaucoup les faux négatifs – le diagnostic manqué ou le patient qui ne s'insère pas nettement dans les ensembles de critères existants. En revanche, ils sont relativement indifférents au problème bien plus grave des faux positifs, c'est-à-dire des patients qui reçoivent un diagnostic et un traitement superflus, et encourent une stigmatisation et des dépenses inutiles. En vingt années de travail sur trois éditions du DSM, nous n'avons jamais vu un expert formuler une suggestion qui limiterait le champ d'application de son trouble favori. Au contraire, ils exigeaient très souvent des expansions.

DE L'HÔPITAL PSYCHIATRIQUE À LA SOCIÉTÉ

À moins d'avoir été formé à l'analyse conceptuelle et aux subtilités de la définition opérationnelle, il est très facile de créer une définition beaucoup trop large d'un trouble. Si l'on demande ce qui caractérise un patient souffrant d'un trouble d'anxiété, la réponse sera sans doute que c'est une anxiété chronique intense. Dans un hôpital psychiatrique où sont réunis des individus souffrant de troubles mentaux avérés, cette simple observation permet le plus souvent de distinguer les troubles d'anxiété d'autres troubles mentaux graves comme la dépression, la schizophrénie ou le handicap développemental.

C'était d'ailleurs l'objectif des premiers critères diagnostiques, qui étaient en grande partie appliqués dans les études portant sur des patients gravement malades et confiés à des hôpitaux psychiatriques. Le problème pour les chercheurs était que ces patients étaient si malades qu'ils avaient souvent une idéation psychotique ou présentaient d'autres symptômes qui faisaient qu'on pouvait confondre des patients déprimés ou anxieux avec des schizophrènes. En psychiatrie, le but original des critères opérationnels a été de permettre la recherche sur des groupes homogènes en répartissant les patients psychiatriques en différentes catégories diagnostiques à partir de leurs symptômes – dépression *versus* schizophrénie, par exemple.

À mesure que le centre de gravité de la psychiatrie s'est déplacé de l'hôpital vers la société, les problèmes de diagnostic initiaux se sont également transformés. Dans un hôpital où tout le monde souffre de troubles mentaux, une grande tristesse permet de distinguer une dépression d'une schizophrénie parmi ceux qui sont atteints d'idéation psychotique. En revanche, dans la société au sens large, le problème est entièrement différent. Il s'agit alors de distinguer entre ceux qui souffrent de troubles mentaux et ceux qui sont touchés par toute la gamme des souffrances humaines normales. Cette souffrance peut inclure des formes graves de tristesse et d'anxiété. Les critères permettant de faire la différence entre une personne souffrant d'un trouble dépressif ou anxieux et un schizophrène ne suffiront pas à les distinguer d'un individu normal intensément triste ou anxieux. Dans la société, les critères fondés sur les symptômes risquent donc d'englober un grand nombre de « faux positifs » atteints de détresse temporaire et qui satisfont les critères sans être atteints de troubles psychiatriques. Le passage de l'hôpital à la société et l'ampleur prise par la question du diagnostic des faux positifs n'ont malheureusement pas entraîné la psychiatrie à repenser son approche des critères diagnostique comme elle aurait dû le faire.

COMMENT LE DSM AIDE BIG PHARMA À CONTOURNER LES AUTORITÉS DE SANTÉ

Quelle qu'ait été la relation historique entre l'expansion diagnostique du DSM et l'expansion des traitements médicamenteux, il est clair qu'elles sont aujourd'hui intimement liées. C'est particulièrement flagrant dans l'utilisation du diagnostic pour contourner la règle de la FDA qui interdit de mettre sur le marché des médicaments pour les problèmes normaux de la vie.

Après une période pendant laquelle les benzodiazépines comme le Valium ont été largement prescrites pour toutes les formes d'anxiété normale ou pathologique, ces produits furent reconnus comme pouvant entraîner une accoutumance. Le Congrès examina le problème de la surprescription de psychotropes et la FDA modifia les règles concernant l'approbation des nouveaux médicaments. Désormais, il fallait prouver qu'ils étaient sans danger et efficaces pour traiter un état biomédical reconnu, et non une forme quelconque de détresse humaine.

À la suite de cela, il y a aux États-Unis deux manières de justifier la prescription d'un médicament. La première consiste simplement à développer une classe de médicaments dont on peut prouver l'absence de danger et l'efficacité pour une condition médicale reconnue. La deuxième est la pratique légale de la prescription hors AMM qui permet à un médicament, une fois qu'il a été développé et approuvé comme sans danger et efficace pour une condition médicale reconnue, à être prescrit pour d'autres conditions dont le médecin pense qu'elles pourraient bénéficier du médicament. La prescription hors AMM a de nombreux avantages et inconvénients, mais elle est limitée sur deux points : le médicament ne peut être utilisé tant qu'il n'a pas été approuvé pour une condition médicale quelconque ; de plus, en l'absence de recherche adéquate prouvant la non-dangerosité et l'efficacité de l'indication donnée, un large usage reste contestable.

Le DSM vient de créer une troisième manière d'étendre le marché d'un médicament à un public plus large. Comme l'écrivent avec éloquence Frances et Widiger,

> les nouveaux diagnostics peuvent être tout aussi dangereux que les nouveaux médicaments. Ils influencent les décisions qui déterminent si des millions de gens seront traités avec des médicaments qui peuvent être inefficaces et dangereux. Paradoxalement, nous avons instauré un processus assez scrupuleux d'approbation réglementaire des nouveaux médicaments par la Food and Drug Administration, mais en même temps nous autorisons à la légère les nouveaux diagnostics.

Il est important d'être clair quant à cette remarquable lacune juridique. La réglementation de la FDA stipule qu'un nouveau médicament ne peut être approuvé que s'il est prouvé qu'il est sans danger et efficace *pour un trouble médical*. Un médicament sans danger et efficace pour un problème normal de la vie – pour aider les étudiants normaux à se concentrer quand ils révisent ou pour leur permettre d'obtenir des notes un peu meilleures (comme c'est apparemment le cas des médicaments pour le TDAH) – ne peut pas être approuvé pour la prescription par un médecin.

Cependant, imaginons qu'un médicament s'avère efficace pour traiter un problème humain (l'anxiété avant un examen, par exemple) qui n'est pas considéré comme un trouble. On peut alors contourner la règle de la FDA rien qu'en persuadant les groupes de travail du DSM de recatégoriser cette condition comme un trouble, ce qui permettra de la traiter par la médication – et l'approbation de la FDA devient possible ! Par exemple, l'idée d'inclure comme trouble mental l'anxiété avant un examen – alors que 40 % de la population déclare en souffrir – a été activement discutée par les groupes de travail du DSM et envisagée dans l'un des rapports du DSM-V. Cette décision prive de son sens la réglementation de la FDA.

On pourrait formuler l'objection suivante : tant qu'un médicament est sans danger et efficace pour un état ou une maladie quelconque, qu'importe qu'il soit prescrit pour cette pathologie ? Après tout, nous voulons soulager l'anxiété humaine normale. Néanmoins, il ne faut pas se laisser subjuguer par ces mots rassurants, « sans danger et efficace », car ils peuvent être trompeurs. Au sens de la FDA, « sans danger » peut inclure des effets secondaires épouvantables, et « efficace » peut correspondre à une amélioration minime qui ne surpasse en rien celle qu'on peut obtenir sans médicament et sans les risques qui l'accompagnent. Les conditions ou états normaux ont tendance à s'estomper d'eux-mêmes avec le temps alors que les troubles mentaux tendent à être chroniques, de sorte que le calcul des coûts – profits et des bénéfices – risques, qui vaut lorsqu'on soigne un vrai trouble, ne vaut pas forcément lorsqu'il s'agit d'une détresse normale. L'étiquetage automatique de la détresse comme trouble mental court-circuite le processus d'évaluation sérieuse des différentes stratégies possibles.

LE CERCLE VICIEUX : LE DIAGNOSTIC JUSTIFIE LE MÉDICAMENT ET L'EFFICACITÉ DU MÉDICAMENT JUSTIFIE LE DIAGNOSTIC

À l'ère de la psychiatrie biologique, la tâche essentielle de la psychiatrie est de prescrire et de superviser le traitement à l'aide de psychotropes, et le traitement est justifié par le diagnostic d'un trouble mental. Pourtant, cette relation semble dépasser le cadre où le traitement médicamenteux est justifié par le diagnostic pour s'orienter vers une situation où l'efficacité du médicament devient par elle-même une raison nécessaire pour le prescrire, pour une raison qui est entièrement indépendante des défauts essentiels des critères diagnostiques fondés sur les symptômes. Comment est-ce possible puisque la FDA n'approuve l'usage médical que dans le cas des médicaments efficaces pour un trouble mental ? La réponse est que dans le processus de révision du DSM, la possibilité même de traiter efficacement une maladie avec un médicament en vient à être employée par les psychiatres comme une raison majeure pour redéfinir cette condition comme un trouble mental. Cela revient à contourner la règle de la FDA selon laquelle l'approbation d'un médicament doit être justifiée par son efficacité pour traiter un trouble au sens médical, à la faveur d'un raisonnement circulaire qui ne permet aucun contrôle indépendant vérifiant si les médicaments ne sont pas utilisés en fait pour agir sur des réactions humaines normales.

Le président du groupe de travail du DSM-V sur les troubles de l'humeur a ainsi déclaré que la principale raison d'éliminer la clause d'exclusion du deuil (qui exclut la considération de certains symptômes dépressifs durant la période de deuil comme signes de trouble mental) et donc d'inclure ce qui était perçu jusque-là comme un chagrin normal dans la catégorie de trouble dépressif, est que les sentiments dépressifs liés au deuil répondent au traitement médicamenteux. Cette justification est absurde. Elle élève l'efficacité d'un médicament au statut de signe de pathologie. Nous savons bien que l'anxiété normale répond au traitement par anxiolytiques, que les insomnies normales répondent aux hypnotiques et que la difficulté normale à se concentrer sur ses études répond à la Ritaline. Pratiquement tous les soucis humains répondent à un traitement médicamenteux. La règle de la FDA cherchait à distinguer entre les médicaments qui permettent de soulager une détresse normale et ceux qui permettent de soulager des troubles au sens médical. Il s'agit de distinguer les médicaments efficaces pour la détresse normale et les médicaments efficaces pour les troubles médicaux. Utiliser la réponse au médicament comme critère pour classer une condition ou un état psychologique comme trouble mental prive de tout sens la règle de la FDA.

Dans le processus de révision du DSM, la possibilité même de traiter efficacement une maladie avec un médicament en vient à être employée par les psychiatres comme une raison majeure pour redéfinir cette condition comme un trouble mental.

EN QUOI LE DSM-III EST-IL UTILE À BIG PHARMA?

Il reste une énigme concernant l'utilité du DSM-III pour Big Pharma. Les anciens critères de diagnostic étaient assez vagues pour permettre une interprétation expansive du mandat de la médecine par l'industrie pharmaceutique. Une étude épidémiologique classique d'avant le DSM-III utilisant des définitions très larges de trouble avait identifié presque toute la population de Manhattan comme souffrant de troubles mentaux à des degrés divers. Il semblerait donc que les critères d'avant le DSM autorisaient la psychiatrie à surprescrire autant qu'elle le voulait. Quel rôle le DSM-III a-t-il donc pu jouer dans l'expansion des traitements médicamenteux s'il est beaucoup plus explicite quant à la frontière entre le normal et le pathologique que les éditions antérieures?

La réponse est à mon avis que la précision très scientifique du DSM-III a conféré à ses définitions une autorité décisive que n'avaient pas les définitions antérieures, mettant ainsi les labos à l'abri des critiques des profanes. Le côté vague des définitions antérieures ne traçait aucune frontière claire entre troubles mentaux et normalité, et la distinction entre les deux domaines dépendait de chaque observateur. Cela signifiait que, dans la sphère publique, le bon sens pouvait guider le jugement quant à la ligne de démarcation entre le normal et le pathologique.

Le bon sens se montrait parfois très restrictif, plus même que le jugement médical. Par exemple, le DSM-II n'offrait aucune aide pour définir la ligne séparant troubles de l'anxiété et anxiété normale en réaction aux événements de la vie. Néanmoins, la prescription extraordinairement répandue du Valium et de ses dérivés pour diverses formes d'anxiété dans les années 1960 fut jugée par le Congrès et par la FDA comme outrepassant le traitement de troubles mentaux. Elle relevait à leur avis du contrôle d'émotions normales à « l'âge de l'angoisse » et constituait à ce titre une infraction au mandat de la médecine. Même les Rolling Stones, dans la chanson « Mother's Little Helper », estimaient qu'une mère a besoin de quelque chose pour se calmer face à ses enfants turbulents « même si elle n'est pas vraiment malade » – *though she's not really ill, there's a little yellow pill.* Comme on a vu, la FDA modifia sa réglementation pour empêcher de tels excès, en exigeant que le développement des médicaments ait une cible biomédicale. L'absence d'une définition opérationnelle officielle de la frontière entre l'anxiété normale et pathologique dans le DSM n'a donc pas empêché ces jugements profanes, mais les a au contraire encouragés.

La solution de l'énigme de l'impact du DSM-III sur l'expansion des traitements médicamenteux alors que les définitions étaient si vagues auparavant est à mon avis la suivante. L'adoption dans le DSM-III de critères techniques prétendument plus objectifs a permis de justifier la promotion des traitements médicamenteux sur la base du discours psychiatrique officiel. Le jugement quant à la présence ou non d'un trouble mental et les pratiques de prescription qui en découlaient étaient donc relativement à l'abri de toute intervention par la FDA (ce que la psychiatrie officielle a fait, qu'aucune agence gouvernementale ne le défasse…).

En définissant plus précisément la limite entre le normal et le pathologique, le DSM-III a soulagé aussi bien les fabricants de médicaments que la FDA d'une bonne dose d'incertitude quant à savoir si telle pratique de prescription traitait un trouble mental ou un état normal. Des frontières qui semblaient formulées en termes scientifiques, et donc être l'apanage de professionnels et non du Congrès ou de profanes, ont laissé libre champ à l'industrie pharmaceutique pour étendre son domaine jusqu'aux limites fixées par les nouveaux critères. Bref, les critères du DSM-III, parce qu'ils étaient plus précis, plus techniques et validés par la psychiatrie, ont *autorisé* Big Pharma à promouvoir le traitement médicamenteux d'états problématiques, d'une manière que le bon sens aurait auparavant jugée abusive et contestable.

Les critères du DSM-III, parce qu'ils étaient plus précis, plus techniques et validés par la psychiatrie, ont *autorisé* Big Pharma à promouvoir le traitement médicamenteux d'états problématiques, d'une manière que le bon sens aurait auparavant jugée abusive et contestable.

Les définitions « scientifiques » des troubles mentaux fondées sur les symptômes peuvent être persuasives là où autrement le bon sens protesterait. Un dernier exemple : dans un environnement menaçant comme les banlieues rongées par la criminalité, les jeunes rejoignent souvent un groupe pour se protéger et ils doivent prouver leur robustesse et leur loyauté au groupe par des activités à contenu antisocial. Dans le contexte des normes et des pressions du groupe, ces actions s'inscrivent dans le spectre normal du comportement humain et ne reflètent pas un trouble mental. Cependant, les critères de diagnostic du DSM pour le « trouble du comportement » chez les adolescents s'appuient sur un ensemble de comportements antisociaux, sans faire référence aux motivations, au contexte, aux circonstances sociales ou à l'histoire de l'individu. Ces comportements sont traités comme des symptômes et leur sens est ignoré dans le processus de diagnostic.

Il ne fait pas de doute qu'il s'agit là d'une approche scientifique et fiable. Elle ouvre d'énormes possibilités aux traitements médicamenteux, même s'il n'existe encore aucun médicament qui soit efficace sur cette population. Et pourtant, elle nous pousse aussi à nous détourner d'autres approches, potentiellement fructueuses et relevant peut-être davantage du bon sens. Ces approches alternatives pourraient impliquer les notions de justice sociale et d'action collective au lieu de cibler des dysfonctionnements cérébraux dans la tête d'adolescents à problèmes. En négligeant le contexte de nos actions et en s'unissant pour voir dans l'intervention médicamenteuse la solution adéquate à la détresse et aux conflits humains, le DSM et Big Pharma nous masquent une bonne partie de ce que nous avons de plus humain. Cette alliance entre le DSM et Big Pharma a créé une forme de répression pharmacologique des comportements socialement indésirables, difficile à identifier et à combattre parce qu'elle se présente comme un traitement médical des troubles mentaux.

15
Manipuler les chiffres pour exagérer les risques

Quand un seul homme meurt, c'est une tragédie. Quand il en meurt des milliers, c'est une statistique.

Joseph Staline[1]

«Les gens bien portants sont des malades qui s'ignorent», disait Knock en attribuant généreusement cette citation à Claude Bernard. Comme on l'a vu, transformer tous les bien-portants en malades est le rêve ultime de l'industrie pharmaceutique, ce à quoi elle s'emploie infatigablement afin d'élargir toujours plus le marché de ses molécules. Mais c'est aussi, à bien des égards, la réalité de la médecine contemporaine, qui est de plus en plus une médecine préventive axée sur la gestion de «facteurs de risques» qui affectent des gens apparemment en bonne santé. En ce début de millénaire, nous sommes tous des malades en puissance et la tâche du médecin n'est plus tant de guérir que d'empêcher ou du moins de retarder l'apparition de telle ou telle maladie virtuelle.

Naguère (il n'y a pas si longtemps), une consultation tournait essentiellement autour de ce que le patient ressentait dans son propre corps. C'est parce qu'il souffrait ou sentait qu'il y avait quelque chose de « pas normal » qu'il faisait appel au médecin. Tout l'art de ce dernier consistait à lui poser les bonnes questions afin d'aboutir, par éliminations successives, au bon diagnostic et éventuellement au bon traitement. C'était donc le vécu du malade qui servait de boussole au médecin, qui faisait usage de son jugement clinique pour appliquer les concepts de la science médicale au cas particulier de son patient, que d'ordinaire il connaissait personnellement.

De nos jours, une consultation, quelle qu'elle soit, a de fortes chances de déboucher non pas sur un diagnostic, mais sur des tests destinés à mesurer la pression artérielle, la densité osseuse, le débit expiratoire de pointe, la présence d'une mutation génétique, le taux de cholestérol, de glycémie, de lipides, de globules blancs, d'oestrogènes, etc. On dira que ces tests ne sont guère que des technologies d'appoint, destinées à aider le médecin à affiner son diagnostic. C'est vrai, à ceci près qu'ils ont la particularité de mesurer des phénomènes non perçus, non ressentis par le patient lui-même. Sans ces tests de dépistage, les hypertendus ne sauraient pas qu'ils abritent un « tueur silencieux » et des millions de « diabétiques cachés » continueraient à se croire en bonne santé. La définition de la santé n'est plus liée à ce que le chirurgien René Leriche appelait joliment le « silence des organes » et à l'expérience subjective du patient, mais à des chiffres, des taux, des seuils abstraits.

Or ces chiffres ne mesurent pas seulement des pathologies invisibles, ce qui après tout pourrait être plutôt rassurant. Ils mesurent surtout des facteurs de risques, c'est-à-dire des *probabilités* de tomber malade : tant d'hypertension = tant de chances (ou de malchances, plutôt) de mourir prématurément d'un accident cardio-vasculaire. De ce point de vue, le médecin ne diagnostique pas une maladie actuelle, il évalue et gère un risque qui peut ou non se concrétiser dans le futur. « Chère Madame, notre test génétique montre que vous êtes porteuse d'une mutation dans le gène BRCA2 et donc que votre risque d'être un jour atteinte d'un cancer du sein est de 40 % à 85 %. Voulez-vous que nous prenions rendez-vous pour une mastectomie ? Ou bien préférez-vous prendre du tamoxifène, ce qui réduira votre risque de cancer du sein de 50 % mais augmentera vos risques de cancer de l'utérus, d'accident cardio-vasculaire, de caillots sanguins, de cataracte, de troubles de l'humeur et de baisse de libido ? »

On voit bien sur ce dernier exemple comment un facteur de risque diffère d'un symptôme ou d'un signe clinique. Alors que ceux-ci renvoient à l'expérience réelle d'un individu, le facteur de risque est une donnée déterminée statistiquement sur des groupes ou des populations. (Enfonçons une porte ouverte : ce sont 40 % à 85 % des femmes *du groupe* qui développent un cancer du sein, pas 40 % à 85 % de la femme individuelle.) Mais on voit bien aussi combien il est facile, à la faveur de ces statistiques, d'englober des individus asymptomatiques (bien portants) dans la catégorie des individus « à risque » (malades). La statistique est un moyen merveilleux de rendre quelqu'un instantanément malade.

Il faut bien comprendre que la notion de facteur de risque n'est pas un concept médical, mais comptable, assurantiel. Ce sont les compagnies d'assurances qui, les premières, ont systématiquement évalué les risques de mortalité présentés par divers facteurs en se fondant sur leurs vastes bases de données. C'est ainsi que la compagnie américaine Metropolitan Life Insurance a été en mesure, bien avant les médecins, d'identifier l'hypertension artérielle comme un facteur de mortalité : plus la tension des assurés de Met Life était élevée et plus ils mouraient prématurément[2]. L'objectif de Met Life n'était évidemment pas de mieux traiter les patients mais de mieux calculer le montant des primes d'assurance sur la vie et d'éliminer le risque financier présenté par les hypertendus (dès 1920, Met Life a refusé d'assurer toute personne ayant une tension supérieure de plus de 15 mmHg à la moyenne, telle que calculée à partir des données de la compagnie).

Cette approche statistique des compagnies d'assurances a eu une influence absolument décisive sur les politiques de santé publique et la pratique de la médecine depuis un siècle. C'est sur des études

---

Il est facile, à la faveur de ces statistiques, d'englober des individus asymptomatiques (bien portants) dans la catégorie des individus « à risque » (malades). La statistique est un moyen merveilleux de rendre quelqu'un instantanément malade.

épidémiologiques portant sur de vastes populations, comme la fameuse enquête de Framingham, que sont basées les campagnes de sensibilisation aux dangers présentés par l'hypertension, le cholestérol élevé, le tabagisme ou l'obésité, ainsi que les pratiques systématiques de dépistage qui sont le tout-venant de la médecine préventive. De même, c'est sur des méthodes statistiques comme la «randomisation en double aveugle» de larges cohortes de patients que sont fondés les essais cliniques sur lesquels les autorités sanitaires s'appuient à leur tour pour autoriser des médicaments ou formuler des «recommanda-tions de bonne pratique clinique». Un médicament, ainsi, ne reçoit une autorisation de mise sur le marché que si la compagnie qui le fabrique parvient à montrer que les résultats obtenus sont «statisti-quement significatifs», c'est-à-dire supérieurs à la probabilité que ces résultats aient été obtenus par hasard. La médecine contemporaine ne traite plus des individus, elle traite des nombres, des cohortes, des populations.

L'industrie pharmaceutique n'est pas à l'origine de cette évolution statistique et «biopolitique», comme eût dit Michel Foucault, de la médecine. Mais elle y a trouvé son compte et elle l'a largement exploitée à son profit en renforçant en retour la tendance à une gestion «grossiste» et probabiliste de la santé. Big Pharma adore les grands nombres, car ceux-ci s'imposent à tous, qu'ils soient médecins, malades ou bien portants. Dès l'instant où l'expérience vécue de la maladie s'efface au profit de facteurs de risques imperceptibles et de chiffres abstraits, la relation entre le patient et son médecin devient l'affaire d'experts extérieurs qui décident pour eux, à leur place. Ce sont ces experts, en effet, qui déterminent les chiffres de la maladie et de la santé. Ce sont eux qui «voient» les dangers invisibles du choles-térol ou l'efficacité d'une statine, dans la mesure où ce sont eux qui ont accès aux données statistiques et qui les interprètent. Ni le patient ni le médecin ne peuvent y opposer leur propre expérience, car celle-ci restera forcément «anecdotique» au regard des grands nombres brassés par les experts. Un effet secondaire, par exemple, sera considéré comme non pertinent dès lors qu'il n'est pas statistiquement significatif, et cela même si le patient en souffre ou en meurt réellement.

Ce n'est plus dans le cabinet du médecin ou au chevet du malade que se décide qui est malade et qui ne l'est pas, ou encore si un traitement est indiqué ou non, efficace ou non. Ces décisions se prennent maintenant au sein de commissions d'experts réunies par des organismes gouvernementaux ou internationaux comme la FDA, l'OMS ou l'EMA. Quiconque peut influencer ces commissions d'experts peut donc du même coup agir sur la définition de telle ou telle maladie et élargir le marché de tel ou tel médicament. Ce sera d'autant plus facile que la « maladie » en question aura été dépouillée de tout symptôme et réduite à un facteur de risque, c'est-à-dire à un chiffre abstrait qu'on peut faire parler comme on veut. Les chiffres, comme chacun sait, sont aisément manipulables et on a vu avec la crise des « subprimes » ce que vaut le calcul des risques lorsqu'il est motivé par la quête du profit. Qui donc pourra objecter si on lui dit qu'il a un risque de x % de développer la maladie m dès que son taux d'y aura dépassé le seuil s et que ce risque peut être réduit de z % s'il prend le médicament® ?

Quelques exemples.

L'HYPERTENSION : LA FABRIQUE DU « PRÉ »

L'hypertension a longtemps été définie comme une tension artérielle supérieure à 140/90. La tension « idéale » était de 120/80, mais tout ce qui se situait entre 120/80 et 140/90 était considéré comme normal ou du moins comme ne requérant pas une intervention particulière. En 1999, une commission d'experts chargée par l'OMS d'établir des recommandations de bonne pratique en matière d'hypertension abaissa à 80 le seuil de pression diastolique au-delà duquel un traitement était indiqué, augmentant considérablement le nombre d'hypertendus à travers le monde. 17 des 18 membres de cette commission entretenaient des liens étroits avec des compagnies pharmaceutiques susceptibles de bénéficier de leur décision. Le président de la commission, le docteur Giuseppe Mancia (Italie), avait travaillé pour 12 de ces compagnies et son collègue Alberto Zanchetti (Italie) pour 18. Un autre membre, Lennart Hansson (Suède), était titulaire d'une chaire de recherche de l'université d'Uppsala créée spécialement pour lui et financée par un fonds de dotation alimenté par 10 laboratoires (notamment AstraZeneca, qui convoqua une conférence de presse pour annoncer le contenu des recommandations de la commission avant même que ne sorte le communiqué officiel de l'OMS). Nul ne prétend bien sûr que ces scientifiques de réputation internationale ont touché des dessous de table pour modifier les chiffres de l'hypertension dans un sens favorable aux compagnies avec lesquelles ils travaillaient. D'ailleurs, aucun n'a fait état de sommes touchées de la part de ces firmes.

En mai 2003, le Joint National Committee on High Blood Pressure (JNC) américain, qui avait déjà abaissé six fois le seuil de l'hypertension depuis 1977, décida de créer une nouvelle catégorie : la « préhypertension », définie comme une tension entre 120/80 et 140/90. Une étude avait en effet montré qu'en donnant un antihypertenseur sur une période de deux ans à des personnes ayant une tension normale entre 120/80 et 140/90, on réduisait de 66 % leur risque relatif de développer de l'hypertension (c'est-à-dire d'atteindre le seuil fatidique de 140/90). Ce résultat n'avait après tout rien de très étonnant, car comme dirait M. de La Palisse, l'effet des antihypertenseurs est d'abaisser la tension. Cela justifiait-il pour autant de donner des antihypertenseurs à des personnes normales *avant* qu'elles ne deviennent hypertendues (l'étude ne faisait état d'aucun bénéfice particulier en termes de santé ou de bien-être) ? C'est pourtant bien ce qu'en concluait le JNC, qui recommandait de donner en prévention des antihypertenseurs à toutes les personnes ayant plus de 120/80 de tension.

Du jour au lendemain, 45 millions d'Américains se sont trouvés souffrir d'une condition à risque, la « préhypertension », qu'il convenait de traiter de préférence avec des inhibiteurs des canaux calciques comme le Norvask® de Pfizer (plutôt qu'avec un classique diurétique, tout aussi efficace et 200 fois moins cher). Un an après, les ventes d'antihypertenseurs aux États-Unis sont passées sans surprise de 3 milliards à 16,3 milliards de dollars.

Sur les 11 membres de la commission d'experts du JNC, 9 avaient émargé à un titre ou à un autre au budget de compagnies pharmaceutiques fabriquant des antihypertenseurs. Le docteur George L. Bakris,

---

Du jour au lendemain, 45 millions d'Américains se sont trouvés souffrir d'une condition à risque, la « préhypertension ».

par exemple, avait été payé comme consultant, conférencier et/ou responsable d'essais cliniques par Merck, Novartis, AstraZeneca, BMS, GSK, Solvay, Boehringer, Forest, Sankyo, Biovail, Abbott, Sanofi et Alteon. Mais là encore, toute imputation de trafic d'influence serait mal venue : ces experts n'ont rien fait d'autre que tirer en toute objectivité les conséquences des chiffres qu'ils avaient à leur disposition. C'est ce qu'on appelle la « médecine basée sur les preuves ».

LE CHOLESTÉROL : « CONNAISSEZ VOTRE CHIFFRE ![3] »

Depuis le début des années 1950 et la vaste étude épidémiologique de Framingham, on sait (ou on croit savoir) qu'un taux trop élevé de cholestérol dans le sang est un facteur de risque de crise cardiaque, au même titre que l'obésité, le tabagisme et un mode de vie sédentaire. Mais qu'entend-on par « trop » élevé ? Pendant longtemps, on a situé la barre à plus de 300 milligrammes de cholestérol par décilitre de sang, ce qui correspondait à une hypercholestérolémie manifeste (les malades ont souvent des dépôts de cholestérol au bord des yeux). En octobre 1987, le National Cholesterol Education Program (NCEP) américain décida sur la base d'une étude appelée LCR-CPPT[4] d'abaisser ce seuil à 240 mg/dl, ce qui revenait à étendre le diagnostic d'hypercholestérolémie à 25 % de la population américaine.

Le hasard faisant bien les choses, ces recommandations de bonne pratique furent émises un mois seulement après l'autorisation de mise sur le marché du Mevacor® (lovastatine) de Merck, le premier médicament de la classe des statines abaissant de façon efficace le taux de cholestérol dans le sang. Comme le notait le journaliste Thomas J. Moore dans l'une des premières dénonciations de la « cholesterol Mafia[5] », les principaux experts derrière les recommandations du NCEP – Scott Grundy, Antonio Gotto, Daniel Steinberg et John LaRosa – avaient aussi travaillé sur le Mevacor pour le compte de Merck. (Le Mevacor avait été autorisé initialement pour un cholestérol supérieur à 300 mg/dl, mais Antonio Gotto s'empressa de déclarer au *New York Times* qu'à titre personnel il recommandait vivement le Mevacor à toute personne ayant plus de 260 mg/dl.)

Non content de placer le seuil d'hypercholestérolémie à > 240 mg/dl, le NCEP définissait une nouvelle catégorie intermédiaire, dite « borderline », entre le « haut » cholestérol et le taux considéré à présent comme « désirable », < 200 mg/dl. De façon tout à fait prévisible, le taux « borderline » fut ensuite associé au « haut » cholestérol, le curseur entre le normal et le pathologique descendant progressivement à 200 mg/dl au cours de la décennie suivante. Puis on commença à distinguer entre un « bon » cholestérol (HDL, pour « high-density lipoprotein ») et un « mauvais » cholestérol (LDL, pour « low-density lipoprotein »), ce qui permettait d'inclure dans la population à risque des personnes ayant un total « désirable » de < 200 mg/dl mais une proportion trop élevée de LDL par rapport au « bon » HDL.

Comme le raconte plus loin John Abramson, le NCEP recommanda en 2001 de traiter avec des statines toute personne présentant un risque modéré (10-20 %) d'accident coronarien et ayant une proportion de « mauvais » cholestérol supérieure à 130 mg/dl. Conséquence : le nombre d'Américains considérés comme devant impérativement être traités à l'aide de statines comme le Lipitor (Tahor en France) de Pfizer ou le Crestor® d'AstraZeneca a quasiment triplé, passant sans coup férir de 13 millions à 36 millions. En 2004, le NCEP abaissa à nouveau le taux critique de « mauvais » cholestérol à 100-129 mg/dl, portant le nombre de personnes « statinisables » à 40 millions.

Sur les 14 membres de la commission d'experts ayant émis les directives de 2001, 5 (y compris le président, Scott Grundy) entretenaient des liens étroits et multiples avec les fabricants de statines. Dans le cas de la commission de 2004, toujours présidée par l'incontournable Scott Grundy, 8 sur 9 des experts présentaient des conflits d'intérêts flagrants (deux d'entre eux détenaient même des actions de Johnson & Johnson, compagnie engagée cette même année 2004 dans un partenariat avec Merck pour lancer une version en vente libre de la statine Zocor®)[6]. Mais là encore, ces experts ne faisaient que suivre les chiffres prouvant l'efficacité des statines pour abaisser le taux de cholestérol. Comme le signale Jeremy Greene dans son livre *Prescrire sur la base de chiffres*, il y avait en 2001 pas moins de 30 essais cliniques en cours pour tester les vertus préventives des statines, dont 27 financées par des compagnies pharmaceutiques[7]. Est-ce la faute aux experts s'il n'y avait pas autant d'argent pour financer des études sur la diète méditerranéenne, qui n'abaisse pas le cholestérol mais réduit infiniment plus les risques d'accidents cardio-vasculaires que les statines[8] ?

L'OSTÉOPOROSE, OU COMMENT FAIRE DE VIEUX OS AVEC DES CHIFFRES

L'ostéoporose, qui rend les os poreux et fragiles, a longtemps été considérée comme une conséquence inévitable du vieillissement, quoique plus marquée chez les femmes que chez les hommes et chez certaines d'entre elles plus que chez d'autres. Il n'y avait pas grand-chose à faire pour l'empêcher, donc pourquoi s'en préoccuper ? Tout cela changea avec l'apparition de la densitométrie osseuse, qui permet de mesurer la densité des os à l'aide de rayons X à double énergie (DEXA). Grâce à cette technique, on pouvait désormais quantifier, chiffrer, établir des moyennes et des seuils. Soit une densité osseuse moyenne = 0, vous mesurez la déviation T par rapport à cette moyenne. Si vos os ont une densité supérieure à la moyenne, vous aurez un T score positif pouvant aller jusqu'à 3. Si votre densité osseuse est inférieure à la moyenne, vous aurez un T score négatif pouvant aller jusqu'à - 3.

En 1994, une commission d'experts de l'OMS fixa la densité osseuse « normale » d'une femme à la densité osseuse moyenne d'une femme âgée de 20 à 29 ans. Cette décision était parfaitement arbitraire, car le chiffre adopté ne correspond nullement à la densité osseuse moyenne mesurée sur toute une vie (les enfants et les personnes âgées ont des densités inférieures). Dans les faits, cela revenait à rendre mécaniquement « anormale » la densité osseuse de femmes plus jeunes ou plus âgées, notamment après la ménopause (un tiers des femmes ménopausées se sont ainsi retrouvées ostéoporotiques du jour au lendemain[9]).

On parle d'ostéopénie ou « pré-ostéoporose » pour un T score situé entre - 1 et - 2,5, et d'ostéoporose pour un T score inférieur à

En 1994, une commission d'experts de l'OMS fixa la densité osseuse « normale » d'une femme à la densité osseuse moyenne d'une femme âgée de 20 à 29 ans.

- 2,5. Or nul ne niera que le risque de fracture du fémur et de tassement des vertèbres augmente à mesure que l'on s'éloigne de 0 – c'est-à-dire à mesure que l'on vieillit. Mais quel intérêt de considérer comme « à risque » les millions de femmes asymptomatiques dont le T score a le seul tort d'être situé dans la zone entre - 1 et - 2,5 ?

L'intérêt est qu'une nouvelle classe de médicaments a opportunément fait son apparition sur le marché au même moment où l'OMS établissait ses critères. Les bisphosphonates comme le Fosamax® de Merck ou l'Actonel® de Proctor and Gamble sont en effet censés ralentir la décalcification des os (en fait, ils n'apportent strictement aucun bénéfice après trois à cinq ans, de sorte que 60 % à 70 % des femmes en prennent inutilement[10]). Le chiffrage du spectre allant de la moyenne « normale » à la franche ostéoporose ouvrait de ce fait un énorme marché pour les fabricants de bisphosphonates, comme le soulignait en 2004 un rapport de Merck à l'intention des actionnaires : « Le Fosamax a un fort potentiel de développement – moins de 25 % des femmes ostéoporotiques dans les sept marchés [nationaux] les plus importants ont été diagnostiquées et traitées[11]. »

Il convenait donc de diagnostiquer – ce qui fut fait sur une grande échelle, à grand renfort de campagnes de sensibilisation et d'« Ostéobus » sillonnant le monde entier pour offrir gratuitement des tests de densitométrie osseuse aux populations innocentes[12]. C'est ainsi qu'on apprit grâce à une statistique largement diffusée par la National Osteoporosis Foundation que 10 millions d'Américain(e)s souffrent d'ostéoporose et 34 millions sont à risque d'en être atteint(e)s – soit en tout plus de la moitié de la population américaine âgée de plus de 50 ans. D'après l'International Osteoporosis Foundation, le chiffre est de 75 millions de personnes pour tous les pays développés (États-Unis, Europe et Japon) et une femme de plus de 50 ans sur trois souffrira de fractures dues à l'ostéoporose[13].

On ne s'étonnera peut-être pas d'apprendre que les travaux de la commission de l'OMS ont été financés par la Fondation Rorer du groupe français Rhône-Poulenc, les laboratoires Sandoz et SmithKline Beecham. Quant à la National Osteoporosis Foundation, qui milite pour mettre le T score de l'ostéoporose à - 2, il s'agit d'une fondation largement financée par les fabricants de bisphosphonates, tout comme sa grande sœur, l'International Osteoporosis Foundation. Le conseil consultatif de cette dernière est composé de représentants de 31 firmes pharmaceutiques et compagnies fabriquant des appareils d'ostéodensitométrie DEXA.

UNE PILULE POUR LA VIE

Les chiffres nous donnent le tournis, les chiffres nous rendent malades. À force de calculer nos risques de développer telle ou telle maladie, nous finissons par pathologiser tout ce qui s'écarte d'une moyenne purement numérique. Une étude menée en Norvège sur une population de 62 104 adultes âgés de 20 à 79 ans a montré ainsi qu'à appliquer les critères des directives émises en 2003 par l'Union européenne pour la prévention des troubles cardiovasculaires, 76 % des personnes présentaient un profil de risque défavorable. Encore ne s'agissait-il que d'une moyenne : 50 % étaient jugés à risque à l'âge de 24 ans et 90 % à l'âge de 49 ans[14] ! Bref, quasiment tous les Norvégiens ayant atteint la cinquantaine étaient virtuellement malades, susceptibles par conséquent d'être traités en prévention à l'aide des médicaments idoines. C'est aussi la conclusion d'une étude similaire menée à l'autre bout du monde, en Nouvelle-Zélande : 94 % des habitants de la capitale Auckland entre 35 et 74 ans présentaient en 2002-2003 des taux de lipides et de cholestérol les mettant à risque de développer des troubles cardio-vasculaires selon les normes en vigueur[15]. Inutile de dire que Big Knock est ravi.

Les risques, tout comme les chiffres dans lesquels ils s'expriment, s'additionnent, se multiplient, se soustraient et se divisent. Pour calculer le risque d'une personne de développer des troubles cardio-vasculaires, on ne peut pas se contenter de déterminer un seul facteur de risque, disons le taux de cholestérol. Il faut également tenir compte de tous les autres facteurs susceptibles d'augmenter ou de diminuer le risque, tels que l'âge, le poids, l'indice de masse corporelle, une pression

---

Bref, quasiment tous les Norvégiens ayant atteint la cinquantaine étaient virtuellement malades, susceptibles par conséquent d'être traités en prévention à l'aide des médicaments idoines.

artérielle plus ou moins élevée, la présence ou non de diabète de type 2, etc. Pourquoi alors ne pas regrouper toutes ces variables et déterminer à l'aide d'une simulation la combinaison et le dosage optimaux de médicaments permettant d'obtenir « une seule pilule quotidienne produisant un important effet de prévention des troubles cardio-vasculaires avec des effets secondaires indésirables minimaux[16] », autrement dit la balance bénéfices-risques la plus favorable *pour n'importe qui* ?

C'est le concept derrière la « Polypilule » imaginée par deux épidémiologistes britanniques, sir Nicholas Wald et Malcolm Law. Dans un article retentissant publié dans le *British Medical Journal* en 2003, ils annonçaient avoir fait une méta-analyse (c'est-à-dire une analyse statistique globale) des résultats de plus de 750 essais cliniques portant en tout sur quelque 400 000 sujets, en vue de trouver le cocktail médicamenteux le plus performant en termes de prévention globale des troubles cardio-vasculaires :

> La forme pharmaceutique qui correspond à nos objectifs est la suivante : une statine (par exemple de l'atorvastatine [Lipitor/Tahor], 10 mg/jour, ou de la simvastatine [Zocor], 40 mg) ; trois anti-hypertenseurs (par exemple un diurétique thiazidique, un bêtabloquant et un inhibiteur de l'ECA), pris chacun à demi-dose normale ; de l'acide folique (0,8 mg) ; et de l'aspirine (75 mg). Nous estimons que cette combinaison, que nous appelons la Polypilule, réduit les cardiopathies ischémiques de 88 % (intervalle de confiance de 95 % entre 84 % à 91 %) et les accidents vasculaires cérébraux de 80 % (71 % à 87 %). Un tiers des personnes prenant cette pilule à partir de l'âge de 55 ans en tirerait bénéfice, en gagnant en moyenne 11 années sans accident cardiaque ou AVC[17].

Comment ne pas applaudir à cette formidable avancée thérapeutique ? Un sondage effectué par CNN peu après la publication de l'article révéla que 95 % des téléspectateurs de plus de 55 ans étaient prêts à prendre la Polypilule si elle était mise sur le marché. Les auteurs poursuivaient pourtant :

> En comptabilisant les effets secondaires indésirables des divers composants tels qu'observés lors d'essais randomisés, on trouve que la Polypilule causerait des symptômes chez 8 à 15 % des personnes (selon la formulation adoptée)[18].

Autrement dit, pour 33 personnes sur 100 tirant un bénéfice de l'idéale Polypilule, 8 à 15 subiraient des effets secondaires, dont certains mortels (des AVC notamment). Tant mieux pour les 33 béné-ficiaires, et tant pis pour les autres! On voit bien ici comment la logique de la prévention des risques, dont la Polypilule représente l'aboutissement ultime, néglige les individus au profit d'une gestion purement statistique de la santé: on envisage sérieusement de sacrifier un certain nombre de personnes ne souffrant *a priori* d'aucune patho-logie sur l'autel de l'optimisation globale (moyenne) de la santé publique.

Qu'est donc devenu le précepte hippocratique, *primum non nocere*? La fameuse « balance bénéfices-risques » ne bénéficie nul-lement à telle personne avec telle constitution, tels antécédents médicaux, tel mode de vie. Elle bénéficie seulement à ce qu'Adolphe Quetelet appelait l'« homme moyen », lequel n'existe nulle part. En réalité, la balance bénéfices-risques n'a de sens que pour les pouvoirs publics soucieux de réduire au minimum les coûts de santé, les assu-rances désireuses de calculer des primes optimales – et les firmes phar-maceutiques impatientes de mettre tout le monde sous médicaments jusqu'à la fin de leur vie.

Big Pharma n'a pas encore réussi à développer une Polypilule, mais ce n'est pas faute d'avoir essayé. Au début des années 2000, Sanofi-Aventis lança une grande campagne pour placer sur le marché le dernier-né de son pipeline, un médicament miracle répondant au nom de marque Acomplia® (rimonabant). L'Acomplia était censé agir comme coupe-faim, en inhibant les récepteurs endocannabinoïdes res-ponsables des « munchies », la fringale bien connue des consomma-teurs de cannabis. Mais surtout, l'Acomplia allait combattre le « syndrome métabolique » ou « syndrome X », une nébuleuse de troubles correspondant assez exactement à la combinaison de facteurs de risques cardio-vasculaires que la Polypilule théorisée par Wald et Law était supposée éradiquer: obésité, taux de cholestérol et de lipides élevés, pré-hypertension, prédiabète.

Promu dans les médias sous le nom facile à retenir de « syndrome de la bedaine », ce syndrome métabolique représentait évidemment un marché potentiel immense puisqu'il englobait non seulement des troubles d'ordinaire traités séparément, mais aussi des facteurs de risques affectant quasiment toute personne à partir de la cinquan-taine. Selon le professeur Gerald Reaven, qui est avec l'incontour-nable Scott Grundy l'un de ses principaux promoteurs académiques[19], la reconnaissance de ce « syndrome X » ajouterait 33 à 40 millions de personnes à risque à celles déjà diagnostiquées comme étant hypertendues, diabétiques ou hypercholestérolémiques – soit 25 % à 30 % de la population américaine[20]. L'Acomplia avait donc de beaux jours devant lui. Sauf qu'il s'avéra qu'il est également neurotoxique et peut provoquer de la suicidalité et de l'akathisie, exactement comme les antidépresseurs ISRS. Sagement, la FDA décida en 2007 que ce risque était trop important et refusa d'accorder à l'Acomplia son autorisation de mise sur le marché américain. L'EMA, qui l'avait approuvé pour le marché européen, suivit le mouvement un an plus tard.

Comme par hasard, le bruit autour du syndrome métabolique s'est tu. Nul doute qu'il reprendra le jour où une autre Polypilule se profilera à l'horizon.

Dernière minute : Au moment d'envoyer ces pages à l'imprimeur, nous apprenons que l'American Medical Association a officiellement reconnu l'obésité comme une maladie, sur la base d'une résolution présentée par l'American Association of Clinical Endocrinologists, l'American College of Cardiology et quelques autres organisations professionnelles. Selon cette résolution, l'obésité est un « état multi-métabolique et hormonal morbide » qui présente un haut risque de diabète type 2 et de troubles cardio-vasculaires[21].

16

Risque et responsabilité dans la promotion pharmaceutique*

JEREMY A. GREENE

Comment se fait-il que les campagnes de prévention des « facteurs de risques » ressemblent tellement aux campagnes marketing des grandes compagnies pharmaceutiques et parfois coïncident avec elles ? Quelle est cette étrange gémellité entre la médecine contemporaine, toujours plus pré-occupée de chiffres, de seuils et de « preuves » statistiques, et les stratégies commerciales de Big Pharma ? Jeremy Greene nous met en garde contre la tentation de réduire cette connivence à une simple affaire de corruption. Aussi graves et inacceptables soient-ils, les scandales sanitaires qui émaillent la chronique pharmaceutique ne sont que le reflet d'une convergence bien plus profonde, systémique, entre le savoir médical (la science) et l'industrie, dès lors que la médecine devient une gestion médicamenteuse de populations « à risque ». Critiquer l'emprise de Big Pharma sur la médecine actuelle implique qu'on remette en cause également la « médecine basée sur les preuves » qui est au cœur de certaines des avancées médicales les plus indéniables.
Jeremy A. Greene est médecin interniste et professeur associé d'histoire de la médecine à l'université Johns Hopkins de Baltimore (États-Unis). Il est

---

* Traduit de l'anglais par Laurent Bury.

l'auteur de *Prescrire par les chiffres*[1], un livre essentiel sur les liens entre les médicaments produits par l'industrie pharmaceutique et la définition des « facteurs de risques » comme le cholestérol, le diabète et l'hypertension.

À l'été 2012, le laboratoire britannique GlaxoSmithKline a plaidé coupable lors d'un procès pénal intenté contre lui par les autorités fédérales américaines et a accepté de payer une amende de 3 milliards de dollars – la somme la plus élevée qu'ait dû payer à ce jour une compagnie pharmaceutique dans le cadre d'un procès. On pardonnera au lecteur de ne pas avoir prêté attention à cet événement, car cette formule – « le règlement le plus coûteux qu'ait versé une entreprise pharmaceutique » – est apparue plusieurs fois dans la presse depuis une dizaine d'années, surtout aux États-Unis. Avant le procès Glaxo, c'est Pfizer qui détenait ce record peu enviable, avec un règlement de 2,3 milliards en 2009 pour promotion hors AMM d'antalgiques et d'antiépileptiques, titre qu'elle venait de ravir à Eli Lilly & Co qui avait consenti au début de la même année à payer 1,4 milliard pour la promotion hors AMM d'un antipsychotique atypique. Le cycle médicament à succès –> scandale –> règlement financier est devenu une rengaine familière dans les pages « santé » et « finances » des grands journaux du monde entier. Cela a valu de jolis revenus au gouvernement fédéral et à divers États des États-Unis, qui ont récolté plus de 11 milliards de dollars grâce à ces règlements entre 2009 et aujourd'hui. Mais cela n'a guère contribué à renforcer la confiance dans l'industrie pharmaceutique, dont la popularité ces temps-ci se situe à peu près au même niveau que celle de l'industrie mondiale du tabac.

Certaines des nombreuses charges dans le procès Glaxo concernaient la promotion hors AMM des antidépresseurs Paxil (paroxétine) et Wellbutrin (bupropion). Mais le point le plus brûlant dans le dossier Glaxo concernait la rétention de données sur les risques entraînés par l'Avandia (rosiglitazone), un antidiabétique jadis prometteur et largement prescrit qui a été associé à une hausse de la mortalité due à des maladies cardio-vasculaires (voir plus haut p. 55). L'Avandia avait été approuvé sur la base d'essais fondés sur des biomarqueurs montrant que ce médicament améliorait le profil numérique du taux de glycémie des diabétiques, plutôt que sur des résultats cliniques. Environ un million d'Américains prenaient de

RISQUE ET RESPONSABILITÉ DANS LA PROMOTION PHARMACEUTIQUE

l'Avandia avant que ses effets secondaires ne soient dévoilés, d'où la clameur indignée : comment se fait-il qu'on ait permis que tant de gens consomment pendant si longtemps un médicament potentiellement dangereux ? Pourtant, le récit familier du « scandale suivi d'un règlement financier » ne nous avance guère pour comprendre les mécanismes d'influence plus profonds qui permettent à l'industrie pharmaceutique d'agir sur les décideurs, les médecins et les patients. Les histoires de « méchants » détournent notre attention des *a priori* qui informent nos idées courantes sur les liens entre santé, maladie, médicaments et marché et qui permettent à de tels méfaits de continuer.

L'histoire de la chute de l'Avandia me rappelle irrésistiblement une réunion marketing à laquelle j'ai été invité vers le milieu des années 1990, organisée afin de présenter un médicament pour le diabète qui était sur le point d'être commercialisé. Ce médicament, le Rezulin (troglitazone), était le premier de la nouvelle classe des thiazolidinediones, le médicament originel que les chercheurs de GSK ont copié pour développer l'Avandia. Contrairement aux antidiabétiques antérieurs, qui tentaient d'extraire toujours plus d'insuline du pancréas défaillant du patient, cette nouvelle catégorie de molécules était censée augmenter la réceptivité cellulaire à l'insuline déjà disponible dans le flux sanguin. Les responsables du marketing présents ce jour-là – dont plusieurs se trouvaient être diabétiques – étaient visiblement enthousiastes. Ils s'apprêtaient à lancer ce qu'ils croyaient être une innovation capitale pour la santé publique, avec un potentiel de vente colossal.

Cette convergence des intérêts du marketing et de la santé publique posait aussi un problème. Comment les responsables du marketing allaient-ils pouvoir faire comprendre l'importance de ce médicament aux médecins, adeptes d'un modèle antérieur de traitement du diabète ? La solution, exposée à l'aide d'une débauche de diapositives PowerPoint, était de décrire la maladie – ou plutôt le nouveau modèle de maladie qui allait se prêter au nouveau traitement – en relation avec le plan marketing plus général conçu pour le produit. Une des diapositives listait les articles récents et à paraître sur la résistance à l'insuline écrits par des universitaires dont les études avaient été financées par l'entreprise. Une autre diapositive présentait une série de cours de formation médicale continue sponsorisés par l'entreprise, visant à faire découvrir aux médecins le nouveau modèle du diabète. Lorsque je demandai à ma voisine si elle ne croyait pas qu'ils poussaient le bouchon un peu loin, elle haussa les sourcils et répliqua : « Vous trouvez vraiment ça choquant ? Pourtant, il n'y a là rien de nouveau, c'est comme ça qu'on vend les médicaments. Et puis songez un peu à tous les diabétiques auxquels nous allons venir en aide. »

Il serait trop facile de ne voir dans cette déclaration que fausse conscience ou l'œuvre de quelqu'un essayant uniquement de tirer un profit maximal d'un produit dont il saurait qu'il est inefficace ou dangereux. En fait, cette déclaration était possible précisément *parce que* cette responsable du marketing y croyait, parce que nous vivions, elle et moi, dans un monde où le rôle de l'industrie pharmaceutique dans la diffusion du savoir médical va de soi. La question qui reste néanmoins, près de vingt ans après que le Rezulin a été retiré du marché pour avoir causé des insuffisances hépatiques aiguës et un an après qu'Avandia a été retiré de même pour avoir augmenté la mortalité cardiaque, est la suivante : comment a-t-on pu promouvoir de tels produits en croyant dur comme fer que la stratégie « gagnant-gagnant » du partenariat entre industrie pharmaceutique et santé publique allait aider les gens ? Et comment les convictions d'une marketeuse pharmaceutique pouvaient-elles aller de concert avec tant de pouvoir, tant de profits et tant de méfaits ?

En tant que médecin et historien, j'ai consacré les deux dernières décennies à réfléchir à la réaction de cette femme et à l'importante vérité qu'elle recèle : il y a une relation de longue date entre l'industrie pharmaceutique, l'évolution du savoir médical et nos conceptions changeantes de la maladie. L'analyse historique fournit des outils puissants pour défamiliariser nos *a priori* au sujet du monde dans lequel nous vivons. Soumis à l'examen de l'historien, certains éléments que nous croyons immuables s'avèrent hautement malléables. D'autres qui nous paraissent nouveaux s'avèrent s'inscrire dans le prolongement de phénomènes bien plus anciens que nous ne l'aurions soupçonné. Comme me l'ont appris mes recherches dans les minutes de séances parlementaires, les registres de laboratoires, les comptes-rendus de contentieux au sujet de brevets, les archives d'entreprises et les dossiers de la FDA, le marketing, la recherche et la pratique clinique étaient déjà inextricablement liés dans les années 1950 dans ce qu'on pourrait appeler la médecine « par les chiffres ».

AVANDIA AVANT AVANDIA

Si le Rezulin était l'Avandia originel, le Rezulin originel est un médicament aujourd'hui oublié, l'Orinase® (tolbutamide). Élaboré par la compagnie Upjohn durant la décennie qui suivit la Seconde Guerre mondiale, l'Orinase a été la première pilule contre le diabète approuvée par la FDA. Il marquait une amélioration notable : auparavant, le seul médicament disponible était l'insuline, dont l'utilisation à long terme exigeait des auto-injections répétées. L'Orinase promettait aux diabétiques une vie plus facile, mais les premiers essais cliniques révélèrent qu'il n'aidait guère les patients gravement atteints qui en avaient le plus besoin. De façon un peu paradoxale, l'Orinase était surtout efficace pour les patients souffrant des formes les plus légères de diabète. De nombreux diabétologues et d'autres médecins hésitaient même à affirmer que ces patients étaient vraiment diabétiques. Au lieu d'afficher les signes cliniques du diabète tels que polyurie (urination abondante), polydipsie (soif insatiable), autophagie (amaigrissement) et glycosurie (sucre dans l'urine), ces « diabétiques légers » ou « diabétiques chimiques » avaient simplement un taux de glycémie plus élevé.

Un groupe influent de spécialistes du diabète, réunis autour du médecin bostonien Eliot Joslin, pensait néanmoins que traiter ces patients *avant* qu'ils ne présentent les signes classiques du diabète permettrait à long terme d'éviter certaines complications microvasculaires (comme les maladies des reins ou la cécité) et macrovasculaires (comme les infarctus, les amputations et les crises cardiaques) qui apparaissaient plus tard chez les diabétiques « cliniques ». La clinique Joslin était financée par Upjohn et fut l'un des sites importants des essais cliniques de l'Orinase. En 1957, quand l'Orinase fut lancé en fanfare, les

---

Quand l'Orinase fut lancé, les responsables du marketing chez Upjohn savaient qu'il allait leur falloir promouvoir une nouvelle façon de concevoir le diabète — à savoir comme quelque chose à traiter *maintenant* sur la base de marqueurs d'une maladie *à venir*.

responsables du marketing chez Upjohn savaient que pour promouvoir avec succès le produit, il allait leur falloir promouvoir une nouvelle façon de concevoir le diabète – à savoir comme quelque chose à traiter *maintenant* sur la base de marqueurs d'une maladie *à venir*.

La stratégie connut un immense succès. D'autres essais cliniques menés par le groupe de Joslin révélèrent qu'en traitant les « diabétiques légers » présentant un taux de glycémie anormalement élevé, on pouvait ramener leur taux à un niveau normal. Au cours des années 1960, des centaines de milliers de personnes qui n'auraient jusque-là jamais été considérées comme diabétiques car elles ne présentaient aucun signe clinique détectable en dehors d'un fort taux de glycémie apprirent à se considérer comme des « diabétiques légers » et acceptèrent un traitement de durée indéfinie à base d'Orinase et d'autres pilules récemment introduites sur le marché. L'Orinase devint l'un des médicaments best-sellers de la décennie.

Au début des années 1960, la revue *Drug and Cosmetic Industry* publia un exposé admiratif de la stratégie marketing de l'Orinase, expliquant que ce produit avait « créé son propre marché » en soumettant à des soins médicaux des diabétiques qui n'auraient pas été traités autrefois. Mais même cet éloge ne rendait pas complètement justice à l'exploit de la compagnie Upjohn. Pour bien comprendre la leçon de l'Orinase, il faut voir que ce médicament traitait des patients qui *n'auraient jamais été considérés comme diabétiques* avant que le produit soit commercialisé. En chemin, c'est la définition même du diabète qui avait changé : ce qu'on envisageait auparavant comme « prédiabète » faisait désormais partie de la définition même du diabète. En retour, le diabète était devenu une maladie de chiffres et de biomarqueurs plutôt qu'une maladie de signes et de symptômes.

Problème : personne ne pouvait prouver que la nouvelle stratégie consistant à dépister et à traiter un taux de glycémie élevé chez des patients ne présentant aucun autre symptôme permettait d'empêcher la vraie pathologie clinique – la maladie rénale, la cécité, les AVC, les amputations, les crises cardiaques, bref, tout ce qui comptait vraiment dans la vie des patients. Pouvait-on établir que les médicaments comme l'Orinase aidaient les patients à long terme ? Un long débat déboucha sur un ambitieux essai clinique à plusieurs bras et financé par des fonds publics, l'UDGP (University Group Diabetes Project). L'objectif était de tester différentes stratégies de contrôle de la glycémie – y compris l'absence de tout contrôle – dans une population de « diabétiques légers ». Les partisans de la nouvelle stratégie comme le groupe de la clinique Joslin avaient la conviction que l'essai prouverait la valeur de l'Orinase. Les sceptiques étaient sûrs que l'essai ne montrerait aucun avantage. Ni les uns ni les autres ne s'attendaient à ce qui ressortit des premiers résultats de l'essai en 1969 : les personnes traitées dans le groupe Orinase étaient sujettes à des crises cardiaques et d'autres événements cardio-vasculaires à un taux nettement plus élevé que le groupe placebo.

Quarante ans avant la débâcle de l'Avandia, la pilule miracle *originelle* – approuvée, tout comme l'Avandia, sur la base de biomarqueurs – s'était donc elle aussi révélée augmenter le risque de l'une des issues cliniques qu'elle était censée prévenir : la mortalité cardio-vasculaire. Lorsque l'affaire fuita dans la presse au printemps 1970, elle causa au moins autant de bouleversements dans la vie des législateurs, des médecins et des patients que l'affaire Avandia au début du XXI⁰ siècle. Beaucoup de patients auxquels l'Orinase avait été prescrit pour traiter une maladie dont ils ne ressentaient aucun symptôme durent alors calculer les risques et les bénéfices purement numériques d'un traitement pour une maladie elle-même diagnostiquée à partir de chiffres. Et tout comme cela allait ensuite être le cas avec l'Avandia, les patients et leurs médecins durent mettre en balance les résultats de l'étude de l'UDGP et les critiques d'Upjohn et de la clinique Joslin, qui soutenaient que la conception même de l'essai clinique était déficiente et que ses résultats ne devraient pas figurer dans la notice d'utilisation de l'Orinase. La controverse autour de l'Orinase allait se prolonger pendant plus de dix ans, avec toute une série de séances au Congrès, de multiples auditions publiques à la FDA et une décision judiciaire contestée jusque devant la Cour suprême des États-Unis. Ce n'est que lorsque le brevet de l'Orinase expira que les risques du médicament furent finalement mentionnés dans la notice d'utilisation du médicament.

Les deux histoires se ressemblent. Pourtant, pour comprendre la continuité entre l'histoire de l'Orinase dans les années 1960 et 1970, celle du Rezulin dans les années 1990 et celle de l'Avandia dans les années 2000, il faut tenir compte des changements qui sont intervenus au cours d'un demi-siècle. Depuis cinquante ans, l'influence de l'industrie pharmaceutique a complètement imprégné l'économie mondiale du savoir médical, une économie intellectuelle qui n'a plus aujourd'hui aucun pare-feu lui permettant de s'isoler de l'économie matérielle des biens et de l'argent. Simultanément, le type de savoir qui guide la pratique médicale et la consommation pharmaceutique s'est de plus en plus coupé de l'expérience clinique pour être encore plus fermement formulé en termes de biomarqueurs, de mesures et de risques futurs de maladie.

LES LIMITES DU NORMAL ET DU PATHOLOGIQUE

Il n'y a pas si longtemps, un diagnostic de maladie supposait qu'un patient se plaigne subjectivement de *symptômes* ou de *signes cliniques*. Par exemple, le *symptôme* « douleurs dans la poitrine après un effort » fut pendant des siècles une base du diagnostic clinique de l'angine de poitrine. Le *signe* « élévation du segment ST sur l'électrocardiogramme » indiquait un diagnostic d'infarctus du myocarde. Au cours du XXe siècle, toute une série de *chiffres* sont devenus de plus en plus importants pour déterminer comment une maladie est définie et traitée. Au XXIe siècle, la mesure du taux sérique de troponine T et troponine I chez les patients soupçonnés de maladie coronarienne aiguë a permis la détection et l'intervention sur de larges populations de patients souffrant de formes plus subtiles de crises cardiaques – les infarctus sans élévation du segment ST (sans STEMI) – que ne percevaient pas les procédures diagnostiques antérieures, fondées sur les symptômes ou les signes.

Les biomarqueurs comme la troponine ont étendu la portée du regard clinique et accru les possibilités d'intervention médicale significative. Mais l'introduction du test de la troponine dans les évaluations ordinaires des douleurs de poitrine a suscité toute une série d'autres problèmes. Quel biomarqueur faut-il utiliser : la troponine T ou la troponine I ? À partir de quel seuil a-t-on affaire à une pathologie ? Les seuils numériques pour séparer le normal du pathologique diffèrent selon les concepteurs de tests, les recommandations de bonne pratique clinique et les autorités de santé. Beaucoup de gens qui en fait ne souffrent pas de syndrome coronarien aigu auront un taux faible mais détectable de troponines dans leur flux sanguin, notamment les patients atteints de maladie rénale et dont les reins n'éliminent pas la troponine du sang aussi vite que dans le reste de la population. Il peut être difficile de séparer les cas de tests troponine positifs qui représentent de simples « fuites de troponine » de ceux qui constituent une urgence médicale. À mesure que les seuils sont placés de plus en plus bas, la probabilité augmente que tel ou tel patient se voie infliger une procédure invasive comme la cathétérisation cardiaque.

Dans les maladies coronariennes comme dans le diabète – et dans d'innombrables autres secteurs de la pratique médicale contemporaine – on peut identifier un déplacement du diagnostic du symptôme vers le signe clinique, puis du signe clinique vers les chiffres. À mesure que le site du diagnostic s'éloigne de la souffrance subjective du patient et de la détection de signes objectifs de maladie par l'œil exercé du médecin pour s'orienter vers la comparaison de biomarqueurs avec des seuils numériques, les possibilités d'intervention augmentent considérablement. Cependant, le diagnostic par seuil numérique rend aussi la séparation entre le normal et le pathologique bien plus mobile et accessible à bien plus de gens que cela n'était jadis possible dans l'univers clos du médecin et du patient. Les parties concernées comme l'industrie pharmaceutique, le secteur biotechnologique et les fabricants d'appareils médicaux peuvent financer des essais cliniques pour déterminer les seuils de traitement ou pour tenter de les abaisser.

Souvent, le seuil lui-même devient explicitement la cible d'essais cliniques postmarketing, telle l'étude Treating to New Targets (TNT) financée par Pfizer, qui a examiné le rôle du Lipitor/Tahor (atorvastatine) dans le traitement des maladies cardiaques chez des patients présentant un niveau de cholestérol « borderline », c'est-à-dire au niveau supérieur du normal. De même, toute une palanquée d'études dans le domaine du diabète ont examiné ce qui se passe quand on traite des individus n'atteignant pas le seuil numérique du diabète (mesure de la glycémie à jeun ou du taux d'hémoglobine A^1C) mais dont le chiffre se situe juste en dessous de ce seuil, dans une zone anormale située entre le normal et le pathologique qui a été désignée comme « prédiabète ». À mesure que les preuves s'accumulent indiquant que les patients atteints de prédiabète courent moins de risque d'avoir un vrai diabète si on les traite, le seuil de traitement glisse vers le bas et une population de plus en plus large devient consommatrice potentielle de produits pharmaceutiques.

Bien sûr, il est difficile d'évaluer si les bénéfices à être traité pour le prédiabète l'emportent sur le coût et les risques d'une intervention pharmaceutique sur toute une vie qui aurait été jugée superflue il y a encore une décennie. De même, il devient de plus en plus difficile de distinguer le rôle des essais cliniques comme outils d'expansion du marché et comme moyens de produire des preuves objectives de l'utilité d'un traitement. Dans la mesure où la majorité des essais cliniques sont aujourd'hui financés par des sources privées, la frontière entre l'économie du savoir médical et l'économie des industries médicales est désormais bien plus poreuse qu'on n'était prêt à le reconnaître dans le passé.

L'ÉCONOMIE DU SAVOIR MÉDICAL

En 1959, John McKeen, alors président de Pfizer, rappela aux autres cadres d'entreprises pharmaceutiques :

> Le monde est plus qu'un marché pour les produits pharmaceutiques ; c'est un marché du savoir [...] Avec la croissance mondiale de notre secteur, un pipeline a été ouvert par lequel le savoir médical se répand d'un bout de la planète à l'autre bout.

Comme beaucoup de ses contemporains, McKeen avait compris que son industrie ne survivrait pas uniquement en vendant des pilules. Depuis le vote du Pure Food and Drug Act en 1906, les profits du secteur pharmaceutique ont eu plus à voir avec les prétentions thérapeutiques et les connaissances médicales entourant un traitement qu'avec aucun autre attribut intrinsèque des médicaments.

La valeur des molécules pharmaceutiques ne tient pas à la rareté de leurs matières premières ou à la difficulté technique présentée par leur production et leur distribution. En fait, la valeur des produits pharmaceutiques tient à l'information qui les rattache aux habitudes de prescription : les revendications d'efficacité et de sécurité qui encouragent les médecins à les prescrire et les patients à les consommer, et les structures légales et réglementaires qui protègent la propriété intellectuelle et permettent de vendre les médicaments à des prix sans rapport avec leur coût de production immédiat. Gérer l'économie de l'information entourant un médicament – plus précisément, gérer la production, la distribution et la consommation du savoir lié au produit – est essentiel pour la réussite de toute entreprise pharmaceutique.

Le rôle de l'industrie dans la production de savoir médical est particulièrement visible dans les quelque 70 milliards de dollars dépensés chaque année en recherche et développement afin d'introduire de nouveaux médicaments sur le marché. Les essais cliniques – études rigoureuses et bien menées dont les résultats ont un impact significatif sur la médecine préventive – sont néanmoins conçus en grande partie pour leur valeur marketing. Du fait de la domination écrasante de l'argent en provenance de l'industrie et de la diminution du financement public pour la recherche clinique, les besoins en santé publique qui ne constituent pas des marchés attractifs ou ne s'accordent pas aisément aux produits pharmaceutiques présents ou potentiels sont marginalisés.

L'industrie pharmaceutique joue un rôle évident dans la diffusion du savoir médical, comme le montrent bien les 90 milliards de dollars dépensés chaque année par les firmes pour en assurer la promotion auprès des médecins, des pharmaciens, des assureurs et des patients. Outre la publicité et les visiteurs médicaux, le secteur investit dans d'autres moyens, moins évidents mais tout aussi efficaces, pour diffuser le savoir concernant ses produits. De nombreux exemples sont évoqués ailleurs dans ce volume. Ils comprennent la publication opportune de communiqués de presse et de publications dans des revues à comité de lecture ; le recours à des « nègres » pour rédiger et gérer des recherches associées à d'éminents universitaires ; la création de cours de formation médicale continue en relation avec les nouveaux médicaments et les maladies associées ; et parfois la suppression ou la dissimulation de résultats défavorables.

La consommation de produits pharmaceutiques diffère de celle de la plupart des autres produits, car elle implique au moins trois niveaux de consommateurs. Le premier consommateur d'information pharmaceutique est l'État régulateur, qui peut autoriser ou interdire la commercialisation d'un médicament pour une indication précise. Le deuxième est le médecin prescripteur, souvent considéré comme un « consommateur intermédiaire » ou « intermédiaire spécialisé », qui sélectionne un médicament particulier pour un patient spécifique. Le dernier est le patient lui-même, qui décide ou non d'acheter et d'utiliser le médicament prescrit.

On ne s'étonnera pas d'apprendre que l'industrie pharmaceutique prend grand soin de gérer la consommation du savoir pharmaceutique. Au niveau de l'État – ou, de plus en plus de nos jours, au niveau de « l'harmonisation » supranationale des organes régulateurs de différents États –, cela peut être fait : a) en menant des essais cliniques après l'autorisation de mise sur le marché afin d'étendre les usages approuvés d'un médicament ; b) en engageant d'anciens membres des agences de régulation comme consultants marketing pour s'assurer une approbation rapide du produit ; c) en usant de l'influence procurée par le fait que les firmes pharmaceutiques financent en partie les organismes censés les contrôler.

Le rôle de l'État dans l'élaboration du savoir nécessaire pour qu'un médicament soit consommable peut entraîner la création de nouveaux marchés, comme ce fut le cas quand le Rezulin et l'Avandia furent lancés comme une nouvelle classe de puissants antidiabétiques. Mais les régulateurs peuvent aussi fermer certains marchés, comme lorsque au bout de quatre ans de délibérations la FDA a formellement associé le risque cardio-vasculaire à l'Avandia, entraînant le retrait de ce médicament. Par des alliances avec des experts, les firmes pharmaceutiques peuvent influencer ce processus par les deux bouts. Elles peuvent faire en sorte qu'un nouveau médicament soit considéré comme une innovation remarquable (même si, comme l'Avandia, il n'apporte qu'une modification mineure à une catégorie de produits existants). Et elles peuvent aussi mettre en doute les risques putatifs d'un agent pharmaceutique (comme lorsque GSK a été en mesure de retarder le retrait de l'Avandia pendant quatre ans à partir du moment où le risque cardio-vasculaire a été décelé).

Au niveau du médecin, les laboratoires peuvent influencer la prescription en aidant à la rédaction et à la promotion de recommandations de bonne pratique clinique qui encouragent la prescription généralisée de leurs produits. Ce type de recommandations, émises par des groupes comme la National Kidney Foundation ou par des

---

Les laboratoires peuvent influencer la prescription en aidant à la rédaction et à la promotion de recommandations de bonne pratique clinique.

« conférences de consensus » comprenant des médecins, des associations de patients et des responsables de la santé publique, ont acquis une importance croissante en modelant les habitudes quotidiennes de prescription des médecins du monde entier.

Au niveau du patient, enfin, les sites internet gérés par les entreprises pharmaceutiques qui proposent une information médicale et le recours à la publicité directe auprès des consommateurs influencent la façon dont la population perçoit sa propre santé.

Le plus grand risque présenté par la récente popularité de la « médecine basée sur les preuves », qui considère les résultats d'essais cliniques randomisés coûteux comme plus importants que d'autres formes de savoir médical, est sans doute que cette approche envisage le savoir médical comme un ensemble équilibré de faits établis par des scientifiques désintéressés et exclusivement diffusés par des revues à comité de lecture et par une discussion éclairée. Or le savoir médical ne naît pas spontanément et il ne se diffuse pas de manière passive. La circulation fluide du savoir médical est en fait traversée de tranchées profondes et non explorées ainsi que de zones d'activité constante comme l'industrie pharmaceutique, qui ne diffuse avec vigueur que les formes de savoir lui paraissant utiles. Quand on examine la littérature médicale, il faut donc se rappeler que les sujets les plus visibles ne sont pas nécessairement les plus importants du point de vue du progrès scientifique ou du bien-être des populations.

SCANDALES ET PRATIQUE ORDINAIRE

Curieusement, l'annonce de l'amende de GlaxoSmithKline n'a guère suscité de débat public, en partie parce que la majorité de la population s'est habituée à ce genre de nouvelles depuis une dizaine d'années. La différence est ici quantitative plutôt que qualitative et il y a une lassitude générale du public vis-à-vis des mauvaises nouvelles qui nous viennent de partout. L'affaire GSK et tous les autres scandales renforcent notre méfiance à l'égard de l'industrie pharmaceutique, au point que nous nous attendons désormais à ce que ce type de méfaits nous soit régulièrement révélé. Toutefois, en se concentrant uniquement sur les comportements illégaux ou scandaleux, on passe à côté des relations licites plus larges – et selon moi plus profondes – entre l'économie intellectuelle de la médecine universitaire et l'économie matérielle des produits pharmaceutiques qui prolifèrent depuis un demi-siècle. Ces liens sont extrêmement solides et sans une action concertée pour défendre l'indépendance des agences régulatrices, la disponibilité des fonds publics pour la recherche clinique et l'autonomie de la médecine universitaire, ils gagneront sans doute en force et en étendue.

Le lien entre produits pharmaceutiques et le savoir médical n'est jamais entièrement déterminé par les ambitions du marketing. Le Rezulin a été retiré du marché au bout de 3 ans parce que de nouveaux effets indésirables avaient été découverts. Mais le mécanisme invoqué pour promouvoir ce médicament – la résistance à l'insuline – n'est pas mort avec le médicament. Il continue à connaître un succès comme modèle dominant pour expliquer le progrès du diabète et la valeur de la prévention et du traitement précoce. En dépit de l'échec du médicament, le savoir produit, diffusé et consommé à cause de lui a pu aider beaucoup de diabétiques à mieux gérer leur santé. Simultanément, la propagation de ce savoir a aussi entraîné la consommation d'Avandia par des millions d'Américains qui ont appris un beau matin que le médicament qu'ils prenaient pour éviter la maladie pouvait en fait leur faire courir des risques accrus.

Contrôler le type de savoir lié aux médicaments et placer ce savoir au centre du processus de décision des médecins et des pratiques de santé des individus, tel est aujourd'hui le capital le plus important de l'industrie. Dire que le savoir médical est inextricablement mêlé à la promotion pharmaceutique ne signifie pas qu'il puisse être rejeté comme du marketing pur et simple. Mais on ne peut pas non plus y voir de la connaissance pure. Pour une approche critique de l'industrie pharmaceutiques, le défi consiste à identifier les problèmes qui persistent au-delà des grands scandales et à comprendre les différents points de contact par lesquels l'industrie pharmaceutique influe sur la façon dont notre savoir médical est produit, diffusé et consommé.

17

Biaiser les données : le cholestérol et la prévention des maladies cardiaques*

JOHN ABRAMSON

John Abramson a longtemps exercé comme médecin généraliste dans la région de Boston, tout en enseignant la médecine interne à la faculté de médecine de l'université Harvard. Il est l'un de ceux qui ont le plus fait aux États-Unis pour dénoncer l'emprise de l'industrie pharmaceutique sur la recherche médicale et ses effets délétères sur la santé publique. Formé dans sa jeunesse à la statistique et à l'épidémiologie, il était particulièrement bien armé pour décortiquer les données chiffrées des essais cliniques randomisés sur lesquels est basée la médecine contemporaine et pour calculer l'exacte « balance bénéfices-risques » des médicaments les plus répandus. C'est ainsi qu'il a été l'un des premiers, dans son livre *Overdo$ed America*[1] (2004), à remettre en cause l'utilité des médicaments anticholestérol dans la prévention des maladies cardiaques et à lancer l'alerte au sujet des risques cardio-vasculaires cachés des anti-inflammatoires inhibiteurs de la COX-2 comme le Celebrex et le Vioxx (celui-ci a été retiré du marché par Merck neuf jours après la sortie du livre).

* Traduit de l'anglais par Laurent Bury.

Devenu un défenseur des consommateurs à plein-temps (il exerce à présent comme expert dans les procès intentés contre les compagnies pharmaceutiques), il continue à analyser au jour le jour les « preuves » chiffrées que l'industrie déverse dans la littérature scientifique pour promouvoir ses produits. Il raconte ici l'édifiante évolution des recommandations de bonne pratique clinique en matière de cholestérol et de prévention des maladies cardiaques depuis 2001.

En 2000, les Américains auxquels pouvait être prescrit un traitement par statines dans le cadre des directives alors en vigueur sur la réduction du taux de cholestérol étaient deux fois plus susceptibles de prendre une statine que les Européens ayant un même taux de risque. (Le traitement par statines concernait alors 30 % de plus d'Américains que de Français[2].) Plus de la moitié des personnes dans le monde prenant des statines pour réduire leur cholestérol étaient des Américains – 13 millions sur un total de 25 millions[3]. Dans le même temps, les Américains étaient trois fois plus susceptibles de subir un pontage aorto-coronarien et une procédure d'angioplastie pour ouvrir les artères bouchées que les habitants des autres pays de l'OCDE. (Ils étaient 5 fois plus susceptibles de subir un pontage aorto-coronarien et 2,5 fois plus susceptibles de subir une angioplastie que les Français[4].)

La prévention et le traitement des coronaropathies étaient-ils meilleurs aux États-Unis ? La réponse est oui si l'on pose la question à l'industrie américaine de la santé et à la plupart des médecins. En revanche, c'est non si l'on prend en compte la santé publique. Malgré un usage bien plus grand de statines et de plus fréquentes procédures d'ouverture des artères coronaires bouchées, le taux de mortalité lié aux coronaropathies plaçait les États-Unis au 20e rang parmi les nations industrialisées[5]. On pourrait supposer que ce mauvais classement était dû à un « cliché » trompeur qui masquait l'amélioration

---

Au lieu de se concentrer sur des mesures de santé publique, les directives recommandaient de quasiment tripler le nombre d'Américains auxquels prescrire un traitement par statines pour réduire le cholestérol, leur nombre passant de 13 à 36 millions.

globale produite par tous ces soins supplémentaires. Mais ce n'est pas vrai non plus : parmi les pays riches de l'OCDE, le taux de déclin des coronaropathies mettait les États-Unis au 18e rang. Alors que le taux de mortalité en France n'équivalait qu'à un tiers de celui des États-Unis, le taux en France déclinait trois fois plus vite[6] !

PREMIÈRE LOI DES TROUS : QUAND VOUS ÊTES COINCÉ DANS UN TROU, LA PREMIÈRE CHOSE À FAIRE EST D'ARRÊTER DE CREUSER

Le 15 mai 2001, les États-Unis ont actualisé les recommandations de bonne pratique clinique concernant le traitement du taux de cholestérol élevé et la réduction des risques de maladie cardiaque. Ce furent probablement les recommandations les plus influentes dans l'histoire de la médecine américaine. Au lieu de se concentrer davantage sur des mesures de santé publique, les directives recommandaient de quasiment tripler le nombre d'Américains auxquels il convenait de prescrire un traitement par statines pour réduire le cholestérol, leur nombre passant de 13 à 36 millions pour un coût annuel compris entre 20 et 30 milliards de dollars. La grande majorité de ces 23 millions d'Américains supplémentaires, auxquels un traitement réduisant le cholestérol était désormais recommandé, était considérée comme courant un risque de maladie cardiaque, mais n'en souffrant pas encore : c'est ce qu'on appelle « prévention primaire ».

Les directives de 2001 recommandaient un traitement par statines pour réduire le cholestérol quand le risque d'une maladie cardiaque au cours des dix années à venir était supérieur à 10 %, et quand le niveau de « mauvais » cholestérol (LDL) était supérieur à 130 mg/dl (ou 3,4 mmol/l). Ces recommandations s'appliquaient aux hommes comme aux femmes, aux personnes âgées de moins de 65 ans comme à celles âgées de plus de 65 ans. Les directives actualisées devinrent aussitôt « la loi du pays », définissant le seuil de traitement qui sert à évaluer la qualité des soins fournis aux patients et qui fournit un critère (prétendument) objectif susceptible d'être utilisé comme preuve en cas de poursuites pour négligence professionnelle. Mais les données justifiaient-elles que près de 20 % des adultes américains se voient prescrire un traitement quotidien par statines ?

LES DONNÉES DE LA SCIENCE

Pour la prévention primaire chez les hommes de moins de 65 ans courant un risque accru de maladie cardiaque, les essais cliniques avaient montré que les statines réduisent de manière significative le risque de crise cardiaque d'environ 25 % à 30 % (c'est ce qu'on appelle «réduction du risque relatif»). Même s'il peut sembler évident que tous les hommes à ce degré de risque devraient être mis sous statines, les avantages réels pour chaque patient traité (qu'on appelle «réduction du risque absolu») offraient un tableau bien différent. Les études montraient non pas que chaque patient en tirait une amélioration de 25 % à 30 %, mais que 50 de ces hommes courant un risque accru devaient être traités pendant cinq ans afin d'éviter une seule crise cardiaque ou une seule mort cardiaque[7].

Vu sous cet angle plus pratique, les données ne conduisaient pas à une simple recommandation en noir ou blanc, mais plutôt à «50 nuances de gris». Les médecins auraient dû être invités à discuter avec chaque patient présentant ce degré de risque s'il voulait prendre pendant cinq ans une pilule qui avait 1 chance sur 50 de lui éviter une crise cardiaque et 49 chances sur 50 de ne pas améliorer sa santé tout en l'exposant au risque d'effets secondaires. En privilégiant le dialogue, le médecin interprétant les données scientifiques et le patient appliquant cette information à sa situation et ses valeurs personnelles, il aurait été de la sorte possible de prendre une décision adéquate et personnalisée quant au traitement par statines. Mais vu la façon dont les directives étaient rédigées, il était de la responsabilité du médecin de réduire le taux de cholestérol LDL chez tous ses patients présentant ce degré de risque, quelles que soient leurs opinions ou leurs valeurs.

Pour les femmes sans cardiopathie préexistante, les données scientifiques n'exigeaient pas une interprétation aussi subtile. D'après les directives de 2001, 7 essais cliniques avaient montré que le traitement par statines réduisait effectivement le risque de maladie cardiaque chez ces femmes. En réalité, pas une seule des 7 études citées n'étayait cette recommandation; 6 d'entre elles n'incluaient que des patientes déjà atteintes de maladie cardiaque: il s'agissait donc de «prévention secondaire». La septième était l'étude «AFCAPS/TexCAPS», dans laquelle il n'y avait au total que 20 épisodes de maladie cardiaque impliquant des femmes, ce qui est loin de suffire pour être statistiquement significatif.

Les lecteurs auront sans doute du mal à croire que les experts nationalement et internationalement reconnus qui ont conçu ces directives aient pu commettre une erreur aussi monumentale. En fait, ce n'était pas vraiment une erreur. Dans les 11 pages de résumé analytique des directives publiées dans le *Journal of the American Medical Association (JAMA)*[8] ne figurait pas ce qu'on pouvait lire en page 211 de la version longue (284 pages), sous l'intitulé « Considérations spéciales pour la gestion du cholestérol chez les femmes » :

> Les essais cliniques de réduction de LDL **manquent généralement** pour cette catégorie de risque...[9]

En bon français, « manquent généralement » signifie que les données n'existent pas. Plus haut dans le rapport, les experts avaient donc déformé les données scientifiques. En effet, comment justifiaient-ils leur recommandation, censément « basée sur les preuves », selon laquelle des millions d'Américaines ne souffrant pas de maladie cardiaque devaient être mises sous statines ? Eh bien, ils avaient pris la liberté de juger que les données *pourraient* justifier leur recommandation :

> La justification du traitement [pour la prévention primaire chez les femmes] repose sur une extrapolation à partir des bénéfices constatés chez les hommes avec les mêmes risques.

Autrement dit, les essais cliniques randomisés – l'étalon-or de la science médicale moderne – n'offraient rien qui justifiât la recommandation d'un traitement de réduction du cholestérol par statines chez les femmes non atteintes de maladie cardiaque. L'opinion des experts exprimée dans les directives de 2001 avait été représentée de façon tendancieuse pour faire croire aux médecins qu'elle s'appuyait sur des données scientifiques.

Les directives de 2001 se montraient aussi très enthousiastes en matière de prévention primaire des maladies cardiaques pour les plus de 65 ans. Tout comme pour les femmes, les directives affirmaient sans ambiguïté que les essais cliniques avaient prouvé que :

> La thérapie agressive de réduction du LDL [par statines] est efficace pour réduire les coronaropathies [chez les plus de 65 ans qui n'ont pas de maladie cardiaque].

Neuf études étaient citées pour confirmer cette affirmation, mais une seule (la même « AFCAPS/TexCAPS ») était pertinente en matière de prévention primaire des coronaropathies chez les seniors. Or dans cette étude, seulement un cinquième des patients avaient plus de 65 ans et la réduction du risque de maladie cardiaque chez les patients sous statine n'était pas statistiquement significative. Quid des autres études ? Six d'entre elles n'incluaient que des patients souffrant déjà de maladie cardiaque. L'une d'elles n'incluait aucun patient de plus de 64 ans et l'âge moyen dans la dernière était de 51 ans (il s'agissait d'un essai testant un médicament antérieur aux statines). Malgré les 9 références censées confirmer l'affirmation selon laquelle réduire le cholestérol limite le risque de maladie cardiaque chez les plus de 65 ans ne souffrant pas déjà de maladie cardiaque, il n'y avait aucune donnée significative pour étayer cette recommandation.

On pourrait raisonnablement s'attendre à ce que les experts choisis pour rédiger ces directives soient dénués de toute relation financière avec les fabricants de médicaments anticholestérol, tout comme les juges sont censés n'avoir aucun enjeu financier dans l'issue d'un procès en cours. Mais tel n'était pas le cas.

Cinq des 14 experts ayant participé à la rédaction des directives, dont le président du panel, avaient des liens financiers avec des fabricants de statines. Quatre de ces 5 experts, dont le président, déclarèrent avoir des liens avec les 3 fabricants des statines les plus vendues. Et alors que le cholestérol et les graisses saturées se trouvent surtout dans des produits d'origine animale comme la matière grasse laitière, le jaune d'œuf et la viande rouge, les mots « œuf », « bœuf » ou « laitier » ne figurent pas dans le résumé analytique des recommandations en matière de réduction du cholestérol de 2001 publiées dans le *Journal of the American Medical Association*, c'est-à-dire dans le texte que la plupart des médecins allaient lire. Peut-être cette curieuse omission

---

Malgré les 9 références censées confirmer que réduire le cholestérol limite le risque de maladie cardiaque chez les plus de 65 ans, il n'y avait aucune donnée significative pour étayer cette recommandation.

est-elle liée, comme le relève le Center for Science in the Public Interest, au fait que plusieurs des auteurs et examinateurs des directives avaient (à l'époque ou par le passé) des liens financiers avec le Bureau américain de l'œuf, l'Association nationale des éleveurs de bétail et l'Office national de promotion et de recherche sur les produits laitiers[10].

LES NOUVELLES DIRECTIVES TESTÉES PAR HASARD (ET ÉCHOUANT LAMENTABLEMENT À L'EXAMEN)

Dans l'idéal, on devrait pouvoir mettre à l'épreuve les nouvelles recommandations en matière de bonne pratique clinique pour voir si les critères actualisés débouchent sur un avantage pour la santé. Cela permettrait aux médecins de recouper les données en garantissant que les critères par lesquels ils sont guidés et jugés offrent réellement les meilleurs soins possible à leurs patients. Bien évidemment, c'est parfaitement irréalisable d'un point de vue pratique. Non seulement il faudrait réaliser un nouvel essai clinique coûteux et de grande ampleur sur plusieurs années, mais cela serait également contraire à l'éthique puisqu'il faudrait sélectionner au hasard des volontaires pour leur appliquer un traitement inférieur aux soins optimaux alors recommandés par les experts les plus reconnus.

Il se trouve pourtant que par une remarquable coïncidence, les résultats d'une étude correspondant presque exactement à un tel test ont été publiés dans le *JAMA* environ un an et demi après la publication des directives de 2001[11]. Cette étude sur les traitements antihypertenseurs et hypolipidémiants dans la prévention des crises cardiaques, appelée ALLHAT-LLT, avait été conçue au début des années 1990 d'une façon telle qu'elle a fourni opportunément un test presque parfait pour mesurer l'effet de l'extension de l'usage des statines, même si ce n'était pas son but.

À partir de 1994, l'ALLHAT-LLT a recruté pour une étude très habilement conçue plus de 10 000 patients souffrant d'un risque accru de maladie cardiaque – un nombre égal d'hommes et de femmes de 55 ans et plus, dont les facteurs de risques de maladie cardiaque auraient valu à 90 % des hommes et à 75 % des femmes de se voir prescrire des statines selon les nouvelles recommandations de 2001. Les patients recevaient au hasard une statine réduisant le cholestérol (du Pravachol®, commercialisé en France sous le nom d'Elisor®) ou les soins ordinaires de leur médecin en laissant les dés de la thérapie médicamenteuse tomber où ils voulaient. Au bout de quatre ans, 80 % du groupe Pravachol prenaient encore une statine (20 % avaient arrêté à cause des effets secondaires ou pour des raisons non précisées) et 17 % du groupe « soins ordinaires » avaient commencé un traitement de réduction du cholestérol conseillé par leurs médecins. C'était un test parfait pour voir à quel point la maladie cardiaque pouvait être évitée en augmentant considérablement le nombre d'Américains traités par statines.

L'étude révéla qu'en quadruplant le nombre de personnes sous statines on ne réduisait pas le nombre de maladies cardiaques et on ne réduisait pas non plus le risque de décès. Il n'y avait aucun intérêt à augmenter le nombre de patients sous statines au-delà de la norme du milieu des années 1990 : ni pour les individus âgés de 55 à 65 ans ou davantage, ni pour les hommes ou les femmes, ni pour ceux qui souffraient ou non de diabète, ni pour ceux qui étaient atteints ou non de maladie cardiaque, et parmi ceux qui n'avaient pas de maladie cardiaque, pas non plus pour ceux dont le taux de cholestérol LDL était supérieur ou inférieur à 130 mg/dl. Le seul groupe qui avait tiré un avantage significatif des statines supplémentaires était celui des Afro-Américains, chez qui on observa moins d'épisodes de maladie cardiaque, mais pas moins de morts.

Si la science médicale progressait réellement en intégrant les données scientifiques produites par de grandes études cliniques, les résultats d'ALLHAT-LLT qui prouvaient que ce n'était pas une si bonne idée de faire passer de 13 à 36 millions le nombre d'Américains sous statines auraient dû recueillir beaucoup d'attention. Le *Wall Street Journal* fut pourtant, à ma connaissance, le seul grand quotidien à y faire écho[12]. Pour le reste, il semble y avoir eu une sorte de black-out dans la presse. Dans les revues médicales, les résultats de

---

Multiplier par 4 le nombre d'individus sous statines – soit à peu près la proportion recommandée par les nouvelles directives de 2001 sur le cholestérol – n'apportait aucun bénéfice supplémentaire.

l'étude furent largement rejetés par les experts au motif que tant de patients du groupe « soins ordinaires » avaient été mis sous statines (17 %) que la différence de taux de cholestérol entre le groupe Pravachol et le groupe « soins ordinaires » n'était pas suffisante pour mettre en valeur les bénéfices des statines. Mais c'était là justement l'intérêt de l'étude. Les patients à haut risque traités par leurs propres médecins selon les critères en vigueur au milieu des années 1990 tiraient déjà un bénéfice maximal du traitement par statines. Multiplier par 4 le nombre d'individus sous statines – soit à peu près la proportion recommandée par les nouvelles directives de 2001 sur le cholestérol – n'apportait aucun bénéfice supplémentaire.

Le cardiologue qui écrivit l'éditorial accompagnant la publication des résultats de l'étude ALLHAT-LLT dans le *JAMA* concluait :

> Les médecins pourraient être tentés de conclure que cette grande étude démontre l'inefficacité des statines ; **leur efficacité est pourtant bien connue**[13].

Bravo pour la « médecine basée sur les preuves » ! Au demeurant, il se trompait. L'étude n'incitait pas les médecins à penser que les statines étaient inefficaces, mais simplement que multiplier par 4 le nombre de personnes sous statines n'apportait aucun avantage supplémentaire. Il se trouve que l'éditorialiste en question était l'un des 14 auteurs des recommandations de 2001 sur le cholestérol. Son éditorial fut publié avec une courte biographie comprenant les déclarations de conflits d'intérêts suivants :

> Il a été conférencier pour le compte de Merck, Merck/Schering-Plough, Kos, Pfizer, and Bristol-Myers Squibb/Sanofi ; il a été consultant ou membre du conseil consultatif chez Merck, Pfizer Health Solutions, AstraZeneca, Kos, Johnson & Johnson-Merck, et Bristol-Myers Squibb/Sanofi ; et il a reçu une bourse de recherche de Merck-Medco.

DE MAL EN PIS : L'ACTUALISATION DES DIRECTIVES DE RÉDUCTION DU CHOLESTÉROL EN 2004

Le 12 juillet 2004, le National Cholesterol Education Program (NCEP) du National Heart, Lung and Blood Institute publia des recommandations actualisées pour la « gestion du cholestérol[14] » qui intégraient les résultats de 5 études rendues disponibles depuis la publication des recommandations de 2001.

Ce rapport du NCEP abaissait encore plus le seuil à partir duquel il était recommandé d'envisager un traitement par statines. Au lieu de recommander cette thérapie comme prévention primaire chez les individus présentant 10 % à 20 % de risques de développer une coronaropathie au cours des dix années à venir et ayant un taux de cholestérol LDL supérieur ou égal à 130 mg/dl, les directives actualisées recommandaient que tous les individus à ce niveau de risque (y compris les femmes) se voient proposer l'« option thérapeutique » d'une réduction du cholestérol par statines quand leur taux de LDL se situait entre 100 et 129 mg/dl. L'adoption de ces nouveaux seuils signifiait que des millions d'Américains supplémentaires devenaient susceptibles de recevoir un traitement par statines.

Parmi les 5 nouvelles études devenues disponibles depuis la publication des directives de 2001, seule l'étude ASCOT[15] prenait spécifiquement en compte l'avantage des statines pour les femmes à multiples facteurs de risques et n'ayant jamais souffert de maladie cardiaque. Or le traitement par statines n'aidait pas les femmes de cette étude : les femmes traitées avec de l'atorvastatine développaient 10 % de maladies cardiaques *en plus* que les femmes du groupe de contrôle (chiffre non statistiquement significatif). Et pourtant, même s'il n'y avait toujours pas de données significatives dans les essais cliniques randomisés indiquant que les femmes ne souffrant pas encore de maladie cardiaque tiraient un avantage des statines, ce traitement était désormais une « option » pour les femmes ayant un taux de LDL supérieur ou égal à 100 mg/dl (au lieu de 130 mg/dl en 2001).

Les recommandations actualisées, publiées dans la revue *Circulation*, ne déclaraient aucun lien financier entre les 9 auteurs et les fabricants de médicaments. Mais l'organisation quasi publique qui publie les recommandations de bonne pratique clinique dévoila par la suite que 8 des 9 auteurs avaient des liens financiers avec des entreprises pharmaceutiques[16].

2004 vit également la publication de directives spécifiques pour la prévention des maladies cardio-vasculaires chez les femmes sous l'égide de nombreux organismes, dont l'American Heart Association et le National Heart, Lung and Blood Institute[17]. Bien que se prétendant « basées sur les preuves », ces directives répétaient l'affirmation infondée avancée dans les directives 2001 du NCEP, selon laquelle des essais cliniques auraient montré que le traitement par statines est bénéfique pour la prévention primaire chez les femmes ayant 10 % à 20 % de risques de contracter une maladie cardiaque au cours des dix années à venir et un taux de cholestérol LDL supérieur ou égal à 130 mg/dl. Les directives pour les femmes furent rééditées en 2007 avec la même recommandation dénuée de tout fondement scientifique[18].

LE POUVOIR L'EMPORTE SUR LA SCIENCE

Certains lecteurs feront sans doute preuve de scepticisme à l'égard de la critique apparemment partiale des directives américaines présentée ci-dessus : « Pas soumis à un comité de lecture ! » « Simple opinion d'un cholestérolo-sceptique ! » « Un râleur anti-P*h*RMA ! ». Il se trouve qu'avec Jim Wright[19], nous avons avancé en 2007 les mêmes conclusions dans un commentaire paru dans une revue à comité de lecture, *The Lancet*, sous le titre « Les recommandations en matière de traitement hypolipémiant sont-elles basées sur des preuves ? » :

> À l'appui du traitement par statines pour la prévention primaire de cette maladie chez les femmes et chez les plus de 65 ans, les directives citent respectivement 7 et 9 essais randomisés. Pourtant, aucune des études ne fournit de telles données[20].

Notre commentaire notait aussi que les essais cliniques de prévention primaire pour lesquels les données étaient disponibles avaient montré que ni le risque global de mort ni le risque de maladie grave n'étaient réduits par le traitement par statines. Nous signalions en outre que les essais de prévention primaire pour lesquels des données étaient disponibles incluaient 10 990 femmes et montraient que les statines n'entraînaient aucune réduction du nombre d'incidents liés à des coronaropathies.

Je m'attendais naïvement à ce qu'une fois la vérité publiée dans l'une des principales revues médicales de la planète, le manège de la prescription de statines cesse de tourner. Je me trompais. Le monde médical n'en a pratiquement pas pris note.

2011 : UN RÉPIT TEMPORAIRE POUR LES DONNÉES SCIENTIFIQUES

Une sorte de percée fut réalisée en 2011 avec l'actualisation des directives de réduction du cholestérol pour les femmes. Sans tambour ni trompette, en petits caractères, on annonça que le traitement par statine n'était plus recommandé pour les femmes présentant moins de 20 % de risques de contracter une maladie cardiaque au cours de la décennie à venir[21] (une infime fraction des femmes auxquelles les statines avaient été recommandées pour la prévention primaire présente 20 %).

Également en 2011, le Cochrane Heart Group actualisa le bilan qu'il avait effectué en 2007 des traitements par statines pour la prévention primaire des maladies cardio-vasculaires[22]. Évoquant l'intérêt des statines pour la prévention primaire des coronaropathies, le texte concluait :

> Seuls quelques exemples limités ont montré que la prévention primaire à l'aide de statines pouvait avoir un rapport coût-efficacité favorable et améliorer la qualité de vie du patient. Il faut donc se montrer prudent lorsqu'on prescrit des statines en prévention primaire à des sujets présentant un risque cardio-vasculaire faible[23].

Ce document soulignait que les données existantes ne justifiaient pas le recours aux statines pour les individus présentant un risque de maladie cardiaque inférieur à 2 % par an (c'est-à-dire < 20 % de risques dans la décennie à venir). Les recommandations du bilan Cochrane et les directives américaines pour les femmes s'accordaient donc : le traitement par statines n'était plus recommandé pour les personnes présentant moins de 20 % de risques de contracter une coronaropathie au cours des dix années à venir.

2012-2013 : RECHUTE

La démolition des recommandations du bilan Cochrane 2011 commença dès 2012 avec la publication dans *The Lancet* d'une méta-analyse qui examinait l'effet du traitement par statines dans 27 essais randomisés[24]. L'article concluait que les bénéfices de mettre sous statines les sujets à risque modéré de maladie cardiovasculaire (< 20 % de risques au cours de la décennie à venir) « dépassent considérablement les risques connus ». Les auteurs calculaient que le traitement par statines pourrait empêcher 11 « accidents vasculaires majeurs » (crise cardiaque, AVC ou procédure de revascularisation) sur 1 000 personnes à risque modéré traités pendant cinq ans. Le bénéfice, selon cet article, serait à peu près 20 fois supérieur au risque de développer des symptômes musculaires ou du diabète. Mais cette analyse présentait deux problèmes majeurs : les avantages du traitement par statines étaient énormément exagérés et les risques énormément minimisés.

La mesure des résultats se limitait aux accidents cardio-vasculaires, résultats qui peuvent souvent être biaisés (les études étaient censées être faites en double aveugle, mais l'attribution des traitements aux patients ne pouvait pas être aveugle puisque ceux qui étaient mis sous statines avaient forcément un niveau de cholestérol LDL et un niveau total de cholestérol bien inférieurs à ceux mis sous placebo). Mais surtout, réduire le risque d'accidents cardio-vasculaires ne présente un bénéfice important que s'il s'accompagne d'une amélioration générale de la santé. Or les données de la méta-analyse montrent que le traitement par statines ne réduit pas significativement le risque général de mort chez les personnes présentant un risque modéré de maladie cardio-vasculaire (< 20 % au cours de la décennie à venir). Chez ces personnes, le traitement par statines ne réduit pas non plus la possibilité d'événements dramatiques : mort, hospitalisation, prolongation de l'hospitalisation, cancer, handicap permanent. Donc, même si les auteurs revendiquent un léger bénéfice sous la forme d'une réduction du risque d'accident cardio-vasculaire (selon leur calcul, 91 personnes doivent être mises sous statines pendant cinq ans pour empêcher 1 accident cardio-vasculaire), on ne constate aucune réduction globale du risque de mort ou de maladie grave. À quoi bon prendre une statine pour abaisser le cholestérol si l'on échange simplement le risque d'accidents cardio-vasculaires contre le risque d'autres maladies graves ? Prétendre que le rapport coût-efficacité est favorable sur la base d'une

---

À quoi bon prendre une statine pour abaisser le cholestérol si l'on échange simplement le risque d'accidents cardio-vasculaires contre le risque d'autres maladies graves ?

petite réduction du risque cardio-vasculaire n'a aucun sens s'il n'y a pas réduction générale des maladies graves.

De plus, le traitement par statines est loin d'être aussi inoffensif que l'affirment les auteurs de cette méta-analyse. Le problème est que les auteurs de la méta-analyse se sont fiés aux données sur les effets secondaires fournies par les essais cliniques, alors que tous ces essais sauf un ont été financés par des entreprises pharmaceutiques. Il n'est évidemment pas dans l'intérêt des sponsors commerciaux d'inclure dans leurs essais cliniques des populations présentant un risque d'effets secondaires indésirables ou de concevoir leurs études de telle sorte que les effets secondaires des médicaments qu'ils fabriquent soient minutieusement répertoriés. Une étude s'appuyant sur les statistiques de santé aux États-Unis (plutôt que sur les effets secondaires signalés dans les essais cliniques) a montré que, sous statines, des symptômes musculaires apparaissent chez 53 patients sur 1 000, soit 100 fois plus souvent que ne l'indiquaient les essais cliniques inclus dans la méta-analyse[25]. De même, dans le cadre de l'essai JUPITER, les patients sous statines étaient beaucoup plus susceptibles de développer du diabète que ceux sous placebo : 16 patients sur 1 000 sur une période de cinq ans. Pour les femmes, le risque de contracter le diabète durant un traitement par statine était plus grand encore, puisqu'il équivalait à 28 nouveaux cas sur 1 000 femmes traitées sur une période de cinq ans[26].

Les 27 essais cliniques inclus dans la méta-analyse montraient que le traitement par statines pour les personnes présentant un risque modéré de maladie cardio-vasculaire ne réduisait pas le risque général de mort ou de maladie grave, et que le risque de diabète et de symptômes musculaires (sans même parler des problèmes cognitifs, des difficultés sexuelles, de la fatigue, de la neuropathie, etc.) était plus grand que la possibilité d'éviter une maladie cardio-vasculaire.

La publication de cette méta-analyse réalisée par les CTT (Cholesterol Treatment Trialists) était accompagnée dans *The Lancet* par un éditorial intitulé «Des statines pour tous à 50 ans?». Prenant pour argent comptant les conclusions des CTT, cet éditorial affirmait que la méta-analyse devrait «dissiper toute incertitude quant aux possibles effets négatifs des statines[27]». Pourtant, en l'absence de réduction de la mortalité d'ensemble et des événements dramatiques, cette assurance sonne particulièrement creux. L'éditorial prétendait aussi que l'analyse des CTT devrait « rassurer les généralistes et les inciter à prescrire de plus fortes doses de statines pour obtenir de plus grands bénéfices ». Pas plus que d'autres, cette analyse ne précise si les bénéfices liés à de plus fortes doses l'emportent sur les effets secondaires indésirables connus.

Suite à cette méta-analyse de 2012 qui surestimait les bénéfices et minimisait les inconvénients du traitement par statines chez les personnes présentant un risque modéré de maladie cardio-vasculaire, le bilan Cochrane révisa radicalement sa recommandation :

> Notre conclusion précédente, qui incitait à la prudence dans le recours aux statines pour les personnes présentant un risque modéré d'accidents cardio-vasculaires, n'est plus tenable à la lumière des résultats obtenus par les CTT[28].

Et ceci encore :

> Les récents résultats de l'étude des Cholesterol Treatment Trialists basés sur une méta-analyse des données individuelles des patients indiquent que ces avantages sont similaires chez les personnes présentant un risque moindre (< 1 % par an) d'accident cardio-vasculaire majeur.

S'appuyant sur les conclusions de la méta-analyse des CTT, le bilan Cochrane envisage tranquillement la possibilité de traiter « par statines la majorité des plus de 50 ans ». Cela serait une prescription radicale pour un traitement qui en ce qui concerne les personnes à risque modéré de moins de 2 % par an n'a aucun bénéfice général prouvé pour la santé et entraîne des effets secondaires importants qui restent à être quantifiés.

QUE DOIVENT FAIRE MÉDECINS ET PATIENTS ?

Pourquoi les médecins acceptent-ils une telle déformation des faits et de pareilles intrusions commerciales dans ce qui devrait être les normes inviolables de la médecine et des soins médicaux ? Premièrement, les médecins sont beaucoup trop occupés pour vérifier eux-mêmes l'intégrité scientifique des recommandations formulées dans les directives (à supposer même qu'on leur donne accès aux données primaires des essais cliniques, ce qui n'est tout simplement pas le cas). Cela laisse aux entreprises pharmaceutiques toute latitude pour influer de façon décisive sur les critères des soins médicaux et la façon dont les médecins sont « informés » des récentes évolutions de la médecine (notamment les « bonnes nouvelles » concernant les bienfaits des statines).

Deuxièmement, les relations financières entre les firmes pharmaceutiques et les experts qui définissent les normes en matière de soins sont désormais « business as usual » dans le monde médical américain. 59 % des experts qui participent à la rédaction de directives ont des liens financiers avec un fabricant de médicaments[29]. Le docteur Scott Grundy, président du panel qui a rédigé les directives sur le cholestérol en 2001 et 2004, a déclaré avoir reçu de l'argent de 10 entreprises pharmaceutiques alors qu'il supervisait en 2004 l'actualisation des directives sur la réduction du cholestérol[30]. Comme il l'expliquait au *Wall Street Journal* : « Vous avez le choix entre avoir des experts impliqués dans l'industrie et avoir des puristes, des juges impartiaux mais à qui manque l'expertise[31]. » C'est ce que dit le docteur Grundy, mais ce n'est tout simplement pas vrai. Beaucoup de médecins et de scientifiques sans lien avec les entreprises pharmaceutiques ont l'expertise nécessaire pour participer à ces panels. Ce qui les disqualifie, ce n'est pas un manque d'expertise, mais le fait que leurs opinions n'ont pas été « filtrées » et seraient donc peut-être indésirables pour les fabricants de médicaments.

Interrogé sur les raisons pour lesquelles toutes ces directives rejettent toute approche plus équilibrée de la prévention des maladies

---

Des interventions efficaces, peu coûteuses et facilement accessibles – faire de l'exercice presque tous les jours pendant au moins 20 minutes et adopter un régime alimentaire de type méditerranéen – sont abandonnées au profit de remèdes médicamenteux dont les avantages n'ont pas été prouvés et qui ont parfois des effets néfastes.

cardiaques, le docteur Walter Willett, professeur d'épidémiologie et de nutrition à la Harvard School of Public Health, a répondu :

> Les entreprises pharmaceutiques sont extrêmement puissantes. Elles consacrent d'énormes efforts à promouvoir les avantages de ces médicaments. Il est plus facile pour tout le monde d'aller dans ce sens. Il n'existe aucun grand secteur industriel pour encourager les gens à arrêter de fumer ou à mieux se nourrir[32].

Voici donc le résultat final des recommandations de bonne pratique sur le cholestérol : des médecins compétents et attentionnés, qui tentent d'offrir les meilleurs soins possible à leurs patients, sont induits en erreur et induisent à leur tour leurs patients en erreur. Des interventions efficaces, peu coûteuses et facilement accessibles – faire de l'exercice presque tous les jours pendant au moins 20 minutes et adopter un régime alimentaire de type méditerranéen – sont abandonnées au profit de remèdes médicamenteux dont les avantages n'ont pas été prouvés et qui ont parfois des effets néfastes (diabète, symptômes musculaires, problèmes cognitifs, problèmes neurologiques et dysfonctionnement sexuel).

Une part considérable des milliards dépensés pour ces médicaments pourrait servir à aider les personnes à changer de mode de vie, à améliorer leur qualité de vie, leur santé et leur longévité. Ce problème met en relief la question suivante : le but fondamental des soins médicaux et de la recherche médicale devrait-il être de servir les intérêts des compagnies pharmaceutiques et de l'industrie médicale avant de servir la santé publique ? L'évolution des recommandations de bonne pratique en matière de réduction du cholestérol depuis 2001 montre bien à quel point la balance penche désormais en faveur des intérêts des compagnies pharmaceutiques.

18
Lancer de fausses alertes :
la pandémie de grippe H1N1 *

WOLFGANG WODARG

Il n'y a pas que les seuils du cholestérol ou de l'hypertension qui peuvent être opportunément manipulés par les experts des autorités de santé nationales ou internationales. Il en va de même des seuils à partir desquels celles-ci lancent des alertes sanitaires. Le 11 juin 2009, Mme Margaret Chan, la secrétaire générale de l'Organisation mondiale de la santé, fit une déclaration solennelle devant les médias du monde entier : « J'ai consulté des spécialistes mondiaux de la grippe, des virologistes et des responsables de santé publique. [...] j'ai demandé l'avis d'un Comité d'urgence mis sur pied dans ce but. Sur la base des données disponibles et de l'évaluation de ces données par les experts, il apparaît que les critères pour une pandémie grippale sont remplis. [...] Le monde est aujourd'hui confronté au début de la pandémie grippale de 2009. »

On connaît la suite. Un an plus tard, alors que les projections de l'OMS prévoyaient 2 milliards de cas de grippe H1N1 (aussi appelée « grippe porcine »), celle-ci avait fait dix fois moins de victimes que la banale épidémie de grippe annuelle, laissant les gouvernements de la planète avec des hangars remplis de vaccins et d'antiviraux inutilisés. Le secret qui entoure la composition du

* Traduit de l'allemand par Fabrice Malkani.

« Comité d'urgence » qui avait conseillé Margaret Chan n'a jamais été levé, malgré les multiples demandes de la part de journalistes, de parlementaires et d'organisations non gouvernementales. On peut toutefois raisonnablement penser que plusieurs de ces experts étaient les mêmes que ceux de la commission qui avait élaboré cinq ans plus tôt les « Directives de l'OMS concernant l'usage de vaccins et d'antiviraux durant les pandémies grippales » – commission dont les principaux membres avaient tous des liens financiers avec Roche et GlaxoSmithKline, fabricants desdits vaccins et antiviraux.

Wolfgang Wodarg raconte dans ce qui suit l'incroyable arnaque planétaire qui a permis à des compagnies pharmaceutiques de vendre des millions de médicaments qui se sont avérés parfaitement inutiles. Wolfgang Wodarg est médecin épidémiologiste et membre du Parti social-démocrate allemand. Il a été député au Bundestag allemand, puis à l'Assemblée parlementaire du Conseil de l'Europe, où il a présidé la Commission pour la santé. L'un des tout premiers à avoir émis des doutes sur la gravité de la grippe H1N1, il est à l'origine de l'enquête parlementaire sur le rôle des compagnies pharmaceutiques dans l'alerte de pandémie lancée par l'OMS, qui a conclu à de graves conflits d'intérêts au sein de l'agence sanitaire.

LA PANDÉMIE, UNE IDÉE QUI PEUT RAPPORTER GROS

Pour augmenter les ventes de leurs médicaments et vaccins brevetés contre la grippe, des entreprises pharmaceutiques ont usé de leur influence sur des scientifiques et des organismes officiels compétents en matière de normes pour la santé publique afin de créer un état d'alerte auprès des gouvernements du monde entier. Elles les ont poussés à utiliser des ressources limitées en matière de santé pour des stratégies de vaccination inefficaces et à exposer des millions de personnes bien portantes au risque d'effets secondaires inconnus provoqués par des vaccins insuffisamment testés.

Il est probable que la campagne contre « la grippe aviaire » (2005-2006), en lien avec la campagne contre la « grippe porcine », a considérablement nui non seulement à certains patients vaccinés et aux budgets alloués à la santé publique, mais également à la crédibilité d'importantes agences de santé internationales. La définition de pandémies justifiant une alerte ne doit pas subir l'influence de fabricants de médicaments.

Les États membres du Conseil de l'Europe doivent exiger sans délai des enquêtes sur ces faits à l'échelle nationale et européenne.

Tels étaient les termes de la motion que j'ai présentée devant le Conseil de l'Europe à Strasbourg en décembre 2009 avec le soutien de 13 autres députés issus de 9 pays. Elle portait le titre « Fausse pandémie – une menace pour la santé[1] » et exigeait une enquête sur les processus qui avaient conduit à la première proclamation de pandémie par l'Organisation mondiale de la santé (OMS/WHO) à Genève. Une « pandémie » qu'on pouvait dès la fin de l'été identifier en Europe comme une simple grippe, mais qui a continué jusqu'à une date avancée de l'année 2010 à être opiniâtrement présentée par l'OMS et par de nombreux experts nationaux et médias comme une dangereuse épidémie.

ALERTE À LA FAUSSE ALERTE

L'initiative que nous avons prise auprès du Conseil de l'Europe nous a semblé, en tant qu'auteurs de la motion, constituer la seule façon d'attirer la nécessaire attention du public sur une dérive déjà remarquée quelques années auparavant. Les bornes ont été franchies avec la proclamation d'une « pandémie » le 11 juin 2009 par la secrétaire générale de l'OMS, Margaret Chang.

Parallèlement au rapporteur du Conseil de l'Europe, mon collègue Paul Flynn[2], ce sont surtout les journalistes du *British Medical Journal* (*BMJ*) Deborah Cohen et Philip Carter, ainsi que les scientifiques Tom Jefferson (Collaboration Cochrane) et Peter Doshi (université Johns Hopkins) qui ont très tôt mis au jour les ressorts de l'affaire.

Après la parution entre-temps de nombreuses publications concernant la pandémie H1N1, et maintenant que le rapport d'évaluation de l'OMS est disponible et que des quantités énormes de vaccins et médicaments antigrippaux non utilisés sont périmés, ont été vendus à des pays pauvres ou, pour la plus grande part, détruits, je voudrais décrire ici comment on a pu en arriver à cet immense gaspillage et aux dérives des autorités chargées de la santé mondiale (l'OMS), et quel rôle les différents acteurs et organisations ont joué en coulisses.

Les autorités sanitaires, l'OMS, l'industrie pharmaceutique en tant qu'acteur économique, la science avec ses sociétés savantes, ses instituts et ses experts, les médias sans lesquels nous n'aurions rien remarqué de tout cela et, *last not least*, les politiques qui doivent tout autant se soucier de la santé de l'économie que de celle de la population ou de la liberté de la science et des médias – tous ont leur part de responsabilité dans cette dérive.

LA « GRIPPE », UNE AFFAIRE DE ROUTINE

Avant d'être élu en 1994 au Parlement fédéral allemand (Bundestag), j'étais directeur exécutif d'un service de santé publique dans le nord de l'Allemagne. La prévention et la lutte contre les maladies infectieuses, leur épidémiologie, l'examen des arguments pour ou contre les vaccinations, les conseils donnés à la population et aux institutions responsables, tout cela faisait partie pour moi de la routine quotidienne.

Il y a eu des années comme en 1986 ou 1990 où de très nombreuses personnes se plaignaient de ce que l'on appelait des infections « grippales[3] » accompagnées de fièvre, de douleurs et surtout de difficultés respiratoires. En tant que médecin interniste qui s'était spécialement occupé des maladies respiratoires, ma mission consistait alors à évaluer si des jardins d'enfants ou des écoles devaient être fermés, à estimer quelles vaccinations il convenait de conseiller à quelles personnes, ou encore si le maire ne ferait pas mieux de différer sa réception du Nouvel An afin que la maladie ne se propage pas également à l'hôtel de ville.

Comme il n'existait pas encore de veille épidémiologique systématique à l'échelle nationale ou internationale concernant les infections grippales saisonnières, je m'étais constitué mon propre instrument d'évaluation de ce risque d'infection. L'une de mes collaboratrices était chargée de téléphoner systématiquement tous les lundis matin aux mêmes médecins, pédiatres, hôpitaux, entreprises, écoles, jardins d'enfants et administrations et de poser toujours les mêmes questions dont nous étions convenus auparavant. Nos questions concernaient les absences dues aux maladies, éventuellement les cas présentant les symptômes typiques de maladies des voies respiratoires accompagnées de fortes fièvres, et nous demandions parallèlement à ce qu'on évalue si de tels cas étaient survenus peu souvent, souvent ou très souvent, et quelle avait été l'évolution du nombre de cas depuis la dernière enquête. Grâce à cette veille conçue sur mesure, il était possible d'évaluer en une demi-journée et de manière relativement fiable la probabilité de propagation d'une infection grippale dans une région d'environ 150 000 habitants.

LA « GRIPPE » EST CAUSÉE PAR PLUSIEURS VIRUS, MAIS L'INDUSTRIE NE MISE QUE SUR CELUI DE L'INFLUENZA

Il existe quelques études qui évaluent la part prise par les différents virus à de telles infections grippales. Ce point est important car ce qui est couramment et familièrement appelé « grippe » est loin d'être toujours une véritable grippe. Selon Tom Jefferson[4], à peine 10 % des maladies ressemblant à une grippe sont causées par le virus influenza de type A, B ou C.

Les médicaments contre l'influenza comme le Tamiflu® de la firme Hoffmann-La Roche (Roche) ou le Relenza® de GlaxoSmithKline (GSK), mais aussi les vaccins contre la « grippe » – si toutefois ils étaient véritablement efficaces – ne pourraient donc de toute façon offrir de protection que dans un minimum de cas contre ces maladies qui surviennent généralement durant les saisons froides. Les rhinovirus, les coronavirus, les RSV ou d'autres virus qui n'ont pas été observés plus précisément provoquent des syndromes semblables. Mais pour les contrer, il n'y a pas d'autre moyen que la thérapie symptomatique et il n'existe aucune vaccination.

UN MONDE ENCERCLÉ PAR DES AS DE LA MUTATION VIRALE

Il faut préciser que les trois types authentiques de grippe – tout comme d'autres virus, d'ailleurs – doivent sans cesse se doter de nouvelles enveloppes, donc de nouvelles structures superficielles, afin de pouvoir duper leurs hôtes. Les virus grippaux reconnus par notre système immunitaire n'ont aucune chance de se multiplier. La sélection naturelle décrite par Darwin s'effectue toutefois parmi ces micro-organismes à une vitesse foudroyante, de sorte que nous pouvons nous attendre presque chaque année à de nouveaux virus de grippe « déguisés ». C'est également pour cette raison que les vaccins contre l'influenza ciblent toujours plusieurs virus parmi ceux qui sont en circulation et doivent généralement préparer notre système immunitaire avec trois antigènes de surface différents.

Pour survivre, les virus grippaux doivent voyager autour du monde et se créer sans cesse de nouvelles structures (par «réassortiment»). Lorsque c'est l'hiver en Australie, on peut déjà voir quels sous-types et quelles variantes sont en chemin et inquiéteront six mois plus tard l'hémisphère nord – et inversement.

L'OMS a publié fin avril 2009 un plan par étapes qui faisait précisément de cette caractéristique, à partir de l'étape 4, le facteur essentiel de déclenchement d'une alerte mondiale à la pandémie[5]. Par conséquent, si l'on suit l'OMS, nous aurions une pandémie quasiment permanente. En réponse à une question de ma part portant sur ce point, M. Fukuda, représentant de l'OMS lors de l'audition à Strasbourg, a opiné et ajouté que ce pouvait parfaitement être le cas mais que cette question devait encore être examinée.

L'OMS SE LAISSE ACHETER

L'OMS, en tant qu'instance supérieure de surveillance des épidémies, a acquis par le passé de grands mérites dans son combat pour l'éradication des maladies contagieuses. Elle a également conduit une action héroïque contre l'ennemi numéro un de la santé dans le monde : sans le combat mené avec beaucoup d'énergie par Gro Harlem Brundtland contre le lobby du tabac et ses protagonistes vénaux dans les milieux de la science, des médias et de la politique, nous ne disposerions pas aujourd'hui de cet instrument hautement efficace qu'est la Convention-cadre internationale pour la lutte antitabac.

À la fin des années 1970, l'OMS s'est élevée héroïquement contre la manière dont l'industrie du lait en poudre supplantait de plus en plus l'allaitement dans les pays en voie de développement. Elle a aussi œuvré pour la création d'une liste des médicaments essentiels dont l'accès devait être garanti aussi aux pays pauvres. Aux États-Unis, ces deux projets ont irrité les lobbyistes des industries locales concernées. Les États-Unis ont alors estimé que leurs intérêts économiques étaient supérieurs à ceux de la santé publique et ont supprimé en signe de protestation leur participation financière à l'OMS[6].

L'économie repose sur un code irrévocable. Elle vit de la concurrence pour la vente de la plus grande quantité possible de produits et de services dans le but d'un gain privé le plus élevé possible. Les groupes pharmaceutiques, eux aussi, ne produisent pas leurs médicaments ou leurs vaccins en premier lieu parce que les malades en ont besoin, mais parce que ces médicaments doivent être commercialisés afin de rapporter un bénéfice. Ces groupes sont pour la plupart des sociétés par actions et doivent faire ce que les investisseurs attendent d'eux : ils doivent faire fructifier au mieux le capital qui a été investi. De telles firmes ne peuvent donc être mobilisées pour les problèmes de santé dans les pays pauvres que si elles peuvent en attendre aussi un profit.

Or l'OMS était régulièrement à court d'argent et elle était considérée par de nombreux organes d'État comme une contrainte gênante. Conformément à la directive « Global Compact » du secrétaire général de l'ONU Kofi Annan, la secrétaire générale de l'OMS, Gro Harlem Brundtland, a commencé par conséquent à lancer l'idée d'un partenariat public-privé (PPP) dans le secteur de la santé. Lors du forum économique de Davos en 2001, elle invita expressément les directeurs de firmes qui s'y trouvaient réunis à un partenariat. Elle évoqua une excellente opportunité d'échange pratique d'expériences qui pourrait inspirer aux entreprises la poursuite d'un engagement public. Elle serait heureuse, dit-elle, de soutenir une telle initiative pour l'OMS[7].

Pourtant, le Centre transnational de ressources et d'action (Transnational Resource and Action Center – TRAC – www.corpswatch.com) publia dès septembre 2000, sous le titre « Tangled up in Blue[8] », un rapport alarmant mettant en garde contre l'influence exercée par de grandes multinationales comme Bayer, Rio Tinto, Shell, Aventis, Novartis et d'autres sur les organisations dépendant des Nations unies.

Dans une évaluation de son PPP dans le secteur de la santé publiée en 2001 par l'OMS elle-même sous le titre « Partenariats public-privé dans le domaine de la santé : une stratégie pour l'OMS[9] », on trouve aussi une mise en garde insistante des auteurs Kent Buse et Amalia Waxman contre les préjudices possibles d'une telle coopération pour la santé publique et la crédibilité de l'OMS. Les auteurs décrivaient des exemples de conflits d'intérêts et de prises d'influence et recommandaient déjà à l'époque la plus grande prudence et une grande transparence lors de la coopération avec ces partenaires beaucoup plus puissants issus du monde de l'économie.

BIG PHARMA REDÉFINIT LA MALADIE

Big Pharma n'a évidemment pas manqué l'occasion d'instrumentaliser l'OMS pour ses propres intérêts. Le lobby des médicaments participe depuis cette époque aux discussions à Genève et a pu veiller plus efficacement à la création de nouveaux marchés pour ses médicaments en faisant en sorte d'éviter que ses monopoles sur les brevets ne soient remis en cause par des États plus pauvres ou par des pays émergents. De plus, l'industrie pharmaceutique a placé des experts dont elle est proche dans les commissions de l'OMS chargée d'établir les normes. Il lui a ainsi été possible d'exercer une influence directe sur les définitions à validité mondiale selon lesquelles un trouble ou une maladie doit être considéré comme nécessitant un traitement ou non. Ainsi, il semblerait que le lobby des médicaments a par exemple œuvré à un abaissement des valeurs normales concernant la pression artérielle afin de provoquer une augmentation considérable du nombre de patients nécessitant un traitement (voir plus haut p. 293)[10].

L'astuce consistant à acheter des experts pour influer sur les normes mondiales de santé a apparemment tellement bien fait ses preuves qu'elle pouvait être utilisée également pour le cas de l'influenza. La direction de l'OMS était consciente, au moins durant les premières années, du conflit d'intérêts fondamental entre la santé publique et l'économie, et elle a constamment essayé de neutraliser les conflits d'intérêts par des contre-mesures administratives. Mais plus récemment, sous la direction du docteur Margaret Chan, la pratique de ces « contrôles » a tourné de plus en plus à la farce, comme il ressort clairement d'un rapport du *British Medical Journal* de 2010[11].

ALARMER LES POPULATIONS[12], OU COMMENT FAIRE DE L'ARGENT AVEC L'AIDE DE LA PRESSE À SENSATION

On peut obtenir les prix les plus élevés pour les médicaments lorsque les patients se raccrochent au dernier espoir, c'est-à-dire lorsqu'ils sont prêts, dans leur peur et leur détresse, à donner leur fortune pour quelque chose qui soit susceptible de leur procurer un soulagement supplémentaire ou une guérison. C'est pourquoi les malades atteints d'un cancer et d'autres patients en proie à l'angoisse ou atteints de troubles chroniques douloureux constituent les groupes ciblés de façon privilégiée par l'industrie pharmaceutique.

Mais lorsque les patients n'éprouvent pas d'angoisse, il faut la créer de toutes pièces par le sensationnalisme, par des commentaires sans distance critique et des images choc. Comme nous le savons depuis la grippe aviaire, cette stratégie fonctionne apparemment aussi par le détour de la politique, dont les responsables se voient alors contraints de commander des médicaments et des vaccins pour leur population plongée dans l'angoisse.

Les médias de masse jouent alors un rôle de première importance en tant qu'auxiliaires du marketing de l'industrie pharmaceutique. Les politiques sont intéressés au premier chef par la conservation de leur pouvoir. Il leur faut donc tenir compte en permanence de ce que la majorité de leurs électrices et électeurs sont susceptibles d'attendre d'eux. Lorsqu'une campagne de marketing par la peur parvient à attiser suffisamment d'angoisse au sein de la population pour qu'elle attende majoritairement une intervention salvatrice du pouvoir politique, le marché est assuré et le cours des actions grimpe. Lors de conflits militaires, ce sont les actions de l'industrie de la sécurité et de l'armement. En cas de danger d'épidémie, c'est l'industrie pharmaceutique qui tire profit de cette « aide d'extrême urgence » dans laquelle elle s'est spécialisée.

Ce n'est évidemment pas un hasard si James Murdoch, le fils du grand patron de médias Rupert Murdoch, a été nommé en mai 2009 au conseil d'administration de GlaxoSmithKline, le fabricant du vaccin antigrippal Relenza[13]. La peur ne provoque pas seulement l'augmentation de la demande de médicaments mais aussi,

---

Ce n'est évidemment pas un hasard si James Murdoch, le fils du grand patron de médias Rupert Murdoch, a été nommé en mai 2009 au conseil d'administration de GlaxoSmithKline, le fabricant du vaccin antigrippal Relenza.

accessoirement, celle des tirages et des taux d'audience des médias qui diffusent cette peur.

POURQUOI LES VÉTÉRINAIRES JOUENT UN RÔLE CENTRAL DANS LE BATTAGE AUTOUR DE LA GRIPPE

Les experts ayant des liens financiers avec l'industrie pharmaceutique semblent parfois se livrer une véritable concurrence pour donner leur propre version des agents pathogènes les plus appropriés pour déclencher une campagne de peur. Les experts provenant de la médecine vétérinaire y jouent toujours un rôle de premier plan. C'est normal, car les étables de l'élevage industriel sont de véritables paradis pour les virus. Il y règne des conditions telles qu'on n'en voit quasiment plus parmi les populations humaines depuis l'époque de la grippe espagnole.

À l'époque, à la fin de la Première Guerre mondiale et dans les années qui suivirent immédiatement, des personnes affaiblies et affamées vivaient dans de nombreux pays parquées dans des abris de masse dépourvus d'hygiène. Elles offraient aux virus de l'influenza un terrain idéal pour leur multiplication et leur diffusion. De plus, les complications redoutées d'une infection virale aiguë par le biais d'infections bactériennes secondaires ou par la tuberculose n'ont pu être maîtrisées que beaucoup plus tard, après la Seconde Guerre mondiale, par l'utilisation progressive d'antibiotiques.

Au sein de l'élevage industriel, qui est relativement récent, et tout particulièrement dans les pays où le contrôle administratif est corrompu ou inexistant, il existe de nos jours des conditions très favorables au développement des virus et des agents pathogènes. Une infection par le virus de la grippe aviaire H5N1 par exemple n'y est que rarement repoussée par une défense immunitaire appropriée. À quelle occasion ces animaux auraient-ils bien pu développer une immunité contre des agents pathogènes puisqu'ils ne vivent généralement que quelques mois ou semaines jusqu'à leur abattage ? Même les porcs d'élevage ne vivent généralement pas plus de 9 mois. Les firmes pharmaceutiques et les vétérinaires disposent là d'un marché considérable et peuvent sans longues discussions éthiques procéder à leurs expériences dans un élevage industriel qui est de toute façon verrouillé et soustrait au regard public pour des raisons d'hygiène.

Dans ces installations où se trouvent des milliers d'animaux, les vétérinaires sont comme chez eux. Ils vaccinent et vendent des antibiotiques à tour de bras. La résistance aux antibiotiques et les germes pathogènes dangereux proviennent avant tout de ces foyers d'incubation dus à l'organisation perverse de notre système de production alimentaire. On trouve dans l'élevage industriel, tout particulièrement de la volaille, beaucoup plus de vaccins contre différents virus que dans la médecine humaine. Ces vaccins sont en partie des virus vivants affaiblis (atténués), mais qui se recombinent[14] en raison des conditions de l'élevage industriel et peuvent ainsi recouvrer leur fonction pathogène.

Dans de telles conditions, c'est tout particulièrement parmi les éleveurs de volailles peu protégés ou au système immunitaire affaibli qu'apparaissent régulièrement des zoonoses. On parle de zoonose lorsqu'une maladie qui ne se manifeste normalement que chez les animaux est transmise à l'homme sans que sa transmission d'un être humain à un autre ne constitue la règle.

Lors d'une première tentative pour tirer profit de la peur, on nous a fait croire, sur la foi de propos de vétérinaires de l'OMS, qu'une série de cas isolés de zoonoses de ce type en Asie et ailleurs devaient être interprétés comme le début probable d'une dangereuse propagation à l'espèce humaine de l'agent pathogène de l'influenza A du sous-type H5N1.

Albert Osterhaus, vétérinaire et virologiste à l'université Erasmus de Rotterdam, est le président du comité directeur du European Scientific Working Group on Influenza ou ESWI, un forum d'experts entièrement financé par l'industrie pharmaceutique. Il se fait volontiers appeler « Dr Flu » (Dr Grippe) et son laboratoire de haute sécurité est connu pour sa collection de virus exotiques et dangereux. Nous lui sommes redevables, à lui et aux collègues de sa corporation, de l'impression que les virus conservés dans leurs collections constitueraient le plus grave problème de santé de la communauté internationale. Pourquoi donc ? Philip Alcabes écrit à ce sujet dans son best-seller *Dread*[15] :

> Nous sommes censés être prêts à faire face à une pandémie d'un certain type d'influenza parce que les guetteurs de grippe, les gens qui vivent de l'étude du virus et qui ont besoin de drainer sans cesse des

fonds pour continuer à l'étudier, doivent persuader les agences qui fournissent ces fonds de l'urgence de combattre une épidémie imminente.

UN TRANSFUGE COMME GUETTEUR EN CHEF DE L'ÉPIDÉMIE

L'expert qui s'est imposé lors de la grippe aviaire de 2005 comme le guetteur en chef des épidémies auprès de l'OMS était le docteur Klaus Stöhr, un vétérinaire originaire de l'Allemagne de l'Est qui a travaillé de 2001 à 2006 en tant que coordinateur du programme mondial contre la grippe et ensuite comme premier conseiller (*Senior Adviser*) du développement du vaccin contre la pandémie de grippe de l'OMS. En 2007, il a quitté l'OMS pour aller directement chez le fabricant de vaccins Novartis.

Lui et son équipe de spécialistes de la grippe auprès de l'OMS avaient déjà misé sur le mauvais cheval deux ans auparavant à l'occasion du SRAS (syndrome respiratoire aigu sévère), ce qui est plutôt gênant. Au tournant des années 2002-2003, plusieurs infections aiguës des voies respiratoires avaient été signalées par les guetteurs de la grippe dans la province chinoise de Guandong, dont certaines ont été observées ensuite en mars 2003 lors de leur migration à travers Hanoi, Hongkong ou Singapour. Soupçonnés au début par l'OMS d'être dus au H5N1 (l'agent pathogène de la grippe aviaire), ces cas – pas même un millier – ont été ensuite décrits comme des infections par des coronavirus.

À l'époque déjà, les descriptions de l'OMS en disaient plus sur la manière d'observer l'irruption de la maladie que sur la situation épidémiologique elle-même. Il est bien évident que des mesures d'hygiène élémentaires, comme se laver les mains ou isoler provisoirement les

---

L'expert qui s'est imposé lors de la grippe aviaire de 2005 comme le guetteur en chef des épidémies auprès de l'OMS était le docteur Klaus Stöhr. En 2007, il a quitté l'OMS pour aller directement chez le fabricant de vaccins Novartis.

personnes infectées, peuvent très rapidement circonscrire localement une « pandémie de SRAS » menaçante et y mettre fin.

Ce sont avant tout les fabricants d'inhibiteurs de la neuraminidase, c'est-à-dire de Tamiflu et de Relenza, qui ont tiré profit de la panique créée par des experts de l'OMS autour de la grippe aviaire. Lorsque l'administration Bush s'est approvisionnée en Tamiflu pour près de 1,5 milliard de dollars afin de protéger la population des États-Unis du danger évoqué, il est rapidement apparu qu'un membre éminent de cette administration avait tiré un profit personnel non négligeable de cette affaire. C'était le ministre américain de la Défense Donald Rumsfeld, qui avant son entrée en fonction était encore président du conseil d'administration – et qui a continué ensuite d'être un gros actionnaire – du géant pharmaceutique Gilead-Sciences, détenteur du brevet de l'oseltamivir et donc bailleur de licence pour le très lucratif Tamiflu de Roche. Le groupe français Sanofi-Aventis a également tiré profit de ce marché fondé sur la peur. Dans un communiqué du 6 mars 2006, le groupe annonçait : « Sanofi fournit la matière première pour le Tamiflu[16]. »

Klaus Stöhr, le vétérinaire et guetteur en chef des épidémies auprès de l'OMS, fit des déclarations sensationnelles devant les caméras de la presse mondiale à propos d'oiseaux migrateurs qui allaient répandre la grippe aviaire tout autour de la planète. De la mer Baltique à la Méditerranée, on se mit donc en quête d'oiseaux sauvages morts susceptibles d'avoir été victimes du H5N1. On en trouva ici et là quelques exemplaires, dont le triste état fit la une de la presse à sensation. Or les oiseaux malades de la grippe ne peuvent justement plus voler sur de longues distances et ils ne peuvent donc pas entrer en ligne de compte comme propagateurs de l'épidémie – cet argument d'ornithologues réputés ne parvint pas à l'époque à se frayer un chemin dans la presse. Il n'y eut pas davantage d'écho au fait que chaque année de telles victimes de la grippe restent gelées sur le sol, sans que personne jusqu'ici ait manifesté le moindre intérêt pour ausculter de manière aussi intensive les oiseaux morts. On apprit entre-temps qu'il y avait des preuves concluantes que ce sont bien plutôt les transmissions par des vétérinaires, par des marchands et par le fourrage qui ont permis à l'agent pathogène H5N1 de commettre de grands dégâts dans quelques populations animales de l'élevage industriel.

DERNIERS PRÉPARATIFS EN VUE DE LA « PANDÉMIE »

En 1981, après l'extinction de la variole, le règlement sanitaire international (IHR) décidé en 1969, et auquel la plupart des États s'étaient conformés volontairement, avait été assoupli et ne concernait plus que 3 épidémies possibles au lieu de 6 comme auparavant : la peste, le choléra et la fièvre jaune. Pendant les années 1999-2009, le partenariat public-privé en matière de santé récemment mis en place donna lieu au sein de divers groupes de travail de l'OMS auxquels participait l'industrie à des projets beaucoup plus vastes de lutte contre les épidémies, coordonnés au niveau mondial.

La première pierre des nouvelles campagnes contre la grippe des années à venir fut posée dès le mois d'avril 1999. Un article intitulé « Plan contre la pandémie de grippe : rôle de l'OMS et directives pour une planification nationale et régionale » fut rédigé par des experts sponsorisés par l'industrie en coopération avec l'ESWI, le groupe de travail scientifique européen sur la grippe. L'ESWI est une organisation financée par les firmes pharmaceutiques[17] qui ont un intérêt économique majeur dans ce domaine. Cette organisation qui se donne pour scientifique a employé et payé des experts renommés comme Neil Ferguson, biomathématicien de l'Imperial College de Londres, Arnold S. Monto, ancien président de la Société américaine d'épidémiologie, Albert Osterhaus, vétérinaire et virologiste à l'université Erasmus de Rotterdam, Jonathan Van-Tam, professeur de protection sanitaire à l'université de Nottingham et collaborateur de longue date de Roche et SmithKline Beecham, ou encore Walter Haas, collaborateur de l'Institut Robert-Koch et épidémiologiste spécialiste des maladies infectieuses.

Tous étaient ou sont encore liés de manière étroite aux préparatifs de l'OMS contre la pandémie. Il faudrait établir une très longue liste pour citer ici tous les experts ès pandémies ayant des liens avec l'industrie pharmaceutique. Les publications citées plus haut du Conseil de l'Europe, du *British Medical Journal* et du rapport final du comité d'évaluation de l'OMS (Fineberg Report, avril 2011) fournissent une quantité importante d'informations à ce sujet.

De 1999 à aujourd'hui, d'innombrables sessions et réunions d'experts eurent lieu et donnèrent lieu à des procès-verbaux. Tous les participants étaient censés déclarer par écrit, avant les sessions, les conflits d'intérêts les concernant. Ces documents sont cependant exclusivement gérés par la direction et ont été, autant que possible, tenus sous clé par l'OMS lors des enquêtes. Il n'y a là nulle trace d'une pratique de la transparence.

En 2005, l'OMS décréta finalement le règlement sanitaire international actuellement valide (IHR 2), qui entra en vigueur en 2007. Il oblige tous les États membres qui n'ont pas opté expressément pour une autre solution à suivre les mesures ordonnées par l'OMS en cas de pandémie. En font partie également et surtout les mesures contre une pandémie de grippe.

En même temps, les États membres de l'OMS furent incités à mettre en œuvre une planification nationale contre les pandémies. Ce processus commença dans la plupart des pays en 2005-2006 en réaction à la grippe aviaire et au sentiment communiqué par l'OMS selon lequel « cette fois encore nous avons pu nous en sortir indemnes, mais... ».

La nervosité du lobby antigrippe provoqua une accélération des travaux après le SRAS et la grippe aviaire[18]. Sous le titre de la « Pandemic Preparedness », tout ou presque concernait cette maladie contre laquelle l'industrie promettait de fournir un antidote. À la fin, de manière générale, il ne s'agissait plus que de savoir qui produirait ces médicaments et quand, à qui et à quel prix ils pourraient être livrés. Au bout du compte les pays les plus pauvres devaient aussi avoir « accès au progrès ».

Le tourbillon médiatique créé autour d'une menace du H5N1, dont le caractère dangereux pour l'homme n'a jamais été démontré, avait suffi pour mettre en route le navire-tanker de la pandémie. Aucun représentant d'agence sanitaire nationale ou scientifique engagé dans ce processus n'avait la moindre chance de stopper ce marché gigantesque et de contrer la tendance majoritaire soutenue par l'industrie pharmaceutique. Les conflits d'intérêts des virologistes, biomathématiciens et autres experts concernés ont été rangés dans un tiroir et ignorés.

À partir de ce moment-là, il n'y avait plus qu'un mot d'ordre : l'arrivée d'une prochaine pandémie est certaine – nous ne pouvons simplement pas encore dire comment, quand ni où.

RECOURS À LA POLITIQUE

Simultanément, ce processus a été propulsé par tous ceux qui avaient soudain la possibilité de se trouver sous les feux de la rampe, face au public, en raison de la discussion animée alimentée par les médias sur les virus, l'estimation du risque, l'efficacité des vaccins, les résistances, les capacités de production, les divers avantages de la répartition des vaccins, etc.

Les plus hauts responsables politiques apportèrent aussi leur contribution. La chancelière allemande Angela Merkel fit don de 10 millions d'euros pris sur l'argent des contribuables à chacun des deux fabricants de vaccins, Novartis et GlaxoSmithKline, afin de stimuler la production de vaccins contre la pandémie. Le président Sarkozy se rendit au début du mois de mars 2009 à Mexico, quelques jours avant le début de la grippe porcine, pour y signer avec son homologue mexicain Calderón un contrat d'un montant de 100 millions d'euros pour une nouvelle usine de vaccins contre la grippe.

Tandis que presque partout dans le monde on suivait les avis des experts de l'OMS et qu'on paraphrasait les plans d'urgence en raison de la menace annoncée d'une possible pandémie[19], l'industrie pharmaceutique investissait – selon les déclarations de ses représentants lors de l'audition devant le Conseil de l'Europe à Strasbourg – quelque 4 milliards de dollars dans la fabrication et la mise à disposition des médicaments et vaccins pour l'événement attendu.

Pendant la dernière semaine de session du Parlement allemand en juillet 2009, lors d'une réunion de groupe, j'avais conjuré la ministre allemande de la Santé, Mme Ulla Schmidt, de ne pas se laisser piéger

---

Le président Sarkozy se rendit au début du mois de mars 2009 à Mexico, quelques jours avant le début de la grippe porcine, pour y signer avec son homologue mexicain Calderón un contrat d'un montant de 100 millions d'euros pour une nouvelle usine de vaccins contre la grippe.

par cette escroquerie et de ne pas entériner le provisionnement de 50 millions de boîtes de vaccin. Elle écouta sans répondre les arguments que je présentais en public et assura ensuite à la presse que personne ne devait avoir peur qu'il n'y ait pas assez de vaccins disponibles.

Par le biais de plusieurs publications dans des médias internationaux, durant l'été 2009, j'ai par la suite non seulement mis en garde contre ce « marché de la peur », mais également attiré l'attention sur le fait que les vaccins commandés étaient des médicaments d'urgence spécialement autorisés pour faire face à des cas de grande catastrophe et pour lesquels l'EMA, l'Agence européenne des médicaments, avait naturellement pris en compte des estimations de risque et des standards de sécurité moins élevés que pour les vaccins normaux.

Des gouvernements du monde entier avaient déjà négocié au cours des années 2007 à 2009 avec les fabricants de vaccin afin d'obtenir une dotation suffisante de doses pour faire face dans la pire des éventualités. Ils avaient signé des contrats couverts par une clause de confidentialité concernant les quantités à livrer et les prix. Certains de ces contrats furent cependant révélés à la fin de l'été 2009 par des lanceurs d'alerte.

Cela a été le cas, par exemple, pour les contrats français et allemands. Les modalités qui y figuraient ont donné lieu plus tard à des critiques publiques parce qu'elles réservaient des conditions très favorables aux entreprises pharmaceutiques : larges exonérations de responsabilité, prix élevés pour des adjuvants prétendument nécessaires et surtout une clause permettant l'entrée en vigueur automatique des contrats au cas où l'OMS décréterait la phase 6 du niveau d'alerte pandémique.

Le déclenchement de l'un des coups de marketing les plus importants et les mieux préparés de l'industrie pharmaceutique se trouvait ainsi dépendre de l'OMS et dans ce cas précis de sa secrétaire générale, ainsi que du Comité d'urgence chargé de la conseiller.

UN SCÉNARIO BIEN FICELÉ CONCOCTÉ PAR UNE FIRME PRIVÉE

Au terme de tout ce travail préparatoire et maintenant que les affaires étaient conclues dans le monde entier, il ne manquait plus qu'une pandémie. Elle n'allait pas tarder. Les agents d'une firme nommée Veratect™, fondée en 2007 seulement et spécialisée dans la détection des risques d'épidémie et d'autres problèmes, passèrent à l'action[20]. La question de savoir qui a financé leur intervention reste entièrement ouverte.

Selon ses déclarations, la firme recherchait une source suspecte depuis le 30 mars 2009, après qu'un avocat canadien censé s'être trouvé auparavant à Mexico eut été soigné à Ottawa en raison d'une pneumonie. La raison pour laquelle ce cas précisément, parmi les nombreux cas de pneumonies contractées à la suite à la suite de séjours à l'étranger, a fait l'objet d'une recherche aussi fouillée reste un mystère de l'histoire des épidémies.

Aussitôt, de fins limiers venus des États-Unis trouvèrent, à proximité d'un élevage porcin sur un plateau près de Veracruz, une agence sanitaire qui avait annoncé dans la gazette locale « Imagen del Golfo » une augmentation suspecte de 15 % des maladies des voies respiratoires et des gastro-entérites.

Les agents spéciaux de la firme enquêtèrent sur cette information en faisant intervenir les autorités mexicaines et la mirent en relation, à la manière des services secrets, avec tout ce qui pouvait s'y rattacher parmi les rumeurs et les nouvelles circulant à Mexico.

Simultanément, ces « résultats » furent diffusés et intensifiés pendant trois semaines par les médias et Internet jusqu'à ce que le CDC (Centers for Disease Control) américain et l'OMS s'en mêlent également.

Le 23 avril 2009, les gens de Veratect en étaient encore à se plaindre :

> De nombreux clients de Veratect, entre autres des Canadiens, demandent pourquoi les États-Unis n'ont pas lancé une alerte pour sensibiliser leur communauté sanitaire.

Le 24 avril, un communiqué annonça enfin :

> Veratect continue à faire face à une augmentation dramatique du nombre de rapports sur la situation à Mexico. L'OMS demande à avoir accès au système de Veratect. Veratect a connaissance d'échantillons de laboratoire provenant de Mexico qui ont été testés positifs pour la grippe porcine H1N1, un nouveau virus. Les médias du monde entier ont maintenant connaissance de la situation à Mexico. Le CDC publie un communiqué de presse, de même que l'OMS.

UN CALENDRIER BIEN CALCULÉ

Les médias, à l'affût de la sensation, se sont alors mis à traquer tout ce qui pouvait être mis en relation avec ce que les chasseurs d'épidémie appelaient sur place la « grippe porcine ». Le 20 mai 2009, GlaxoSmithKline, le fabricant du vaccin Pandemrix® contre la pandémie, fit aussitôt entrer officiellement dans son conseil d'administration le spécialiste des médias James Murdoch, en tant que directeur associé. Son collègue du conseil d'administration[21] (chez GSK depuis 2007), l'épidémiologiste et directeur de l'Imperial College de Londres sir Roy Anderson, annonçait dès le 1er mai dans une interview mémorable à la BBC[22] :

> La pandémie de grippe porcine a déjà commencé.

À cette époque, j'ai commencé à examiner de plus près toute cette affaire avec la plus grande stupéfaction. Au moment où sir Roy Anderson lançait son alarmante alerte, son collègue académique le biomathématicien Neil M. Ferguson, également lié aux fabricants de vaccins Baxtor, GSK et Roche, avait déjà sorti sa calculette. Il allait offrir sur un plateau une magnifique opportunité à l'industrie en attente d'une pandémie, et ce directement dans les bureaux du comité d'urgence de Margaret Chan à l'OMS, qui entre-temps s'était mis fiévreusement au travail.

Dans un article publié le 11 mai avec ses collègues du WHO [OMS] Rapid Pandemic Assessment Collaboration, cet as des chiffres avait calculé, à partir des quelques centaines de cas présumés signalés au Mexique par les responsables débordés de la santé et du nombre des passagers fournis par les autorités mexicaines chargées du tourisme, un scénario de propagation aboutissant à des résultats très préoccupants pour tous ceux qui soit ne comprenaient rien à l'épidémiologie, soit ne voulaient rien y comprendre[23].

Que ce nombre de cas relativement réduit serve de base à un scénario de pandémie m'a paru suspect, car pendant les périodes de grippe je devais déjà prévoir dans le secteur dont j'avais la responsabilité plus de 15 000 cas de maladie pour seulement 150 000 habitants. Comment des épidémiologistes sérieux pouvaient-ils en arriver, avec moins de 1 000 cas au sein d'une population de 110 millions (dans la seule agglomération de Mexico-City vivent plus de

20 millions de personnes), à déclencher une alerte à la pandémie mondiale ? Rien de tout cela ne paraissait coller.

LES CONTORSIONS DE L'OMS DANS SA DÉFINITION D'UNE PANDÉMIE

Un article du journaliste Frank Jordan pour l'agence Associated Presse attira mon attention sur une deuxième astuce grâce à laquelle une grippe saisonnière normale allait à présent être artificiellement gonflée pour être présentée comme une dangereuse pandémie. Les groupes d'experts confidentiellement réunis au quartier général de l'OMS à Genève au moment des événements mexicains avaient tout simplement modifié la norme prévalant pour les « pandémies », comme les experts de Big Pharma l'avaient déjà fait avec succès pour la pression artérielle ou d'autres maladies. Comme la grippe mexicaine était trop anodine pour être décrite comme une pandémie selon les critères qui avaient cours jusqu'alors, ils ont simplement retiré des critères de la pandémie les paramètres de la gravité et du caractère mortel de la maladie.

Sous le titre « Les Nations pressent l'OMS de modifier les critères de la pandémie », Frank Jordan rendait compte le 19 mai 2009 d'une conférence de presse de l'OMS avec le représentant de Margaret Chan, le docteur Keiji Fukuda, un ancien employé du CDC :

> Des dizaines de pays ont pressé l'OMS de modifier ses critères pour décréter une pandémie. Selon eux, l'agence doit considérer le risque de décès causé par un virus – et pas seulement l'ampleur de sa propagation dans le monde. Redoutant qu'une déclaration de pandémie de grippe porcine provoque une panique de masse et un désastre économique, la Grande-Bretagne, le Japon, la Chine et d'autres pays ont demandé

Les groupes d'experts confidentiellement réunis au quartier général de l'OMS à Genève au moment des événements mexicains avaient tout simplement modifié la norme prévalant pour les « pandémies », comme les experts de Big Pharma l'avaient déjà fait avec succès pour la pression artérielle ou d'autres maladies.

lundi à l'organisme mondial de faire preuve de prudence avant de donner l'alerte. Certains ont évoqué les conséquences coûteuses et les risques potentiels, comme la substitution du vaccin de pandémie au vaccin saisonnier, bien que le virus semble modéré jusqu'ici.

Lors de la conférence de presse, Fukuda répondit aux représentants des diverses nations qui exprimaient des réserves en les berçant de l'illusion que ces arguments feraient l'objet d'un examen minutieux. Toutefois, rien ne fut changé à la nouvelle définition des critères de pandémie, en dépit de critiques dont elle faisait l'objet.

Tom Jefferson, de la Collaboration Cochrane, s'est donné beaucoup de mal pour trier les différents critères à l'aide desquels l'OMS décrit ce qu'est une pandémie. La description trouvée sur le site de l'OMS jusqu'au 4 mai 2009 indiquait :

> Une pandémie de grippe se produit lorsque apparaît un nouveau virus d'influenza contre lequel la population humaine n'est pas immunisée, conduisant à une épidémie mondiale **avec un nombre énorme de morts et de maladies** [c'est Tom Jefferson qui souligne]. Avec l'augmentation du transport mondial, de même que celle de l'urbanisation et des conditions de surpopulation, les épidémies dues à la nouvelle influenza sont susceptibles de se développer rapidement dans le monde entier.

On pouvait lire à la suite, sur la même page :

> Une épidémie de maladie se produit lorsqu'il y a plus de cas de cette maladie qu'il n'y en a habituellement. Une pandémie est l'épidémie d'une maladie à l'échelle mondiale. Une pandémie de grippe peut se produire lorsque apparaît un nouveau virus d'influenza contre lequel la population humaine n'est pas immunisée… Une pandémie **peut être soit modérée soit sévère dans les maladies et les morts qu'elle cause,** et la sévérité d'une pandémie peut changer durant l'évolution de cette pandémie.

Dans son rapport devant la Commission sociale de l'Assemblée parlementaire du Conseil de l'Europe du 30 mars 2010, Tom Jefferson a cité en tout 11 formulations différentes de l'OMS décrivant chacune ce qui constitue une pandémie, contenant donc chacune une définition d'une pandémie.

Les investigations de Tom Jefferson ainsi que celles de Peter Doshi ont été la meilleure preuve de la justesse du reproche que j'avais fait à l'OMS d'avoir modifié juste à temps la définition d'une pandémie pour permettre à ses partenaires de l'industrie du médicament de réaliser leurs affaires.

L'OMS S'AUTO-ÉVALUE

Lorsque à la suite d'un congrès de l'OMS, le 22 novembre 2010, dans les locaux de prestige de la Pariser Platz de Berlin, je me suis retrouvé soudain à côté de Mme Margaret Chan, devant le buffet, je n'ai pas pu m'empêcher de lui adresser la parole. Je me suis présenté comme celui qui était à l'origine des investigations du Conseil de l'Europe et lui ai demandé pourquoi l'OMS n'était venue qu'une seule fois à une audition de l'Assemblée parlementaire, puis s'était refusée à donner davantage d'informations. Mme Chan était manifestement surprise de cette rencontre inattendue, mais elle sut immédiatement me situer. Elle me saisit le bras et me prit à part pendant une dizaine de minutes pour me dire tout d'abord que j'avais fait complètement fausse route en agissant comme je l'avais fait et que l'OMS allait maintenant missionner elle-même un comité d'évaluation pour éviter de tels conflits d'intérêts à l'avenir.

J'étais bien au courant de ces projets et j'avais déjà exprimé clairement des critiques à ce sujet sur la page d'accueil de mon site web[24], que je lui ai alors répétées de vive voix : « Si vous chargez le professeur Van-Tam de Nottingham de mener ces investigations, vous introduirez le loup dans la bergerie et l'OMS perdra toute crédibilité. » Elle se contenta de répondre qu'elle ferait vérifier ce point.

Ses vérifications m'ont sans doute donné raison car ce collaborateur de longue date de Roche et SmithKline Beecham ne s'est pas vu confier cette mission.

Toutefois, le comité d'évaluation présidé par l'épidémiologiste américain Harvey V. Fineberg a lui aussi fait l'objet de vives critiques publiques et à fort juste titre, car il comprenait à nouveau plusieurs experts bien connus présentant des conflits d'intérêts et des relations

---

Alors que l'industrie pharmaceutique est représentée dans les instances décisionnelles de l'OMS et y dispose d'un badge d'accès, les représentants démocratiquement élus par les citoyens attendent devant des portes closes.

avec l'industrie pharmaceutique. Le rapport de la commission[25] a finalement été présenté le 5 mai 2011 par Mme Chan à l'assemblée de l'OMS. Il évalue ainsi le comportement de l'OMS vis-à-vis de la grippe H1N1 en 2009-2010 :

> L'OMS a à plusieurs égards bien fonctionné pendant la pandémie, a été confronté à des difficultés structurelles et a montré quelques carences. Le comité n'a trouvé aucune preuve de délit.

PRIORITÉ DOIT ÊTRE DONNÉE À LA SANTÉ ET NON À L'ÉCONOMIE

L'OMS, qui continue de dépendre largement de moyens privés, n'a à ce jour pas fait la preuve qu'elle prend sérieusement en considération les règles et critères de confiance énoncés par les représentants de 47 parlements européens[26], et encore moins qu'elle œuvre à leur mise en pratique. Seule l'Assemblée mondiale de la santé – l'assemblée des représentants des gouvernements et des sponsors de l'OMS – pourrait obtenir une telle avancée. Mais jusqu'ici la promotion de leur économie et de leurs entreprises pharmaceutiques a été manifestement plus importante que la santé de la population mondiale.

Il n'existe pas de possibilité de contrôle direct avec accès aux dossiers ou de mise en place de commissions d'enquête par les instances parlementaires, ni à l'OMS, ni dans les autres administrations des Nations unies. Alors que l'industrie pharmaceutique est représentée dans les instances décisionnelles de l'OMS et y dispose d'un badge d'accès, les représentants démocratiquement élus par les citoyens attendent devant des portes closes.

Nous avons confié notre bien le plus précieux – notre santé – à Big Pharma et au secteur de la finance, avec pour résultat qu'ils s'enrichissent à nos dépens. Si nous ne changeons rien, ils continueront à en profiter sans scrupule.

Mais lors de la prochaine « campagne de peur » – et l'on peut déjà déceler, une fois de plus, les premiers préparatifs des « experts » bien connus[27] – la confiance accordée aux guetteurs de l'épidémie sera encore moindre qu'aujourd'hui. Notre méfiance continue d'être justifiée.

TROISIÈME PARTIE

QUE RESTE-T-IL DE LA SCIENCE ?

19
Une médecine basée
sur quelles preuves ?

Ce sont près de 2 500 cardiologues [français] qu'un grand laboratoire pharmaceutique américain a invités, en plusieurs voyages et avec leurs conjoints, à visiter la muraille de Chine. Peut-on croire que c'était par pure sinophilie ?

Jérôme Cahuzac[1]

« Comment est-ce donc possible ? » On comprend la réaction incrédule du public face aux scandales sanitaires qui secouent régulièrement l'industrie pharmaceutique et aux révélations toujours plus ahurissantes sur ses pratiques. N'avons-nous pas mis en place, dans tous les pays, des agences sanitaires pour contrôler la sécurité des médicaments et gérer les risques qu'ils représentent ? La FDA américaine, l'OMS mondiale, l'EMA européenne, l'ANSM (ex-AFSSAPS) française ne sont-elles pas censées veiller sur notre santé et nous protéger contre les intérêts mercantiles des industriels ? Les experts qui peuplent leurs commissions ne sont-ils pas des scientifiques qui basent leurs recommandations sur des « preuves » objectives – études animales, essais cliniques randomisés en double aveugle, études épidémiologiques ou toxicologiques ? Les médecins qui nous prescrivent les médicaments ne sont-ils pas d'honnêtes praticiens qui se renseignent aux meilleures sources – formation médicale continue, colloques et revues scientifiques, associations professionnelles – avant de signer leurs ordonnances ? Les tiers payants – systèmes de sécurité sociale européens, assurances privées et Medicare/Medicaid américains – n'évaluent-ils pas soigneusement la balance bénéfices-risques des médicaments avant de les rembourser ? Et quid des associations de patients ? Ne sont-elles pas censées, elles aussi, lancer l'alarme lorsqu'un médicament s'avère causer des problèmes à leurs membres ? Comment tous ces garde-fous n'empêchent-ils pas Big Pharma de nous faire avaler toujours plus de pilules inefficaces et parfois mortelles ?

Follow the money trail, disent les Anglo-Saxons. La réponse à toutes ces questions tient en un seul mot : l'argent. L'argent de Big Pharma a complètement, intégralement, irrémédiablement corrompu la médecine contemporaine, à une profondeur qui va bien au-delà des cas de conflits d'intérêts avérés qui font la une des journaux. Il s'agit d'une corruption systémique, généralisée, à l'échelle industrielle. Aux États-Unis, l'industrie pharmaceutique dépense en moyenne 50 000 dollars par an et *par médecin* pour promouvoir son message aux professionnels de la santé[2] (les chiffres ne sont vraisemblablement pas très inférieurs en Europe). À titre d'exemple, le plan marketing 2004 des laboratoires Forest pour leur antidépresseur Lexapro, rendu public en 2009 par une commission du Sénat américain, prévoyait 115 millions de dollars en frais de promotion médicale, dont 36 millions pour des repas « éducatifs » offerts aux médecins et plus de 37 millions en honoraires pour des conférences données par des « leaders d'opinion clés » (KOL)[3].

Encore ne s'agit-il ici que de frais de promotion directe, explicite. Or le marketing médical de Big Pharma va bien au-delà, car il affecte tous les maillons du « canal marketing » qui va de la Recherche & Développement à l'appareil digestif du consommateur de pilules.

La science est le « Sésame ouvre-toi » universel qui ouvre l'accès au marché pharmaceutique. *Le marketing, dans le monde pharmaceutique, se confond avec la science.*

Contrairement à ce qui se passe dans d'autres industries, le canal marketing de l'industrie pharmaceutique ne va pas directement du producteur au consommateur-acheteur. Il lui faut passer par tous les acteurs qui contrôlent, autorisent et remboursent le produit – pouvoirs publics, agences sanitaires, médecins, tiers payants, etc. Il est donc normal que le marketing pharmaceutique se concentre sur la science (biochimie, pharmacologie, toxicologie, génomique, méthodologie des essais cliniques, etc.), puisque c'est elle qui permet de convaincre ces divers acteurs *a priori* sceptiques de laisser passer le produit vers sa destination finale. La science est le « Sésame ouvre-toi » universel qui ouvre l'accès au marché pharmaceutique. Elle seule fournit l'argument de vente indiscutable, imbattable : « Parlez-en à votre médecin. » C'est pourquoi *le marketing, dans le monde pharmaceutique, se confond avec la science* – et que celle-ci, inversement, se confond toujours plus avec le marketing. C'est à ce niveau tout à fait fondamental, non anecdotique, que se situe la corruption intrinsèque de la médecine contemporaine.

EXPERTS, AUTORITÉS SANITAIRES, FORMATEURS : LE GRAND BAZAR DES CONFLITS D'INTÉRÊTS

L'un des objectifs du marketing étant de rendre aussi fluide que possible la circulation du produit entre le producteur et le consommateur, l'argent de l'industrie pharmaceutique se déverse donc à flot continu sur la science et ses garants, afin de transformer les obstacles potentiels en « partenaires » et en « facilitateurs » du canal marketing. C'est la stratégie gagnant-gagnant : tout le monde est arrosé au passage, donc tout le monde gagne et personne ne se plaint. On ne peut même plus parler ici de conflits d'intérêts, car il s'agit d'une *confluence* d'intérêts[4] au sein d'un véritable complexe médico-industriel.

Les agences et autorités sanitaires

Elles ont toutes été créées par les pouvoirs publics pour contrôler et encadrer les dérives de l'industrie pharmaceutique (on se souvient par exemple du renforcement des pouvoirs de la FDA américaine après le scandale de la thalidomide). Elles ont longtemps été financées par l'argent public, ce qui est normal puisqu'elles étaient censées protéger les citoyens. Ce n'est plus le cas depuis le passage en 1992 du Prescription Drug User Fee Act aux États-Unis, qui requiert que les compagnies pharmaceutiques paient 50 % des frais d'évaluation des demandes d'AMM pour leurs médicaments (voir plus haut p. 42). Ce modèle économique néolibéral a depuis été adopté par la majorité des agences nationales ou internationales : l'OMS est financée à 50 % par des fonds en provenance de l'industrie, l'agence européenne EMA à 70 % [5], l'agence du médicament suédoise à 95 % et la MHRA britannique à... 100 % [6]. La plupart des agences sanitaires dépendent donc financièrement des industries qu'elles sont censées contrôler. On est dans une situation qui rappelle les relations incestueuses entre les grandes entreprises et les sociétés d'audit qu'elles engagent pour vérifier leurs comptes, telle qu'illustrée par le scandale Enron/Arthur Andersen au début des années 2000.

On notera également que l'EMA dépend de DG Enterprise, la direction « Industrie » de la Commission européenne, et non pas de la direction « Santé ». On ne saurait indiquer plus clairement que pour les gouvernements européens la fonction de l'agence est avant tout de faire prospérer le commerce et l'industrie. La même chose vaut pour l'OMS, comme le rappelle Wolfgang Wodarg (voir p. 341). Il est donc normal que les agences entretiennent des relations de partenariat et de collaboration avec les compagnies, qui vont très souvent jusqu'à des va-et-vient entre les deux univers.

C'est la pratique dite du « revolving door » ou porte-tambour : les acteurs de l'industrie vont faire un tour comme régulateurs, et les régulateurs vont pantoufler dans l'industrie. Les exemples abondent : Thomas Lönngren, directeur exécutif de l'EMA, reconverti dans le consulting pharmaceutique trois jours après son départ de l'agence, tout comme Jérôme Cahuzac après son départ du cabinet du ministre de la Santé Claude Evin ; le professeur Jean-Michel Alexandre, très influent membre de l'AFSSAPS et de l'EMA devenu par la suite

---

C'est la pratique dite du « revolving door » ou porte-tambour : les acteurs de l'industrie vont faire un tour comme régulateurs, et les régulateurs vont pantoufler dans l'industrie.

consultant, notamment pour les laboratoires Servier qui lui ont versé près de 1,2 million d'euros entre 2001 et 2009 ; le professeur Jean-Luc Harousseau, nommé par Nicolas Sarkozy président du Collège de la Haute Autorité de santé (HAS) après avoir touché des laboratoires avec lesquels il travaillait 205 482 euros en honoraires personnels et près de 12 millions à titre institutionnel ; le docteur Norman Sartorius quittant la présidence de la commission de la santé mentale de l'OMS pour prendre la tête de la World Psychiatric Association (WPA), une organisation financée par l'industrie, tandis que son prédécesseur à la WPA, le docteur Costa e Silva, le remplace à l'OMS en un ballet bien réglé. Sans oublier les acteurs de l'industrie pharmaceutique nommés ministres de la Santé (Roselyne Bachelot, Nora Berra, en France), le sénateur américain chargé de surveiller l'industrie passé sans coup férir à la présidence d'un des syndicats de ladite industrie (James Greenwood), ou encore le membre du conseil d'administration de la compagnie Eli Lilly élu président des États-Unis (George H. W. Bush).

Il est clair que la fonction des agences et des autorités sanitaires n'est plus de nos jours de protéger les citoyens-patients contre les dangers des médicaments. Elle est de faciliter la production et la circulation de ceux-ci tout en minimisant autant que possible les risques qu'ils représentent. En cas de scandale ou de crise, le premier réflexe des agences est d'ailleurs toujours de défendre les intérêts de l'industrie, pas ceux des citoyens. Lorsque WikiLeaks révéla que la Fédération internationale des fabricants de médicaments (IFPMA) avait eu accès à un rapport confidentiel de la commission de l'OMS sur la propriété intellectuelle et l'avait renvoyé avec ses corrections à l'organisation onusienne, celle-ci nia que la fuite vers l'IFPMA soit venue d'un de ses employés. En revanche, elle ouvrit immédiatement une enquête administrative sur l'un de ses cadres, German Velasquez, soupçonné d'avoir fait en sorte que les parties contestées du rapport soient connues à l'extérieur[7].

On pourrait citer aussi la loi du silence imposée par les agences aux employés tentés de lancer des alertes, leur volonté d'ignorance au sujet des signalements de pharmacovigilance, leur lenteur à retirer du marché les médicaments dangereux ou encore leur refus quasi systématique de laisser les chercheurs indépendants avoir accès aux données cliniques en leur possession. La réponse faite par l'EMA à la revue *Prescrire*, qui demandait à avoir accès à un rapport sur l'Acomplia de

Sanofi, est à cet égard exemplaire : sur les 68 pages de ce rapport de l'Agence suédoise du médicament que l'EMA fit parvenir à *Prescrire*, seules 2 étaient lisibles. Les autres étaient systématiquement noircies, caviardées ligne à ligne, y compris la date du rapport (voir document ci-dessous, aimablement transmis par *Prescrire*).

Première page d'un rapport d'évaluation de l'Acomplia transmis pour information par l'Agence européenne du médicament (EMA) à la revue *Prescrire*.

L'EMA justifie ce genre de censure d'un autre âge par la nécessité de protéger la propriété intellectuelle et les intérêts commerciaux des firmes, ce qui est clairement avouer que l'intérêt des patients est pour elle secondaire.

Les experts

Les agences de sécurité sanitaire fondent leurs décisions sur les recommandations d'experts réunis en commissions. Ces experts sont des médecins et chercheurs universitaires reconnus dans leur spécialité, autrement dit ce que les marketeurs de l'industrie appellent dans leur jargon des « leaders d'opinion clés » ou KOL. Dans leur immense majorité, ces KOL entretiennent des liens financiers multiples avec les compagnies pharmaceutiques produisant les médicaments qu'ils ont à évaluer, et ce pour une raison très simple : c'est l'industrie qui finance de nos jours la recherche dans tous les domaines associés de près ou de loin au développement de médicaments.

Naguère, la recherche biomédicale universitaire était nettement séparée de l'industrie pharmaceutique, même si de nombreuses passerelles existaient entre elles. Les produits de la recherche universitaire étaient considérés comme faisant partie du domaine public et les chercheurs n'avaient donc aucun intérêt financier dans le produit de leur travail. Tout a changé en 1974, lorsque la faculté de médecine de l'université Harvard a conclu un contrat avec le géant agrochimique Monsanto par lequel elle lui accordait les brevets sur toutes les inventions et découvertes faites dans le cadre d'un projet financé par la firme. C'était la première fois qu'une faculté de médecine entrait dans un partenariat économique avec une industrie. Ces « transferts technologiques », comme on les appelle pudiquement, sont ensuite devenus monnaie courante à partir du début de l'ère Reagan et du passage aux États-Unis du Bayh-Dole Act, qui a autorisé les universités et les chercheurs à breveter leurs découvertes et à en tirer profit. Ce système, qui s'est très vite répandu à travers le monde, a transformé du jour au lendemain les laboratoires universitaires en vibrantes start-ups, et les chercheurs en entrepreneurs en quête de partenariats lucratifs avec l'industrie. Comme il fallait s'y attendre, l'argent de l'industrie s'est déversé sur les universitaires, s'infiltrant partout et noyant toute recherche qui ne servirait pas des intérêts commerciaux.

D'après une revue systématique de la recherche biomédicale aux États-Unis entre 1980 et 2002,

> environ un quart des chercheurs ont un lien avec l'industrie et les deux tiers des institutions universitaires détiennent des parts dans les start-ups qui financent la recherche dans ces mêmes institutions[8].

Même chose au Royaume-Uni, selon un rapport publié en 2002 dans le *New Scientist* :

> Les deux tiers de la recherche sont à présent financés par des compagnies. Et la majeure partie de cette science « privatisée » tombe entre les mains d'un nombre toujours plus réduit de multinationales toujours plus énormes[9].

La tendance n'a fait que s'accentuer depuis. Le résultat est qu'il est pratiquement impossible de nos jours de trouver un expert qui ne soit pas lié à l'industrie à un titre ou à un autre. En effet, comment se fabrique un expert ? C'est d'ordinaire quelqu'un qui a été choisi très tôt dans sa carrière par une firme – plus exactement par une agence spécialisée dans la gestion des leaders d'opinion, comme KOL ou Cutting Edge Information[10] – pour promouvoir un message déterminé. Un jeune chercheur ambitieux travaillera forcément sur un sujet qui intéresse les laboratoires, car c'est comme cela seulement qu'il pourra financer ses travaux et notamment les très coûteux essais cliniques qui forment l'essentiel de la recherche dans ce domaine. Les firmes repèrent ainsi très vite les brillants sujets, ceux qu'ils appellent les « champions de produits » et qu'ils vont aider à gravir les échelons de la profession en sponsorisant leur recherche, en les invitant à des colloques et en plaçant leurs articles dans des revues prestigieuses. Comme l'écrit le marketeur Harry Cook dans son *Guide pratique d'éducation médicale* à l'intention des industriels du médicament :

> Vous aurez besoin d'aider les champions de produits au bas de l'échelle d'influence à améliorer leur profil et à les faire accéder au statut de leaders d'opinion[11].

Il est pratiquement impossible de nos jours de trouver un expert qui ne soit pas lié à l'industrie à un titre ou à un autre.

Au terme de ce processus de sélection très orienté, la plupart des chercheurs propulsés en haut de l'échelle et qui feront office d'experts seront des amis de l'industrie. Une fois arrivés à cette position d'influence, les KOL seront peu enclins à critiquer les produits des compagnies auxquelles ils doivent leur carrière et leurs (très) confortables revenus. Il ne faut donc pas s'étonner si les experts chargés par les agences sanitaires d'évaluer les médicaments ferment si régulièrement les yeux sur leurs dangers potentiels, car ils sont le plus souvent associés à un titre ou à un autre à leurs fabricants.

En 2000, le journal *USA Today* publia les résultats d'une enquête sur les conflits – ou confluences – d'intérêts au sein de 18 commissions d'experts de la FDA s'étant réunies entre le 1er janvier 1998 et le 30 juin 2000: dans 54 % des cas, ces experts avaient « un intérêt financier direct avec le médicament ou le sujet qu'ils étaient appelés à évaluer[12] ». De son côté, le *Journal of the American Medical Association* publia en 2002 les résultats d'une enquête analogue sur les experts participant à l'élaboration des recommandations de bonne pratique clinique pour des agences gouvernementales: 59 % d'entre eux avaient « des relations avec des compagnies fabriquant les médicaments qui étaient examinés dans les recommandations qu'ils avaient émises[13]. » La situation est (ou était?) encore pire à l'AFSSAPS française, si l'on en croit l'état des lieux dressé l'année dernière par Philippe Even et Bernard Debré: sur les 30 membres de la commission d'AMM, 26 (86,6 %) avaient de 1 à 44 contrats personnels avec l'industrie[14]. Quant à l'EMA européenne, sa gestion des conflits d'intérêts est si calamiteuse que le Parlement européen, en mai 2011, lui a carrément refusé son quitus sur l'exécution du budget 2010.

LE POINT DE VUE DE LA REVUE *PRESCRIRE*
Agence européenne du médicament : confite d'intérêts

Un audit réalisé par la Commission européenne a porté sur la gestion par l'Agence européenne du médicament (EMA) des conflits d'intérêts des personnes impliquées dans ses activités. Il a fallu deux ans de procédures et l'intervention du Médiateur européen pour que l'association Formindep obtienne copie de cet audit que l'EMA refusait de transmettre. Et pour cause...

Des personnes juges et parties, sans contrôle. Les auditeurs ont étudié en 2008 un échantillon de: 36 experts externes; 15 chefs de projet (« product team leaders ») chargés au sein de l'EMA de procédures d'autorisation de mise sur le marché (AMM); et 8 demandes d'AMM. Des « incidents » ont été notés pour 26 des 36 experts : informations manquantes ou pas à jour dans le fichier des liens d'intérêts de l'EMA, déclarations non signées, informations différentes entre les documents papier et le contenu du fichier informatique, etc.

Un des 15 chefs de projet a déclaré avoir travaillé pour une firme en 2006, puis a été chef de projet pour 3 médicaments de cette firme. Deux ont déclaré avoir travaillé pour 2 firmes pendant plus de cinq ans, puis ont été chefs de projet pour des médicaments de ces firmes. Un a déclaré avoir des actions d'une firme, et a été chef de projet pour 3 médicaments de cette firme. Un a été chef de projet pour le médicament d'une firme où, selon sa déclaration, son conjoint travaillait.

Pour 5 des 8 dossiers d'AMM audités, 6 experts ont participé à l'évaluation du médicament sans être enregistrés dans le fichier d'experts de l'EMA. Dans 11 cas où l'analyse *a priori* avait révélé un risque élevé de conflit d'intérêts, aucune suite n'a été donnée, contrairement au règlement de l'EMA. Pour 3 médicaments, la déclaration de 6 experts n'était pas à jour.

Transparence et fiabilité sont encore attendues en 2012. Cette gestion irresponsable explique sans doute en partie la faiblesse des AMM européennes, que l'on peut constater régulièrement en lisant la rubrique « Rayon des nouveautés » de *Prescrire*.

Les dirigeants de l'EMA ont-ils redressé le cap ? Pour le savoir, il faudrait que l'EMA ou la Commission européenne publient les résultats de l'audit réalisé en 2011, sans attendre une plainte auprès du Médiateur.

Transparence et fiabilité de l'EMA sont indispensables à la prévention de catastrophes sanitaires. Le Parlement européen ne s'y est pas trompé en refusant de donner son quitus à l'EMA pour l'année 2010, notamment du fait de sa gestion désastreuse des conflits d'intérêts[15].

Les médecins

Leur rôle dans le canal marketing est décisif, car ce sont eux qui prescrivent les médicaments. Ils font donc l'objet de toutes les attentions de Big Pharma. Une publicité de Sanofi parue dans les journaux médicaux dit tout : « Nous vous accompagnons depuis les études jusqu'à la retraite[16]. » Dès leurs études, en effet, les étudiants en médecine sont habitués à recevoir de menus cadeaux de la part des visiteurs médicaux qui traînent dans les couloirs des hôpitaux – un pot pour fêter un examen, des sandwichs lors d'une réunion du travail ou un soutien pédagogique pour les externes qui s'inscrivent aux concours de spécialistes. Dans certains pays, c'est même une partie des études qui est généreusement offerte par les laboratoires: aux États-Unis, la moitié des services de formation des internes reçoivent un financement en provenance de l'industrie pharmaceutique[17]. Big Pharma vous veut du bien...

Une fois installés, les médecins continuent à être choyés: stylos, blocs papier à en-tête de la firme X, dîners «éducatifs» aux frais de la compagnie Y, voyages «professionnels» pour assister à un colloque organisé par le laboratoire Z près des pistes de ski ou dans des contrées exotiques. Les cadeaux varient en importance: grâce aux données informatiques fournies par les pharmacies par l'intermédiaire de la firme multinationale IMS Health, les laboratoires savent très exactement qui prescrit quoi à travers le monde et ils modulent en conséquence leurs largesses[18]. Dans d'autres domaines, ces avantages en nature seraient considérés comme des tentatives de corruption. La plupart des médecins les acceptent avec un sourire amusé en se disant qu'ils n'ont aucune influence sur la façon dont ils prescrivent les médicaments à leurs patients. En quoi ils ont tort: toutes les études sur ce sujet montrent une corrélation forte entre cadeaux reçus et habitudes de prescription.

C'est d'ailleurs pourquoi les compagnies pharmaceutiques dépensent tant d'argent en «dîners éducatifs» et en visiteurs médicaux. La situation est la même dans tous les pays développés. Selon un rapport de l'Inspection générale des affaires sociales (IGAS) présenté en 2006, les firmes pharmaceutiques consacrent en France 3 milliards d'euros par an en promotion médicale, dont trois quarts en visiteurs médicaux. Ces 23 000 visiteurs médicaux effectuent en moyenne *330 visites de 8 à 9 minutes par an et par généraliste*, ce qui représente pour ce dernier à peu près une semaine et demie de travail. L'information médicale fournie durant ces visites n'est évidemment rien d'autre que du marketing déguisé en science et les médecins s'en doutent bien, mais c'est souvent la seule qu'ils reçoivent – ou qu'ils prennent la peine de recevoir... On peut lire dans un autre rapport officiel:

> Les firmes pharmaceutiques [...] jouent, par le biais de la visite médicale, un rôle essentiel dans l'information des médecins sur les médicaments. À côté de l'action des fabricants, l'action publique est insuffisante pour contrebalancer la première[19].

Les médecins, qui sont censés contrôler la prise de médicaments par leurs patients, fondent donc le plus souvent leurs décisions sur la *junk science* qui leur est fournie par des commerciaux. Cette digue-là ayant sauté également, le flot de molécules peut tranquillement continuer sa route dans le canal marketing.

La formation médicale continue

On pourrait penser qu'elle offre aux médecins une occasion de mettre à jour leurs connaissances et de recevoir une information scientifique non biaisée par des intérêts commerciaux. En réalité, l'essentiel de la formation professionnelle continue des médecins est financée, là encore, par les firmes. Aux États-Unis, celles-ci couvrent à peu près 60 % des frais, par l'intermédiaire de compagnies d'éducation médicale (MECC) accréditées soit par l'Accreditation Council for Continuing Medical Education, soit (le plus souvent) par une université qui prélève une dîme au passage.

En France, la proportion est encore plus élevée: selon l'IGAS, c'est plus des trois quarts de la formation médicale continue qui est assurée par les soins de l'industrie. Cette dernière y trouve une occasion de fournir de lucratifs contrats d'enseignement à ses «champions de produits» et autres «leaders d'opinion». On ne s'étonnera pas dès lors si la science enseignée dans ces cours ne se distingue plus du marketing. Comme le prédisait il y a déjà plus de dix ans Neil Kendle, directeur de l'agence de communication Lowe Fusion Healthcare: «La différence entre communication et éducation médicale est en train de devenir obsolète[20]. »

Les revues scientifiques

Elles portent des noms vénérables, prestigieux: *New England Journal of Medicine, British Medical Journal (BMJ), The Lancet, Journal of the American Medical Association (JAMA).* C'est vers elles que se tournent les médecins qui prennent le temps de s'informer «à la source». C'est aussi sur les études qu'elles publient que se fondent les experts pour évaluer les médicaments et recommander les traitements. Tout est organisé, en principe, pour éviter les biais: les auteurs sont censés déclarer leurs conflits d'intérêts et leurs articles sont envoyés pour contrôle et évaluation à des «pairs» anonymes. Mais que faire lorsque

---

En France, plus des trois quarts de la formation médicale continue est assurée par les soins de l'industrie.

tout le monde déclare des dizaines de conflits d'intérêts et que les évalua-teurs sont eux aussi des KOL ? Que faire lorsque les études sont mani-pulées en amont par les compagnies ? Lorsqu'elles sont basées sur des données cliniques qui appartiennent aux compagnies et auxquelles per-sonne (parfois pas même les auteurs des articles) n'a accès ?

Que faire, surtout, lorsque les articles ont été « ghostwritten », c'est-à-dire écrits pour le compte des compagnies par des agences de com-munication spécialisées et signés contre rétribution par des KOL complaisants (voir plus haut l'exemple des études de DesignWrite pour Wyeth, p. 38) ? Deux études récentes, fondées sur des questionnaires envoyés à des auteurs d'articles, donnent une idée de l'étendue du phé-nomène. Selon l'une, la proportion d'auteurs reconnaissant que leurs articles avaient été écrits par des « nègres » était de 16,2 % pour le *New England Journal of Medicine*, de 15,3 % pour les *Annals of Internal Medicine* et de 7,1 % pour le *JAMA*. Les chiffres trouvés par la seconde enquête, légèrement différente de la première, sont de 10,9 % pour le *New England Journal of Medicine*, 7,6 % pour *The Lancet*, 7,9 % pour le *JAMA* et 7,6 % pour *PLoS Medicine*[21]. Dans la mesure où ces chiffres ne reflètent jamais que les déclarations des auteurs ayant accepté de répondre plus ou moins franchement à ces questions fort gênantes, il y a fort à parier que la proportion réelle d'articles scienti-fiques écrits par les « nègres » de l'industrie est encore bien plus élevée.

D'autres études sur le sujet avancent le chiffre de 75 %[22], voire 90 %[23]. La science que l'on trouve de nos jours dans les revues médi-cales les plus rigoureuses est une science hantée, une science qui a vendu son âme à l'argent. C'était déjà en 2004 le constat désabusé du rédacteur en chef de *The Lancet*, Richard Horton :

> Les revues sont devenues des opérations de blanchiment d'infor-mation pour l'industrie pharmaceutique[24].

Les associations de patients

On pourrait penser que ces associations représentent le dernier rempart contre Big Pharma, ses KOL et ses alliés institutionnels.

Les revues sont devenues des opérations de blanchiment d'information pour l'industrie pharmaceutique.

Historiquement, elles ont été créées pour défendre les intérêts des malades contre la science paternaliste des médecins-experts et de fait, elles ont longtemps été très critiques et méfiantes vis-à-vis de l'industrie pharmaceutique. Inversement, comme l'explique Teri Cox, présidente de l'agence Cox Communications Partners,

> la plupart des grandes compagnies n'étaient pas à l'aise avec l'idée d'un « partenariat » avec les associations de patients, car elles les percevaient souvent comme des militants hostiles aux intérêts de l'industrie[25].

Mais à partir des années 1980, cette relation antagoniste s'est progressivement transformée en collaboration, notamment à l'occasion de la crise du sida. L'industrie a compris tout l'intérêt qu'il y avait pour elle à coopter les patients pour promouvoir son message. Toujours selon la stratégiste Teri Cox, cela lui permet de

> contrer les détracteurs de l'industrie [et d']influencer des changements dans les politiques de santé afin d'accroître les possibilités d'accès à des diagnostics et à des soins remboursés [...] Sans de tels alliés, un journaliste sceptique risque de percevoir les messages et les informations d'une compagnie comme étant intéressés et de les décrire comme tels à ses lecteurs. [...] Toutes les activités pharma profitent de la présence dans le team marketing de tiers-avocats (*third-party advocates*) respectés[26].

Rien de tel, en effet, qu'une association de patients pour faire pression sur les pouvoirs publics et les tiers payants en vue d'obtenir le remboursement d'un médicament, accélérer sa mise sur le marché ou l'y maintenir en cas de crise. Lorsque l'Acomplia fut retiré du marché aux États-Unis en 2007, la première réaction de Sanofi fut de « Neutraliser la presse Grand Public » afin de limiter les dégâts en France. La seconde fut de « Mobiliser la communauté diabète autour d'une Opération "Prestige" »[27].

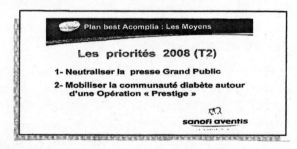

Document stratégique interne de Sanofi-Aventis à l'occasion du retrait du marché de l'Acomplia aux États-Unis, révélé par le *Canard enchaîné*.

La « communauté diabète », cela voulait bien sûr dire les associations de patients diabétiques. Si les firmes pharmaceutiques peuvent compter de nos jours sur le soutien de telles associations « partenaires », c'est parce qu'elles les ont quasiment toutes phagocytées en leur offrant des « subventions éducatives sans restrictions », des locaux, de l'aide logistique, des experts. Rares sont les associations qui ne reçoivent pas une aide financière plus ou moins importante de la part des laboratoires, au point que certaines sont devenues de véritables lobbies à leur service. Le magazine *Mother Jones* a ainsi révélé que la National Alliance on Mental Illness (NAMI), qui est une véritable force politique aux États-Unis, a reçu 11,72 millions de dollars de la part de 18 compagnies pharmaceutiques rien qu'entre 1996 et 1998[28]. La compagnie Eli Lilly, qui à elle seule avait donné 2,87 millions, lui « prêtait » également l'un de ses cadres supérieurs comme conseiller en stratégie, lequel travaillait dans ses bureaux. L'objectif proclamé de la NAMI est de déstigmatiser les troubles mentaux en les faisant reconnaître comme de véritables maladies justiciables d'un traitement médicamenteux. Elle milite entre autres pour l'extension à tous les États américains du Program of Assertive Community Treatment (PACT), un programme d'observance qui comporte la livraison à domicile et sur décision de justice de médicaments psychotropes à tous les malades mentaux.

L'équivalent européen de la NAMI, la Global Alliance of Mental Illness Advocacy (GAMIAN), a été fondée par Bristol-Myers Squibb. L'International Alliance of Patients' Organisation (IAPO), qui regroupe un très grand nombre d'associations au niveau international, a été quant à elle mise sur pied par la Pharmaceutical Partners for Better Healthcare, un consortium de 30 compagnies pharmaceutiques[29]. Ces deux fédérations sont financées par l'industrie, tout comme l'European Patients' Forum (EPF) qui représente l'ensemble des associations de patients européens auprès de la Commission européenne et de l'EMA. Les sources de financement de cette dernière organisation sont particulièrement opaques[30], mais un rapport d'activité annuelle posté par inadvertance sur Internet en 2007 signalait à la page 19 que « les subventions sans restrictions de la part d'une série de compagnies ou de fédérations pharmaceutiques continuent à constituer l'essentiel des ressources de l'EPF[31] ». La contribution de l'industrie s'élevait en effet à 275 000 euros, contre 5 353 euros en contributions de la part d'associations membres. On se demande donc *qui* l'EPF représente au juste auprès des instances européennes (et pourquoi celles-ci ne reconnaissent que cette seule organisation comme interlocuteur).

DES « ESSAIS RANDOMISÉS CONTRÔLÉS » PAR QUI ?

La corruption de la médecine est donc générale, généralisée. Où qu'on se tourne, l'argent de Big Pharma influence les chiffres et les esprits. Pourtant, cette corruption ordinaire ne se perpétuerait pas comme elle le fait si les divers acteurs ne pouvaient pas invoquer « la science » pour justifier leurs actions (et sans doute aussi se justifier à leurs propres yeux). « La science », cela veut dire ici les essais cliniques contrôlés randomisés en double aveugle contre placebo (ERC) et autres méta-analyses qui forment l'essentiel de la « médecine basée sur les preuves » contemporaine (d'ordinaire désignée par le sigle anglo-saxon EBM). Sans eux, les experts ne pourraient pas valider les médicaments, les régulateurs ne pourraient pas les autoriser et les médecins ne pourraient pas se convaincre qu'ils offrent le meilleur traitement possible à leurs patients.

Les firmes pharmaceutiques le savent bien, aucune campagne marketing ne vaut un bon essai clinique publié dans une des grandes revues scientifiques internationales. La science est la meilleure publicité possible, car elle est indiscutable et s'impose à tous. Alors que Coca-Cola et Pepsi-Cola consacrent des fortunes à essayer de convaincre les consommateurs que leur produit est meilleur que celui de leur rival, les compagnies de Big Pharma consacrent des sommes bien plus considérables encore à le *prouver* scientifiquement à l'aide d'essais cliniques randomisés. Selon Marcia Angell, ex-rédactrice en chef du *New England Journal of Medicine*, il y avait en 2001 pas moins de 80 000 essais cliniques en cours aux États-Unis, dans lesquels étaient enrôlés 2,3 millions de « sujets humains »[32]. À la fin juin 2013, il y en avait très exactement 147 963 à travers le monde entier[33].

Le paradoxe est que les essais cliniques avaient pour but, initialement, d'empêcher les dérives du marketing pharmaceutique. C'était du moins l'intention des parlementaires américains lorsqu'ils exigèrent en 1962 que les compagnies démontrent l'efficacité de leurs médicaments à l'aide d'essais cliniques contrôlés. Il s'agissait d'éviter la répétition de désastres sanitaires comme celui de la thalidomide, en soumettant les médicaments-candidats à la nouvelle épreuve expérimentale développée durant les années 1940-1950 : on divise aléatoirement une cohorte de patients en deux groupes (randomisation) à qui l'on donne soit le médicament testé, soit un placebo, sans que ni les sujets ni les expérimentateurs ne sachent qui reçoit quoi (c'est ce qu'on nomme « en double aveugle »). Ce n'est que si le médicament-candidat, malgré toutes ces précautions destinées à éviter les biais introduits par les expectatives des uns et des autres, s'avère être plus efficace que le placebo dans une proportion statistiquement significative, c'est-à-dire supérieure à la probabilité que l'effet soit dû à la chance, que son effet est considéré comme établi.

Comment comprendre alors que cette épreuve très exigeante se soit transformée entre les mains de Big Pharma en une gigantesque opération de marketing ? Comment expliquer que la science expérimentale se soit renversée dans son contraire et non seulement n'ait pas empêché l'avalanche de scandales sanitaires, mais ait puissamment contribué à faire taire ceux qui tentaient de lancer l'alerte au sujet des dangers des médicaments ?

La tentation est grande d'incriminer une fois de plus la corruption, c'est-à-dire le dévoiement de la science par la quête du profit. Cette corruption est patente dans tout ce que nous avons dit jusqu'à présent et elle affecte bien sûr aussi la conduite des essais cliniques. On ne compte plus les exemples de manipulations tendancieuses des données, de chiffres « arrondis » pour obtenir le résultat statistique désiré, d'effets secondaires minimisés ou non pris en compte. Parfois la falsification peut aller jusqu'à la fraude pure et simple, comme dans le cas du docteur Scott Reuben, surnommé le « Madoff médical ». Ce médecin anesthésiste réputé avait publié 21 essais cliniques sur les bienfaits des antalgiques COX-2 comme le Celebrex et le Vioxx dans le traitement des douleurs postopératoires : *tous* les essais étaient complètement inventés ! Paul White, l'un des rédacteurs de la revue *Anesthesia & Analgesia* qui avait publié de bonne foi une dizaine de ces forgeries, estime que les études de Reuben ont joué un rôle majeur dans le marketing des blockbusters Celebrex et Vioxx, qui se sont avérés dangereux par la suite[34]. Reuben faisait accessoirement partie du « bureau » de conférenciers de Pfizer, le fabricant du Celebrex, et avait reçu 5 bourses de recherche de la compagnie.

On pourrait aussi citer le docteur Robert Fiddes et ses collègues du lucratif Southern California Research Institute, une des nombreuses «contract research organizations» (CRO) auxquelles l'industrie sous-traite les essais cliniques dont elle a besoin. Alertés par une ex-employée, les autorités découvrirent en 1996 que les 170 essais cliniques effectués par Fiddes pour le compte de compagnies telles que Merck ou Pfizer avaient tous été falsifiés sur une échelle proprement industrielle pour obtenir les résultats désirés. Des patients avaient été inventés, d'autres avaient disparu. Des cahiers de laboratoires avaient été passés au broyeur. Des mesures d'hypertension avaient été modifiées. Des échantillons d'urine ou de sang étaient gardés dans le réfrigérateur pour être substitués à ceux de patients lorsque les chiffres n'étaient pas les bons[35]. Pour se justifier, le docteur Fiddes déclara que les exigences des contrats de recherche passés avec les compagnies étaient telles qu'il n'y avait pas moyen de les respecter sans prendre des raccourcis. Il ne mentait sans doute pas.

Pour graves qu'ils soient pour les patients qui ont été soignés sur la base de telles «données», ces cas de fraude caractérisée restent toutefois relativement anecdotiques. Bien plus préoccupante, car affectant la recherche médicale dans son ensemble, est la pratique de publication sélective des essais cliniques par l'industrie. En effet, celle-ci finance de nos jours la quasi-totalité des essais cliniques effectués à travers le monde et les compagnies considèrent de ce fait les données ainsi obtenues comme leur propriété. Les chercheurs engagés pour effectuer ces essais sont le plus souvent obligés de signer des clauses de confidentialité leur interdisant de publier les résultats sans l'accord de la firme et ils risquent de sérieux ennuis s'ils ne respectent pas leur contrat, comme l'ont montré diverses affaires retentissantes au Canada et aux États-Unis[36]. De même, les patients enrôlés dans les essais cliniques signent des formulaires de consentement éclairé leur garantissant que les données resteront confidentielles, ce qui autorise ensuite les firmes à en interdire l'accès à toute personne extérieure à la compagnie. Les firmes peuvent donc garder par-devers elles les essais cliniques négatifs ou faisant apparaître des effets indésirables d'un médicament. Comme les agences sanitaires n'exigent d'ordinaire que deux essais cliniques probants pour accorder une

AMM, il suffit aux firmes de multiplier les essais jusqu'à ce qu'elles obtiennent un doublé favorable, en reléguant aux oubliettes les coups malchanceux.

Combien d'essais cliniques restent-ils ainsi invisibles? Plus de 50 %, comme le suggèrent certains[37]? Encore beaucoup plus, comme le soupçonnent d'autres[38]? Il est par définition impossible de connaître exactement l'étendue du problème dans la mesure où les compagnies refusent l'accès aux données non publiées. Pour ne prendre que l'exemple le plus récent, cela fait quatre ans que Peter Doshi, un jeune chercheur de l'université Johns Hopkins, et le réseau Cochrane Collaboration essaient d'obtenir la totalité des essais effectués par Roche sur le Tamiflu, le fameux médicament survendu au moment de la fausse « pandémie » de grippe H1N1. En vain[39].

Cette pratique de rétention des données est manifestement une perversion totale de la notion de médecine basée sur les preuves puisque lesdites preuves restent secrètes et invérifiables. Comment faire confiance aux essais cliniques publiés s'ils ne représentent qu'une sélection biaisée par les intérêts des firmes? Chaque fois que les chercheurs ont eu accès à l'intégralité des essais cliniques portant sur un médicament ou une classe de médicaments, que ce soit à l'occasion d'un procès ou (aux États-Unis) en invoquant le Freedom of Information Act, il s'est avéré que les données non publiées invalidaient les résultats publiés (on en trouvera un exemple plus loin dans l'article d'Irving Kirsch sur les antidépresseurs).

La pratique de la publication sélective fournit très certainement l'explication d'un autre phénomène maintenant bien repéré, celui du « biais du financement » : les chances que les résultats d'un essai clinique financé par une compagnie privée soient favorables au médicament testé sont considérablement plus élevées que si l'essai est financé par des fonds indépendants[40] – quatre fois plus, selon une étude souvent citée[41]. Les relations incestueuses entre les chercheurs et les firmes y sont sans doute pour quelque chose, mais le fait que

---

Les firmes peuvent garder par-devers elles les essais cliniques négatifs ou faisant apparaître des effets indésirables d'un médicament.

l'industrie ne publie que les essais qui lui sont favorables suffit déjà à lui seul à rendre compte de cet impressionnant biais.

Celui-ci fausse inévitablement l'évaluation objective des traitements et des médicaments puisque les essais positifs de l'industrie noieront inévitablement le bruit fait par les essais négatifs financés sur fonds indépendants. La psychologue Lisa Cosgrove en a donné récemment une illustration fort inquiétante en procédant à une méta-analyse de 61 essais cliniques portant sur les risques de cancer du sein ou des ovaires associés à la prise d'antidépresseurs ISRS[42]. Elle a montré que si l'on fait la moyenne de tous les résultats, on arrive à une modeste augmentation de 11 % du risque de cancer chez les femmes prenant des antidépresseurs. En revanche, si l'on ne retient que les essais non financés par les fabricants d'antidépresseurs, le risque devient immédiatement plus grand car *aucun* (0 %) des essais financés par l'industrie n'établit un lien entre antidépresseurs et cancer, contrairement à 46 % des essais indépendants. On voit bien ici comment les biais de publication et de financement contribuent à masquer les dangers présentés par les médicaments au profit de leurs fabricants. La méta-analyse des essais cliniques publiés, qui est l'un des outils essentiels de la médecine basée sur les preuves, ne peut pas à elle seule fournir des données fiables, d'autant que l'industrie dispose d'encore bien d'autres techniques pour biaiser les résultats.

Les recettes de l'Oncle Pharma
pour réussir un bon essai clinique

• Prenez des sujets jeunes, avec une seule pathologie, sans comportements à risque et en aussi bonne santé que possible. Vous augmenterez ainsi vos chances de voir leur état s'améliorer durant l'essai.

• Avant de commencer l'essai, donnez à tous vos sujets un placebo pendant une semaine et voyez qui y répond. Comme ça, vous saurez lesquels sont « placebo-répondeurs » et vous pourrez les éliminer de votre cohorte, en augmentant les chances que votre médicament fasse mieux que le placebo.

• Si vous décidez de comparer votre médicament à un autre médicament plutôt qu'à un placebo, choisissez un médicament dont vous savez qu'il est inefficace ou bien donnez-le à une dose trop faible pour qu'il produise des effets. (Variante : donnez-le à une dose trop forte, pour qu'il ait une toxicité supérieure au vôtre.)

• Donnez plusieurs objectifs à votre essai. Comme ça, si l'un n'est pas rempli, vous pourrez toujours vous rabattre sur un autre sans mentionner l'échec du premier.

• Si vous voyez que votre médicament n'a pas l'effet escompté, rabattez-vous sur un autre effet mesurable. Par exemple, dites qu'il réduit la taille des tumeurs cancéreuses, même s'il ne réduit pas la mortalité. Souvenez-vous : l'important est de mesurer un effet, quel qu'il soit.

• Faites des essais aussi courts que possible. Comme ça, vous réduirez les chances de voir apparaître des effets secondaires.

• Si votre médicament semble dépasser son concurrent à n'importe quel moment de l'essai, arrêtez tout : vous avez gagné.

• Si votre médicament n'arrive pas à dépasser son concurrent, prolongez l'essai autant que vous pourrez : on ne sait jamais, et au moins il ne sera pas dit que vous avez perdu.

• Si votre médicament s'avère inefficace au niveau du groupe dans son ensemble, divisez celui-ci en plusieurs sous-groupes. Peut-être que vous pourrez montrer un effet statistiquement significatif sur les Espagnols aux yeux bleus de plus de 1,85 mètres.

• Variante : si vous avez fait un essai multicentrique, publiez les résultats de l'équipe qui a obtenu l'effet le plus favorable et oubliez les autres.

• Si des sujets arrêtent l'essai en cours de route parce qu'ils ne supportent pas les effets secondaires du médicament, dites qu'il s'agit de cas de non-observance et ne les comptez pas dans le résultat final.

• Si l'un de vos sujets tombe raide mort, dites qu'il a arrêté l'essai.

• Si certains de vos sujets développent des troubles mentaux (akathisie, suicidalité), dites qu'ils souffrent de « labilité émotionnelle ».

• Si rien de tout cela ne marche, mettez au réfrigérateur et faites un autre essai. Il y en aura bien un qui marchera au bout du compte et vous pourrez récupérer les frais engagés sur le prix du médicament. (N'oubliez pas de rappeler à tout le monde que si les médicaments coûtent si cher, c'est parce qu'il faut financer la recherche.)

LE MARIAGE DE LA SCIENCE ET DE L'INDUSTRIE

Et pourtant, dira-t-on, les essais randomisés contrôlés qui finissent par être publiés ne sont quand même pas tous biaisés ou falsifiés ? Les « preuves » chiffrées qu'ils procurent peuvent-elles être balayées d'un revers de main à cause de quelques petits bidouillages ? Si une étude multicentrique portant sur des milliers de patients montre que la prise en prévention primaire de l'antihypertenseur Calmos® des laboratoires Moche réduit de 70 % le risque relatif de développer de l'hypertension dans les vingt années à venir, c'est bien un résultat scientifique indubitable, non ? Qu'importe alors si ce résultat sert les intérêts de Moche ! La science a parlé.

C'est vrai, on ne peut pas réduire la médecine basée sur les preuves à de la fraude, d'autant que ses adeptes les plus intégristes, comme les membres du réseau Cochrane Collaboration, sont les premiers à dénoncer la corruption des ERC par les intérêts commerciaux. Une étude a d'ailleurs montré que si l'on s'en tient aux ERC publiés dans les meilleures revues, la méthodologie des essais financés par l'industrie était tout aussi bonne, sinon meilleure, que celle des essais financés sur fonds indépendants[43]. Alors ? Comment expliquer que la meilleure science coïncide si souvent avec marketing pharmaceutique ? Ou plus exactement, comment se fait-il qu'elle *n'empêche pas* celui-ci, pas plus qu'elle n'empêche la répétition des désastres sanitaires ?

Peut-être faut-il se demander à la fin de quelle science on parle ici et ce qu'elle prouve exactement. Ce n'est pas de la pratique consistant à comparer l'efficacité d'un traitement à un placebo que les ERC tirent leur caractère scientifique-moderne, car ce procédé expérimental est fort ancien et remonte au moins à la fin du XVIIIᵉ siècle, si ce n'est à certaines techniques utilisées par les inquisiteurs dans les cas de possession démoniaque. Ce qui marque les ERC du sceau « scientifique », c'est l'utilisation de méthodes statistiques comme la randomisation pour déterminer autant que possible le rôle du hasard dans l'efficacité des traitements. Voilà pourquoi les essais cliniques s'effectuent sur des cohortes, des populations de patients (et pourquoi aussi ils coûtent si cher).

Dans le cas de médicaments ayant une efficacité évidente et immédiate, comme les antibiotiques, on n'a pas besoin de répéter l'expérience sur des milliers de patients pour s'assurer que le médicament « marche ». En revanche, lorsqu'il s'agit de tester des molécules dont les bénéfices et les risques à court et à long terme ne sont pas aussi évidents – ce qui est le cas de la majorité des médicaments modernes –, il faut répéter l'expérience sur un grand nombre de patients répartis de façon aléatoire afin de déterminer si l'efficacité constatée (au cas où il y en a une) est réelle ou n'est pas plutôt un effet du hasard. C'est à cela que correspond l'exigence que le résultat obtenu par le médicament soit statistiquement significatif, c'est-à-dire supérieur à la probabilité qu'il ait été obtenu par simple hasard (rémission spontanée, effet placebo, constitution du patient, etc.).

Les essais randomisés dits « contrôlés » correspondent donc à une situation d'incertitude où les conditions de l'expérience ne peuvent justement *pas* être parfaitement contrôlées : les sujets humains (ou animaux) ne sont pas identiques et l'on ne sait jamais d'avance comment tel corps réagira à telle molécule chimique. En ce sens, les preuves que fournissent les ERC sont des preuves par défaut, des preuves probabilistes. Ils ne disent pas si un médicament est efficace, ils se contentent de mesurer le degré de probabilité qu'il le soit. Autrement dit, ils ne renseignent en rien sur l'expérience réelle des patients : un coup de dé jamais n'abolira le hasard et personne ne peut dire avec certitude ce que telle molécule fera dans *votre* corps, si elle vous guérira ou si, au contraire, elle vous tuera. La seule façon de savoir est d'essayer, à vos risques et périls.

Les ERC n'éliminent aucunement le hasard ou les risques, comme on le croit trop souvent. *Stricto sensu*, ils mesurent seulement notre degré d'incertitude. Toutefois, il n'est que trop tentant de penser qu'ils nous donnent enfin le moyen de « dompter le hasard[44] » en médecine et de transformer cet art des poisons en science des molécules. Là où la statistique ne permet en fait que de mesurer le degré de notre non-savoir, la médecine contemporaine a fait des ERC une preuve de l'efficacité des médicaments testés grâce à cette technique : la molécule X fait mieux que le placebo ! Nous avons trouvé le remède à la maladie Y !

Les ERC ont ainsi offert sur un plateau un magnifique argument de vente à Big Pharma : l'incertitude inhérente aux effets des nouvelles molécules mises sur le marché a été transformée d'un seul coup de

---

La médecine basée sur les preuves n'est pas, n'est plus une médecine de l'individu. C'est une médecine des grands nombres, qui gère des risques au niveau de cohortes et de populations entières.

baguette statistique en calcul, en gestion scientifique des risques. Ce qui était (et continue d'être) une dangereuse roulette russe a été élevé au statut de science, de médecine basée sur des preuves. À partir de là, il ne restait plus à Big Pharma qu'à contrôler le pipeline des essais cliniques pour vendre des produits toxiques et spéculatifs avec le label « scientifiquement validé ». Jusqu'à ce que les risques ainsi gérés-contrôlés-niés fassent retour de temps en temps sous forme d'accidents *réels*, de morts *réels* : Fen-Phen, Rezulin, Vioxx, Mediator, Avandia.

La médecine basée sur les preuves n'est pas, n'est plus une médecine de l'individu. C'est une médecine des grands nombres, qui gère des risques au niveau de cohortes et de populations entières, en coopération avec l'industrie et les gouvernements. À ce titre, elle est profondément politique. Cette science à laquelle tout le monde en appelle pour justifier les décisions au sujet des médicaments et des traitements est une science politique, qui administre la santé publique de façon statistique. Médecins, chercheurs et experts ont beau se rassurer en se disant qu'ils basent leurs décisions sur « la science », le fait est que ces décisions sont prises au niveau de populations, ce qui est bien la définition de la politique. Déterminer sur la base d'ERC et de méta-analyses quel est, disons, le degré « acceptable » de risque présenté par des médicaments destinés à obtenir le taux optimal de cholestérol dans le sang est une décision éminemment politique et finalement arbitraire, même si elle se drape dans des chiffres objectifs. Cela revient simplement à justifier de la façon la plus rationnelle possible les risques que l'on prend pour la population et la façon dont on va les distribuer : sacrifions ce régiment pour gagner la guerre contre les maladies cardiaques.

C'est évidemment la même logique que celle invoquée par Big Pharma pour vendre ses pilules. Entre « politiques » on s'entend, car on parle le même langage. À la fin il n'y a plus conflit d'intérêts entre la science et l'industrie, seulement une confluence, une congruence d'intérêts à la fois politiques, économiques et scientifiques. Si la médecine basée sur les preuves s'avère si incapable d'empêcher les catastrophes sanitaires, ce n'est pas seulement parce que les experts et les chercheurs sont corrompus ou que les chiffres ont été falsifiés. C'est parce que la science sur laquelle elle se fonde nie les risques réels en prétendant les calculer, en quoi elle rejoint les intérêts des industriels et des politiques. Comme disait Disraeli : « Il y a trois sortes de mensonges : les petits, les fieffés et les statistiques. »

20
Les antidépresseurs :
un mythe s'effondre*

IRVING KIRSCH

L'un des principes fondamentaux de la science expérimentale moderne depuis le XVIIe siècle est l'accessibilité des données : il faut que n'importe quel chercheur puisse avoir accès à l'intégralité des résultats de l'expérience pour en vérifier l'exactitude et éventuellement tenter de les répliquer, faute de quoi on en reviendrait aux recettes secrètes des alchimistes et autres fabricants de philtres magiques. Imagine-t-on un scientifique répétant son expérience jusqu'à ce qu'elle réussisse et gardant par-devers soi les tentatives ratées ? C'est pourtant ce que font couramment les compagnies pharmaceutiques avec les essais randomisés contrôlés qu'elles sponsorisent, au motif qu'il s'agit de secrets commerciaux dont elles sont propriétaires.

D'où l'importance du travail d'empêcheurs d'expérimenter en rond, comme Irving Kirsch, qui insistent pour voir les résultats de *toutes* les études sur un sujet donné. Ce qu'ils trouvent dans les archives confidentielles des firmes est quasiment toujours explosif, car cela contredit inévitablement les résultats positifs affichés par les compagnies. Dans la mesure où ce sont souvent de véritables empires commerciaux qui sont basés sur ces « preuves » biaisées, les enjeux de ces enquêtes sont énormes. Dans le cas de celle conduite par

---

* Traduit de l'anglais par Laurent Bury.

Kirsch, c'est tout l'Empire des antidépresseurs qui s'est écroulé : « L'Empereur est nu ! »

Spécialiste mondialement reconnu de l'hypnose expérimentale et de l'effet placebo, Irving Kirsch est professeur de psychologie à l'université Plymouth et l'université de Hull (Grande-Bretagne), ainsi que directeur associé du Programme d'études sur le placebo à la faculté de médecine de l'université Harvard (États-Unis). Dans quelques-unes de ses vies antérieures, il a été actif dans la lutte pour les droits civiques et contre la guerre au Vietnam aux États-Unis, violoniste à la Toledo Symphony, accompagnateur d'Aretha Franklin et producteur de « The Missing White House Tapes », un disque nominé aux Grammy Awards en 1974. L'article qui suit résume l'argument de son livre *Les Médicaments neufs de l'Empereur : le mythe des antidépresseurs*[1].

Le 26 février 2008, la revue *PLoS Medicine* publia un article sur les antidépresseurs que j'avais écrit avec plusieurs collègues[2]. En me réveillant ce matin-là, je découvris que notre article faisait la une de tous les principaux quotidiens du Royaume-Uni. Quelques mois plus tard, les éditions Random House m'invitèrent à développer cet article pour en faire un livre intitulé *The Emperor's New Drugs : Exploding the Antidepressant Myth*, qui a depuis été traduit en français, en italien, en japonais, en polonais et en turc. Deux ans après, ce livre et les recherches qui y figuraient firent l'objet d'un grand article de 5 pages dans le magazine d'actualité américain *Newsweek*. Et encore deux ans après, il fut évoqué durant un reportage d'un quart d'heure dans « 60 Minutes », l'émission de télévision américaine la plus estimée. De paisible universitaire que j'étais, j'ai été métamorphosé en super-héros médiatique – ou en super-méchant, selon les points de vue. Qu'avions-nous donc fait, mes collègues et moi, pour mériter une telle transformation ?

Pour répondre à cette question, il faut remonter à 1998, quand avec un ancien thésard, Guy Sapirstein, j'ai publié une méta-analyse sur les antidépresseurs dans une revue en ligne de l'American Psychological Association[3]. La méta-analyse est un outil statistique consistant à réunir les résultats d'un grand nombre d'études réalisées sur le même sujet pour les analyser ensemble. Au départ les méta-analyses étaient assez controversées, mais elles sont désormais publiées dans toutes les grandes revues médicales où elles sont largement considérées comme le moyen le plus fiable de synthétiser les données recueillies par des études aux résultats différents et parfois contradictoires.

Quand Sapirstein et moi avons commencé à analyser les données des essais cliniques sur les antidépresseurs, nous ne nous intéressions pas particulièrement à ces derniers. Nous cherchions plutôt à comprendre l'effet placebo. Pendant toute ma carrière, j'ai été fasciné par l'effet placebo. Comment le fait de croire que l'on a pris un médicament peut-il produire certains des effets de ce médicament ?

La dépression nous semblait un domaine approprié pour examiner les effets placebo. Après tout, l'une des principales caractéristiques de la dépression est l'impression de désespoir qu'éprouvent les personnes déprimées. Si vous leur demandez quelle est la pire chose dans la vie, la plupart d'entre eux vous diront que c'est leur dépression. Le psychologue britannique John Teasdale appelle cela « être déprimé par la dépression ». Si tel est le cas, alors la simple promesse d'un traitement efficace devrait contribuer à soulager la dépression, en remplaçant le désespoir par l'espoir – l'espoir de guérir malgré tout. C'est dans cet état d'esprit que nous avons entrepris de mesurer l'effet placebo dans la dépression.

Nous nous sommes mis en quête d'études où des patients déprimés avaient été randomisés pour recevoir un placebo inerte ou pas de traitement du tout. Les études que nous avons retenues incluaient aussi des données sur la réaction aux antidépresseurs, parce que c'est le seul contexte dans lequel on trouve des données sur la réaction au placebo parmi les patients déprimés. Je ne m'intéressais pas particulièrement à l'effet des médicaments. Je prenais pour acquis que les antidépresseurs sont efficaces. En tant que psychothérapeute, il m'arrivait de prescrire des antidépresseurs à mes patients gravement déprimés. Lorsqu'ils commençaient à en prendre, leur état s'améliorait parfois, mais pas toujours. Quand cela fonctionnait, je supposais que l'amélioration était due à l'effet du médicament. Étant donné mon intérêt de longue date pour l'effet placebo, j'aurais dû savoir que ça n'allait pas forcément de soi. Mais à l'époque, je ne me méfiais pas.

En analysant les données rassemblées, nous n'avons pas été surpris de constater un effet placebo considérable sur la dépression. Ce qui nous étonna, ce fut l'effet très limité des médicaments. 75 % des améliorations constatées se produisaient aussi lorsqu'on donnait aux patients des pilules dépourvues de tout principe actif. Bien entendu, notre méta-analyse suscita une vive controverse. Sa publication entraîna des échanges véhéments. Selon nos détracteurs, nos données ne pouvaient pas être exactes. Notre recherche nous avait peut-être amenés à analyser un sous-ensemble non représentatif d'essais cliniques. Les antidépresseurs, ajoutaient nos détracteurs, avaient été évalués par de nombreux essais cliniques et leur efficacité avait été bien établie.

Pour répondre à ces critiques, nous avons donc décidé de répliquer notre étude avec un autre ensemble d'essais cliniques[4]. Dans le cadre de la loi sur la liberté d'information (Freedom of Information Act), nous avons demandé à la FDA de nous communiquer les données envoyées par les firmes pharmaceutiques pour faire approuver 6 antidépresseurs de la nouvelle génération ISRS, qui représentaient l'essentiel des antidépresseurs alors prescrits. Ces données détenues par la FDA offrent de nombreux avantages.

Le plus important est que la FDA exige des laboratoires qu'ils fournissent des informations sur tous les essais cliniques qu'ils financent. Nous avions donc les données des essais non publiés aussi bien que celles des essais publiés. Ce fait s'est révélé très important. Seulement près de la moitié des essais cliniques financés par les firmes avaient été publiés. Les résultats des essais non publiés n'étaient connus que des firmes et de la FDA, et la plupart d'entre eux n'indiquaient aucune supériorité significative du médicament sur le placebo.

Un deuxième avantage des données fournies par la FDA est que tous ces essais recouraient à la même mesure : l'échelle de dépression de Hamilton (HAM-D). Cela rendait facile l'interprétation des différences entre médicaments et placebos.

Enfin, les données de la FDA servent de base à l'autorisation de mise sur le marché des médicaments. Elles ont donc un statut privilégié. Si ces essais sont fautifs, alors les médicaments n'auraient jamais dû être approuvés.

Parmi ces données, seuls 43 % des essais montraient un avantage statistiquement significatif du médicament sur le placebo. Les 57 % restants étaient des essais ratés ou négatifs. Les résultats de notre analyse indiquaient que la réaction au placebo représentait 82 % de la réaction à ces antidépresseurs. Par la suite, avec mes collègues, nous avons répété notre méta-analyse sur un plus grand nombre encore d'essais soumis à la FDA (c'est l'article de 2008 dont je parlais au début). Là encore, avec un ensemble de données plus large, nous avons constaté que dans 82 % des cas, le placebo suscitait la même réaction que le médicament. Mieux encore, dans les deux analyses la différence moyenne entre médicament et placebo était inférieure à deux points sur l'échelle HAM-D. La HAM-D est une échelle comprenant 17 items sur laquelle on peut obtenir de 0 à 53 points selon le degré de dépression. Pour créer une différence de 6 points, il suffit d'un changement dans le rythme de sommeil, sans aucune modification des autres symptômes. La différence de 1,8 point que nous avons trouvée entre le médicament et le placebo était donc minime, au point d'être cliniquement insignifiante. Mais vous n'êtes pas obligés de me croire sur parole au sujet du caractère insignifiant de cette différence. Le National Institute for Health and Clinical Excellence (NICE), qui rédige les recommandations de traitement pour le National Health Service britannique, a établi comme critère de signification clinique une différence de 3 points entre médicament et placebo sur l'échelle HAM-D[5]. Par conséquent, lorsqu'on combine les données publiées et les données non publiées, elles ne montrent aucun avantage cliniquement significatif pour les médicaments antidépresseurs par rapport aux placebos inertes.

Un mot sur la différence entre signification *statistique* et signification *clinique*. La signification statistique concerne la fiabilité d'un effet. Est-ce un véritable effet ou juste un hasard ? La signification statistique ne nous dit rien sur la taille de l'effet. La signification clinique, de son côté, renvoie à la taille de l'effet et à la question de savoir si celle-ci est de nature à avoir un impact sur la vie du patient. Imaginez par exemple qu'une étude réalisée sur 500 000 personnes montre que sourire augmente l'espérance de vie de 5 minutes. Avec

---

Lorsqu'on combine les données publiées et les données non publiées, elles ne montrent aucun avantage cliniquement significatif pour les médicaments antidépresseurs par rapport aux placebos inertes.

500 000 personnes, je peux pratiquement vous garantir que cette différence sera statistiquement significative. Mais elle sera cliniquement sans intérêt.

Depuis, nos analyses ont été répliquées à plusieurs reprises, tantôt en utilisant les mêmes données, tantôt en s'appuyant sur d'autres ensembles d'essais cliniques[6]. La FDA a même procédé à sa propre méta-analyse sur tous les antidépresseurs qu'elle a approuvés[7]. Malgré les différentes manières de traiter les données, les chiffres sont remarquablement cohérents. Les différences sur l'échelle HAM-D sont faibles, toujours inférieures au critère défini par le NICE. Thomas P. Laughren, le directeur de la division psychiatrie de la FDA, l'a reconnu au cours de l'émission « 60 Minutes » :

> Je pense que nous sommes tous d'accord au sujet des changements constatés lors d'essais à court terme, la différence de résultat entre médicaments et placebos est assez limitée.

Et ce ne sont pas seulement les essais à court terme qui font apparaître une différence cliniquement négligeable entre médicaments et placebos. Dans sa méta-analyse des essais cliniques publiés, le NICE a établi que la différence dans les essais à long terme n'était pas supérieure à celle constatée dans les essais à court terme. La différence entre les médicaments et les placebos est minime. Pour ne pas le voir, il faut se cacher la tête dans le sable comme une autruche – ou comme un visiteur médical de firme pharmaceutique.

GRAVITÉ DE LA DÉPRESSION ET EFFICACITÉ DES ANTIDÉPRESSEURS

Selon les détracteurs de notre méta-analyse de 2002, nos résultats s'appuyaient sur des essais cliniques réalisés auprès de sujets qui n'étaient pas très déprimés. Chez des patients plus déprimés, disaient-ils, on constaterait sûrement une différence plus substantielle. En fait, c'est bien ce reproche qui nous a poussés, mes collègues et moi, à réanalyser en 2008 les données de la FDA. Nous avons classé les essais cliniques de la base de données de la FDA selon la gravité initiale de la dépression, en utilisant les critères de dépression en vigueur. Il s'est trouvé qu'il n'y avait qu'un seul essai réalisé sur des patients modérément déprimés et cet essai ne montrait aucune différence significative entre médicament et placebo. La différence était quasiment nulle (0,07 point sur la HAM-D). Tous les autres essais avaient été menés avec des patients que leur score plaçait dans la catégorie de dépression « très grave » et même, parmi ces patients, la différence entre médicament et placebo se situait en deçà du niveau de signification clinique.

Toutefois, la gravité de la dépression faisait bien apparaître une différence. Dans les cas de dépression les plus graves, ceux ayant au moins 28 points sur la HAM-D, il y avait une différence moyenne de 4,36 points entre médicament et placebo. Pour déterminer combien de patients appartenaient à ce groupe de personnes extrêmement déprimées, j'ai demandé à Mark Zimmerman de la faculté de médecine de l'université Brown University de m'envoyer les données brutes d'une étude au cours de laquelle lui et ses collègues avaient évalué les scores HAM-D de patients diagnostiqués comme souffrant de trouble dépressif majeur (TDM) unipolaire après avoir été admis dans une clinique psychiatrique de jour[8]. Les individus ayant un score supérieur ou égal à 28 représentaient 11 % de ces patients. Autrement dit, 89 % des dépressifs ne tirent pas un avantage cliniquement significatif des antidépresseurs qu'on leur prescrit.

Et encore, ce chiffre de 11 % surestime peut-être le nombre de ceux qui en tirent un avantage. En effet, les antidépresseurs sont également prescrits à des gens qui ne répondent pas aux critères de dépression majeure. Mon voisin a perdu son chien : son médecin lui a prescrit un antidépresseur. Un ami américain souffre de spasmes des muscles lombaires : on lui a prescrit un antidépresseur. Je ne compte plus les gens qui me disent qu'on leur a prescrit des antidépresseurs pour de l'insomnie, alors même que l'insomnie est un effet secondaire fréquent des antidépresseurs. Environ 20 % des patients souffrant d'insomnie aux États-Unis se voient prescrire des antidépresseurs par leur médecin[9], en dépit du fait que « la popularité des antidépresseurs dans le traitement de l'insomnie ne s'appuie pas sur

---

89 % des dépressifs ne tirent pas un avantage cliniquement significatif des antidépresseurs qu'on leur prescrit.

une quantité importante de données, mais plutôt sur les opinions et croyances des généralistes[10] ».

PRÉDIRE LA RÉACTION AU TRAITEMENT

La gravité de la dépression est l'un des rares facteurs prédictifs d'une réaction au traitement. Le type d'antidépresseur n'a pour ainsi dire aucun impact sur la réaction du patient. Comme l'a résumé en 2011 une méta-analyse des études comparant des antidépresseurs entre eux :

> Sur la base de 234 études, aucune différence d'efficacité clini-
> quement pertinente n'a été détectée pour le traitement des troubles
> dépressifs majeurs en phase aiguë, de continuation ou d'entretien.
> Aucune différence d'efficacité n'a été constatée chez des patients souf-
> frant de symptômes secondaires ou dans des sous-groupes établis selon
> l'âge, le sexe, l'appartenance ethnique ou les conditions comorbides
> [...] Les données recueillies ne permettent pas de recommander un anti-
> dépresseur de seconde génération de préférence à un autre sur la base
> d'une différence d'efficacité[11].

Si le type de médicament n'entraîne aucune différence cliniquement significative, il n'en va pas de même du placebo. Presque tous les essais d'antidépresseurs incluent une phase initiale avec placebo. Avant que l'essai ne commence, un placebo est prescrit à tous les patients pendant une semaine ou deux. Après quoi les patients sont à nouveau évalués et tous ceux qui ont connu une amélioration subs-tantielle sont exclus de l'essai. Ne restent que les patients auxquels le placebo a apporté une amélioration nulle ou limitée. Ce sont eux qui sont randomisés pour déterminer lesquels recevront un médicament et lesquels recevront un placebo. Or ceux qui montrent au moins une amélioration minime durant la phase initiale sont en réalité les plus susceptibles de réagir au véritable médicament, comme le montrent non seulement les évaluations par les médecins mais aussi les change-ments des fonctions cérébrales[12].

COMMENT CES MÉDICAMENTS ONT-ILS PU ÊTRE APPROUVÉS ?

Comment se fait-il que des médicaments à l'efficacité aussi réduite que les antidépresseurs aient été approuvés par la FDA ? Pour répondre à cette question, il faut d'abord connaître les critères d'approbation utilisés. La FDA exige deux essais cliniques réalisés de manière adéquate, montrant une différence significative entre médicament et placebo. Mais il y a une faille dans le système : rien ne limite le nombre d'essais qui peuvent être menés afin de parvenir à ces deux résultats significatifs. Les essais négatifs ne comptent pas, tout simplement. De plus, la signification clinique des résultats n'est pas prise en considération. Tout ce qui importe, c'est que les résultats soient statistiquement significatifs.

L'exemple le plus manifestement absurde de l'application de ce critère d'approbation concerne l'antidépresseur Viibryd® en 2011. 7 essais contrôlés ont été réalisés. Les 5 premiers n'ont montré aucune différence significative sur quelque type de dépression que ce soit et la différence moyenne entre médicament et placebo était inférieure à un demi-point sur l'échelle HAM-D ; dans 2 essais, la différence était même en faveur du placebo. La firme mena 2 autres tests et réussit à obtenir une différence faible mais pertinente (1,7 point). Sur l'ensemble des sept études, la différence moyenne entre médicament et placebo était de 1,01 point HAM-D. C'était suffisant pour que la FDA accorde une autorisation de mise sur le marché et on peut lire dans le document destiné à informer les médecins et les patients :

> L'efficacité du VIIBRYD a été établie par deux essais randomisés contrôlés en double aveugle contre placebo d'une durée de 8 semaines.

Aucune mention des 5 tests négatifs qui ont précédé les 2 positifs.

Il ne s'agit pas d'un simple oubli, mais d'une politique délibérée de la FDA, décidée il y a plusieurs décennies. À ma connaissance, il existe un seul antidépresseur pour lequel le FDA ait signalé l'existence d'essais négatifs. Cette exception est le citalopram (Seropram® en France) et l'information fut incluse dans la notice d'utilisation du médicament à la suite d'une intervention de Paul Leber, alors directeur de la division neuropharmacologie de la FDA. Dans un mémo interne daté du 4 mai 1998, Leber écrivait :

Un aspect de la notice mérite d'être mentionné. Le [rapport] non seulement décrit les essais cliniques prouvant l'effet antidépresseur du citalopram, mais il évoque aussi les études cliniques adéquates et contrôlées qui n'ont révélé aucun effet [...] Le directeur général tend à penser que ces informations n'ont aucun intérêt pratique pour le patient ou le prescripteur. Je ne suis pas d'accord. Il me paraît bon que le prescripteur, le patient et le tiers payant sachent, sans devoir passer par les documents officiels de la FDA, que l'effet antidépresseur du citalopram n'a pas été détecté dans tous les essais cliniques contrôlés censés démontrer cet effet. Je sais bien que souvent les études cliniques n'arrivent pas à démontrer l'efficacité de médicaments efficaces, mais je doute que ce fait soit connu du public ou même de la majorité de la communauté médicale. Je suis convaincu qu'ils ont le droit de savoir et même qu'ils doivent savoir. En outre, je pense qu'une notice sélective qui décrit les études positives sans mentionner les négatives peut être considérée comme potentiellement « fausse et trompeuse ».

Bravo, Paul Leber ! Je n'ai jamais rencontré ce monsieur ni n'ai jamais été en contact avec lui, mais cette note courageuse fait de lui l'un de mes héros.

LE MYTHE DE LA SÉROTONINE

Au fil des années, j'ai remarqué une chose très curieuse dans la littérature sur les antidépresseurs. Quand on compare ces médicaments entre eux, leurs effets sont étonnamment semblables. Je m'en suis aperçu pour la première fois en 1998, quand nous avons réalisé notre méta-analyse de la littérature publiée. En voyant à quel point l'effet des médicaments était réduit, nous avons cru nous être trompés. Peut-être avions-nous eu tort d'inclure les essais qui évaluaient différents types d'antidépresseurs. Peut-être avions-nous sous-estimé l'efficacité des antidépresseurs en incluant dans notre méta-analyse les essais cliniques portant sur des médicaments moins efficaces que d'autres.

Avant de soumettre notre article pour publication, nous sommes revenus aux données et avons examiné le type d'antidépresseur utilisé pour chaque essai. Certains étaient des inhibiteurs sélectifs de la recapture de la sérotonine (ISRS), d'autres étaient des médicaments tricycliques. Quant à ceux qui n'étaient ni l'un ni l'autre, nous les avons réunis dans la catégorie « autres antidépresseurs ». Nous avons alors remarqué qu'il existait en fait une quatrième catégorie. Dans certains essais, des produits qu'on ne conçoit pas du tout comme des antidépresseurs – des tranquillisants et des médicaments pour la thyroïde, par exemple – étaient prescrits à des patients déprimés et évalués pour leur effet sur la dépression.

Quand nous avons analysé les réactions respectives au médicament et au placebo pour chaque type de médicament, une autre surprise nous attendait. Peu importait le type de médicament prescrit durant l'essai, la réaction était toujours la même, celle qu'on observait avec 75 % des placebos. Je me rappelle avoir été impressionné par cette similitude, mais depuis j'ai appris qu'il n'y avait là rien d'inhabituel. J'ai rencontré ce phénomène quantité de fois. Dans l'essai STAR*D – qui est, pour un montant de 35 millions de dollars, l'essai clinique le plus coûteux jamais réalisé pour des antidépresseurs – les patients qui ne réagissaient pas à un ISRS étaient mis sous un autre antidépresseur. Certains recevaient un IRSN, un médicament qui est censé augmenter la norépinéphrine et la sérotonine dans le cerveau. D'autres recevaient un IRDN, censé augmenter la norépinéphrine et la dopamine sans affecter la sérotonine. D'autres encore recevaient simplement un ISRS différent. Environ un patient sur quatre réagissait de façon cliniquement significative au traitement, mais peu importait quel nouveau médicament on lui avait prescrit. Les effets allaient de 26 % à 28 %. Autrement dit, ils étaient exactement les mêmes quel que soit l'antidépresseur.

Les antidépresseurs les plus couramment prescrits sont les ISRS, censés cibler de manière sélective le neurotransmetteur sérotonine. Mais il existe un autre antidépresseur qui a un tout autre mode d'action. C'est la tianeptine (Stablon®), qui a été approuvée par l'Agence française de sécurité sanitaire. La tianeptine est un promoteur sélectif de la recapture de la sérotonine. Au lieu de diminuer la quantité de sérotonine dans le cerveau, elle l'augmente. Si la dépression était causée comme on le dit par une déficience en sérotonine, elle devrait aggraver la dépression. Or pas du tout. Dans les essais cliniques comparant les effets de la tianeptine à ceux des ISRS et antidépresseurs tricycliques, 63 % des patients montrent une amélioration significative (définie comme une réduction de 50 % des symptômes), le même taux de réaction que pour les ISRS, les IRDN et les tricycliques dans ce type d'essai. Peu importe donc le médicament, qu'il diminue la sérotonine, qu'il l'augmente ou qu'il n'ait aucun effet sur elle. L'effet sur la dépression est le même.

Comment appelle-t-on des pilules dont les effets sont indépendants de leur composition chimique ? Moi, j'appelle ça des placebos.

LES ANTIDÉPRESSEURS, PLACEBOS ACTIFS

Tous les antidépresseurs semblent également efficaces. Pourtant, même si la différence entre médicament et placebo n'est pas cliniquement significative, elle l'est statistiquement. D'où une question évidente : qu'ont donc en commun tous ces médicaments actifs qui rend leur effet sur la dépression légèrement meilleur qu'un placebo, assez du moins pour que la différence soit statistiquement significative ?

Une chose que tous les antidépresseurs ont en commun est qu'ils entraînent des effets secondaires. Quelle importance, direz-vous ? Imaginez que vous participiez à un essai clinique. On vous dit que l'essai est en double aveugle et qu'on va peut-être vous administrer un placebo. On vous explique quels sont les effets secondaires du médicament : les effets thérapeutiques ne se feront peut-être pas sentir avant des semaines, mais les effets secondaires peuvent se produire plus vite. N'allez-vous pas vous demander dans quel groupe vous avez été placé, celui des médicaments ou celui des placebos ? Et si vous remarquez un des effets secondaires mentionnés, n'allez-vous pas en conclure qu'on vous a donné le vrai médicament ? Dans une étude déjà ancienne, 89 % des patients du groupe des médicaments ont bien « deviné » qu'on leur avait donné le vrai antidépresseur, résultat qui a peu de chances d'être dû au hasard[13].

En d'autres termes, les essais cliniques ne sont pas vraiment en double aveugle. Beaucoup de patients comprennent qu'on leur a administré un vrai médicament et non un placebo, généralement à cause des effets secondaires. Quel effet cela peut-il avoir sur l'essai ? Inutile de chercher la réponse. Bret Rutherford et ses collègues de l'université Columbia nous la donnent. Ils ont examiné la réaction aux antidépresseurs dans des études sans groupes placebo et avec groupes placebo[14]. La principale différence entre ces études est que dans le premier cas les patients étaient certains qu'on leur donnait un antidépresseur actif, alors que dans les essais contrôlés contre placebo ils savaient qu'on pouvait leur avoir administré un placebo. La certitude d'avoir reçu un médicament actif augmentait de façon significative l'efficacité du produit. Cela confirme l'hypothèse que la différence minime entre médicament et placebo dans les essais d'antidépresseurs tient au moins en partie au fait que certains patients devinent qu'on leur a donné un médicament à cause des effets secondaires.

QUE FAIRE ?

En résumé, il y a une réponse thérapeutique forte aux antidépresseurs. Mais la réponse aux placebos est presque aussi forte. Cela constitue un dilemme thérapeutique. L'effet médicamenteux des antidépresseurs n'est pas cliniquement significatif, mais celui des placebos l'est. À la lumière de ces résultats, que faut-il donc faire en pratique ?

Une possibilité serait de prescrire des placebos, mais c'est une tromperie. Outre le côté moralement contestable, on court le risque de miner la confiance, qui est l'un des outils cliniques les plus importants dont disposent les cliniciens. Une autre possibilité serait d'utiliser les antidépresseurs comme placebos actifs. Mais les risques impliqués par l'usage d'antidépresseurs rendent cette alternative problématique[15]. Parmi les effets secondaires des antidépresseurs, on trouve le dysfonctionnement sexuel (qui peut affecter plus de 70 % des patients avec certains ISRS), la perte de poids à long terme, l'insomnie, la nausée et la diarrhée. Environ 20 % des personnes qui tentent d'arrêter les antidépresseurs montrent des symptômes de sevrage. Les antidépresseurs ont été associés à une hausse des idées suicidaires chez les enfants et les jeunes adultes. Les adultes courent un risque accru d'infarctus et de décès. Les femmes enceintes qui prennent des antidépresseurs sont plus exposées aux fausses couches,

---

La différence minime entre médicament et placebo dans les essais d'antidépresseurs tient au moins en partie au fait que certains patients devinent qu'on leur a donné un médicament à cause des effets secondaires.

et si leur enfant vient à terme, il court plus de risques d'autisme, de malformations congénitales, d'hypertension artérielle pulmonaire persistante et de troubles du comportement. De plus, certains de ces risques ont été rattachés à l'emploi d'antidépresseurs durant le premier trimestre de la grossesse, quand les femmes ne savent pas toujours qu'elles sont enceintes.

La conséquence la plus surprenante pour la santé est peut-être celle qui affecte les individus de tout âge : les antidépresseurs augmentent le risque de rechute après guérison. Les gens traités par antidépresseurs sont plus susceptibles de redevenir déprimés que ceux qui ont été soignés autrement, notamment par placebo[16]. Par ailleurs, le risque de rechute augmente proportionnellement au degré de modification apportée à la neurotransmission dans le cerveau par l'antidépresseur utilisé.

Étant donné ces risques, les antidépresseurs ne devraient pas être utilisés comme traitement de première intention pour la dépression. Le recours aux traitements non médicamenteux est une meilleure solution. Avec mes collègues, nous avons réalisé une méta-analyse de divers traitements pour la dépression, dont les antidépresseurs, la psychothérapie, une combinaison des deux, et des traitements « alternatifs », notamment l'acupuncture et l'exercice physique[17]. Nous n'avons observé aucune différence significative entre ces traitements ou entre différents types de psychothérapie. Quand des traitements différents sont également efficaces, le choix devrait dépendre des risques et du caractère nocif. Or de tous ces traitements, les antidépresseurs sont les plus risqués et les plus nocifs. Si on veut les employer, ce devrait être seulement en dernier recours, quand la dépression est extrêmement grave et que tous les autres types de traitement ont été tentés sans succès.

Les antidépresseurs augmentent le risque de rechute après guérison.

21

Le meilleur des marchés *

DAVID HEALY
David Healy est le lanceur d'alerte par excellence. Professeur de psychiatrie à l'université de Cardiff (pays de Galles) et ex-secrétaire de l'Association britannique de psychopharmacologie, Healy est un expert mondialement reconnu dans le domaine des médicaments psychotropes et l'auteur d'une vingtaine d'ouvrages de référence sur l'histoire de sa discipline[1]. Que ce soit à titre de directeur d'essais cliniques ou de consultant, il a travaillé pour la plupart des grands laboratoires de l'industrie pharmaceutique. Il est aussi devenu leur bête noire depuis qu'il a tiré la sonnette d'alarme au sujet des risques de violence suicidaire présentés par les antidépresseurs ISRS lors de procès où il était appelé à la barre en tant qu'expert par les familles des victimes.

Comme ils le font toujours lorsqu'un chercheur menace leurs intérêts, les laboratoires concernés ont tenté de neutraliser le « problème Healy » en répandant le bruit qu'il était un vibrion libre aux positions extrêmes et minoritaires. En 2001, le fabricant du Prozac, Eli Lilly, retira son soutien financier de 25 000 dollars par an au Hastings Center : cet institut de recherche en bioéthique avait commis l'impair de publier dans sa revue un article de Healy sur les risques de suicidalité présentés par les antidépresseurs. La même année, quelques jours après que Healy eut donné une conférence dans laquelle il

* Traduit de l'anglais par Laurent Bury.

399

réitérait ses vues, l'université de Toronto lui adressa un courriel pour dénoncer son contrat d'embauche à la tête d'un institut de recherche renommé. Motif : son approche n'était pas « compatible avec les objectifs de développement des ressources académiques et cliniques » de l'institut. L'université a toujours nié que sa décision ait eu à voir avec une donation de 1,5 million de dollars versée précédemment par Eli Lilly.

Ces pressions multiples n'ont pas fait taire Healy, bien au contraire. Depuis ses premières escarmouches avec les laboratoires au sujet des antidépresseurs, il a élargi sa critique à l'industrie pharmaceutique en général et à la mainmise de celle-ci sur la recherche médicale. Dans son dernier livre, *Pharmageddon*[2], il porte un diagnostic très sombre sur la médecine contemporaine, devenue selon lui une marionnette de l'industrie qui ne sert plus les intérêts des patients. En particulier, Healy ne pense pas que les essais contrôlés et la « médecine basée sur les preuves » nous permettent de déjouer l'emprise de Big Pharma sur la recherche biomédicale et de protéger la santé des patients. Au contraire, comme il l'explique ici, ils sont le cheval de Troie qui a permis à l'industrie pharmaceutique de pénétrer au cœur même de la médecine et de la corrompre de l'intérieur.

Nous sommes à un moment tout à fait inhabituel. Le Congrès des États-Unis est polarisé comme jamais, divisé sur la question des soins médicaux, dont le coût atteindra bientôt 20 % du PIB et qui menacent de faire couler l'économie. Malgré ces chiffres exorbitants, l'impression générale est que la santé de la population se détériore au lieu de s'améliorer.

Paradoxalement, le seul point sur lequel les deux camps s'accordent est lié à la santé publique : tous veulent un accès plus rapide aux nouveaux médicaments. Le Congrès examine un projet de loi visant à l'accélérer et à obtenir de la FDA qu'elle tienne compte non seulement de l'efficacité et de la sécurité des produits, mais aussi du fait que l'industrie pharmaceutique crée des emplois aux États-Unis[3]. Des médicaments meilleurs et plus efficaces apparaissent comme une solution à la crise de la santé publique.

En Grande-Bretagne, les publications marxistes tout comme les brochures de P*h*RMA suggèrent que 15 % à 20 % d'entre nous souffrons de maladie mentale et avons besoin d'un traitement[4]. De gauche à droite, toutes les nuances du spectre politique sont d'accord pour dire que nous nageons dans une mer de « besoins non couverts ».

LE PARADOXE THÉRAPEUTIQUE

Or plus on cherche à satisfaire ces besoins non couverts, plus la santé se dégrade. L'espérance de vie dans les pays qui consomment la plus grande quantité de médicaments nouvellement mis sur le marché chute par rapport à celle des autres pays. Cela suggère que le marché de la santé ne fonctionne pas.

Face à cet échec, la réaction de gauche est habituellement d'en appeler à plus de régulation. En l'occurrence, comme je vais essayer de le montrer, la régulation est la cause du problème. La réaction de droite est d'en appeler à la dérégulation du marché, mais en matière de produits pharmaceutiques, ce sont les entreprises privées qui proclament haut et fort leur soutien à l'économie de marché en matière de santé qui sont les plus susceptibles de s'opposer à cette dérégulation du marché des médicaments.

LES ORIGINES D'UN MARCHÉ UNIQUE AU MONDE

Au début du XXe siècle, la situation était celle d'une exploitation dangereuse et sur une grande échelle des patients, avec des marges bénéficiaires de 500 % sur les médicaments, une industrie publicitaire qui vendait de la beauté plutôt que de la santé, un étiquetage des produits relevant de la fraude grossière et un manque de traitements efficaces. C'est pour y remédier qu'apparurent les premiers efforts pour réglementer l'industrie pharmaceutique.

Les États-Unis adoptèrent les premières lois en 1906, bientôt suivis par d'autres pays. Il est clair à présent que la réglementation a eu pour conséquence d'engendrer une expansion des firmes qui devaient s'organiser pour gérer ces nouvelles exigences, ce qui s'est répercuté sur le prix des médicaments. Cela dit, il s'agissait d'un effet prévisible de la réglementation qui n'avait rien de spécifique au marché pharmaceutique. Depuis les réglementations mises en place en 1962, nous avons vu en revanche se développer un marché tout à fait singulier que personne n'avait prévu et qui n'a jamais été vraiment analysé en détail.

La motivation initiale de cette réglementation des médicaments était la sécurité des patients. La première exigence a été un étiquetage précis des produits. Tout au long du XXe siècle, il y a eu un effort pour préciser l'efficacité des médicaments. Cet intérêt pour l'efficacité était à l'origine une question de sécurité. Un médicament non efficace ne pouvait offrir la sécurité.

L'apparition des essais randomisés contrôlés (ERC) renforça l'argument selon lequel il était important de prouver l'efficacité d'un produit et l'exigence d'essais contrôlés fut inscrite dans le Food and Drugs Act de 1962. Or, loin d'améliorer la sécurité, cette évolution a fait apparaître un marché de l'efficacité qui a eu des conséquences néfastes pour la sécurité.

La crise du sédatif thalidomide en 1962 suscita aussi d'autres changements, notamment la décision d'accorder des brevets aux produits pharmaceutiques et l'exigence que les nouveaux médicaments soient accessibles seulement sur ordonnance.

Ces différents éléments réglementent encore aujourd'hui le marché pharmaceutique, la pratique médicale et la façon dont nous envisageons toutes ces questions. Ils ont créé la matière première parfaite, le produit parfait et le consommateur parfait. Mais si l'effet souhaité était une amélioration de la santé personnelle et des finances publiques, le résultat a été terriblement mauvais.

LA MEILLEURE DES MATIÈRES PREMIÈRES

Chaque produit est fabriqué à partir d'une matière première, ce qui impose certaines contraintes au fabricant. Il peut y avoir des difficultés liées au travail sur ce matériau, celui-ci peut être rare ou coûteux. C'est le problème délicat de la marge bénéficiaire lorsqu'on passe de l'ingrédient brut au produit – le marché ne l'acceptera que dans certaines proportions.

Dans la seconde moitié du XXᵉ siècle, la mise en bouteilles de l'eau de source a offert un exemple de produit parfait. Quelques années auparavant, en dehors des eaux thermales, personne n'aurait imaginé qu'un bien aussi omniprésent et peu coûteux que l'eau puisse être vendu avec une marge comparable dans des zones où l'eau du robinet est potable. Sauf en cas de pénurie d'eau, la valeur de l'eau en bouteille vient presque exclusivement de son marketing et n'existe que dans l'esprit du consommateur.

Vers 1900, les panacées commerciales, qui ne contenaient souvent guère plus que de l'eau, étaient des produits quasi parfaits, au même titre que l'eau en bouteille. Sur ces marques déposées, la marge bénéficiaire était supérieure à celle de l'eau en bouteille aujourd'hui. Le marketing qu'on utilise pour l'eau en bouteille et presque tout le reste est apparu d'abord en relation avec le marché des médicaments à marque déposée.

Comparé à ces panacées et à l'eau en bouteille, les médicaments disponibles uniquement sur ordonnance sont des produits complexes qui exigent deux types d'ingrédients. Il faut d'abord une base chimique, puis des informations qui transforment cette base en un produit médical. Les informations précisent les conditions optimales d'utilisation du médicament, ses effets possibles en fonction des doses et des circonstances.

Le coût des produits chimiques est aujourd'hui à peine supérieur à celui de l'eau en bouteille. Les informations sont moins faciles à fabriquer, du moins en apparence. En réalité, la combinaison actuelle de contraintes pesant sur le contenu informatif nécessaire à produire un médicament en fait une matière première presque parfaite. Les compagnies ont seulement mis quelque temps à se rendre compte qu'elles pouvaient quasiment inventer cette information.

Les informations ajoutent une valeur apparente qui permet des marges sans commune mesure avec ce qui se pratique sur les autres marchés. Si cette valeur était réelle plutôt qu'apparente, ces marges pourraient être justifiables, mais loin d'être réel, ce qui semble être une valeur ajoutée augmente en général le risque lié au produit chimique au lieu de le diminuer. Les problèmes liés à la composante informative des médicaments sont au cœur du paradoxe thérapeutique et ils expliquent pourquoi plus nous avons accès aux médicaments, plus nous avons de problèmes.

Au centre de ces informations se trouve l'essai randomisé contrôlé (ERC). Les ERC ont cela de fascinant qu'ils permettent d'insérer l'exigence d'efficacité dans le système. Les essais contrôlés ont été introduits après qu'il eut été prouvé qu'ils pouvaient éliminer les prétentions infondées en matière d'efficacité du traitement. Cela semblait placer la barre plus haut pour l'entrée sur le marché : les charlatans pourvoyeurs de panacées commerciales seraient maintenus à l'écart de la médecine et les chameaux financiers de l'industrie pharmaceutique allaient devoir passer à travers le chas de l'aiguille scientifique s'ils voulaient gagner de l'argent sur le dos des malades.

Si le recours aux essais contrôlés s'était borné à exclure du marché les médicaments inutiles, on aurait pu y voir une contribution majeure à la sécurité des patients. Pour le meilleur ou pour le pire, quantité de médicaments dont nous disposons aujourd'hui ne seraient jamais devenus accessibles. Surtout, les ERC ne seraient pas devenus un moyen de vendre des médicaments, d'en masquer les effets secondaires et d'influencer la pratique clinique. Mais avec le développement de la médecine basée sur les preuves, nous sommes entrés dans un monde de plus en plus étrange.

DE L'AUTRE CÔTÉ DU MIROIR

Premièrement, le recours aux ERC pour démentir une prétention à l'efficacité a été entièrement subverti. Même si l'utilité de tel médicament n'est pas prouvée par la majorité des ERC, il suffit que certains essais cliniques suggèrent une issue positive pour que le traitement ait de grandes chances de recevoir une autorisation de mise sur le marché. Pire encore, les traitements soutenus par des observateurs indépendants ayant adopté une approche inspirée par la médecine basée sur les preuves sont souvent ceux qui ont le plus fort taux d'essais négatifs. La raison en est que les recommandations de bonne pratique se fondent sur les essais cliniques publiés et ne tiennent compte ni des essais négatifs restés inédits, ni des tests négatifs publiés comme positifs pour le médicament.

Selon Peter Doshi et ses collègues, qui ont récemment étudié les données du Tamiflu, il est impossible d'évaluer l'efficacité d'un médicament sans avoir pleinement accès à tous les essais réalisés[5]. Plus les données réunies étaient complètes, moins le Tamiflu est apparu efficace. Et pourtant, sur la base des données initialement publiées, les gouvernements du monde entier ont dépensé plusieurs milliards de dollars pour constituer des stocks de Tamiflu en 2007-2008.

Deuxièmement, en effectuant des essais cliniques impliquant un très grand nombre de participants, on a plus de chances de découvrir des bénéfices peu pertinents procurés par un médicament. À condition de la tester sur beaucoup de gens, on pourrait démontrer l'utilité de la poudre de perlimpinpin. Loin d'en être conscients, les médecins sont toujours plus impressionnés par une étude qui porte sur des milliers de patients que par une autre qui prouve l'intérêt d'un médicament à partir d'une poignée de patients. Les revues les plus prestigieuses préfèrent publier des études multicentriques impliquant des milliers de patients et indiquant un bénéfice clinique dérisoire, plutôt qu'une petite étude révélant un effet clinique flagrant.

Troisièmement, les seules données qu'on puisse généraliser à partir d'un essai sont les estimations de la fiabilité de la principale mesure du résultat. Mais en pratique, presque tout ce qui se produit au cours d'un essai – du moins, tout ce qui est utile pour un laboratoire pharmaceutique – est considéré comme ayant été prouvé uniquement parce que cela s'est produit durant un ERC.

Rares sont les essais qui incluent les bons instruments pour mesurer les résultats autres que le résultat principal. C'est particulièrement vrai pour les effets indésirables où, en plus, les données sont couramment codées de façon ingénieuse, transposées ou manipulées pour faire disparaître les problèmes.

Quatrièmement, les essais cliniques sont réalisés par les entreprises pharmaceutiques. Dès le départ, ces tests visent à produire un savoir répondant à une fin précise, plutôt qu'à produire du savoir dans l'absolu. Toute information dérangeante a toutes les chances d'être éliminée de ces études.

Les ERC sont bien une méthode de référence, comme l'affirment les adeptes de la médecine basée sur les preuves. Pourtant, pour les raisons qui viennent d'être indiquées, c'est en pratique une méthode de référence idéale pour dissimuler les effets indésirables plutôt que pour démontrer l'efficacité d'un produit.

Ils auraient pu apporter une contribution réelle à la sécurité si leur usage s'était borné à écarter les produits inefficaces, mais en pratique ils servent à dissimuler les effets négatifs et, en cela, ont nui au développement d'une évaluation comparée de la sécurité des médicaments.

Peu de gens ont compris que la « méthode de référence », la « pertinence statistique » et la « médecine basée sur les preuves » sont fondamentalement des formules incantatoires, des figures de style qu'il est temps de démanteler.

COMMENT TRANSFORMER LES MÉTAUX NON PRÉCIEUX EN OR

Un nouveau système par défaut a donc été créé. Alors qu'auparavant les médicaments étaient perçus comme des poisons, tout l'art de la médecine consistant à en trouver le juste dosage pour équilibrer les risques et les bénéfices du traitement, ils sont devenus, grâce à la preuve supposée de leur efficacité, des engrais ou des vaccins qu'il convient d'administrer aussi largement que possible. Jadis, le médecin devait savoir quand ne pas traiter; il semble qu'il soit maintenant censé savoir comment prescrire le maximum de médicaments possible pour la durée la plus longue possible.

Tout cela vient de l'usage des essais randomisés contrôlés. Fait extraordinaire, une technique introduite pour déjouer les prétentions thérapeutiques des firmes est devenue le moyen par lequel ces mêmes firmes génèrent de l'information au sein du système médical et propulsent la vente des médicaments. Nous en sommes presque arrivés au point où personne n'a le droit d'utiliser un parachute si son efficacité n'a pas été d'abord soumise à ERC.

Mais c'est la façon dont ces essais sont réalisés qui fait d'eux l'alambic dans lequel les alchimistes des laboratoires pharmaceutiques transforment le métal non précieux en or. D'abord, on procède à un ensemble d'essais sur des volontaires en bonne santé. Ces essais révèlent les risques des médicaments de façon infiniment plus efficace que les essais cliniques sur des patients. Mais les données ainsi recueillies sont inaccessibles. Il n'existe aucun registre des essais sur volontaires sains et les publications tirées de ces études sont en général profondément trompeuses.

Les essais dont entendent parler les médecins sont ceux réalisés sur des patients. Ceux-ci se portent volontaires et acceptent d'ingérer des substances qui ont de bonnes chances d'être trop toxiques pour être commercialisées. Ils le font sans être informés de ces risques. L'exercice étant présenté comme scientifique, la plupart des participants croient sans doute que les données recueillies seront mises à la disposition des experts pour contribuer à une base de connaissances qui fera progresser la médecine. En fait, si des registres d'essais cliniques indiquent désormais qu'un essai a eu lieu, les données recueillies sont toujours séquestrées par les firmes.

Lorsqu'il s'agit de transformer ces données en une information qui influencera la pratique clinique, les entreprises peuvent choisir quels essais elles veulent publier. Elles peuvent aussi, à l'intérieur de ces essais, choisir les données qui correspondent à leurs objectifs. Dans certaines branches de la médecine, un tiers des essais peuvent ainsi rester inédits et sur ceux qui sont publiés, jusqu'à un tiers sont présentés comme positifs alors même que les régulateurs et autres chercheurs qui y ont eu accès les jugent négatifs.

Les données sont transformées en une « publication » qui est le premier outil marketing des entreprises. Par un suprême tour de passe-passe, ces soutiens du marketing sont présentés comme des articles scientifiques, même s'il leur manque la première caractéristique essentielle d'un document scientifique : l'accessibilité des données.

Une fois la publication prête, pour y ajouter de la valeur marketing, des « nègres » (*ghostwriters*) y apposent le nom d'éminents universitaires. Les universitaires rendent ce service en échange de modiques sommes d'argent. Le texte est envoyé à une revue scientifique. Contrairement à la presse de qualité qui vérifie l'intégrité des sources primaires sur lesquelles un article s'appuie, les revues se dispensent de tout « fact checking ». Et même quand le caractère frauduleux d'un article publié est prouvé, les revues refusent de se rétracter.

Les publications prennent ensuite la forme de recommandations de bonne pratique clinique qui exigent des médecins qu'ils emploient les médicaments les plus récemment brevetés et les plus coûteux de préférence à d'autres plus anciens, moins chers et plus efficaces. L'élaboration de ces recommandations de bonne pratique permet aux firmes de coopter même les universitaires les plus indépendants et les plus hostiles à l'influence des laboratoires et à leur faire avaliser leurs produits.

Les efforts visant à imposer les essais cliniques pour contrebalancer l'industrie ont infecté encore plus radicalement la thérapeutique. En 1962, on espérait prouver l'efficacité d'un médicament avant son lancement sur le marché. Les études sont donc réalisées sur des malades. Si l'essai n'est pas négatif, les firmes sont autorisées à faire savoir que le médicament Y est efficace pour la maladie X. Mais le médicament peut être plus efficace pour d'autres

---

Les efforts visant à imposer les essais cliniques pour contrebalancer l'industrie ont infecté encore plus radicalement la thérapeutique.

maladies. L'antidépresseur imipramine, par exemple, est un traitement plus efficace pour les troubles de panique que n'importe lequel des médicaments brevetés dans ce but. Les antidépresseurs ISRS sont plus efficaces contre l'éjaculation précoce que contre la dépression.

Si une entreprise fait la promotion de son produit pour un usage sans entreprendre d'étude sur cette condition, on parle de promotion hors AMM. Cette pratique suscite une certaine inquiétude de la part des médecins et la majorité d'entre eux estimeront ne pas pouvoir prescrire l'imipramine pour la panique ou les ISRS pour l'éjaculation précoce. De leur côté, les recommandations de bonne pratique n'approuvent que les usages brevetés des médicaments. Cela revient à laisser la médecine entre les mains des compagnies pharmaceutiques. Aujourd'hui, ce sont les cadres des firmes et non les médecins qui décident pour quoi on doit prescrire un médicament.

On pourrait croire qu'une telle ressource à laquelle une firme peut donner exactement le visage qu'elle souhaite coûte très cher. Or pas du tout. Les patients sont payés une bouchée de pain. Dans les années 1960, leur participation nous a libérés de fléaux qui accablaient l'humanité depuis des millénaires. Aujourd'hui, elle contribue à causer des maux qu'il faudra des décennies pour éliminer.

Les médecins ne coûtent pas cher non plus. Dans de nombreux endroits, on informe les médecins que le gouvernement souhaite qu'ils travaillent « en partenariat » avec l'industrie, notamment en participant aux réseaux d'essais cliniques qui permettent de tester les médicaments de façon plus simple et plus rapide. Par ces mesures, les gouvernements cherchent à retenir les firmes pharmaceutiques, même si l'on ne voit guère quelles retombées économiques ils en attendent. Les médecins réalisant des essais pour les firmes sont payés par l'État. Les honoraires symboliques qu'ils perçoivent représentent une infime fraction des sommes impliquées dans l'exercice.

Pendant ce temps, pour des raisons économiques, les firmes délocalisent les essais cliniques vers des pays comme l'Inde, où les frais sont moindres. Les publications résultant des essais indiens n'en ont pas moins pour auteurs officiels des universitaires occidentaux.

Voici un parfait symbole de l'évolution du secteur. Jusqu'en 1962, la thalidomide fut le seul médicament dont l'efficacité et la sécurité avaient été démontrées dans un essai contrôlé contre placebo avant d'être introduit sur le marché. En 2012, les antidépresseurs sont devenus les médicaments les plus couramment utilisés par les femmes enceintes, même si de plus en plus de preuves indiquent qu'ils multiplient par deux le taux d'anomalies congénitales et de fausses couches, et provoquent chez les enfants des retards cognitifs importants. La prescription croissante d'antidépresseurs s'appuie sur l'idée que l'efficacité de ces produits a été prouvée ; refuser d'utiliser un médicament efficace est présenté par les agences de communication comme dangereux et injustifiable.

Sur le plan politique, le seul fait indiscutable pour les gens de droite comme de gauche est que ce marché n'est pas libre. Les firmes ont le droit de séquestrer des données, de sorte que ni les médecins ni les patients ne peuvent savoir quels sont les risques et les avantages d'un traitement. La présentation de la plupart des médicaments est donc profondément trompeuse, a parfois été qualifiée de frauduleuse et représente dans tous les cas une violation des normes scientifiques.

Ces normes incluent le libre accès aux données et le respect empirique des faits. Elles rendent la science démocratique et libèrent réellement le marché. Et cette liberté nous enrichit et nous libère tous. Dans le domaine de la santé, pourtant, les entreprises peuvent créer les apparences de la science et s'en servir afin de générer des marges bénéficiaires telles qu'on n'en avait jamais connues depuis l'époque des panacées commerciales. Alors que les frais médicaux connaissent une hausse spectaculaire tandis que la santé se dégrade, ce développement constitue une menace grandissante pour l'économie des pays industrialisés.

LE MEILLEUR DES PRODUITS

Une autre mesure prise en 1962 a permis de créer le produit parfait à partir de la matière première des essais cliniques. Ce développement a tourné autour de la façon de récompenser les compagnies pharmaceutiques. En 1962, la question était de savoir s'il fallait leur accorder des brevets sur des produits ou sur des procédés, ou encore une autre forme de récompense.

Dans le cas des brevets sur procédé, si une firme concurrente découvre une autre manière de fabriquer un médicament, elle peut elle aussi introduire le produit sur le marché. Les brevets sur procédé étaient la norme en Europe avant 1960. C'était la méthode en vigueur durant le siècle où l'industrie pharmaceutique allemande est devenue la plus prospère du monde. Dans un système de brevet sur procédé, les firmes n'ont aucune raison de mettre tous leurs œufs dans le même panier ; elles ont tout intérêt à se diversifier et à détenir toute une gamme de produits.

En 1962, lorsqu'elle examina les différences entre pays en matière des brevets, l'équipe du sénateur Kefauver chargée d'étudier la réglementation de l'industrie pharmaceutique découvrit que les pays à brevet sur procédé étaient plus innovants que les pays à brevet sur produit et fabriquaient des médicaments moins coûteux.

Les États-Unis étaient le seul grand pays à avoir toujours pratiqué les brevets sur produit. Malgré les données recueillies sur l'innovation et le coût, le Congrès décida en 1962 de maintenir le système de brevet sur produit. D'autres pays en firent autant.

Dans les années 1960, les brevets sur produit n'étaient valables que pour un pays. Du fait de l'Accord sur les aspects des droits de propriété intellectuelle qui touchent au commerce (TRIPS) signé sous l'égide de l'OMC et appliqué à partir des années 1990, les brevets de produit ont désormais une portée planétaire. Les accords TRIPS ont permis l'apparition des médicaments blockbusters, qui rapportent aux entreprises pharmaceutiques un milliard de dollars par an ou davantage.

L'apparition de ces blockbusters a eu deux conséquences importantes. D'une part, il est devenu possible de gagner beaucoup d'argent avec des médicaments vendus au plus grand nombre plutôt qu'avec des médicaments efficaces pour guérir des maladies qui en ont besoin. Ce système de récompense incite aussi à transformer les maladies aiguës en maladies chroniques.

D'autre part, comme la survie d'une firme dépend désormais de la réussite d'un seul médicament, il y a de bonnes raisons pour elle de dissimuler les risques liés à ce produit. À l'inverse, si plusieurs firmes différentes fabriquaient un médicament comportant des risques, les avantages de l'innovation reviendraient à celle qui trouverait le moyen de gérer au mieux ces risques au lieu de les dissimuler.

La réglementation de 1962 visait officiellement à renforcer la sécurité, comme celles de 1906 et de 1938. Mais dans les faits elle a encouragé tout le contraire. L'une des principales conséquences pratiques est que la sécurité est aujourd'hui moins prise en compte que dans les années 1950. On part apparemment du principe que si un médicament est efficace, il ne peut poser aucun risque pour la sécurité. Il est très vraisemblable que si une nouvelle thalidomide arrivait sur le marché, elle y resterait pendant une décennie ou plus, dans la mesure où les risques des médicaments sur ordonnance mettent plus de dix ans à passer des premières alertes à une reconnaissance plus large.

Le système de brevets comporte un autre aspect qui s'est développé après 1962. Dans une économie de marché, le système des brevets constitue une exception par laquelle les citoyens d'un pays donné offrent à un tiers, pendant une période limitée, des avantages financiers allant bien au-delà de ce que le marché offrirait normalement, et cela en retour d'une innovation dont le pays bénéficiera plus tard.

Avant 1962, l'office des brevets était une institution avec laquelle il fallait compter, mais au cours des vingt dernières années la situation a changé. Des firmes ont demandé et obtenu des brevets sur les isomères ou les métabolites de molécules déjà brevetées. Elles peuvent par exemple obtenir des brevets en modifiant la composition saline d'une molécule qui existe déjà. Elles peuvent déposer un brevet sur des molécules dont leurs propres chercheurs admettent qu'elles ressemblent comme deux gouttes d'eau à celles qui sont déjà commercialisées. L'exigence d'originalité a donc été abandonnée.

L'exigence d'utilité a connu le même sort. Si la deuxième goutte d'eau était brevetée pour un usage différent et couvrant un besoin avéré, cela pourrait être acceptable, mais en général la deuxième goutte d'eau est brevetée pour traiter la même maladie que la première goutte déjà disponible. Dans bon nombre de cas, dès qu'elles obtiennent un brevet pour une nouvelle molécule, les firmes découvrent comme par hasard des risques pour la sécurité associés au produit antérieur qui justifient son retrait du marché.

Face à un tel laxisme dans l'application de la loi sur les brevets, tout dépend ensuite des consommateurs. S'ils ne se laissent pas persuader d'acheter la version beaucoup plus coûteuse d'un produit générique, ce laxisme ne tirera pas à conséquence. Mais comme nous allons le voir, les amendements de 1962 ont aussi créé le consommateur parfait, quelqu'un qu'on peut induire à acheter le flacon le plus cher de toute la pharmacie.

Les réglementations de 1962 ont créé le produit parfait. Elles ont permis de déposer des brevets sur l'eau. En conséquence de ce laxisme, les firmes pharmaceutiques qui jadis avaient des départements engagés dans la recherche scientifique sous-traitent désormais ces fonctions et ressemblent chaque jour davantage aux compagnies engagées dans le pur marketing et où l'image de marque est tout, comme celles qui produisent de l'eau en bouteille ou de la poudre de perlimpinpin.

LE MEILLEUR DES CONSOMMATEURS

Pour créer le marché parfait, il fallait aussi créer le consommateur parfait. C'est ce qu'ont fait les réglementations de 1962, en prolongeant une innovation introduite en 1951 qui imposait à tous les nouveaux médicaments d'être vendus uniquement sur ordonnance.

Le statut de médicaments soumis à ordonnance est une réglementation policière qui a été introduite en 1914 pour les stupéfiants. Il a été étendu en 1951 à tous les médicaments nouveaux dans la mesure où ceux-ci étaient susceptibles de présenter des risques importants. Le corps médical, pensait-on, se méfierait de leurs bénéfices prétendus et les emploierait avec prudence. On pensait aussi que les médecins seraient en mesure d'obtenir des entreprises pharmaceutiques les informations adéquates ou produiraient eux-mêmes ces informations afin de rendre l'usage de ces médicaments le moins risqué possible.

De 1951 à 1962, cette idée de rendre les nouveaux médicaments accessibles seulement sur ordonnance fit l'objet de nombreux débats : était-il correct de traiter les habitants d'un pays libre comme s'ils étaient des drogués ? Jusqu'en 1962, la réglementation portait essentiellement sur l'exactitude de l'étiquetage des médicaments en vente libre. Réglementer les molécules sur ordonnance était une innovation. Nulle part ailleurs il n'avait été tenté de restreindre l'usage de produits de consommation vendus sur le marché à un corps professionnel.

Il est clair qu'en 1962 le Congrès ne souhaitait nullement réglementer la médecine, mais il a ouvert la porte à l'intrusion de l'État dans la pratique clinique. Il est désormais courant que des fonctionnaires qui ignorent tout de la pratique médicale dictent aux médecins la façon dont doivent se dérouler leurs interactions avec les patients.

Les régulateurs disent qu'ils ne font que contrôler les termes utilisés par les compagnies pharmaceutiques pour tromper les consommateurs, ainsi qu'ils le font depuis 1906. Mais en l'occurrence, ce sont les médecins qui sont les consommateurs et les régulateurs garantissent ce que les compagnies écrivent à propos des molécules. Le résultat est que les docteurs prennent pour des énoncés scientifiques faisant autorité ce qui n'est en fait que du marketing.

Avant que les réglementations de 1962 soient adoptées, le sénateur Kefauver notait que l'exigence de vendre les médicaments seulement sur ordonnance créait un marché singulier : « Celui qui achète ne commande pas et celui qui commande n'achète pas. » Le fait que la thalidomide avait été mise en vente libre en Allemagne, où les risques avaient été découverts, a sans doute influencé la décision et dissipé les inquiétudes au sujet de la nouvelle réglementation. Personne n'a pris en compte le fait que les risques de la thalidomide avaient été révélés précisément parce que ce médicament était en vente libre et que les médecins n'avaient aucune raison de cacher les risques de médicaments vendus sans ordonnance.

Les nouvelles réglementations encourageaient aussi les firmes à créer des médicaments pour des maladies. Un des moyens de renforcer la sécurité des médicaments semblait être de limiter leur usage aux maladies qui présentaient un risque plus grand que celui des produits chimiques utilisés pour les traiter, de sorte que la balance bénéfices-risques soit favorable.

Personne n'avait prévu que si les firmes n'étaient plus autorisées à vendre des médicaments que pour des maladies, elles convertiraient les vicissitudes du quotidien et les variations normales en termes de beauté et de fonctionnalité en maladies. On pouvait tous nous transformer en malades et rien n'empêchait de nous attribuer plusieurs maladies différentes. C'est ainsi que nous nous sommes retrouvés souffrir de dépression, d'ostéoporose et d'hyperlipidémie (d'hypercholestérolémie), là où auparavant nous aurions simplement souffert de burn-out, d'os vieillissants qui pouvaient être soignés par l'exercice et d'un problème d'alimentation qui n'était préoccupant qu'en relation avec d'autres facteurs de risques cardiaques plus importants.

Pour les entreprises, ces restrictions ont eu l'avantage inattendu de leur apprendre le langage des médecins. Elles se sont mises à parler de maladies, avec un zèle dont la médecine n'a pas conscience. Tout un éventail de vicissitudes ont été transformées en pathologies, les maladies aiguës sont devenues chroniques et l'impératif moral de traiter qui vaut pour des maladies comme la tuberculose a été appliqué à la vente de presque n'importe quel produit pharmaceutique, si banal que soit le mal qu'il soigne. Même lorsque les patients se méfient des produits chimiques, ils se retrouvent de plus en plus souvent face à des médecins qui tentent de les persuader que tel produit corrigera une anomalie et qu'il est quasiment de leur devoir d'avaler la pilule.

Le sénateur Kefauver avait signalé les risques liés aux achats de médicaments impliquant un tiers. C'est l'un des arguments majeurs des libéraux contre l'implication de l'État dans les soins médicaux. L'économie de marché ne peut fonctionner efficacement que si la personne qui commande est aussi celle qui achète et profite ou souffre des conséquences de l'achat. Si ce n'est pas le cas, ceux qui passent la commande devraient au moins être formés à connaître les risques qu'entraîne leur acte.

En 1962, le tiers était perçu comme un professionnel indépendant dont la plupart des gens pensaient qu'il travaillait dans l'intérêt de son patient, de la même façon qu'un pilote d'avion travaille dans l'intérêt de ses passagers. Depuis 1962, le discernement professionnel est devenu quasi hors la loi et les choix de prescription des médecins leur sont dictés non par les lois du marché mais par un système qui préconise le recours aux médicaments les plus nouveaux et les plus coûteux, ceux dont on connaît le moins les risques pour la sécurité.

Les médecins sont peut-être le seul groupe d'acheteurs qui ignore les dangers que comporte le fait d'acheter pour un tiers. Ils n'ont même pas conscience de ne pas être formés dans un domaine qui a des conséquences si importantes pour eux et pour leurs patients.

Les estimations récentes suggèrent que les entreprises dépensent chaque année en marketing plus de 50 000 dollars par médecin. Autrement dit, les médecins sont soumis à un marketing plus concentré qu'aucun autre groupe professionnel. Mais de même qu'ils ignorent tout de l'achat pour un tiers, ils n'ont pas conscience de la manière dont les entreprises les prennent pour cibles.

Dans le domaine de la santé, personne ne remarque que les médecins sont les consommateurs des médicaments et qu'ils les consomment en mettant les pilules dans la bouche des patients. Ils consomment donc sans en subir les conséquences ou les effets secondaires. Les entreprises le savent bien et exploitent ce fait. Si le patient a un problème, le marketing de la firme veille à ce que les médecins aient à leur disposition des données montrant que loin d'être une conséquence du traitement, ledit problème est lié à la maladie du patient. La médecine basée sur les preuves permet de reléguer au statut d'anecdote toute difficulté signalée par les médecins ou les patients.

Les entreprises travaillent aussi sur le profil psychologique individuel des médecins, en les classant dans des catégories distinctes selon qu'ils sont susceptibles d'essayer des nouveaux médicaments, qu'ils veulent respecter les recommandations de bonne pratique ou qu'ils préfèrent se fondre dans la masse. Les médecins savent rarement comment ils sont profilés et ils comprennent encore plus rarement que les publicités et gadgets qu'ils considèrent comme adressées à d'autres agissent en fait sur eux aussi en leur donnant l'illusion qu'ils sont insensibles aux efforts promotionnels des laboratoires. Quel que soit le profil psychologique du médecin, il y aura un ensemble d'argumentaires de vente conçus sur mesure pour lui, et qu'il a de grandes chances d'inhaler avec l'air qu'il respire.

Enfin, les médecins semblent encore plus sensibles aux effets du branding qu'un adolescent choisissant ses vêtements. La raison en est que le branding répond aux préjugés les plus ancrés en médecine. Contrairement aux médicaments, les marques n'ont pas d'effets secondaires. La tentation est forte pour un médecin de suivre une marque parce que personne ne veut donner à un patient un produit qui pourrait lui nuire. Mais ce mode de penser réduit les médecins à jouer au docteur au lieu de pratiquer la médecine.

En dehors de cette transformation des médecins en consommateurs parfaits, personne ne soupçonnait en 1962 qu'un mécanisme conçu pour renforcer la sécurité risquait en réalité de produire le résultat inverse en transformant la consultation clinique en prise d'otage. Quand un médicament n'est disponible que sur ordonnance, les patients n'ont pas d'autre solution pour obtenir le produit dont ils ont besoin ou croient avoir besoin. Ils deviennent en fait des otages plutôt que des patients et peuvent être atteints du syndrome de Stockholm.

En 1962, le syndrome de Stockholm n'avait pas encore été décrit. On sait à présent que les gens isolés et dont la vie est en danger (comme l'est tout malade), lorsqu'ils sont retenus en otages par des ravisseurs soucieux de leur bien-être (comme les médecins sont de plus en plus formés à l'être), risquent fort de s'identifier avec leurs ravisseurs et de vouloir leur faire plaisir. Dans ces conditions, quand le patient sent que son état se dégrade, il lui est très difficile d'émettre la supposition que ce qu'a fait le médecin en toute bonne foi est en fait la cause du problème.

Il n'est pas impossible que les conséquences de cette transformation des patients en otages soient bien plus dangereuses que les risques inhérents au médicament prescrit. Cela serait cohérent avec le fait que les effets indésirables causés par le traitement sont aujourd'hui une des causes les plus importantes de décès et d'invalidité. Et pourtant, les médecins ne sont pas formés pour reconnaître leur capacité à provoquer le syndrome de Stockholm.

UNE EXPÉRIENCE DE PENSÉE

Les obstacles réglementaires que doit surmonter une firme sont désormais si minimes qu'il serait facile d'obtenir une autorisation de mise sur le marché pour de l'alcool, de la nicotine ou des opiacés afin de traiter la dépression. Les benzodiazépines ressemblent bien à de l'alcool en pilule et puisqu'un résultat positif a été obtenu pour elles, il est évident qu'on peut en obtenir autant pour l'alcool. Les opiacés étaient jadis employés pour des patients plus gravement déprimés encore que ne le sont ceux auxquels on prescrit aujourd'hui des ISRS.

L'alcool avec tous ses risques est un bon exemple, parce que personne ne s'oppose à ce qu'il soit en vente libre. Les médicaments vendus sur ordonnance sont commercialisés de cette manière précisément parce que nous avons toutes les raisons de penser qu'ils sont aussi dangereux que l'alcool, sinon plus.

La raison principale qui empêche les firmes de vendre de l'alcool comme antidépresseur est qu'il s'agit, pour le consommateur, d'un produit familier. C'est là une source d'informations concurrentes que les entreprises ne peuvent pas contrôler. À l'inverse, les ISRS, les statines et les bisphosphonates représentent des inconnues, ce qui permet de manipuler plus aisément la perception qu'en ont les médecins et les patients.

LANCER SUR LE MARCHÉ

Dans notre cas, la réglementation concernant les essais cliniques offre de multiples opportunités d'obtenir un résultat positif pour l'alcool. Pour certains antidépresseurs, seul un tiers des essais se sont avérés positifs.

Dans ces essais cliniques, nous pouvons utiliser comme mesure de succès non pas les vies sauvées, les individus qui reprennent leur emploi, ceux qui travaillent mieux ou qui croient travailler mieux, mais plutôt une note sur une échelle d'évaluation. Ces échelles sont sensibles aux effets secondaires du médicament, de sorte que le simple fait de prendre ce médicament peut faire apparaître un bénéfice sur l'échelle, qu'il y ait ou non un bénéfice pour la maladie ou condition visée. Les effets anxiolytiques ou sédatifs de l'alcool feront apparaître un bénéfice substantiel sur l'échelle de dépression de Hamilton ou sur une échelle d'anxiété.

Nous pouvons comparer l'alcool à un placebo dans un ensemble de problèmes bénins, plutôt qu'à un traitement dont l'efficacité est avérée ou dans un ensemble de troubles graves. Nous pouvons améliorer le profil de l'alcool en écartant tout sujet réagissant bien au placebo ou réagissant mal à l'alcool durant la première semaine d'étude.

Seules certaines des études que nous entreprendrons sont tenues montrer une supériorité de l'alcool sur le placebo. Si dans beaucoup de cas, ou même dans la majorité des cas, l'alcool ne se révèle pas supérieur au placebo, ces études-là pourront être passées sous silence. Les agences sanitaires cacheront le fait qu'elles ont eu connaissance des études où l'alcool ne supplante pas le placebo. Les patients et les médecins n'auront donc pas besoin d'être informés des études négatives.

Dans le cas de l'alcool et de la nicotine, il se peut que l'effet placebo représente de 80 % à 90 % de la réussite sur l'échelle d'évaluation. Néanmoins, ces études seront considérées comme ayant prouvé l'efficacité de l'alcool et de la nicotine. Les agences et les experts donneront volontiers aux médecins et au public l'impression que 100 % des bénéfices apparents de l'alcool pour la dépression viennent de l'alcool et non d'un effet placebo.

Dans une partie de nos études sur l'alcool, les enquêteurs découvriront peut-être plus tard que tous les patients n'existaient pas réellement. Les patients inexistants sont bien commodes car ils ne manifestent aucun effet secondaire gênant. La proportion de patients inexistants a des chances d'augmenter à mesure que les essais cliniques portant sur des alcools plus récents sont sous-traités au Mexique, en Europe de l'Est, en Inde et ailleurs. Mais même si cette tromperie est dévoilée, cela ne changera rien. Une fois sur le marché, l'autorisation de vendre de l'alcool comme antidépresseur ne nous sera pas retirée.

Dans une importante étude sur l'utilisation de l'alcool comme traitement d'entretien contre la dépression (une indication particulièrement lucrative), aucune supériorité n'a été constatée par rapport à un placebo dans 30 centres d'étude en Amérique du Nord, contrairement à 2 centres mexicains où l'on a observé une supériorité spectaculaire. Si l'on additionne tous ces centres, le résultat global fait apparaître une supériorité marginale de l'alcool sur le placebo. L'étude a été approuvée. Le rapport publié n'indiquait pas que l'alcool n'avait « marché » qu'au Mexique[6].

Nous pouvons donc réaliser des études où l'alcool tue plus de gens que le placebo, aide moins les gens à reprendre le travail que le placebo, n'est supérieur au placebo que dans 33 % des cas sur l'échelle d'évaluation choisie et sur ces 33 % seulement dans 3 % des centres d'étude, et cela ne nous empêchera pas de commercialiser l'alcool comme « antidépresseur ».

Après approbation, pour placer le produit sur le marché, il nous suffira de publier seulement les essais montrant un résultat positif. Mais nous pouvons les publier plusieurs fois pour donner l'impression qu'il y a eu bien plus d'essais positifs qu'il n'y en a eu en réalité. Nous pouvons viser 50 publications pour chaque essai. Nos « nègres » peuvent aussi lisser les résultats d'une étude négative pour lui donner un air positif. Les « nègres » ne mentionnent jamais les études qui ne prouvent aucune efficacité.

Lorsque viendra le moment de concevoir la campagne de marketing pour l'alcool, les données produites par ces études fourniront un contenu librement flottant auquel nous pourrons donner la forme que nous voulons. Par exemple, si une occasion se présente sur le marché des antalgiques parce qu'une autre molécule comme le Vioxx a des problèmes, certains bénéfices minimes notés lors des essais, comme le fait de se porter un peu mieux dans des situations douloureuses, pourront être mis en valeur par nos « nègres » dans une série d'articles proclamant les qualités analgésiques de l'alcool.

Pendant que nous serons occupés à marketer la bière en guise d'antidépresseur, plusieurs autres firmes déposeront des brevets sur le whisky, le gin, le cognac, le vin, le porto et même sur le whisky irlandais par opposition au whisky écossais, ou sur le scotch japonais par opposition au scotch écossais. Le marketing combiné de notre firme et des autres pourra encourager les médecins à prescrire à leurs patients un traitement associant whisky, gin, cognac et porto, ou même différents types de scotch, et ce pour une durée indéfinie.

Sur la base des essais publiés, les recommandations de bonne pratique devront approuver l'usage de l'alcool pour traiter les troubles nerveux, peut-être comme traitement de première intention du fait de son excellent profil d'innocuité. Selon l'habileté avec laquelle les firmes auront conçu ou publié leurs essais, les auteurs de recommandations de bonne pratique pourront en toute bonne foi proposer le whisky comme traitement de première intention, le cognac comme traitement de deuxième intention et le gin comme traitement de troisième intention. C'est l'hypothèse la plus probable si les fabricants de whisky ont une présence plus affirmée que les fabricants de gin dans le pays où les recommandations sont rédigées.

Les recommandations de bonne pratique obligeront pratiquement les médecins à utiliser l'alcool. Même si elles ne recommandent initialement qu'un traitement de trois mois, l'action de nos consultants et nos efforts marketing réussiront à prolonger cette durée de sorte qu'un nombre croissant de patients traités par des médecins soucieux de respecter les recommandations prendront de l'alcool à vie.

RESTER SUR LE MARCHÉ

Quant aux effets secondaires de l'alcool, nos « nègres » pourront les dissimuler sous des formules comme « absence de réponse au traitement » ou peut-être les ranger dans la catégorie « nausée » alors que la personne aura souffert de nausée, de vomissements et de convulsions épileptiques. Ils pourront aussi tout simplement ne pas mentionner les problèmes, en disant qu'ils incluent seulement les effets apparus dans au moins 10 % des cas.

Dans les cas où les patients ont une réaction négative à l'alcool, des convulsions par exemple, nous pourrons écarter ce résultat comme étant anecdotique, non « basé sur des preuves ». À l'inverse, nous pourrons monter en épingle toute amélioration spectaculaire coïncidant avec un traitement par l'alcool dans la littérature scientifique et dans les médias, et même à la télévision et à la radio avec des titres du genre « L'alcool m'a sauvé la vie ! ».

Les essais cliniques qu'il faut réaliser pour introduire l'alcool sur le marché n'ont besoin de durer que de six à huit semaines. C'est très commode car peu des problèmes liés à l'alcool (ou à la nicotine) surviennent dans ce laps de temps. Si des problèmes surviennent ultérieurement, nous pourrons dire qu'aucun essai contrôlé contre placebo ne confirme l'apparition de ces prétendus effets négatifs ; tout comme les médecins, nous ne raisonnons que sur la base de faits scientifiques.

Si au cours de nos essais cliniques l'alcool provoque plus de convulsions épileptiques que le placebo mais sans que cela soit statistiquement significatif, nous pourrons compter sur les revues, les agences et les chercheurs pour dire que les données n'indiquent pas une hausse du taux de convulsions.

Il nous reste encore une autre ligne de défense. À supposer que l'alcool suscite des problèmes de foie pendant les essais, ce qui est peu probable du fait de leur courte durée, nous pourrons l'attribuer à la dépression ou à tout autre problème nerveux pour lequel le patient est traité. Même si dans toute la littérature médicale jusqu'à ce jour on ne trouve pas la moindre preuve que la dépression ait jamais causé un dysfonctionnement du foie et même si beaucoup de données indiquent par ailleurs que l'alcool cause ce type de problème, nous pourrons en très peu de temps (quelques semaines) obtenir d'une bonne partie de la profession médicale qu'elle opine que le dysfonctionnement du foie est un effet bien connu de la dépression.

Les biais des médecins, avec un peu d'aide de notre part, contribueront très tôt à l'émergence d'une culture qui justifiera toutes les difficultés des patients à arrêter le traitement par l'alcool en les attribuant au problème nerveux traité plutôt qu'à la dépendance et au sevrage. Vingt ans après la mise sur le marché de l'alcool, une majorité de médecins seront incapables d'admettre qu'il entraîne une dépendance. Ils expliqueront plutôt à leurs patients que c'est comme pour l'insuline : leur corps ne produit pas assez d'alcool et ils doivent poursuivre le traitement à vie.

Ces biais et notre marketing devraient nous permettre de rapidement faire de l'alcool l'un des médicaments les plus fréquemment prescrits aux femmes enceintes. Comparé à d'autres antidépresseurs, un verre de vin ou deux par jour est absolument sans danger. Les médecins diront aux femmes qui évitent le café, les fromages à pâte molle, etc., qu'il est dangereux pour leur bébé de ne pas traiter leurs nerfs.

Enfin, l'expérience avec d'autres médicaments montre que l'alcool pourrait vite être associé au suicide et à la violence. Qu'à cela ne tienne, quantité de chercheurs sont prêts à nous fournir des graphiques prouvant que la hausse de la consommation d'alcool a coïncidé avec une baisse du taux de suicides et de violences dans des pays comme les Pays-Bas ou dans certaines régions des États-Unis. Nous pourrons compter sur les rédacteurs en chef de revues réputées pour refuser de publier toute correspondance contestant ce genre d'études.

Nous pourrons produire des analyses coût-utilité épaisses comme des annuaires téléphoniques pour démontrer que le coût de l'alcool est minime par rapport à la qualité de vie qu'il apporte. Pourvu que les analystes s'en tiennent aux données publiées, nous pourrons prouver que si les pouvoirs publics subventionnent la consommation d'alcool la société en tirera un bénéfice net.

L'une des grandes différences entre les médicaments sur ordonnance et les médicaments en vente libre réside dans l'inversion de la relation étranger/voisin. On se méfie en général des étrangers et l'on est à l'aise avec ses voisins. On néglige le fait que ce sont surtout nos voisins ou nos parents qui risquent de nous tromper ou de nous nuire. Nos voisins et nos parents nous sont familiers et nous pensons pouvoir gérer ces risques.

Dans ce scénario, l'alcool ou la nicotine nous sont familiers sous la forme de breuvages ou de cigarettes, alors qu'ils nous sont étrangers sous la forme d'antidépresseurs. Nous connaissons les risques traditionnels de l'alcool et de la nicotine. Et pourtant, loin de traiter comme des étrangers l'alcool thérapeutique ou les autres nouveaux médicaments, loin de les considérer comme des produits dangereux mis en avant par notre service local de blanchiment des risques (les médecins), nous traiterons ces médicaments sur ordonnance comme plus sûrs que les formes traditionnelles d'alcool ou de nicotine, même si les médicaments sont prescrits sur ordonnance précisément parce que nous avons toutes les raisons de les estimer plus risqués que l'alcool.

Par exemple, nous considérons les amphétamines vendues sur ordonnance comme sans danger pour nos enfants, même pour les tout-petits, alors que les autorités mettent en prison des individus arrêtés dans la rue en possession des mêmes amphétamines à cause des risques qu'elles présentent. Nous en faisons autant pour les opiacés prescrits sur ordonnance par opposition aux opiacés proscrits par la loi.

Les médecins nous sont donc très utiles dans notre marketing de l'alcool comme antidépresseur. Le traitement proposé par un médecin suspend la prudence naturelle que notre nouveau produit chimique pourrait inspirer aux consommateurs. Même si les médecins connaissent les risques de l'alcool traditionnel, ils sont apparemment prêts à agir comme si l'alcool breveté et prescrit sur ordonnance était exempt de tout risque. Cela vient en partie de ce que, contrairement à l'alcool traditionnel, l'alcool prescrit n'a jamais donné la gueule de bois aux médecins et ne leur a jamais causé d'accident de voiture.

En fait, il devrait être clair maintenant que rendre l'alcool ou la nicotine accessible par le biais des médecins est un bon moyen de dissimuler des risques comme la cirrhose du foie ou le cancer des poumons pendant dix ou quinze ans à compter du moment où les gens commenceront à dire que leur cirrhose ou leur cancer résulte de notre médicament.

Non seulement nous pouvons compter sur le corps médical pour nier un lien de cause à effet signalé par les patients, mais la plupart des médecins continueront à le nier après que les autorités sanitaires auront apposé sur l'alcool un avertissement signalant un risque, et ce même si ce risque est mortel.

Les médecins nous fournissent enfin une assurance juridique en cas de procès. Dès lors qu'un médecin témoigne à la barre qu'il aurait prescrit de l'alcool malgré l'avertissement officiel, nous sommes légalement protégés contre tout procès lié à cet usage.

Que pourrions-nous bien reprocher aux médecins ? Certains ont récemment tenté de trouver des prescripteurs moins coûteux en la personne des infirmières et des pharmaciens. Mais pourquoi changer une équipe qui gagne ?

LIBÉRER LE MARCHÉ

Près de 20 % du PIB des États-Unis est aujourd'hui consacré aux dépenses de santé, alors que dans les années 1950 le chiffre était compris entre 1 % et 5 %. Dans les années 1960, la consommation de soins médicaux, la plus forte au monde, a fait des États-Unis le pays le plus sain et le plus riche qui soit. À présent, l'espérance de vie est tombée en dessous de celle de Cuba. Dans bien des traitements, c'est comme si nous prescrivions de l'alcool à un maximum de personnes pour une durée indéfinie et nous récoltons les conséquences économiques prévisibles d'un tel comportement.

Dépenser de l'argent pour rendre la population économiquement plus productive en permettant aux gens de mettre fin à leur congé de maladie et de reprendre le travail, c'est un investissement sur l'avenir. C'est tout le contraire quand on impose aux gens des maladies dont ils ne se plaignaient pas, quand on leur prescrit des traitements qui les rendent économiquement moins capables et quand la dépense est une cause de décès et d'invalidité : c'est comme un impôt qui pèse sur nous et sur nos emplois, mais qui serait payé aux firmes plutôt qu'à l'État.

Outre le coût économique, il y a le coût en termes d'aliénation. Le marketing des médicaments modifie ce que signifie « être humain », comme l'illustrent les débats autour du « dysfonctionnement sexuel féminin ». Alors qu'autrefois les femmes tombaient amoureuses, les scientifiques tentent aujourd'hui d'identifier les composantes du désir féminin afin d'en faire un bien de consommation. Il apparaît que le Viagra a les mêmes effets sur les femmes que sur les hommes, mais les femmes ne sont pas aussi motivées par ces effets que les hommes. La solution, semble-t-il, est d'enrober le Viagra de testostérone pour imiter le cycle œstral durant lequel les femmes sont plus susceptibles de réagir aux effets du Viagra. Si ce « Viagra rose » est commercialisé, les avantages qu'il offrira à certaines femmes ont peu de chance de compenser l'aliénation infligée à toutes les autres par un marketing qui réduit l'amour à la physiologie pure et simple.

Les médecins aussi subissent cette aliénation. Alors que la médecine était jadis une vocation, elle devient pour beaucoup une entreprise industrialisée qui les rend de plus en plus susceptibles d'être remerciés s'ils tentent d'offrir de bons soins médicaux. Il est difficile d'imaginer les médecins se révoltant pour remédier à cette situation aberrante. Il y a plus de chances qu'ils agissent s'ils comprennent qu'ils vont être remplacés par des prescripteurs moins coûteux – à condition qu'ils le comprennent à temps.

Mais contrairement au changement climatique ou à la famine en Afrique, où la complexité du problème provoque la paralysie, ces problèmes-là peuvent être résolus. Plusieurs changements essentiels transformeraient le tableau.

Le principal problème est que le marché des médicaments n'est pas libre. Tant que les données sur les traitements ne seront pas accessibles de façon aussi complète que possible, aucune autre partie du marché ne pourra être libre. Par définition, la science repose sur des données accessibles. À l'inverse, une bonne part de ce qui est promu par les firmes pharmaceutiques au titre de la médecine basée sur les preuves peut être décrite comme frauduleuse. De quelque façon qu'on la décrive, l'argent que nous coûte cette médecine basée sur les preuves nous rapporte plus d'invalidités et de morts prématurées que de bénéfices.

Si nous ne pouvons obtenir l'accès aux données, nous ne serons pas plus scientifiques que ne l'était l'URSS à l'époque de Lyssenko.

Les problèmes liés à la séquestration des données sont aggravés par le système des brevets. La combinaison du laxisme du système des brevets avec le manque d'accès aux données est le pire de tous les systèmes. On ne pouvait pas imaginer un meilleur système pour transformer l'industrie pharmaceutique en un équivalent de l'industrie du tabac.

Pourquoi la situation a-t-elle évolué ainsi ? Il est possible que, pour des intérêts stratégiques nationaux, les États-Unis aient décidé d'attirer l'industrie pharmaceutique. Que cela ait été voulu ou non, c'est ce qui s'est produit. Le prix que les Américains paient maintenant est très élevé. Les autres pays courent aussi des risques croissants.

Tous les sparadraps utilisés pour tenter de stopper l'hémorragie financière ne font qu'aggraver le problème. Le dernier en date est la recherche sur l'efficacité comparée, qui repose sur une conception erronée de ce que permettent les essais randomisés contrôlés et une mécompréhension du domaine de la santé. On part de l'hypothèse que les gens désirent aller de Washington à Seattle en un quart d'heure de moins plutôt que d'y arriver en vie. On voit bien qu'une compagnie aérienne un peu plus efficace mais moins sûre fera faillite. Et pourtant l'équivalent médical d'aller plus vite à Seattle est censé résoudre tous nos problèmes.

L'efficacité était à l'origine l'un des éléments de la sécurité. Un des principaux problèmes conceptuels au cœur de nos difficultés actuelles est l'incapacité à comprendre que la sécurité comparée permet au marché de fonctionner, mais pas l'efficacité comparée. Il ne s'agit pas ici de principe de précaution, mais d'encourager l'innovation et de la récompenser par la richesse créée en faisant que la population soit en meilleure santé.

Cela demande un changement de perspective. Nous avons besoin de recommandations de bonne pratique pour les gens plutôt que pour les maladies. Les médecins tuent de plus en plus efficacement en suivant impeccablement un nombre toujours croissant de recommandations sur les maladies qui multiplient de manière exponentielle les

La combinaison du laxisme du système des brevets avec le manque d'accès aux données est le pire de tous les systèmes. On ne pouvait pas imaginer un meilleur système pour transformer l'industrie pharmaceutique en un équivalent de l'industrie du tabac.

interactions possibles entre les traitements et créent une série de prescriptions en cascade. Le but n'est pas d'anéantir les maladies, mais de maintenir les gens en sécurité.

En 1962, le Congrès américain croyait sans doute créer un marché de la sécurité comparée lorsqu'il a rendu les nouveaux médicaments disponibles uniquement sur ordonnance. Au lieu de quoi il a offert aux médecins un revenu garanti. Il est plus difficile que jamais de poursuivre en justice les médecins, alors même que les preuves s'accumulent indiquant que les patients risquent de souffrir pendant dix ans ou plus à cause de problèmes que les médecins n'ont pas su détecter dans les nouveaux traitements. Nous devons trouver le moyen de rééduquer les médecins, de les récompenser lorsqu'ils maintiennent les gens en sécurité et de réviser le système de médicaments sur ordonnance.

Le marché qu'envisageait le Congrès en 1962 va à l'encontre des réalités de la santé aujourd'hui. Le Congrès voyait les citoyens comme des dupes qu'il fallait protéger. Grâce à l'arrivée d'Internet, beaucoup d'entre nous en savent plus que nos médecins sur les traitements. Nous avons besoin d'un nouveau modèle de soins médicaux, plus collaboratif, qui utilise l'énergie des patients pour rendre les médicaments plus sûrs.

En collaboration avec d'autres spécialistes internationaux comme Kalman Applbaum, Nancy Olivieri et Derelie (Dee) Mangin, David Healy a lancé l'année dernière RxISK.org, un site de pharmacovigilance indépendant où les patients peuvent signaler directement et rapidement les effets indésirables causés par leurs médicaments, sans passer par le triple filtre des médecins, des firmes et des agences de sécurité sanitaire. L'objectif déclaré de l'équipe de RxISK.org est de contribuer à une médecine basée sur les données (*database medicine*), plutôt qu'à une médecine basée sur des « preuves » qui empêchent patients et médecins de voir ce qui est devant eux.

22
Cobayes humains
et délocalisation coloniale

Suivez la molécule.
Slogan de la firme de recherche clinique
Quintiles dans les années 1990

Dans le roman de John le Carré, *La Constance du jardinier*, Tessa, la jeune femme d'un diplomate britannique en fonction à Nairobi, Justin Quayle, est assassinée au bord du lac Turkana dans des circonstances mystérieuses. Justin Quayle décide d'enquêter. Peu à peu, il met au jour une conspiration internationale aux ramifications multiples. Tessa est morte parce qu'elle menaçait de dévoiler que la firme pharmaceutique suisse-canadienne KVH dissimulait les décès survenus parmi les patients africains enrôlés dans un essai clinique frauduleux sur le Dypraxa, un médicament contre la tuberculose comportant de graves effets secondaires. Plus Quayle avance dans son enquête et plus il se rend compte que tout le monde est dans le bain d'une façon ou d'une autre – ses collègues, les autorités kényanes, les ONG et même le British Foreign Office. Devenu trop dangereux, Quayle est à son tour assassiné au bord du lac Turkana par des séides de KVH.

Invraisemblable ? Tiré par les cheveux ? John le Carré lui-même ne semble pas en être si sûr. Sans doute pour satisfaire les avocats de son éditeur, on trouve dans son livre le démenti habituel : « Toute ressemblance avec des personnes réelles », etc. Mais le Carré ajoute aussitôt : « Comparé à la réalité, mon récit est aussi fade qu'une carte postale[1]. » C'est d'autant plus frappant que le Carré, en bon agent double de la littérature et du renseignement, s'était toujours gardé jusque-là d'établir le moindre lien entre ses livres et la réalité. Visiblement, ses recherches préparatoires sur l'industrie pharmaceutique l'ont plus choqué que les sombres intrigues du monde de l'espionnage et de la politique internationale. Alors ? Qu'en est-il vraiment ? Vivons-nous dans un roman de le Carré ? Enquête.

L'INDUSTRIE DES ESSAIS CLINIQUES

L'industrie pharmaceutique a besoin de corps vivants pour tester ses molécules – corps de rats et de souris, etc., pour les études animales ; corps d'humains en bonne santé pour les essais cliniques dits de « Phase I », où l'on utilise des volontaires pour voir si les médicaments causent des effets secondaires ; corps d'humains malades pour les essais cliniques de « Phase II » et « Phase III », où l'on compare les médicaments à un placebo ou à d'autres médicaments. Non seulement l'industrie a besoin de corps vivants, mais il lui en faut beaucoup : des millions. Naguère, quand il s'agissait de tester des antibiotiques comme la streptomycine, quelques patients suffisaient et on n'en parlait plus (le premier essai randomisé contrôlé de Bradford Hill en 1947 comptait en tout 107 patients). À présent qu'on teste des médicaments marginalement efficaces pour des maladies chroniques et des facteurs de risques, il faut enrôler à chaque fois des milliers de sujets pour espérer obtenir un effet statistiquement significatif. À cela s'ajoute la compétition effrénée entre médicaments presque semblables, les « me-toos », et la pratique de la publication sélective, qui toutes deux contribuent à démultiplier les essais cliniques. Résultat : à ce jour, près de 150 000 essais cliniques sont en cours à travers le monde, dans lesquels sont enrôlés des dizaines de millions de personnes. Rien qu'aux États-Unis on estime à 2 % la population qui participe à des essais cliniques chaque année[2]. Être un patient, de nos jours, cela équivaut de plus en plus à être un cobaye.

Il va de soi que la gestion de telles cohortes ne peut se faire que de façon industrielle, tayloriste. Alors que les essais cliniques étaient naguère menés dans des centres universitaires, ils sont à présent pris majoritairement en charge par l'industrie. On n'est jamais aussi bien servi que par soi-même, et puis cela permet d'éviter les lenteurs et les scrupules scientifiques des universitaires. Près de 70 % des essais cliniques aux États-Unis sont sponsorisés par l'industrie et la proportion est encore bien plus élevée si l'on considère les essais au niveau mondial. Une partie de ces essais ont lieu dans les cabinets ou les services hospitaliers de médecins directement supervisés par les firmes, mais la grande majorité d'entre eux sont administrés par des sociétés spécialisées appelées « contract research organizations » (CRO) auxquelles l'industrie sous-traite tous les aspects des études, du recrutement des patients aux soumissions de dossiers d'AMM en passant par la collecte et la tabulation des données.

Pratiquement inexistantes avant la fin des années 1970, ces CRO ont connu un développement exponentiel depuis les années 1990 et sont devenues une industrie à part entière, générant des milliards de chiffre d'affaires. Au début du millénaire, il y avait 270 CRO aux États-Unis et 466 en Europe, employant quelque 129 000 personnes aux États-Unis et gérant 64 % de tous les essais cliniques au niveau mondial[3]. De nos jours, l'industrie de la recherche clinique privée génère près de 22 milliards de dollars de chiffre d'affaires, les dix plus grosses CRO comme Quintiles ou Parexel se taillant à elles seules la moitié du marché. Les prévisions au niveau mondial sont de 32,73 milliards de dollars pour 2015 et de 65 milliards pour 2021[4].

Malgré leur nom, les CRO ne font pas de la recherche et leur but est encore moins de traiter les patients. Elles se contentent de mettre en œuvre, de façon aussi professionnelle et expéditive que possible, les protocoles définis par les firmes qui recourent à leurs services (on se souvient des déclarations du docteur Fiddes au sujet de leurs exigences impossibles à respecter, p. 378). Interrogé par des enquêteurs du ministère de la Santé américain sur ce que les sponsors attendent avant tout des CRO, un chercheur avait cette réponse :

> Premièrement, un recrutement rapide. Deuxièmement, un recrutement rapide. Troisièmement, un recrutement rapide[5].

Les CRO sont des entreprises clairement commerciales et les médecins qui travaillent pour elles agissent tout aussi clairement pour l'argent. Ils ne se tuent pas à la tâche (il s'agit essentiellement de remplir des formulaires) et cela paie bien mieux que de traiter des patients. Selon l'anthropologue médical Jill Fischer, un sujet expérimental rapporte deux à trois fois plus qu'un patient classique tout en demandant beaucoup moins de temps et d'attention[6]. Aux États-Unis, des médecins entreprenants peuvent ainsi gagner jusqu'à 1 million de dollars par an en se concentrant exclusivement sur la recherche clinique[7]. Il n'est pas étonnant, dans ces conditions, que de plus en plus de médecins transforment leurs cabinets en chaînes de production de données et leurs patients en sujets expérimentaux, d'autant qu'ils touchent aussi des primes substantielles pour enrôler des cobayes.

En effet, plus les essais cliniques se multiplient et plus le pool de patients disponibles se réduit. L'une des tâches essentielles des CRO et des médecins qui travaillent avec elles est donc de recruter les patients dont l'industrie a besoin pour alimenter ses essais cliniques – diabétiques légers, obèses à risque cardiaque, bipolaires II, cancéreux en phase terminale... Toutefois, ce ne sont pas les patients qui bénéficient de ce marché raréfié, mais les médecins recruteurs. Ceux-ci sont souvent payés à la pièce pour chaque patient enrôlé, avec parfois des bonus lorsqu'un certain quota est atteint ou bien lorsque la livraison se fait dans les délais impartis. La moyenne pour de telles primes se situait aux États-Unis à 7 000 dollars par patient en 2001, mais il arrive qu'elles soient bien plus élevées. Un rapport du Department of Health and Human Services américain datant de 2000 mentionne ainsi un essai clinique où les médecins touchaient 12 000 dollars par patient enrôlé, plus 30 000 dollars à chaque sixième patient[8].

Les patients, eux, ne gagnent rien ou alors seulement quelques centaines de dollars ou d'euros. La plupart d'entre eux acceptent de participer gratuitement à ces essais cliniques parce que leur médecin le leur a présenté comme une option thérapeutique avantageuse ou bien parce qu'ils ont du mal à dire non à leur docteur, ou bien encore (plus rarement de nos jours) parce qu'ils veulent contribuer à l'avancement de la science. Certains sont dans des situations qui ne leur laissent de toute façon pas grand choix : 50 % des enfants atteints d'une forme ou l'autre de cancer sont enrôlés quasi d'office dans des essais cliniques destinés à tester de nouveaux médicaments anticancéreux[9].

Non seulement les patients n'ont aucune idée des énormes enjeux financiers et industriels des essais auxquels ils participent, mais ils ne se rendent pas compte que, la plupart du temps, il ne s'agit pas de traitements. De fait, le but des essais cliniques n'est pas d'offrir les meilleurs soins possible aux malades mais uniquement de générer des données exploitables par les sponsors. L'intérêt des patients est tout à fait secondaire, comme l'illustre l'histoire de Thomas W. Parham relatée il y a une dizaine d'années dans le *New York Times*[10]. Lors d'une visite médicale de routine, son médecin, le docteur Peter Arcan, lui avait proposé de participer à un essai clinique pour tester un nouveau médicament censé réduire la taille des prostates hypertrophiques. Parham n'avait aucun problème de prostate, mais il avait accepté parce que Arcan lui avait dit que ce serait une bonne prévention à son âge (64 ans). Ce qu'Arcan ne lui avait pas dit, c'est qu'il touchait 1 610 dollars par patient recruté de la part de SmithKline Beecham. Il ne lui avait pas dit non plus que ses problèmes cardiaques le disqualifiaient pour l'étude, mais qu'il avait obtenu de SmithKline Beecham une dispense pour l'inclure malgré tout. Quelques semaines après le début de l'essai, Parham dut se faire hospitaliser à cause d'un ralentissement de rythme cardiaque et on lui posa un pacemaker.

Tous les essais cliniques ne se déroulent pas aussi mal, mais il est clair que les patients qui y participent sont exploités. Non seulement ils ne reçoivent pas des soins appropriés (ils peuvent être assignés à un groupe qui reçoit un placebo ou un médicament notoirement peu efficace), mais on les expose pour des raisons de pur profit à des risques dont ils ne sont la plupart du temps pas informés. L'industrie de la recherche clinique exploite le corps des sujets d'expérience pour en extraire de la plus-value, exactement comme les industriels à l'époque du capitalisme naissant exploitaient la main-d'œuvre ouvrière. C'est particulièrement vrai des essais cliniques de Phase I, durant lesquels on teste les médicaments sur des volontaires en bonne santé afin de déterminer s'ils provoquent des effets secondaires (ce qui est très souvent le cas). Contrairement à la plupart des patients enrôlés dans les essais de Phase II et III, les volontaires sont payés.

Les « compensations » (on ne parle jamais de salaire) sont néanmoins minimes, au motif qu'elles ne devraient pas constituer une incitation à louer son corps pour des raisons financières. En France, par exemple, un volontaire ne peut pas légalement gagner plus de 4 500 euros par an pour servir de cobaye humain.

Les apparences éthiques sont sauves, mais l'argument avancé est en réalité d'une hypocrisie totale. Qui donc voudra « volontairement » prendre le risque de subir de graves effets secondaires pour un salaire dérisoire, sinon précisément les personnes qui n'ont pas le choix – étudiants, chômeurs en fin de droit, SDF, toxicomanes, retraités étranglés financièrement ? Dans les faits, les essais de Phase I administrés par l'industrie pharmaceutique et ses sous-traitants ont créé une sorte d'économie parallèle où des personnes sans défense ni droits sont sous-payées pour mettre leur santé et même leur vie en danger. Une infirmière française interviewée par *Rue89* raconte :

> Il y a quelques années, on a répondu à un appel d'offres d'une entreprise pharmaceutique. Dans le protocole d'étude, il y avait des ponctions lombaires [procédure extrêmement douloureuse].
> On s'est dit que personne ne viendrait, alors on a mis la rémunération maximale de l'époque. Il fallait que les volontaires restent allongés longtemps sur le ventre, on devait piquer dans la colonne vertébrale pour prélever la moelle. Plusieurs fois. Même avec l'anesthésie locale, ça fait très mal.
> Eh bien, on a dû refuser des gens, l'étude était complète[11].

En 1996, le *Wall Street Journal* révéla que la compagnie Eli Lilly recrutait ses volontaires dans un refuge pour SDF alcooliques qui se trouvait à proximité de son centre d'essais cliniques à Indianapolis (on se souvient que c'est dans ce même centre qu'une autre volontaire, Traci Johnson, s'était pendue après avoir pris du Cymbalta). Obligé de se justifier, le directeur du département de pharmacologie clinique de Lilly déclara onctueusement : « Ces gens veulent aider la société[12]. » En 2005, *Bloomberg Markets* révéla à son tour que la CRO SFBC International testait des médicaments sur des sans-papiers parqués dans un motel insalubre de Miami. Avant d'être rasé pour cause de violations multiples aux normes de sécurité, le bâtiment en question avait été pendant une dizaine d'années le plus grand centre d'essais cliniques d'Amérique du Nord, avec 675 lits occupés en majorité par des Hispaniques entrés illégalement aux États-Unis.

Toujours la même année, 9 volontaires participant à un essai dans un autre centre de SFBC à Montréal ont attrapé la tuberculose.

Les risques courus par les volontaires sont par nature imprévisibles et ils vont de la nausée passagère à la mort sans phrase. En mars 2006, 6 volontaires qui participaient à Londres à un essai clinique de la CRO Parexel durent tous être mis en soins intensifs quelques heures à peine après avoir absorbé un médicament expérimental appelé TGN1412. Leur pression artérielle avait chuté de façon vertigineuse, leurs poumons étaient noyés, leurs globules blancs disparaissaient à vue d'œil, des caillots de sang se formaient partout dans leur corps. Ils en réchappèrent de justesse, non sans avoir, pour certains, perdus les doigts de la main et des pieds : ceux-ci avaient purement et simplement pourris. Cela étant dit, ils ont eu plus de chance que Traci Johnson, Audrey LaRue Jones (voir plus haut p. 24 et 45), Ellen Roche[13] ou le jeune Jesse Gelsinger[14], tous morts de façon absurde pour avoir pris des médicaments dont on connaissait déjà par ailleurs les risques.

Toutefois, les victimes de ce jeu de roulette russe peuvent rarement se retourner contre les organisateurs des essais, car on leur fait systé-matiquement signer des décharges de responsabilité par lesquelles ils reconnaissent avoir été informés que l'expérience à laquelle ils se sou-mettent comporte des risques : les volontaires sont censés être des héros mettant sciemment leur vie en jeu pour l'avancement de la science. D'après Carl Elliott, un bioéthicien qui a beaucoup écrit sur ces questions aux États-Unis, certains de ces formulaires de consen-tement éclairé précisent même que les sujets d'expérience restent res-ponsables de leurs soins médicaux, ce qui permet aux expérimentateurs de se laver les mains de tout suivi médical après la fin de l'essai[15]. C'est tout bénéfice pour les expérimentateurs et tout risque pour les cobayes.

Écoutons l'un de ces cobayes, un Hispanique interviewé par Jill Fischer :

> Vous pouvez imaginer ce par quoi vous passez pour ce peu d'argent ? Je savais bien sûr que j'allais devoir abandonner une grosse partie de ma santé. [...] Vous êtes un cobaye et voilà ce que vous êtes. Mais je l'ai fait, en sachant que... pour moi c'est de la *prostitution*, voilà ce qu'ils vous font. Ils vous paient juste pour utiliser votre corps pendant un certain temps, mais le résultat n'est pas bon du tout pour nous[16].

LA TRAITE DES CORPS

Il n'y a pas que dans les pays occidentaux que les « sujets humains », notamment les plus pauvres, sont exploités par l'industrie de la recherche clinique. Le scénario se déroule aussi dans les pays en voie de développement ou émergents. En 1991, seuls 10 % des essais cliniques étaient menés en dehors des États-Unis et de l'Europe occidentale. En 2005, le chiffre était de 40 % et la tendance n'a fait que s'accentuer depuis. Aujourd'hui, un nouvel essai clinique a de fortes chances de démarrer en Europe centrale et orientale, en Russie, en Chine, en Inde, en Amérique du Sud ou en Afrique. Le LEEM, l'association professionnelle des industries pharmaceutiques françaises, s'en émouvait récemment, sous le titre : « Moins d'essais cliniques réalisés en France depuis 2008 – Le LEEM tire la sonnette d'alarme »[17].

Les raisons de cette délocalisation massive des essais cliniques sont très simples. Les besoins de l'industrie pharmaceutique en sujets expérimentaux sont devenus si énormes que les pays développés ne peuvent plus les satisfaire, même à transformer tous leurs patients en cobayes. De plus, Big Pharma est victime de son succès : à mesure que les populations occidentales ont toutes été pharmacisées, il devient de plus en plus difficile de trouver des sujets dits « treatment-naive », c'est-à-dire « vierges », ne prenant pas déjà un ou plusieurs médicaments. En revanche, on en trouve autant qu'on veut au fin fond du Zimbabwe ou du Bihar, où les statines et les antidépresseurs ne sont pas encore devenus aussi courants que les cigarettes.

Le recrutement dans ces pays est donc particulièrement facile et rapide. Non seulement on y trouve des sujets idéaux, mais ceux-ci ne demandent qu'à être enrôlés dans la mesure où participer à un essai clinique représente pour eux le seul espoir de recevoir un traitement. Très souvent, d'ailleurs, ils n'ont pas conscience de la différence entre un essai clinique et un traitement proprement dit. Au début de l'ère postsoviétique en Russie, les essais cliniques effectués par des CRO occidentales s'étaient tellement bien substitués aux soins médicaux défaillants que la plupart des Russes en sont venus à penser qu'ils faisaient automatiquement partie d'un traitement médical.

Dans ces conditions, les sujets ne sont pas particulièrement regardants sur les risques courus. Ils ne bronchent pas s'il y a des effets secondaires, contrairement aux sujets occidentaux. Il n'y a pas de problème d'observance non plus. Comme on pouvait le lire dans un article enthousiaste du magazine professionnel *Applied Clinical Trials* :

> Les sujets russes ne manquent jamais un rendez-vous, ils prennent toutes les pilules qu'il faut, ils remplissent les questionnaires et les journaux [qu'on leur demande de tenir], et ils ne retirent que très rarement leur consentement. [...] Les sujets russes font ce que leurs docteurs leur disent de faire. Incroyable[18] !

Même son de cloche de la part d'un cadre de CRO implantée en Chine :

> Les Chinois ne sont pas complètement émancipés comme aux U.S. Ils acceptent plus volontiers d'être des cobayes. Ce n'est pas comme au Japon où il est difficile d'amener les patients à s'enrôler dans un essai et où ils refusent à la dernière minute[19].

Et puis les autorités de ces pays sont moins regardantes. Voilà en effet le grand avantage de la délocalisation : il est plus facile d'exploiter les « sujets humains » dans les pays en voie de développement que dans les pays occidentaux, où les exigences éthiques sont plus développées et où certaines pratiques ne sont plus tolérées. La délocalisation des essais cliniques s'inscrit en ce sens dans la grande tradition de l'exportation colonialiste des conditions de travail considérées comme inhumaines ou non éthiques dans les pays déjà industrialisés. De même qu'on fait travailler des enfants pakistanais pour produire à bas prix des ballons de foot pour les adolescents occidentaux, on soumet des cobayes ouzbeks ou thaïlandais à des essais cliniques éthiquement problématiques pour obtenir des AMM pour des médicaments vendus en Europe ou aux États-Unis. Selon un rapport récent du Department of Health and Human Services américains, pas moins de 80 % des médicaments approuvés par la FDA en 2008 l'ont été sur la base d'essais cliniques menés en dehors des États-Unis[20]. On peut évidemment se demander dans quelles conditions ils l'ont été. Il apparaît par exemple que la FDA a approuvé l'antipsychotique blockbuster Zyprexa de la firme Eli Lilly sur la base d'un essai clinique effectué en Russie, alors que les essais effectués aux États-Unis avaient tous échoué[21]. Cette différence nationale n'a jamais été expliquée.

La pratique de la délocalisation des essais cliniques semble avoir commencé dans les années 1980 en Allemagne de l'Est. À l'époque, le but était clairement d'avoir accès à des populations de cobayes incapables de se défendre. Reprenant des pratiques utilisées naguère par les nazis sur les Juifs ou par les Américains sur les Noirs d'Alabama (certains se souviennent peut-être de l'affaire Tuskegee), une cinquantaine de laboratoires basés en RFA ont testé pendant des années des médicaments sur des citoyens de la RDA. Des firmes comme Sandoz, Bayer, Boehringer, Schering, Roche, Pfizer ou Hoechst passaient des contrats confidentiels avec le ministère de la Santé de la RDA communiste, qui leur donnait accès à des cobayes hospitalisés contre devises sonnantes et trébuchantes (jusqu'à 800 000 deutsche marks par essai). L'avantage pour les firmes était bien sûr qu'elles pouvaient procéder à des expériences qui n'auraient pas été autorisées en RFA. Selon l'hebdomadaire *Der Spiegel*[22], plus de 50 000 personnes auraient ainsi servi de cobayes, entre autres des bébés prématurés à qui l'on donnait de l'EPO, un produit dopant, dans le cadre d'un essai mené par Boehringer Mannheim. Ces cobayes humains ne savaient pas la plupart du temps qu'ils participaient à une expérience et ils n'étaient pas informés des risques qu'on leur faisait courir. On ne connaît pas le nombre exact de morts provoquées par ces diverses expériences du fait du secret dans lequel elles ont été menées, mais on sait qu'il y en a eu plusieurs.

Depuis la chute du mur de Berlin, les firmes vont chercher toujours plus loin les corps dociles dont elles ont besoin. Ce sont d'abord les pays de l'ex-Europe de l'Est communiste qui ont été écumés, notamment la Pologne et la République tchèque, puis l'Ukraine et la Russie, où les essais ont eu lieu souvent dans les mêmes hôpitaux où étaient internés auparavant les opposants politiques. À chaque fois, une première période faste durant laquelle les autorités facilitaient le travail des firmes a été suivie par plus de réglementation et des patients mieux informés, obligeant les CRO à délocaliser plus à l'est ou au sud. Mais l'objectif est toujours le même : trouver des sujets pauvres et incultes, administrés par des autorités accommodantes et si possible corrompues.

L'important est d'obtenir rapidement l'accord du comité d'éthique local, ce qui est souvent une simple formalité : ou bien il n'en existe pas, ou bien ses membres ne sont que trop heureux de contribuer à l'avancement de la science. Puis il faut faire signer aux sujets des formulaires de consentement éclairé, ce qui là encore est une formalité. Le plus souvent, les sujets ne comprennent pas de quoi il s'agit, ne serait-ce que parce que les formulaires sont écrits en anglais et utilisent un jargon juridico-médical que même un Occidental aurait du mal à déchiffrer. Un comptable estonien interviewé par le *Washington Post* était incapable de dire quel médicament il avait reçu lors de l'essai auquel il avait participé :

> Peut-être que c'était écrit quelque part dans tout ce bla-bla[23].

Difficile de parler ici de consentement « éclairé ». Difficile aussi de parler dans d'autres cas de « consentement » tout court. Voici le témoignage d'Andrew Okal Seda, un Kényan enrôlé dans un essai destiné à tester un antipaludique :

> Quand ils nous ont offert de nous donner à manger, beaucoup d'entre nous avons accepté d'être utilisés pour l'étude. À cette époque, il y avait la famine partout dans la région[24].

L'affaire Trovan

En 1996, une épidémie de méningite éclata au Nigeria, qui devait tuer en tout 15 000 personnes. Pour la compagnie Pfizer, qui était à l'époque en train de développer un nouvel antibiotique nommé Trovan®, l'occasion était inespérée. La méningite est relativement rare aux États-Unis (3 000 cas par an environ), or il suffisait d'aller au Nigeria pour trouver des centaines de cas. Une équipe s'envola donc immédiatement à Kano, dans le nord du pays, pour tester le Trovan sur des enfants. Officiellement, Pfizer avait reçu l'autorisation du comité d'éthique de l'hôpital de Kano.

200 enfants atteints de méningite furent prestement divisés en 2 groupes à qui on donna soit du Trovan sous forme orale, soit des injections de ceftriaxone, un antibiotique à l'efficacité avérée pour la méningite. Deux semaines plus tard, on comptait 5 morts dans le groupe ayant reçu du Trovan et 6 morts dans celui ayant reçu de la ceftriaxone. Le ratio suffisait à Pfizer pour retourner aux États-Unis et soumettre une demande d'autorisation de mise sur le marché du Trovan pour la méningite.

Le problème, comme le fit tout de suite remarquer Médecins sans frontières, est que Pfizer avait administré des doses de ceftriaxone inférieures à la normale, prétendument pour rendre les injections moins douloureuses. Étant donné que la ceftriaxone n'est efficace qu'à haute dose, on pouvait évidemment se demander pourquoi l'équipe de Pfizer l'avait administrée à moindre dose, mettant ainsi les enfants du groupe ceftriaxone à plus grand risque de mourir. À moins que l'objectif n'ait précisément été de montrer un avantage du Trovan sur la ceftriaxone ?

Il apparut que les familles n'étaient nullement au courant que leurs enfants participaient à un essai. Personne ne leur avait fait signer de formulaires de consentement éclairé et elles ne savaient donc pas que MSF administrait dans le bâtiment d'à côté un médicament connu pour être efficace contre la méningite. Quant à l'autorisation du comité d'éthique, elle était inexistante. La compagnie en produisit bien une l'année suivante, mais il s'agissait d'un faux grossier antidaté par le médecin nigérian engagé sur place par Pfizer. Le directeur de l'hôpital de Kano protesta que celui-ci n'avait pas de comité d'éthique.

En 2001, les familles de 30 enfants qui étaient morts ou avaient subi des dommages lors de l'essai intentèrent un procès à Pfizer à New York. Pfizer argua avec succès qu'il n'y avait pas de loi internationale exigeant un consentement éclairé de la part de patients africains pour un médicament américain. Les familles poursuivirent donc Pfizer au Nigeria, où elles demandèrent 6 milliards de dollars en dommages et intérêts. En 2009, l'État de Kano condamna Pfizer à payer 75 millions de dollars au terme d'un règlement à l'amiable – beaucoup moins, donc, que la somme réclamée par les plaignants.

Un an plus tard, *The Guardian* publia le contenu de câbles diplomatiques envoyés au Département d'État par l'ambassade des États-Unis au Nigeria, que le journal avait reçu par WikiLeaks. Pfizer avait manœuvré – avec, semble-t-il, le «consentement éclairé» de l'ambassade des États-Unis – pour obtenir du procureur général nigérian Michael Aondoakaa un jugement favorable dans le procès Trovan. Extrait des câbles diplomatiques :

« D'après Liggeri [le représentant de Pfizer au Nigeria], Pfizer a engagé des détectives privés pour trouver des liens de corruption chez le procureur fédéral général Michael Aondoakaa, afin de le dénoncer et de le pousser à arrêter les poursuites fédérales [contre Pfizer]. Il dit que les détectives de Pfizer sont en train de passer l'information aux médias locaux. Une série d'articles compromettants détaillant les liens de corruption "présumés" d'Aondoakaa ont été publiés en février et en mars. Liggeri prétend que Pfizer a beaucoup plus d'informations compromettantes sur Aondoakaa et que les copains de celui-ci le pressent d'arrêter les poursuites de peur qu'il y ait encore d'autres articles négatifs[25]. »

Le procureur Aondoakaa a formellement démenti avoir subi la moindre pression.

Le consentement éclairé dans ces parties de la planète est souvent une farce cruelle qui autorise les violations les plus flagrantes de l'éthique médicale, comme l'administration de placebos à des sujets gravement malades. Au moment de la crise du sida, les CRO débarquèrent en masse en Afrique du Sud pour tester leurs médicaments sur des sujets infectés mais « treatment-naive », c'est-à-dire n'ayant pas reçu de médicaments antirétroviraux comme leurs collègues occidentaux. Pour prouver l'efficacité de ces nouveaux traitements, il fallait en effet pouvoir les tester contre placebo, ce qui n'était guère possible éthiquement aux États-Unis ou en Europe. Les Sud-Africains atteints du sida à qui les compagnies pharmaceutiques refusaient simultanément le droit à des antirétroviraux bon marché fournissaient la solution idéale. La compagnie Hollis-Eden enrôla ainsi 25 sujets en train de mourir du sida dans un essai clinique destiné à tester son médicament Immunitin contre placebo. Aucun des deux groupes de patients ne reçut d'antirétroviraux. Au bout de un an d'observation, la compagnie put annoncer à sa satisfaction que l'Immunitin avait (très) légèrement ralenti la progression du mal. L'essai étant fini, on laissa les cobayes mourir en paix[26].

Bienvenue dans le monde de John le Carré.

23
Expérimentations et tentations*

HANS WEISS

D'ordinaire, ce sont les médecins qui effectuent des expériences sur les patients-cobayes pour tester les médicaments produits par l'industrie. Mais après tout, pourquoi en irait-il toujours ainsi ? Dans ce qui suit, le journaliste d'investigation autrichien Hans Weiss raconte la petite expérience qu'il a menée sur des sommités médicales germanophones afin de tester leur éthique d'expérimentateurs. Le résultat de cette expérience menée dans la meilleure tradition du « journalisme basé sur des preuves » est particulièrement troublant : mesuré sur l'échelle de HAW-E (Hans Weiss-Éthique), le score de la majorité des sujets testés avoisinait 0. La conclusion scientifique qui s'impose est que les risques pour les patients d'être menés en bateau lors d'un essai randomisé contrôlé sont supérieurs aux bénéfices qu'ils peuvent espérer en tirer.

Hans Weiss est l'auteur avec Hans-Peter Martin et Kurt Langbein de *Bittere Pillen*[1] (*Pilules amères*), un guide critique des médicaments paru en 1983 chez le prestigieux éditeur Kiepenheuer & Witsch et constamment réédité depuis. Gros de quelque 1 100 pages, ce livre est devenu le livre en langue allemande le plus vendu de l'histoire (2,7 millions d'exemplaires à ce jour), en dépit des menaces de procès émises sur une période de 30 ans par 70 firmes pharmaceutiques pour un montant total de dommages et intérêts de 5 millions d'euros. L'article qu'on va lire est adapté d'un livre plus récent de Weiss,

* Traduit de l'allemand par Fabrice Malkani.

Korrupte Medizin[2] (*Médecine corrompue*), fruit d'une enquête de plusieurs années au cours de laquelle il a suivi une formation de visiteur médical et fondé une (fausse) agence de consulting pharmaceutique afin d'avoir ses entrées dans le monde clos de Big Pharma.

COBAYES MÉDICAUX

> Puis on m'a appelé à l'infirmerie et là j'ai contracté la malaria… Il y avait là-bas de petites cages avec des moustiques infectés, je devais poser la main sur ces cages. Les moustiques m'ont piqué et je suis resté ensuite cinq semaines à l'infirmerie, mais pendant quelque temps rien ne s'est manifesté. Un peu plus tard, au bout de deux, trois semaines, s'est produit le premier accès de malaria.

Telle est la déposition d'une victime des expériences médicales de l'époque nazie, pendant le procès des médecins de Nuremberg en 1946. En tout, un millier de médecins allemands se sont rendus coupables de mauvais traitements infligés aux prisonniers de guerre ou aux détenus des camps de concentration, considérés comme des « cobayes ». Mais en dehors des 23 accusés au procès des médecins de Nuremberg, on n'a demandé de comptes à aucun autre médecin.

Si le procès des médecins de Nuremberg a pris une telle importance, c'est avant tout parce que lors du jugement, pour la première fois, des restrictions éthiques ont été définies concernant les expériences pratiquées sur les êtres humains. C'est sur cette avancée que se fonde la « Déclaration d'Helsinki » adoptée en 1964 par l'Association médicale mondiale. Elle énonce les règles de la recherche médicale que chaque médecin doit respecter – depuis les chefs de clinique en Allemagne jusqu'aux médecins généralistes au Bangladesh. La Déclaration d'Helsinki fait partie intégrante du règlement général de la profession médicale en Allemagne. Il y est précisé sans aucune ambiguïté :

> La santé de mon patient prévaudra sur toutes les autres considérations. Le médecin doit agir dans le meilleur intérêt du patient lorsqu'il le soigne. Dans la recherche médicale impliquant des êtres humains, le bien-être de chaque personne impliquée dans la recherche doit prévaloir sur tous les autres intérêts.

Au fil des ans, la Déclaration d'Helsinki n'a pas cessé d'être actualisée et complétée. La version de l'année 2000 interdit aux médecins de traiter les maladies graves en n'utilisant qu'un placebo – un médicament sans substance active – s'il existe un traitement qui a déjà fait ses preuves. Cela vaut tout particulièrement pour les patients qui prennent part à un essai clinique.

Sous la pression de l'industrie pharmaceutique et de puissantes organisations de recherches, cette règle très claire a été quelque peu diluée, et des expériences à l'aide de placebos ont été autorisées à la condition « que ce soit absolument nécessaire pour des raisons scientifiquement convaincantes ou s'il s'agit du traitement d'une maladie anodine ».

Dans le cadre d'un projet de livre intitulé *Médecine corrompue*, je me propose de savoir si les médecins respectent ces règles en Allemagne et en Autriche. Ou s'ils sont disposés à renoncer pour de l'argent à ces nobles principes et à mener une expérience sur des médicaments impliquant que des personnes souffrant d'une grave maladie ne reçoivent qu'un médicament sans effet, un placebo donc. Ce qui signifierait qu'ils sont prêts à faire souffrir inutilement des patients.

Je décide de soumettre des chefs de clinique allemands et autrichiens à un test d'éthique. Mon protocole prévoit que je me présente comme consultant en pharmacie et que j'utilise comme couverture mon nom de naissance, Johann Alois Weiss.

LE CHOIX DE LA MALADIE

Mon choix se porte sur une dépression majeure. Il s'agit là d'une maladie qui peut mettre la vie en danger et qui engendre une énorme souffrance pour le patient. Tous les manuels médicaux prescrivent l'utilisation obligatoire d'antidépresseurs pour le traitement des dépressions majeures.

LE CHOIX DU MÉDICAMENT À TESTER

Je me décide pour un antidépresseur du type ISRS (inhibiteurs sélectifs de la recapture de la sérotonine). Ces produits renforcent l'action des messagers chimiques dans le cerveau, provoquent une amélioration de l'humeur, la disparition de l'angoisse et du stress, et procurent une énergie accrue. Il en existe déjà une douzaine de variétés en Allemagne et en Autriche, et un autre produit de ce type ne produira pas d'amélioration thérapeutique significative. L'objectif est seulement de se tailler une part du gâteau sur le marché lucratif des médicaments de type ISRS – qui se monte à 180 millions d'euros par an en Allemagne. En France, les médicaments de ce type qui ont le plus de succès s'appellent Zoloft, Seropram, Deroxat. Ce que je vais proposer est un « me-too », comme on dit dans la langue du marketing de l'industrie pharmaceutique.

LE CHOIX DES MÉDECINS

À qui vais-je m'adresser en premier ? Je me décide pour le sommet de la hiérarchie médicale : ce sera un psychiatre allemand de renommée internationale. Seconde étape, je fais exactement ce que font les groupes pharmaceutiques lorsqu'ils cherchent à établir qui fait partie du top 50 des médecins – je dresse des listes.

Quels sont les psychiatres qui interviennent en tant qu'orateurs dans les congrès internationaux ? Qui publie des articles importants dans des revues réputées au plan international ? Je tombe constamment sur le nom du directeur de la clinique psychiatrique de l'université Ludwig-Maximilian de Munich, le professeur Hans-Jürgen Möller. Il dirige des revues professionnelles influentes, fait partie du conseil d'administration de sociétés médicales internationales et a publié plus de 500 contributions scientifiques dans des revues. De plus, en juillet 2001, il a été élu président du Congrès mondial de psychiatrie biologique à Berlin.

Il ressort de mes recherches que le professeur Möller a des liens financiers étroits avec des groupes pharmaceutiques internationaux comme AstraZeneca, Bristol-Myers Squibb, Eli Lilly, Glaxo-SmithKline, Janssen-Cilag, Lundbeck, Merck, Novartis, Organon, Pierre Fabre, Pfizer, Sanofi-Aventis, Servier et Wyeth.

Möller s'est également beaucoup investi pour des médicaments très controversés comme le produit amaigrissant Acomplia, auquel les autorités sanitaires des États-Unis ont refusé leur agrément durant l'été 2007 en raison de graves effets secondaires. Il était intervenu en septembre 2007 lors d'une manifestation publicitaire du fabricant de l'Acomplia, Sanofi-Aventis, pour faire la réclame du médicament. L'Acomplia a finalement été retiré du marché dans le monde entier en octobre 2008.

LA CLINIQUE PSYCHIATRIQUE DE L'UNIVERSITÉ LUDWIG-MAXIMILIAN DE MUNICH

Le 27 septembre 2007, j'envoie mon premier courriel au professeur Möller. Pour gagner sa confiance, je commence mon message en me référant à l'une des plus grandes compagnies pharmaceutiques du monde. Je prétends qu'un collègue du centre de recherche de Novartis à Boston m'a parlé dans les termes les plus élogieux de l'expérience de Möller et de sa fiabilité en tant que directeur d'études cliniques, et m'a recommandé de m'adresser à lui. J'affirme être un consultant en pharmacie de Vienne, travaillant pour le compte de plusieurs groupes internationaux. À la demande d'une firme de biotechnologie américaine, je suis à la recherche de centres de tests en vue d'une étude expérimentale sur un nouvel antidépresseur de type ISRS particulièrement prometteur. J'ajoute que le fabricant planifie une autorisation de mise sur le marché d'abord en Europe, puis également aux États-Unis, et enfin que ce médicament sera commercialisé conjointement avec l'un des cinq grands groupes des États-Unis.

J'affirme que pour accélérer la procédure d'AMM, il faut encore trouver 90 sujets d'expérience atteints de dépression majeure. Afin d'accroître ma crédibilité, je truffe mes propos d'expressions techniques : critères DSM-IV-TR (4e édition révisée du DSM), période de « wash out » d'une semaine, HAM-D (échelle de dépression de Hamilton), CGI (échelle de sévérité Clinical Global Impression), Clinical Global Rating, etc.

Le nouveau médicament doit être comparé avec la sertraline, antidépresseur bien connu qu'on trouve par exemple dans le Zoloft, ainsi qu'avec un placebo. Autrement dit : sur 90 patients retenus pour les expérimentations, 30 recevront, après un tirage au sort, le nouveau médicament, 30 prendront l'antidépresseur sertraline et 30 auront un placebo. L'efficacité du médicament sera déterminée après des tests prévus pour une durée de 18 semaines.

Pour donner à ma démarche un vernis de professionnalisme, j'indique qu'une CRO allemande connue est responsable de la gestion du projet. CRO est le sigle d'« organisation de recherche contractuelle », autrement dit une structure qui organise et surveille le déroulement des essais cliniques.

Enfin je demande au professeur Möller s'il est prêt à passer contrat avec le fabricant pour ces expérimentations. Et je lui demande combien de patients pourraient être intégrés à l'étude.

Ma proposition est la suivante : comme il faut effectuer des tests non seulement pour la sertraline mais aussi pour le placebo, le budget prévoit pour le responsable de l'étude un honoraire de 8 000 euros par patient. Il faut compter en outre les indemnités habituelles pour les entretiens avec les médecins effectuant les essais, les examens néces- saires à la sélection des patients, les analyses de laboratoire, les médecins supervisant les essais, les infirmières qui participent aux tests, les frais administratifs, la participation aux frais de la clinique, etc.

Comparée aux pratiques internationales, mon offre est très lucrative. Car je propose, en fonction de la qualité du travail et du respect des délais, une incitation financière supplémentaire, sans indi- cation précise, ainsi qu'une somme présentée comme « versement initial non remboursable » d'un montant de 9 500 euros.

Pour terminer, je mentionne que nous discuterons tous les autres détails – les paramètres des essais, les exigences du laboratoire, etc. – par la suite. Et que nous nous conformerons entièrement à ses sou- haits pour ce qui est des transactions financières. Comme petit extra supplémentaire, je propose au professeur Möller de collaborer comme consultant scientifique à la commercialisation du médicament dans l'espace germanophone. Je sais d'expérience que les honoraires des essais cliniques sont généralement versés de manière tout à fait offi- cielle sur les comptes des cliniques, mais que les honoraires des consultants sont versés sur des comptes privés – sans que la clinique n'en ait connaissance et n'y participe.

UN INTÉRÊT DE PRINCIPE

Le professeur Möller met ma patience à rude épreuve. Sans réponse de sa part au bout de trois jours, je téléphone à sa secrétaire, qui me rassure. Son chef, me dit-elle, est en déplacement et terriblement occupé. Elle a déposé mon courriel dans le dossier « Urgent ». Il doit revenir le 1er octobre, mais repart aussitôt après, le 3 octobre, pour un congrès de plusieurs jours.

Trois semaines plus tard me parvient une réponse de Möller, qui me dit son intérêt de principe pour la mise en œuvre de l'étude proposée. Toutefois, en raison des délais très serrés, il me renvoie à son médecin-chef pour clarifier les questions qui se posent.

Le professeur Möller met ainsi en branle un scénario que je voulais éviter. Je redoute un peu d'avoir des entretiens téléphoniques dans cette affaire, car mes connaissances sur le déroulement concret des études cliniques sont limitées. Je cours le danger d'être démasqué. En revanche, un contact par courriel est sans risque. Je n'ai pas à répondre immédiatement et spontanément aux questions, j'ai au contraire du temps pour effectuer des recherches.

En tout cas, le professeur Möller ne semble avoir aucun scrupule à traiter des patients atteints de dépression majeure en n'utilisant qu'un placebo. Pour éviter tout malentendu et ne pas prendre de risques, je lui envoie le lendemain un autre courriel. Tout d'abord, je le remercie de sa disponibilité de principe pour conduire l'étude, je lui explique que je vais me mettre immédiatement en rapport avec son médecin-chef, et j'adopte une posture un peu naïve :

> Pourrait-il y avoir des problèmes pour obtenir l'accord de la commission d'éthique concernant le schéma de l'étude proposée – avec tests contre placebo ? Ces derniers temps, le développement de certaines positions hostiles à la science rend plus difficile la conduite de telles études. Seriez-vous d'accord sur le principe d'assurer la fonction de consultant scientifique de la firme pour cet antidépresseur dans l'espace germanophone ? Je vous serais très obligé de bien vouloir me donner une estimation de vos honoraires à cet effet.

Je ne reçois plus de réponse du professeur Möller lui-même. Mais son médecin-chef me téléphone et me laisse le 29 octobre le message suivant sur mon répondeur : « Ici Riedel, de la clinique psychiatrique universitaire de Munich. Le professeur Möller m'a transféré un courriel de votre part, concernant une étude clinique. Pourriez-vous me rappeler ? »

Que dois-je faire ? – Pour gagner du temps afin de me préparer à d'éventuelles questions, j'envoie un courriel en expliquant que j'ai attrapé une grippe foudroyante et que je suis alité. Je le prie de répondre dans un premier temps aux questions suivantes :

– Combien de clients pourriez-vous intégrer dans cette étude ?

– Pourrait-il y avoir des problèmes – de temps et de fond – pour l'accord de la commission d'éthique ?

– Pourriez-vous me recommander des confrères dans l'espace germanophone dont les cliniques pourraient également être envisagées comme centres de tests ?

La réponse arrive promptement : deux ou trois patients pourraient être intégrés chaque mois dans l'étude. Pour tous les autres points, ajoute le médecin-chef Riedel, nous devons nous téléphoner. Il me faut donc prendre le taureau par les cornes, que je le veuille ou non.

Le 5 novembre, je prends mon courage à deux mains et je compose le numéro de la clinique munichoise. Nous commençons l'entretien par un échange d'amabilités et de banalités, mais nous entrons rapidement dans le vif du sujet. Le médecin-chef Riedel pense que, dans les conditions décrites, seuls les patients en traitement hospitalier seraient intégrés à l'étude, ce qui représenterait d'avril à la fin de l'année 2008 environ 20 patients en tout. À un moment de la conversation, j'évoque les patients qui seront traités à l'aide d'un placebo. Il apparaît que c'est une question délicate, car soudain mon interlocuteur se met à bredouiller. Il parle de « commission d'éthique », de « l'échelle de Hamilton » et d'une atténuation de la dépression.

J'essaie de dégager le sens de ses propos : il est probable que la commission d'éthique donnera son accord pour l'étude si l'on mesure la gravité de la dépression au bout de quinze jours à l'aide d'un questionnaire appelé « échelle de Hamilton » et que l'on constate une atténuation de l'état dépressif dans une proportion de 20 %. En tout cas, la commission d'éthique de Munich ne semble voir aucun obstacle insurmontable – quelles que soient les spécifications actuelles de la Déclaration d'Helsinki.

Je demande à Riedel combien de temps il faut pour obtenir l'accord de la commission d'éthique. Il pense que nous devons compter en tout quatre à six semaines. Finalement, nous nous mettons d'accord pour que je vienne le 26 novembre à 14 h 00 à Munich pour discuter de tous les détails.

À la fin de notre entretien, je demande à Riedel s'il peut me recommander des confrères d'autres cliniques comme interlocuteurs.

Oui, répond-il sans hésiter : à l'université de Bonn, M. Kühn, médecin-chef à la clinique psychiatrique. Et le professeur Sauer à « Iéna ». Peu après, il rectifie néanmoins : le professeur Sauer ne mène aucune étude contre placebo.

LA CLINIQUE UNIVERSITAIRE D'IÉNA

Le professeur Heinrich Sauer est doyen de la faculté de médecine d'Iéna et en outre directeur de la clinique psychiatrique universitaire. De 1998 à 2002, il a été membre du comité directeur de l'Association allemande de psychiatrie, psychothérapie et neurologie. Les propos de Riedel laissent présager une attitude critique de la part de Sauer à propos des études utilisant un placebo et je l'appelle donc non pas en tant que consultant en pharmacie, mais en tant que journaliste médical.

Sauer déclare qu'il est en principe un partisan des études avec placebo, sauf dans le cas de patients atteints de dépression majeure et présentant un risque suicidaire. Il est d'avis que l'on ne doit en aucun cas intégrer de tels patients dans un essai de ce type parce que dans leur état ils ne sont absolument pas en mesure de donner leur accord écrit.

LA CLINIQUE PSYCHIATRIQUE UNIVERSITAIRE DE BONN

La prochaine étape au programme de ma petite expérience d'éthique médicale est la clinique psychiatrique universitaire de Bonn où le docteur Riedel, médecin-chef du professeur Möller, m'a déjà annoncé auprès de « Monsieur Kühn ».

En réponse aux questions posées dans mon courriel, le docteur Kai-Uwe Kühn, maître de conférences, m'indique qu'il a discuté de l'affaire avec son chef et qu'il participera volontiers. Son chef est le professeur Wolfgang Maier, un nom important dans le monde de la psychiatrie allemande. Maier fait partie du comité directeur de l'Association allemande de psychiatrie, psychothérapie et neurologie, il est porte-parole du réseau de compétences « Démences » et a reçu des subventions pour la recherche de la part des compagnies pharmaceutiques Eli Lilly et GSK. En janvier 2003, Maier a publié conjointement avec le professeur munichois Möller et d'autres scientifiques dans le *British Medical Journal* une étude sur la dépression, financée entre autres par les groupes Pfizer et Novartis, et violemment critiquée par des confrères de leur spécialité en raison de « fautes scientifiques et statistiques ».

DES EFFETS SECONDAIRES INATTENDUS

Comme j'ai à présent obtenu toutes les informations nécessaires pour mon essai de la part des deux médecins-chefs Riedel et Kühn, je mets fin à nos échanges en leur indiquant par courriel avoir été informé par mon employeur qu'au cours d'études menées actuellement à propos de ce nouvel antidépresseur, des effets secondaires inattendus ont été signalés. Tous les essais cliniques et plans marketing sont suspendus jusqu'à fin février, le temps de parvenir à une élucidation complète. La décision concernant la suite sera prise à ce moment-là.

J'ajoute que c'est là une nouvelle fâcheuse qui a aussi des conséquences pour la collaboration que nous avions planifiée. Partant du principe que ce n'est que partie remise, je leur écris que nous pourrons reprendre nos projets à partir de mars 2008 et que dans tous les cas de figure je les tiendrai au courant.

L'étape suivante de mon expérience d'éthique me conduit auprès du directeur de la clinique psychiatrique universitaire de Düsseldorf, le professeur Wolfgang Gaebel, qui est depuis le début de l'année 2007 président de l'Association allemande de psychiatrie, psychothérapie et neurologie et se trouve ainsi à la tête de tous les psychiatres allemands.

LA CLINIQUE PSYCHIATRIQUE UNIVERSITAIRE DE DÜSSELDORF

Au professeur Gaebel, j'envoie une proposition légèrement modifiée. Le médicament à tester n'est pas un antidépresseur de type ISRS mais un ISRSNA (inhibiteur sélectif de la recapture de la sérotonine-noradrénaline). Il s'agit d'un nouveau procédé par lequel les cellules nerveuses du cerveau sont influencées par les neurotransmetteurs sérotonine et noradrénaline.

Ce médicament doit être comparé à un placebo ainsi qu'à un médicament de type IRSN ayant déjà fait ses preuves. Toutes les autres conditions, et avant tout les conditions financières, sont les mêmes que pour le professeur Möller. La réponse arrive sous forme de courriel au bout de dix jours, le 4 avril 2008, non pas de la part du professeur Gaebel, mais de son médecin-chef, le docteur Joachim Cordes, avec copie à Gaebel :

Merci beaucoup pour votre aimable proposition. Nous coopérerons volontiers avec vous pour mener une étude multicentrique internationale en double aveugle et vous prions de nous envoyer les documents afférents à l'étude pour que nous en prenions connaissance.

Au cours d'un entretien téléphonique, le 22 avril, le docteur Cordes déclare que cette étude est certes intéressante mais que le traitement par placebo de patients atteints de dépression majeure est une affaire délicate du point de vue de l'éthique. Mais il reste intéressé et n'exclut pas de mener une étude.

LA CLINIQUE PSYCHIATRIQUE DE L'HÔPITAL DE DISTRICT D'AUGSBOURG

Le professeur Max Schmauß, directeur de la clinique psychiatrique de l'hôpital de district d'Augsbourg, fait également partie des sommités de la psychiatrie en Allemagne. De 2001 à 2002, il a été président de l'Association allemande de psychiatrie, psychothérapie et neurologie, et donc le grand patron de tous les psychiatres. Il siège toujours au comité directeur de cette association. Ses liens avec les groupes pharmaceutiques restent dans le cadre de ce qui est habituel : il anime ici et là des manifestations publicitaires dans le cadre de congrès.

J'envoie le 26 mars 2008 au professeur Schmauß ma proposition habituelle pour la réalisation d'une étude clinique portant sur un nouvel antidépresseur de type ISRSNA. Quelques semaines plus tard, son médecin-chef le docteur Thomas Messer laisse un message sur mon répondeur téléphonique indiquant qu'il appelle à propos de l'étude clinique dont j'ai déjà parlé avec le professeur Schmauß. Il ajoute qu'ils sont intéressés et verraient de bonnes possibilités de réalisation de l'étude dans leur hôpital.

Le docteur Messer n'est pas n'importe quel médecin-chef. De 2001 à 2002 il a été secrétaire de l'Association allemande de psychiatrie, psychothérapie et neurologie et a publié de nombreux articles dans des revues scientifiques importantes.

LA CLINIQUE PSYCHIATRIQUE UNIVERSITAIRE DE VIENNE

Comme je suis autrichien, j'aimerais aussi soumettre un chef de clinique autrichien à la tentation en lui demandant s'il est prêt à mener une expérience contre placebo auprès de patients atteints de dépression majeure. Mon choix se porte sur le psychiatre qui est sans doute le plus influent en Autriche : le professeur Siegfried Kasper de la clinique universitaire de Vienne.

Kasper a fait ses études de médecine à Innsbruck, à Fribourg et à Heidelberg, et a ensuite fait une rapide carrière dans diverses institutions psychiatriques en Allemagne et aux États-Unis. La liste de ses publications scientifiques est longue, ainsi que celle des associations médicales dont il est membre dans le monde entier. En juillet 2005, il a été élu président de la Fédération mondiale des sociétés de psychiatrie biologique (FSBP), l'une des trois principales sociétés au monde dans le domaine de la psychiatrie. Les relations de Kasper avec les groupes pharmaceutiques pour lesquels il a travaillé comme consultant sont tout aussi impressionnantes que la liste de ses publications.

En 2002, le professeur Kasper a fait les gros titres de la presse spécialisée internationale pour avoir publié sur la molécule antidépressive milnacipran un article qu'il n'avait pas écrit lui-même. La revue réputée *British Medical Journal* en a parlé comme d'« un cas typique de ghostwriting » et de relation inacceptable entre l'industrie et les psychiatres universitaires.

Il répond comme suit à ma proposition, envoyée comme d'habitude par courriel :

> Merci beaucoup pour votre aimable message. Sur le principe, nous participerions bien volontiers à l'étude. Pourrions-nous auparavant avoir un entretien téléphonique pour clarifier certains détails ?

Au téléphone, le professeur Kasper déclare sans ambages que la question du groupe de patients recevant un placebo n'est pas un problème. Il arrivera bien à régler cela, dit-il, avec le comité d'éthique. À la fin de notre entretien, il ajoute qu'il ne restera rien pour lui personnellement de tout l'argent que je propose, puisque tout ira à la clinique. C'est pour moi l'instant idéal pour poser la question : « Seriez-vous prêt à travailler également comme consultant de la firme ? »

Il accepte aussitôt, mais fait remarquer que pour ce qui est du dédommagement financier il faudra établir une séparation claire entre l'étude clinique et l'activité personnelle de consultant.

BILAN ÉTHIQUE À MI-CHEMIN

J'ai demandé à cinq psychiatres de haut rang – quatre en Allemagne, un en Autriche – s'ils étaient prêts à traiter des patients atteints de dépression majeure uniquement avec un placebo au lieu d'antidépresseurs confirmés. Quatre des cliniques contactées – à Munich, Bonn, Augsbourg et Vienne – sont d'emblée disposées à le faire. Une cinquième – à Düsseldorf – fait remarquer qu'une telle étude avec placebo est une affaire délicate du point de vue éthique. Mais la clinique se dit intéressée et « n'exclurait pas » de participer.

Je m'attendais à davantage de scrupules. Car les médecins interrogés comptent parmi les sommités nationales et internationales de leur domaine de spécialité. S'agit-il peut-être, en l'occurrence, d'un problème éthique qui ne concerne que la psychiatrie ? Pour acquérir plus de certitude, je décide de mener des « expériences d'éthique » semblables dans deux autres domaines de pathologie médicale : celui des troubles cardiaques et celui de la migraine.

LE CENTRE D'ÉTUDES CLINIQUES DE DRESDE

Le professeur Markolf Hanefeld est un spécialiste reconnu dans le monde entier de maladies comme le diabète, l'hypertension artérielle et l'artériosclérose. Depuis 2000, il est directeur du Centre d'études cliniques de Dresde, lequel est financé par des fonds privés et mène avant tout des recherches pour les firmes pharmaceutiques. Ces recherches sont conduites en coopération avec la faculté de médecine et la clinique universitaire de Dresde, ainsi qu'avec les médecins locaux.

Selon la page d'accueil du site web, 5 000 patients sont enregistrés dans la banque de données que l'on peut consulter à tout moment. Il est fièrement mentionné que plus de 50 études ont été menées sur de nouveaux médicaments.

Hanefeld a participé à de nombreux essais cliniques organisés dans le monde entier, dont certains ont été vivement critiqués par la communauté scientifique spécialisée pour des raisons éthiques. Ainsi l'étude ADVANCE sur des patients hypertendus souffrant de diabète, sur lesquels a été testée une combinaison de médicaments du laboratoire pharmaceutique français Servier. Cette étude a été publiée en 2007

453

dans la revue spécialisée *The Lancet*. Je demande par courriel à Hanefeld s'il est prêt à réaliser une étude avec une combinaison similaire de médicaments. Pour m'épargner de longues discussions sur les détails de méthode, je renvoie dans mon courriel à la méthodologie d'ADVANCE en ajoutant que mon employeur, une firme de biotechnologie américaine, a déjà commencé à organiser une grande étude internationale en double aveugle. Je prétends être à la recherche de 400 patients supplémentaires pour accélérer la procédure d'AMM. Comme pour ADVANCE, une période d'investigation de cinq ans est prévue.

Je dis pouvoir faire au nom du fabricant une offre lucrative. Pour le responsable de l'étude, un honoraire de 10 000 euros par patient serait prévu. À quoi s'ajouteraient bien sûr les indemnités habituelles pour le laboratoire, les médecins supervisant les tests, la participation aux frais de la clinique, etc.

Le professeur Hanefeld ne se fait pas longtemps prier et accepte aussitôt. Il lui est possible, dit-il, de recruter 100 patients pour l'étude, ce qui fait en tout un montant de 1 million d'euros. Rien d'étonnant à ce que le professeur Hanefeld soit si enthousiasmé par l'étude, éthique ou pas.

Dans notre correspondance ultérieure, Hanefeld déclare que tout cela n'est pas un problème du point de vue éthique. Il souhaite également que des honoraires soient versés non seulement au centre de recherches mais aussi sur son compte privé – en tout près de 240 000 euros.

En réponse à ma demande concernant d'autres centres d'études possibles, Hanefeld me renvoie à l'« Institut privé de recherche et de développement clinique S.A. » de Mayence. Son administrateur, le professeur Andreas Pfützner, est intéressé par une participation, tout comme le directeur du département « Cardiologie préventive » de la clinique et polyclinique médicale de l'université de Munich, le professeur Clemens von Schacky, que j'ai également contacté.

LA CLINIQUE NEUROLOGIQUE DE L'UNIVERSITÉ DE DUISBOURG-ESSEN

Ma dernière expérience en matière d'éthique est consacrée à l'expert germanophone le plus influent en matière de migraines : le professeur Hans-Christoph Diener, chef du service de neurologie de la clinique universitaire de Duisbourg-Essen et directeur du centre ouest-allemand des maux de tête.

Diener a été de 2003 à 2004 président de la Société allemande de neurologie, il a été un responsable influent des recommandations de bonne pratique clinique en matière de migraine et s'est fait un nom en tant que spécialiste des accidents vasculaires et des migraines.

Dans la communauté scientifique internationale, la réputation de Diener est toutefois écornée. En août 2006, il a essuyé conjointement avec ses coauteurs des reproches sévères de la part du *Journal of the American Medical Association* pour n'avoir pas exposé clairement ses liens avec l'industrie pharmaceutique dans une publication sur la migraine, ce qui est contraire aux règles. Lui et ses coauteurs avaient déclaré:

> Il n'y a pas d'intérêts ou de liens financiers qui soient de quelque importance pour notre présentation de la migraine et du risque de maladies cardiaques chez les femmes.

Pour ce qui est du nombre de liens financiers avec les firmes pharmaceutiques, le professeur Diener compte sans aucun doute parmi les médecins allemands les mieux placés. Au cours de sa carrière, le professeur Hans-Christoph Diener a travaillé pour au moins 39 firmes différentes en tant que consultant, participant à des études, responsable d'étude ou conférencier.

Je propose au professeur Diener de tester un nouveau médicament contre la migraine – une combinaison des deux molécules ibuprofène et caféine sous la forme d'un comprimé effervescent. Un tel médicament n'existe pas encore. Dans ce cas également, il est prévu qu'un groupe de patients ne reçoive pas de médicament efficace, mais seulement un placebo.

Le professeur Diener accepte lui aussi tout de suite. Ma proposition financière est la suivante: pour le responsable de l'étude – Diener, donc – est prévue au début une somme de 120 euros par patient recruté et 100 euros supplémentaires par la suite. Au total, je lui offre personnellement 220 000 euros. À quoi s'ajouteraient bien entendu les indemnités habituelles pour les entretiens nécessaires (« investigator meetings »), les frais administratifs, les médecins supervisant les essais, etc. Et un versement initial non remboursable de 15 000 euros.

Sans s'embarrasser de fioritures de style, il m'envoie en réponse ce bref message électronique:

> Merci pour l'invitation. Notre centre de recherche sur les maux de tête serait intéressé par la coordination et la réalisation de l'étude. Diener.

Je le remercie et conviens d'un rendez-vous dans sa clinique à Essen pour clarifier toutes les questions qui se posent. Et comme pour les autres contacts avec les chefs de service, j'annule la rencontre peu avant l'échéance avec le motif habituel: un effet secondaire inattendu du médicament testé ayant conduit à un arrêt des essais menés actuellement.

BILAN DE MES OFFRES PIÉGÉES

J'ai demandé à sommités médicales des pays germanophones si elles étaient prêtes à réaliser, à la demande d'une firme pharmaceutique, une étude contre placebo qui, selon les règles de l'Association médicale mondiale, doit être considérée comme contraire à l'éthique ou problématique sur le plan éthique.

Cinq psychiatres – quatre en Allemagne, un en Autriche – ont accepté ou déclaré qu'ils « n'excluaient pas » leur participation. Il s'agissait de traiter un groupe de patients atteints de dépression majeure non pas avec des antidépresseurs ayant fait leurs preuves mais uniquement avec un placebo, ce qui constitue clairement un préjudice pour les patients et une violation des règles de l'Association médicale mondiale.

Trois spécialistes des troubles cardiaques étaient prêts d'emblée à réaliser une étude d'hypertension sur des patients souffrant de diabète et à traiter un groupe de patients uniquement avec un placebo. Il s'agissait dans ce cas aussi d'une violation des règles de l'Association médicale mondiale, car en cas d'hypertension il existe un traitement médicamenteux reconnu et les dommages résultant d'une tension artérielle élevée peuvent être considérables – dommages causés au cœur, infarctus, insuffisance cardiaque mortelle, accident vasculaire cérébral...

Quant au neurologue germanophone le plus influent, il était prêt d'emblée à réaliser une étude au cours de laquelle une centaine de patients souffrant de migraine allaient être traités uniquement avec un placebo – ce qui est clairement une violation de l'éthique médicale.

LES SUITES DE MA PUBLICATION

Un seul chef de clinique – le professeur Möller de Munich – m'a menacé de porter plainte au cas où je continuerais à le qualifier de médecin corrompu. À ce jour, je n'ai toutefois reçu aucune plainte. Le professeur Kasper de la clinique universitaire de Vienne a dû assumer ses responsabilités devant le jury d'honneur de l'ordre des médecins et a échappé de peu à l'interdiction d'exercer. Il a ensuite été convoqué devant la commission de discipline. La décision de celle-ci reste secrète.

ÉPILOGUE

Médecine en voie de disparition*

IONA HEATH

À la fin, que reste-t-il de la médecine à l'ère de Big Pharma ? Iona Heath est particulièrement bien placée pour répondre à cette question. Elle exerce comme généraliste à Londres depuis 1975 et occupe depuis 2009 le poste stratégique de présidente du Royal College of General Practitioners, l'association professionnelle des médecins généralistes britanniques. Attachée à une vision humaniste et sociale de la pratique médicale, elle dénonce depuis de longues années la dérive commerciale et industrielle de la médecine en Angleterre et ailleurs.

La médecine, dit-elle, est en train de disparaître sous nos yeux. Elle devient chaque jour davantage une « malmédecine » industrielle, indifférente aux besoins réels des patients dans la mesure même où elle prétend tous les combler. Pour enrayer ce déclin, il faudrait que nous cessions de nous comporter en consommateurs de santé et affrontions lucidement l'incertitude et les risques liés à notre finitude corporelle.

La pratique médicale possède un immense potentiel bénéfique puisqu'elle peut soulager la souffrance, mais elle a aussi – et a toujours eu – la capacité de nuire. Ces dernières décennies, le progrès

* Traduit de l'anglais par Laurent Bury.

technologique a rendu largement accessibles beaucoup plus d'interventions et de traitements dans les pays les plus riches, mais malgré une efficacité parfois remarquable les résultats s'avèrent trop souvent décevants, voire néfastes.

On peut identifier trois tendances étroitement associées : la médicalisation de la vie, l'industrialisation de la santé et les contraintes exercées sur la médecine par l'État. Chacune tend à traiter la santé non pas comme une fin en soi, mais comme un moyen en vue d'autres fins et réduit docteurs et patients au statut d'unités bureaucratiques – unités de prestation de soins pour les premiers, unités de besoins de santé pour les seconds. Les transactions intersubjectives et intensément personnelles de la médecine, qui contribuent tellement au sentiment de bien-être du patient, sont marginalisées et négligées. On verse un peu partout des larmes de crocodile sur la disparition de l'empathie en médecine, mais on ne tente jamais d'en comprendre ou d'en explorer les causes et les effets.

LA MÉDICALISATION DE LA VIE

Dans les pays les plus riches, de plus en plus de gens qui ont selon tous les critères objectifs des vies plus longues et plus saines que jamais ont le sentiment d'être malades. Ils sont en bonne santé mais croient ne pas l'être. Cette énigme troublante est un défi majeur pour la santé publique dans tous ces pays et elle a des conséquences sérieuses pour la santé sur toute la planète. On peut illustrer cette situation en comparant le Bihar, le Kerala et les États-Unis[1]. Le Bihar est le plus pauvre des États de l'Inde et comme on peut s'y attendre, il a la plus faible espérance de vie. Le Kerala est l'État indien qui a le plus investi dans l'éducation et il offre un taux d'alphabétisation et une espérance de vie bien supérieurs à ceux du Bihar, proches de ceux qu'on observe aux États-Unis. Le paradoxe est le suivant : c'est au Bihar que le taux de maladies déclarées par les patients est le plus faible, il est plus élevé au Kerala et il bat tous les records aux États-Unis. Ce résultat qui va à l'encontre de toutes les attentes indique que les habitants des pays riches ont une conception déformée de ce que signifie être en bonne santé.

Le problème est encore aggravé par la médecine contemporaine qui persiste à étiqueter de plus en plus de gens comme « malades » ou

« à risque ». Cette situation a au moins deux effets néfastes : d'une part, les ressources destinées aux soins médicaux sont de plus en plus mal attribuées et détournées au profit de bien-portants dont la santé a de grandes chances de rester bonne, au détriment de ceux qui sont malades ; d'autre part, le fait d'être étiqueté « malade » entraîne une perte de productivité[2].

Dans les pays riches, les gens sont exposés chaque jour dans la presse et dans les bulletins d'information à toute une série de messages de santé publique confirmant l'idée qu'il faut protéger et promouvoir la santé grâce à la prudence et au dépistage. L'impression qui est donnée est que nous sommes entourés de menaces pour notre santé – dans notre corps, dans la nourriture, dans l'air et dans l'eau, chez nous ou sur notre lieu de travail, dans la lumière du soleil ou même lors d'une sortie scolaire. Presque toutes les sources de plaisir humain sont désormais dépeintes comme masquant des dangers pour la santé qu'on ne peut combattre que par une vigilance constante. Le risque, qui de tout temps a été une source d'enthousiasme et une incitation à l'audace, est perçu aujourd'hui de façon presque exclusivement négative.

Les gens ont toujours vécu avec la peur et la menace d'une maladie prématurée, de l'invalidité et de la mort, mais aujourd'hui, alors que la menace est statistiquement bien moindre, la peur est systématiquement exagérée et stimulée pour servir les intérêts du complexe médico-industriel. À mesure que la santé globale de chaque population s'améliore, le marché des traitements pour les malades diminue et il y a donc des raisons financières évidentes de vouloir développer et commercialiser des soins de santé pour les bien-portants. C'est ce qui est fait à l'heure actuelle avec un succès spectaculaire grâce aux technologies de dépistage conçues afin de découvrir des menaces cachées pour notre santé future et à des traitements préventifs censés réduire des risques épidémiologiques.

Cette version de la médecine utilitariste considère tous les individus comme identiques et peut ainsi très facilement éroder la personnalité et l'autonomie des patients. Il y a plus de vingt ans, David Metcalfe conseillait aux généralistes de « veiller à ce que l'enthousiasme diagnostique ou thérapeutique dans certains cas individuels ne nous rende pas aveugles aux besoins de nos patients en termes d'espace ou de personnalité[3] ». Cette mise en garde est plus que jamais nécessaire aujourd'hui. Nous vivons dans une culture conformiste où l'on respecte en paroles l'autonomie et le choix, mais où l'individu n'est réellement libre de choisir que ce qui est approuvé par l'État[4]. On pense qu'une fois désigné le « bon choix » tout le monde optera pour lui, ce qui ne tient pas compte des circonstances et des aspirations très diverses des différents individus.

La santé a toujours été une construction sociale, au croisement de la biologie et de la culture, et sa définition évolue avec le temps[5]. En anglais, le mot pour « santé », *health*, vient d'un terme ancien signifiant « entièreté », mais le sens a connu plus récemment un glissement vers la notion bien plus insidieuse de « bien-être ». Cette transition a été confirmée par la définition officielle de l'OMS pour qui la santé est un état de complet bien-être physique, mental et social, et non plus simplement l'absence de maladie ou d'infirmité. Cela revient à présenter la santé comme un état de perfection équivalent au bonheur[6]. Cette définition est le premier des neuf principes qui forment l'introduction de la Constitution de l'OMS créée en 1948 et elle s'enracine dans le moment historique particulier de l'après-guerre.

Au début du XXe siècle, les grands récits de la religion qui promettaient une vie éternelle après la mort ont cédé la place aux grandes visions politiques utopistes qui cherchaient une société parfaite ici-bas. Vers le milieu du siècle, ces visions se sont dégradées inexorablement en monstrueuses dystopies et à la fin de la Seconde Guerre mondiale, la désillusion qui en est résultée a commencé à alimenter une profonde méfiance envers toutes les explications générales de la condition humaine et les solutions qu'on prétendait y apporter. Malheureusement, le désir humain de perfection ne semble pas avoir diminué pour autant. Il s'est simplement déplacé de la société vers l'individu et de l'âme vers le corps. L'obsession moderne d'un corps utopique nourrit la peur de la maladie, de façon tout à fait disproportionnée par rapport à la santé et à la longévité sans précédents dont jouissent les habitants des pays riches.

Les gens ont toujours voulu maîtriser l'avenir – savoir qu'en faisant telle chose, telle autre s'ensuivrait – et croire que le changement était synonyme de progrès. Le rêve actuel est que la science en général et la médecine en particulier ont la capacité et le pouvoir de nous donner cette maîtrise, mais cette idée s'appuie sur une foi de plus en plus dépassée et discréditée dans le pouvoir du raisonnement linéaire. Les sciences de la complexité démontrent l'impossibilité de prévoir le comportement de systèmes complexes, or le corps humain est de toute évidence l'un de ces systèmes. Cela signifie que toute décision et toute action est entourée d'incertitudes et de doutes, et que quelle que soit notre connaissance des normes statistiques, il ne sera jamais possible de prédire ce qui arrivera à un individu en particulier.

La recherche de la perfection s'avère à la fois futile et destructrice. Tous les corps s'affaiblissent avec le temps et certains beaucoup plus tôt que d'autres, notamment lorsqu'ils sont exposés à la violence et à la pauvreté. Il y aura toujours des catastrophes et des accidents. La maladie, le vieillissement et la mort entraîneront toujours souffrance et perte. Un corps utopique est un oxymore.

Kenneth Calman a défini la qualité de vie par l'écart entre expectative et expérience[7]. En créant une expectative de perfection qui ne peut jamais être satisfaite par l'expérience, la définition de l'OMS érode systématiquement la qualité de la vie tout en inspirant colère et déception chez les patients et un sentiment d'échec et de frustration chez les médecins.

Au Bihar, les attentes de la population en matière de santé sont terriblement faibles et, dans ce contexte, susciter l'espoir peut être un outil essentiel pour améliorer la santé. Aux États-Unis ce processus semble pourtant être allé trop loin, entraînant peur et insatisfaction et privant la vie de toute joie. Dans cette situation, il est urgent de trouver une autre façon d'envisager la santé qui accepte la nature incertaine de l'univers et l'omniprésence de cette expérience humaine qu'est la maladie.

La peur propage un cycle de besoin et de consommation qu'alimentent le marketing pharmaceutique et les patients en quête des médicaments et traitements les plus nouveaux et les plus coûteux, même quand leurs avantages sont négligeables. Cela encourage une mauvaise distribution des ressources publiques et privées. On met

---

La peur propage un cycle de besoin qu'alimentent le marketing pharmaceutique et les patients en quête des médicaments les plus nouveaux et les plus coûteux.

trop l'accent sur la médecine préventive et le traitement prophylactique, dont l'essentiel est gaspillé dans une poursuite chimérique d'ordre et de perfection. Les ressources médicales se concentrent sur le diagnostic et les procédures au lieu d'aider les gens à donner un sens à l'expérience de la maladie chronique et à affronter la certitude de la perte et de la mort.

L'INDUSTRIALISATION DES SOINS MÉDICAUX

À mesure que la technologie permet une mesure toujours plus sophistiquée d'un nombre croissant d'aspects de la biologie humaine, la définition de la maladie a évolué pour devenir de plus en plus dépendante de chiffres et de l'évaluation de la déviation d'un individu par rapport à une norme statistique. Nous sommes aujourd'hui témoins d'une explosion des remèdes pharmaceutiques visant non des symptômes mais la correction d'une déviation biométrique. L'informatique facilite la mesure et l'enregistrement systématique et en dépit du fait que les variables biologiques comme la pression sanguine, la densité osseuse ou l'apparence histologique des cellules forment presque toujours un spectre continu, les objectifs de la médecine exigent que ces variables fassent l'objet d'une distinction claire entre le normal et l'anormal. La technologie médicale et l'industrie pharmaceutique cherchent à étendre l'anormal aussi loin que possible et elles y sont remarquablement bien parvenues. Ce processus a créé des marchés immenses et apparemment illimités pour les technologies pharmaceutiques préventives appliquées à toutes les populations. Cela se fait au nom de la « qualité » des soins et le processus est activement facilité dans beaucoup de pays par les systèmes de paiement à la performance[8].

En conséquence directe de ces processus apparemment inexorables par lesquels une proportion toujours plus grande de la population est classée comme anormale, la conceptualisation de la maladie s'est détachée de l'expérience de la souffrance. C'est ce qui se passe avec la définition des maladies et plus encore avec l'identification des facteurs de risques. Deux études illustrent ce processus.

En 1999, Lisa Schwartz et Steven Woloshin ont montré que la mise en place des nouvelles recommandations en matière de définition de quatre pathologies courante – diabète, hypertension, hypercholestérolémie et surcharge pondérale – aurait pour effet de considérer 32 millions d'Américains supplémentaires comme souffrant d'au moins une de ces quatre pathologies. 75 % de toute la population adulte des États-Unis se verrait ainsi catégorisée[9]. L'ampleur du problème a été confirmée par un article dû à Linn Getz et ses collègues, qui ont appliqué à l'ensemble de la population adulte du comté norvégien de Nord-Tröndelag les critères recommandés dans les directives européennes de 2003 pour la prévention des maladies cardio-vasculaires[10]. Ces directives suggéraient comme seuils d'intervention adéquats une pression sanguine supérieure à 140/90 mmHg, sans correction d'âge, et un taux de cholestérol sérique de 5 mmol/l. Le clinicien n'est pas obligé d'entreprendre un traitement à partir de ce niveau, mais il doit informer le patient que ces mesures signifient qu'il court un risque cardio-vasculaire accru. L'étude du Nord-Tröndelag a rassemblé les mesures de la pression artérielle et du taux de cholestérol de quelque 62 000 adultes âgés de 20 à 79 ans effectuées en 1995-1997. Quand on applique les directives européennes, la moitié de la population est considérée comme courant un risque dès l'âge de 24 ans. À 49 ans, la proportion s'élève à 90 %, et jusqu'à 76 % de la population est en situation de « risque accru ». Pourtant, l'espérance de vie à la naissance est de 78,9 ans en Norvège, ce qui en fait l'une des plus fortes au monde. Il doit y avoir une erreur quelque part : il n'est tout simplement pas possible que les trois quarts d'une des populations dotées de la plus forte longévité soient en risque accru de mort prématurée. Et pourtant, la peur est inscrite dans chaque consultation de médecine préventive qui suit ces directives. La peur projette son ombre sur la vie et sape la santé[11].

Tout cela constitue une menace très réelle pour les systèmes de sécurité sociale universelle. Ces systèmes sont une grande réussite politique, mais il est urgent que les politiciens reconnaissent qu'aucun

---

Il est urgent que les politiciens reconnaissent qu'aucun système universel financé par l'impôt ne peut couvrir le traitement pharmaceutique de tous les risques liés à la santé, d'autant plus que le traitement est sans fin.

système universel financé par l'impôt ne peut couvrir le traitement pharmaceutique de tous les risques liés à la santé, d'autant plus que le traitement est sans fin[12]. Quand les médecins traitent les patients atteints de maladies symptomatiques, le progrès peut être évalué et le résultat est mesurable. Cela signifie que si le patient répond bien au traitement, celui-ci peut être continué ; dans le cas contraire, on interrompt le traitement. Quand les médecins traitent des gens qui courent simplement un risque de maladie, l'issue relève du probable et le traitement se poursuit donc à l'infini, que la maladie ait été évitée ou qu'elle n'ait jamais été réellement une menace. Il n'est pas étonnant que cette industrie que sont devenus les soins médicaux ait tellement cherché à identifier et à traiter les facteurs de risques : c'est devenu la poule aux œufs d'or de la médecine.

CONTRAINTES EXERCÉES SUR LA MÉDECINE PAR L'ÉTAT

Quand *1984*, le roman de George Orwell, fut publié en 1949, le critique américain Lionel Trilling écrivit :

> Ce qu'il dit a en fait des répercussions très larges : la Russie, dont la révolution sociale idéaliste a dégénéré en État policier, n'est que l'image de l'avenir qui nous attend, et la menace suprême à la liberté humaine pourrait bien venir d'une évolution semblable et plus massive encore de l'idéalisme social de notre culture démocratique.

L'ascendant qu'a pris aujourd'hui la médecine préventive comme traitement des facteurs de risques est peut-être une des manifestations de cet idéalisme social. Trilling poursuivait ainsi :

> La leçon essentielle de *1984* est précisément cela : le danger du pouvoir suprême et absolu que l'esprit acquiert lorsqu'il se libère de toutes les conditions, de toutes les chaînes des choses et de l'histoire [13].

Les mesures qui sous-tendent les impératifs de notre version moderne de la médecine préventive – pression artérielle, taux de cholestérol, densité osseuse, note sur l'échelle de dépression, indice de masse corporelle – sont toutes tenues pour universellement applicables, quelles que soient les circonstances de la vie particulière à laquelle on les applique. Elles sont, pour reprendre les termes de Trilling, « libérées de toutes les conditions », et donc dangereuses.

Les soins préventifs, fondés sur des données fournies par des essais cliniques plus ou moins fiables, n'ont jamais été conçus pour se substituer au jugement clinique. Pourtant, combinés aux attraits du paiement à la performance, ils en ont bel et bien pris la place. Les stratégies de gestion globales et mécanistes, inscrites dans les logiciels, deviennent statiques et fixes, et elles peuvent étouffer l'innovation. Les interventions deviennent routinières et les médecins n'ont plus à se colleter avec l'incertitude inhérente à chaque situation clinique spécifique. Les symptômes des patients, le statut fonctionnel, la comorbidité, la gravité de la maladie, les idées et les préférences sont systématiquement exclus de la plupart des essais cliniques. Ce sont pourtant ces facteurs-là qui devraient affecter de manière fondamentale le jugement d'un médecin quant au traitement le plus adéquat. Dans les études portant sur une population nombreuse, il y a toujours des populations plus petites dont la réaction à un traitement donné sera différente de celle du groupe principal[14]. Il se peut que l'intervention nuise systématiquement à ces groupes, mais nous n'avons à présent aucun système permettant de réellement mesurer ou d'observer ce problème. Les recommandations de bonne pratique réduisent le devoir qu'a le médecin d'exercer son jugement, au détriment potentiel des patients, et dans le contexte du paiement à la performance elles encouragent une focalisation sur les points obtenus, les objectifs atteints et le revenu généré.

Alors que la consultation est de plus en plus régie par des critères extérieurs, le patient et le médecin peuvent se sentir soumis à une coercition, ce qui est perturbant pour les patients et profondément démoralisant et démotivant pour les médecins. Tous ces processus insidieux ignorent ces deux causes majeures et fondamentales de maladie et de mortalité que sont la pauvreté et le vieillissement. Des données toujours plus nombreuses indiquent que le stress et le traumatisme de la pauvreté, des privations et des abus, surtout dans la petite enfance, perturbent le neurodéveloppement et sont dommageables pour la physiologie, conduisant à un vieillissement prématuré, à l'arrivée précoce de la maladie, puis à une mort prématurée[15]. Dire que ces processus inexorables sont dus au style de vie et qu'ils peuvent être inversés en traitant des facteurs de risques plus tard dans la vie est une manière sophistiquée de blâmer les victimes. À force d'ignorer les processus inévitables du vieillissement et de ne pas y adapter les recommandations de bonne pratique, les personnes âgées sont de plus en plus exposées à des traitements futiles et même cruels en fin de vie.

QUE FAIRE ?

Combattre ces tendances intimement liées est un défi extrêmement ambitieux et il n'existe pas de solutions toutes prêtes. Ceux qui veulent aller de l'avant se heurtent à de puissants intérêts économiques, politiques et professionnels. Il y a apparemment des sommes illimitées à gagner en commercialisant des remèdes pharmaceutiques pour les maladies et plus encore avec des remèdes visant à réduire les facteurs de risques. En mettant l'accent sur le traitement de la maladie, on évite d'affronter la responsabilité politique des causes fondamentales de maladie qui se trouvent dans la structure de la société. Et enfin, des carrières professionnelles lucratives ont été bâties – et le sont encore – sur la recherche éternelle de nouvelles maladies ou de nouveaux facteurs de risques.

Plus fondamentalement, ces puissants intérêts exploitent nos craintes les plus profondément ancrées face à la souffrance et à la mort. Tout au long de l'Histoire, l'humanité a tenu ces peurs à distance en acceptant des fardeaux et en consentant des sacrifices dans le présent avec l'espoir d'un salut à venir. Autrefois, le médiateur était la religion et le salut devait venir après la mort. Aujourd'hui, pour ceux qui n'ont pas de foi religieuse, la mort est devenue plus définitive et le salut doit être recherché avant la mort dans une longévité toujours en expansion. Face aux faux espoirs suscités par le marché de la maladie, il faut que les individus occupant des positions de pouvoir et d'influence manifestent une capacité à identifier, à accepter et à dépasser ces profondes peurs existentielles[16]. Cette capacité est rare.

Plus fondamentalement, ces puissants intérêts exploitent nos craintes les plus profondément ancrées face à la souffrance et à la mort.

Pour aller de l'avant, il faut redécouvrir le courage et le stoïcisme en tant que vertus privées et civiques, tout en cherchant un réalignement radical de la relation entre intérêts économiques, politiques et professionnels. Les médecins et les chercheurs en biomédecine, en particulier, ont la responsabilité non seulement de faire le ménage dans leur domaine, mais aussi de donner de bien meilleurs conseils aux hommes politiques et aux patients-citoyens.

Les auteurs

Mikkel Borch-Jacobsen, philosophe et historien, enseigne à l'université de Washington (Seattle). Il est l'auteur de plusieurs ouvrages de référence sur l'histoire de la psychanalyse. Il a conçu, avec la réalisatrice Anne Georget, un documentaire sur le marketing pharmaceutique des maladies, *Maladies à vendre*, diffusé sur Arte (2011). Il a coordonné l'ensemble de l'ouvrage.

Médecin généraliste, **John Abramson** enseigne à la faculté de médecine de l'université Harvard tout en intervenant comme expert dans des procès intentés aux laboratoires. Très critique à l'égard de l'emprise de l'industrie pharmaceutique sur la recherche médicale, il a été l'un des premiers à mettre en garde contre les risques cachés des anti-inflammatoires COX-2 comme le Vioxx et le Celebrex.

Kalman Applbaum est professeur d'anthropologie médicale à l'université du Wisconsin. Il a, entre autres, décrit les techniques de marketing des firmes pharmaceutiques occidentales pour importer le concept de dépression au Japon.

Jeremy Greene est médecin interniste et professeur associé d'histoire de la médecine à l'université Johns Hopkins à Baltimore. Il est l'auteur d'un livre essentiel sur les liens entre les médicaments et la définition des « facteurs de risques » comme le cholestérol, le diabète et l'hypertension.

David Healy est professeur de psychiatrie à la faculté de médecine de Cardiff, ex-secrétaire de l'Association britannique de psychopharmacologie. Auteur de nombreux livres sur l'histoire des psychotropes, il a très tôt mis en garde contre les risques de suicide des antidépresseurs comme le Prozac. Il est la bête noire des grandes compagnies pharmaceutiques.

Iona Heath est médecin généraliste à Londres et présidente du Collège royal des médecins généralistes. Attachée à une vision humaniste et sociale de la pratique médicale, elle dénonce depuis de longues années la dérive commerciale et industrielle de la médecine en Angleterre et ailleurs.

Irving Kirsch est professeur de psychologie à l'université de Hull et directeur associé du Programme d'études sur le placebo de l'université Harvard. Son livre *Antidépresseurs. Le grand mensonge* a démontré l'inefficacité des antidépresseurs sur la base d'une méta-analyse rigoureuse prenant en compte les essais cliniques gardés secrets par les laboratoires.

Philippe Pignarre a travaillé dix-sept ans dans l'industrie pharmaceutique où il a été, entre autres, directeur de la communication de Synthélabo puis de Sanofi-Synthélabo. Il est l'auteur du *Grand Secret de l'industrie pharmaceutique* et de *Comment la dépression est devenue une épidémie*.

Antoine Vial a travaillé avec Médecins sans frontières et animé pendant longtemps l'émission « Archipel Médecine » sur France Inter. Expert en santé publique, il a été en charge de l'information médicale grand public à la Haute Autorité de santé tout en siégeant au conseil d'administration de la revue *Prescrire* et en travaillant dans le Collectif Europe Médicament.

Philosophe de formation, **Jerome Wakefield** détient la chaire des Fondements conceptuels de la psychiatrie à l'université de New York. Il est l'un des critiques les plus en vue du DSM, le fameux manuel diagnostique de l'Association de psychiatrie américaine.

Hans Weiss est un journaliste d'investigation autrichien auteur de plusieurs livres explosifs, dont *Bittere Pillen* (*Pilules amères*), un guide critique des médicaments qui s'est vendu à 2,7 millions d'exemplaires en trente ans. Il a exploré les liens incestueux entre les chercheurs en médecine et les compagnies pharmaceutiques en se faisant passer pour un consultant pharmaceutique.

Peter J. Whitehouse est professeur de neurologie à l'université à Cleveland et chercheur associé à l'université de Toronto. Spécialiste mondialement reconnu du vieillissement cognitif et de la démence sénile, il a récemment publié un livre remettant en cause *Le Mythe de la maladie d'Alzheimer*.

Médecin épidémiologiste et membre du Parti social-démocrate allemand, **Wolfgang Wodarg** a été député au Bundestag puis à l'Assemblée parlementaire du Conseil de l'Europe, où il a présidé la Commission pour la Santé. Il a ouvert une enquête parlementaire sur le rôle des compagnies pharmaceutiques dans la (fausse) alerte de pandémie de la grippe H1N1 lancée par l'OMS, qui a conclu à de graves conflits d'intérêts.

Notes

AVANT-PROPOS

1. Assemblée Nationale, Rapport d'information sur la prescription, la consommation et la fiscalité des médicaments présenté par Mme Catherine Lemorton, 2008, p. 36.

PROLOGUE. CRIMES PARFAITS

1. Juge H. Lee Sarokin, jugement rendu dans le procès Haines *vs* [la compagnie de tabac] Liggett, 1992 ; cité *in* Robert N. Proctor, *Golden Holocaust. Origins of the Cigarette Catastrophe and the Case for Abolition*, Berkeley, University of California Press, 2011, p. 253.
2. Cité *in* Ralph Adam Fine, *The Great Drug Deception. The Shocking Story of MER/29 and the Folks Who Gave You Thalidomide*, New York, Stein and Day, 1972, p. 16.
3. Cité *in* Sanford J. Ungar, « Get away with what you can », *in* Robert L. Heilbronner (sous la dir. de), *In the Name of Profit*, Garden City, NY, Doubleday, 1971, p. 112.
4. Rock Bryner and Trent Stephens, *Dark Remedy. The Impact of Thalidomide and Its Revival as a Vital Medicine*, Cambridge, MA, Perseus, 2001, p. 23-24.
5. Fine, *op. cit.*, p. 168.
6. Cité *in* John Braithwaite, *Corporate Crime in the Pharmaceutical Industry*, Londres, Routledge & Kegan Paul, 1984, p. 71.
7. Discours de M. Harald F. Stock, PhD, à l'occasion de l'inauguration du Mémorial de la thalidomide, http://www.contergan.grunenthal.info/grt-ctg/GRT-CTG/Stellungnahme/Rede_anlaesslich_Einweihung_des_Contergan-Denkmals/224600963.jsp.
8. C'était le cas d'Eric Harris, l'un des deux massacreurs de Columbine. On sait par le témoignage d'un de ses amis que Dylan Klebold prenait lui aussi « des antidépresseurs », mais on ignore lesquels car cette information est sous scellés judiciaires.
9. Laura A. Pratt, Debra J. Brody, Qiuping Gu, « Antidepressant use in persons aged 12 and over : United States, 2005-2008 », NCHS data brief, n° 76, Hyattsville, MD, National Center for Health Statistics, 2011.

10. Martin Teicher, Carol Gold et Jonathan Cole, « Emergence of intense suicidal preoccupation during fluoxetine treatment », *American Journal of Psychiatry*, vol. 147 (1990), p. 207-210.

11. Cité *in* David Healy, *Let Them Eat Prozac. The Unhealthy Relationship Between the Pharmaceutical Industry and Depression*, New York, New York University Press, 2004, p. 132.

12. En 2005, soit un an après le suicide de Traci Johnson, la FDA révéla qu'une étude interne de Lilly avait fait apparaître un taux tout à fait inhabituel de suicidalité chez des femmes à qui on avait donné du Cymbalta pour traiter non pas une dépression, mais de l'incontinence urinaire : sur 9 000 patientes, 11 avaient fait des tentatives de suicide. Ce risque n'avait pas été divulgué à Traci Johnson, ni aux quatre autres cobayes – dépressifs, ceux-là – qui s'étaient suicidés avant elle au cours d'autres essais cliniques destinés à tester les propriétés antidépressives du Cymbalta (Walter F. Naedele, « Drug test altered in wake of suicide », *Philadelphia Inquirer*, 12 février 2004).

13. Pour un récit complet, voir Healy, *Let Them Eat Prozac, op. cit.* Tous les mémos cités ci-après sont consultables sur le site de David Healy : www.healyprozac.com/Trials/CriticalDocs.

14. Healy, *Let Them Eat Prozac, op. cit.*, p. 169-170.

15. Voir le récit passionnant de la journaliste d'investigation Alison Bass, *Side Effects. A Prosecutor, a Whistleblower and a Bestselling Antidepressant on Trial*, Chapel Hill, NC, Algonkin Books, 2008.

16. David Healy, *Pharmageddon*, Berkeley, University of California Press, 2012, p. 214-215.

17. Cité *in* Healy, *Let Them Eat Prozac, op. cit.*, p. 249 ; souligné par nous.

18. *Ibid.*, p. 284.

19. Selon une équipe de l'Inserm, la prise d'antidépresseurs augmente considérablement les risques d'accidents corporels de la route, notamment en début de traitement : Ludivine Orriols *et al.*, « Risk of injurious trafic crash after prescription of antidepressants [CME] », *Journal of Clinical Psychiatry*, vol. 73 (2012), n° 8, p. 1088-1094. Le début du traitement est justement le moment où les ISRS sont susceptibles de causer de l'akathisie (c'est vrai aussi de la fin du traitement).

20. Consultable sur www.ssristories.com.

21. Healy, *Let Them Eat Prozac, op. cit.*, p. 171.

22. David Willman, « Propulsid : a heartburn drug, now linked to children's death », *Los Angeles Times*, 20 décembre 2000.

23. Cité *in* Gardiner Harris et Erik Koli, « Lucrative drug, danger signals and the FDA », *New York Times*, 10 juin 2005.

24. Cité *in* Melody Petersen, *Our Daily Meds*, New York, Picador, 2008, p. 203.

25. Robert A. Wilson, *Féminine pour toujours*, traduction française, Trévise, 1967.

26. Robert A. Wilson et Thelma A. Wilson, « The fate of the non-treated postmenopausal woman : a plea for the maintenance of adequate estrogen from puberty to grave », *Journal of the American Geriatric Society*, vol. 11 (1963), p. 352-356.

27. Susan M. Love, *Dr Susan Love's Hormone Book. Making Informed Choices About Menopause*, New York, Three Rivers Press, 1998, p. 26.

28. Lettre de John B. Jewell, vice-président exécutif d'Ayerst, à « Cher Docteur », décembre 1975 ; consultable sur le site http://documents.nytimes.com/documents-pertaining-to-hormonal-products#p=1

29. « Memorandum of conference », 12 janvier 1976 ; *ibid.*

30. Essner Prempro Launch 4/4/95 ; *ibid.*

31. Mémos cités dans les actes du procès en appel Scroggin *vs* Wyeth ; *ibid.*

32. DesignWrite, « Premarin® publication program », 15 mai 1997 ; *ibid.*

33. Facture consultable sur le site http://documents.nytimes.com/design-write-medical-writing-2#p=1

34. John Abramson, *Overdo$ed America. The Broken Promise of American Medicine*, New York, HarperCollins, 2004, p. 70.

35. Gina Kolata, « Reversing trend, big drop is seen in breast cancer », *New York Times*, 15 décembre 2006.

36. Communiqué de presse de la Maison-Blanche, 16 mars 1995 : « President Clinton announces first governmentwide regulatory reforms ».

37. E. A. Gale, « Lessons from the glitazones : a story of drug development », *The Lancet*, vol. 357 (2001), p. 1870-1875.

38. Cité *in* David Willman, « Risk was known as FDA Ok'd fatal drug study », *Los Angeles Times*, 11 mars 2001.

39. *Ibid.*

40. *Ibid.*

41. *Ibid.*

42. Alicia Mundy, *Dispensing with the Truth. The Victims, the Drug Companies, and the Dramatic Story Behind the Battle over Fen-Phen*, New York, St. Martin's Press, 2001, p. 165-166. En fait, le chiffre venait d'une étude épidémiologique parue en 1993 dans *JAMA*, le *Journal of the American Medical Association* (vol. 270, n° 18), qui incriminait non pas l'obésité, mais les comportements alimentaires et la sédentarité au sens le plus large. Ses deux auteurs, Michael McGinnis et William Foege, protestèrent publiquement contre l'utilisation tendancieuse qui était faite de leur étude dans une lettre au *JAMA* du 16 avril 1998.

43. Cité *in* Éric Favereau et Yann Philippin, « La technique de l'intimidation », *Libération*, 23 décembre 2010.

44. Cité *in* Mundy, *op. cit.*, p. 157.

45. JoAnn Manson et Gerald Faich, « Editorial – Pharmacotherapy for obesity – do the benefits outweigh the risks ? », *New England Journal of Medicine*, vol. 335 (1996), p. 660.

46. Déposition sous serment de Stuart Rich, citée *in* Mundy, *op. cit.*, p. 203-204.

47. Interview accordée à la chaîne PBS le 3 novembre 2002 ; http://www.pbs.org/wgbh/pages/frontline/shows/prescription/interviews/lutwak.html.

48. Sur l'étendue des dissimulations de Wyeth, voir Mundy, *op. cit.*

49. Cité *in* Gardiner Harris, « Diabetes drug maker hid test data, files indicate », *New York Times*, 13 juillet 2010.

50. *Ibid.*

51. Courrier électronique de John Buse à Steven Nissen, 23 octobre 2005 ; cité *in* « The Intimidation of Dr. John Buse and the Diabetes Drug Avandia », Committee Staff Report to the Chairman and Ranking Members, Committee on Finance, United States Senate, novembre 2007. Cet étonnant document parlementaire, disponible sur Internet, retrace en détail la façon dont GSK a surveillé pendant plusieurs années les activités de John Buse.

52. Courrier électronique interne GSK de Tom Curry, 2 juillet 1999 ; *ibid.*

53. Gardiner Harris, « Caustic government report deals blow to diabetes drug », *New York Times*, 9 juillet 2010.

54. Cité *in* Gardiner Harris, « A face-off on the safety of a drug for diabetes », *New York Times*, 22 février 2010.

CHAPITRE 1. DES LABORATOIRES AU SERVICE DES ACTIONNAIRES

1. Cité *in* Philippe Even et Bernard Debré, *Guide des 4 000 médicaments utiles, inutiles ou dangereux*, Paris, Le Cherche Midi, 2012, p. 110.

2. François Gros, cité *in* Donald G. McNeil Jr., « Medicine merchants : a special report », *New York Times*, 21 mai 2000.

3. Cité *in* Sibyl Shalo et Joanna Breitstein, « Healthcare public relations : in the driver's seat ? », *Pharmaceutical Executive*, 1er mars 2002.

4. Voir James Le Fanu, *The Rise and Fall of Modern Medicine*, New York, Carroll & Graf Publishers, 1999.

5. Chiffres cités *in* Even et Debré, *op. cit.*, p. 79.

6. Chiffres cités *in* Rick Newman, « Why health insurers make lousy villains », *U.S. News*, 25 août 2009.

7. Rapport de Families USA, « The choice : health care for people or industry profits », septembre 2005 ; http://www.familiesusa.org/resources/publications/reports/the-choice-key-findings.html.

8. Laurent Magloire, « Le lobbying de l'industrie pharmaceutique aux USA », *Opinion Watch*, 4 juillet 2008 ; http://www.opinion-watch.com/lobbying-de-l-industry-pharmaceutique-aux-usa.

9. UK Department of Health, 2001.

10. Rapport Lemorton, *op. cit.*, p. 9.

11. Jacques Servier, qui a été mis en examen pour homicides et blessures involontaires dans l'affaire du Mediator, est l'unique propriétaire des laboratoires Servier.

12. « Pollution letter », document déclassifié de Monsanto cité *in* Marie-Monique Robin, *Le Monde selon Monsanto*, Paris, La Découverte/Arte Éditions, 2008, p. 19.

13. Organisation mondiale de la santé et Health Action International, « Measuring medicine prices, availability, affordability and price components », 2e éd., 2008.

14. http://www.prnewswire.co.uk/news-releases/bristol-myers-squibb-and-the-gillette-company-file-for-approval-for-vaniqa153-156389935.html

15. Cité par Tina Barnes, « The scandal of poor people's diseases », *The New York Times*, 29 mars 2006.

16. Bernard Pécoul, Pierre Chirac, Patrice Trouiller et Jacques Pinel, « Access to essential drugs in poor countries. A lost battle ? », *Journal of the American Medical Association*, vol. 281 (1999), n° 4, p. 364.

17. Consulter le site « Canine Behavioral Disorders Made Simple », sponsorisé par Eli Lilly, Novartis et Pfizer : http://www.bonkersinstitute.org/simplecanine.html.

18. Jean-Robert Ioset et Shing Chang, « Drugs for Neglected Diseases intiative model of drug development for neglected diseases : current status and future challenges », *Future Medicinal Chemistry*, vol. 3 (2011), n° 11, p. 1361-1371.

19. « Drug development for neglected diseases : pharma's influence », *The Lancet*, 15 décembre 2009.

20. Cité *in* Zack Carter, « Obama administration blocks global health fund to fight disease in developing nations », *Huffington Post*, posté le 5 mai 2012.

CHAPITRE 2. LES MÉDICAMENTS, DES PRODUITS DE CONSOMMATION COMME LES AUTRES

1. *Voyage à la Lune et au Soleil*, Paris, Société du Mercure de France, 1908, p. 193.

2. Charles M. Mottley, « Operations research looks at long-range planning », *Proceedings of the American Drug Manufacturers' Association*, n° 512 (1958), p. 161-162 ; cité *in* Jeremy A. Greene, *Prescribing by Numbers. Drugs and the Definition of Diseases*, Baltimore, The Johns Hopkins University Press, 2007, p. 2.

3. Jules Romains, *Knock ou le triomphe de la médecine*, Paris, Gallimard, 1924, p. 24-25.

4. Cité *in* Melody Petersen, « Drug shortages become a worry at hospitals around the country », *New York Times*, 3 janvier 2001.

5. Romains, *op. cit.*, p. 19.

6. En anglais, le mot « condition » peut renvoyer à une maladie (« heart condition », par exemple), mais aussi, de façon plus générale, à un état ou une condition physique.

7. Romains, *op. cit.*, p. 92.

8. Source : IMS Health, http://www.imshealth.com/ims/Global/Content/Corporate/ Press%20Room/Top-line%20Market%20Data/2008 % 20Top-line %20Market %20Data/ Global_Top_15_Therapy_Classes.pdf.

9. Romains, *op. cit.*, p. 52-53.

10. Cité *in* Peter Mansell, « Using the web to improve patient compliance », *Eyeforpharma*, 1er juin 2010, http://social.eyeforpharma.com/patients/using-web-improve-patient-compliance.

11. J. Coe, « The lifestyle drugs outlook to 2008 : unlocking new value in well-being », *Reuters BusinessInsights*, Datamonitor PLC, 2003.

12. *Ibid.*, p. 42.

13. Edgar Jones, *The Business of Medicine : The Extraordinary History of Glaxo, a Baby Food Producer, Which Became One of the World's Most Successful Pharmaceutical Companies*, Londres, Profile Books, 2001.

14. Vince Parry, « The art of branding a condition », *Medical Marketing and Media*, mai 2003, p. 44.

15. Source : IMS Health, http://www.imshealth.com/deployedfiles/ims/Global/Content/ Corporate/Press%20Room/Top-Line%20Market%20Data%20&%20Trends/2011 %20 Top-line %20Market %20Data/Top_20_Global_Therapeutic_Classes.pdf.

16. Cité *in* Lawrence K. Altman, « Nobel came after years of battling the system », *New York Times*, 11 octobre 2005.

17. Cité *in* Kathryn Schultz, « Stress doesn't cause ulcers ! Or, how to win a Nobel prize in one easy lesson : Barry Marshall on being... right », *Slate*, posté le 9 septembre 2010.

18. Chiffres des Centers for Disease Control américains cités *in* Petersen, *op. cit.*, p. 145.

CHAPITRE 3. POURQUOI LES MÉDICAMENTS COÛTENT-ILS SI CHER ?

1. George Bernard Shaw, « Preface on Doctors », in *The Doctor's Dilemma, Getting Married, And The Shewing-up of Bianco Posnet*, New York, The Trow Press, 1911, p. V.

2. On ne saurait trop recommander la lecture des débats de cette commission. Tout y est dit, avec une lucidité proprement prophétique : « Administered Prices in the Drug Industry : Hearings Before the Subcommittee on Antitrust and Monopoly of the Committee on the Judiciary », U.S. Senate, 7-12 décembre 1959.

3. Voir Greene, *op. cit.*, p. 28-29.

4. Marc-André Gagnon et Joel Lexchin, « The cost of pushing pills : a new estimate of pharmaceutical promotion expenditures in the United States », *PLoS Medicine*, 5 (1), 2008, p. e1.

5. Cité *in* David Healy, *The Psychopharmacologists III*, Londres, Hodder Arnold, 2000.

6. Duff Wilson, « New chief revises goals and spending for Pfizer », *New York Times*, 1er février 2011.

7. David A. Kessler *et al.*, « Therapeutic-class wars : drug promotion in a competitive marketplace », *New England Journal of Medicine*, 17 novembre 1994.

8. Rapport Lemorton, *op. cit.*, p. 25.

9. *Ibid.*, p. 29.

10. Merrill Goozner, *The $800 million Pill : The Truth Behind The Cost of New Drugs*, Berkeley, University of California Press, 2004, p. 8.

11. Cité *in* David M. Oshinsky, *Polio. An American Story*, New York, Oxford University Press, 2005, p. 211.

12. Philippe Pignarre, *Le Grand Secret de l'industrie pharmaceutique*, Paris, La Découverte, 2003, p. 127. Comme le fait remarquer Pignarre, l'absence jusque-là de brevets pour les médicaments n'a nullement empêché le développement de puissantes industries pharmaceutiques dans ces pays.

13. « The new pharma landscape », *Next Generation Pharmaceutical*, n° 6, décembre 2006, http://www.ngpharma.com/article/The-New-Pharma-Landscape.

14. « Brand-Name Prescription Drug Pricing : Lack of Therapeutically Equivalent Drugs and Limited Competition May Contribute To Extraordinary Price Increases », United States Government Accountability Office, Report to Congressional Requesters, décembre 2009.

15. Source : Express Scripts Drug Trend Quarterly Spotlight, novembre 2012, http://digital.turn-page.com/i/95262.

16. Scott D. Ramsey *et al.*, « Cancer diagnosis as a risk factor for personal bankruptcy », *Journal of Clinical Oncology*, vol. 29 (2011), supplément, abstract 6007.

17. Rapport Lemorton, *op. cit.*, p. 358.

18. Peter B. Bach, Leonard B. Saltz et Robert E. Wittes, « In cancer care, cost matters », *New York Times*, 14 octobre 2012. Près de 120 oncologues du monde entier ont depuis emboîté le pas à leurs trois collègues new-yorkais dans une protestation collective publiée en ligne : « Price of drugs for chronic myeloid leukemia (CML), reflection of the unsustainable cancer drug prices : perspectives of CML Experts », *Blood*, 25 avril 2013, http://bloodjournal.hematologylibrary.org/content/early/2013/04/23/blood-2013-03-490003.full.pdf+html.

19. Gehl Sampath, « India's product patent protection regime : less or more of "pills for the poor" ? », *The Journal of World Intellectual Property*, vol. 9 (2006), n° 6, p 694-726.

20. Revue *Prescrire*, vol. 24 (2004), n° 256 (supplément), p. 883.

CHAPITRE 4. *FAST SCIENCE* : POURQUOI LES LABORATOIRES N'INVENTENT-ILS PLUS RIEN ?

1. Entre autres : *Qu'est-ce qu'un médicament ? Un objet étrange entre science, marché et société*, Paris, La Découverte, 1997 ; *Comment la dépression est devenue une épidémie*, Paris, La Découverte, « Poche », 2012 (1re éd. 2001) ; *Le Grand Secret de l'industrie pharmaceutique*, Paris, La Découverte, « Poche », 2009 (1re éd. 2003).

2. On doit ce terme de « balle magique » (*magische Kugel*) au médecin et chercheur allemand Paul Ehrlich (1854-1915), inventeur du premier traitement de la syphilis (l'arsphénamine, ou Salvarsan) pour désigner un agent thérapeutique idéal capable de cibler de manière spécifique un germe précis à l'origine d'une pathologie.

3. Shannon Pettypiece, Michelle Fay Cortez, « Drug delay casts doubt on Pfizer's growth plan », *International Herald Tribune*, 26 novembre 2006.

4. Kalman Applbaum, « Is marketing the enemy of pharmaceutical innovation ? », *Hastings Center Report*, vol. 39 (2009), n° 4, p. 16.

CHAPITRE 5. DU PROZAC DANS L'EAU DU ROBINET

1. Discours à la réunion annuelle de la Massachusetts Medical Society, 30 mai 1860 ; cité in *The American Journal of the Medical Sciences*, vol. 40 (1860), p. 467.

2. Theo Colborn, Dianne Dumanoski, John Peterson Myers, *L'Homme en voie de disparition ?*, traduction française, Paris, Terre vivante, 1998.

3. Voir Frederick S. vom Saal *et al.*, « Chapel Hill bisphenol A expert panel consensus statement : Integration of mechanisms, effects in animals and potential to impact human health at current levels of exposure », *Reproductive Toxicology*, vol. 24 (2007), n° 2, p. 131-138.

4. Pour une synthèse des travaux dans ce domaine, voir « Pharmaceuticals in the environment », *Health Effects Review*, Department of Environmental Health, Boston University School of Public Health, automne 2002 ; « Pharmaceuticals in the environment », EEA Technical Report n° 1/2010, Agence européenne de l'environnement.

5. Vicki S. Blazer, « Intersex in bass "emerging" contaminant issues », présentation à la Chesapeake Bay Commission, 10 novembre 2006 ; cité *in* Petersen, *op. cit.*, p. 257.

6. Ou encore en buvant une bouteille d'eau : une étude de la revue *60 millions de consommateurs* et de la Fondation France Libertés a décelé des traces du médicament anticancéreux tamoxifène dans 10 % des eaux en bouteille (Sophie Landrin, « L'eau minérale n'est plus épargnée par la pollution », *Le Monde*, 25 mars 2013). Le tamoxifène est une hormone de synthèse qui agit comme un perturbateur endocrinien.

7. « NTP-CERHR Expert Panel Report on the Reproductive and Developmental Toxicity of Fluoxetine, National Toxicology Program », U.S. Department of Health and Human Services, avril 2004.

8. « Report : Prozac in pregnancy toxic to fetus », *WebMD Health News*, 28 avril 2004, http://www.webmd.com/depression/news/20040428/prozac-pregnancy-fetus.

9. Mary E. Buzby, « Pharmaceuticals in the environment – A review of P*h*RMA initiatives », Merck & Co, Inc. et P*h*RMA, 2009, p. 2 ; http://www.niph.go.jp/soshiki/suido/pdf/h19JPUS/abstract/r16.pdf.

10. *Ibid.*, p. 6.

11. Rapport Lemorton, *op. cit.*, p. 36.

12. D. C. Love *et al.*, « Feather meal : a previously unrecognized route for reentry into the food supply of multiple pharmaceuticals and personal care products (PPCPs) », *Environmental Science and Technology*, vol. 46 (2012), n° 7, p. 3795-3802.

13. « The problem of antimicrobial resistance », National Institute of Allergy and Infectious Diseases, avril 2006, http://www.idph.state.ia.us/adper/common/pdf/abx/tab9_niaid_resistance.pdf.

14. Voir l'ouvrage pionnier d'Ulrich Beck, *La Société du risque. Pour une autre modernité*, Paris, Flammarion, 2008.

15. Cité *in* Petersen, *op. cit*, p. 142.

CHAPITRE 6. IL N'Y A PAS D'EFFETS SECONDAIRES

1. Jacques Derrida, « La pharmacie de Platon », in *La Dissémination*, Paris, Seuil, 1972, p. 112.

2. Jon Duke *et al.*, « A quantitative analysis of adverse events and "overwarning" in drug labeling », *Archives of Internal Medicine*, vol. 171 (2011), n° 10, p. 941-954.

3. Gardiner Harris, « F.D.A. requiring suicide studies in drug trials. Concern on psychiatric risks in broad range of treatments », *New York Times*, 24 janvier 2008.

4. Nananda Col, James E. Fanale, Penelope Kronholm, « The role of medication noncompliance and adverse reaction in hospitalization of the elderly », *Archives of Internal Medicine*, vol. 150 (1990), n° 4, p. 841-845.

5. Proctor, *op. cit.*, p. 67.

6. Orriols *et al.*, art. cit.

7. « Report to Congress on the large truck crash causation study », U.S. Department of Transportation, Federal Motor Carrier Safety Administration, mars 2006 ; cité *in* Petersen, *op. cit.*, p. 290.

8. Wayne A. Ray *et al.*, « Psychoactive drugs and the risk of injurious motor vehicle crashes in elderly drivers », *American Journal of Epidemiology*, 1er octobre 1992 ; cité *in* Petersen, *op. cit.*, p. 287.

9. Alan F. Holmer, « Innovation is key mission », *USA Today*, 31 mai 2002.

10. René Dubos, *Mirage of Health. Utopias, Progress, and Biological Change*, New York, Harper and Brothers Publishers, 1959, p. 125-127.

11. Steven H. Woolf et Laudan Aron (sous la dir. de), *U.S. Health in International Perspective. Shorter Lives, Poorer Health*, Washington, DC, The National Academies Press, 2013.

12. Chiffres cités *in* « Strengthening pharmacovigilance to reduce adverse effects of medicines », Bruxelles, Commission européenne, 2008.

13. N. Lakhani, « Special report: prescription medicines », *The Independent*, 21 octobre 2007.

14. J. Lazarou *et al.*, « Incidence of adverse drug reactions in hospitalized patients: A meta-analysis of prospective studies », *Journal of the American Medical Association*, vol. 279 (1998), p. 1200-1205.

15. Katharine Greider, *The Big Fix. How the Pharmaceutical Industry Rips off American Consumers*, New York, Public Affairs, 2003, p. 131.

16. Cité *in* D. W. Bates, « Drugs and adverse reactions: How worried should we be ? », *Journal of the American Medical Association*, vol. 279 (1998), n° 15, p. 1216-1217.

17. Voir à ce sujet l'excellent documentaire suédois de Jan Åkerblom, *Who Cares in Sweden ?/Vem bryr sig i Sverige ?* : http://www.whocaresinsweden.com.

CHAPITRE 7. FIDÉLISER LES CLIENTS : LA PHARMACODÉPENDANCE

1. Cité *in* Charles Medawar et Anita Hardon, *Medicines Out of Control. Antidepressants and the Conspiration of Goodwill*, Pays-Bas, Aksant Academic Publishers, 2004, p. 67.

2. L'histoire est racontée en détail dans Medawar et Hardon, *op. cit.*, p. 58-67.

3. « Maman a besoin aujourd'hui de quelque chose pour la calmer / Et bien qu'elle ne soit pas vraiment malade / Il y a une petite pilule jaune / Elle court vers le refuge du petit aide des mamans / Et ça l'aide pour la route, ça lui permet d'arriver au bout de sa journée chargée. » La « petite pilule jaune » est une allusion au Valium, l'ancêtre de tous les blockbusters (60 millions d'ordonnances écrites en 1974).

4. Centers for Disease Control and Prevention, 2011-2012 National Survey of Children's Health ; consultable sur http://www.cdc.gov/nchs/slaits/nsch.htm.

5. Jerrold F. Rosenbaum *et al.*, « Selective serotonin reuptake inhibitor discontinuation syndrome: a randomized clinical trial », *Biological Psychiatry*, vol. 44 (1998), n° 2, p. 77-87; Maurizio Fava *et al.*, « Emergence of adverse events following discontinuation of treatment with extended-release venlafaxine [Effexor] », *American Journal of Psychiatry*, vol. 154 (1997), n° 12, p. 1760-1762.

6. Medawar et Hardon, *op. cit.*, p. 42.

7. Kan, Breteler et Zitman, « High prevalence of benzodiazepine dependence in outpatient users, based on DSM-III-R and ICD-10 criteria », *Acta Psychiatrica Scandinavica*, vol. 96 (1997), n° 2, p. 85-93.

8. Kroutil *et al.*, « Nonmedical use of prescription stimulants in the United States », *Drug and Alcohol Dependence*, vol. 84 (2006), n° 2, p. 135-143.

9. D'après un article d'Alan Schwartz, « Drowned in a stream of prescriptions », *New York Times*, 2 février 2013.

10. Proctor, *op. cit.*; Michael Moss, *Salt Sugar Fat: How the Food Giants Hooked Us*, New York, Random House, 2013.

11. Proctor, *op. cit.*, p. 250.

12. Leo H. Hollister *et al.*, « Withdrawal reactions from chlordiazepoxide ("Librium") », *Psychopharmacologia*, vol. 2 (1961), n° 1, p. 63-68; Louis Sanford Goodman et Alfred Goodman Gilman (1965), *The Pharmacological Basis of Therapeutics*, Londres-Toronto, Collier-Macmillan, 1965 (3ᵉ éd.), p. 189.

13. Florilège cité *in* Medawar et Hardon, *op. cit.*, p. 57.

14. Healy, *Let Them Eat Prozac*, *op. cit.*, p. 270.

15. Rosenbaum *et al.*, art. cit.

16. Medawar et Hardon, *op. cit.*, p. 65-66.

17. GlaxoSmithKline, lettre à « Cher Docteur » du 18 juin 2003.

18. Cité *in* Braithwaite, *op. cit.*, p. 206.

19. Elmer Holmes Bobst, *Bobst. The Autobiography of a Pharmaceutical Pioneer*, New York, David McKay Company, Inc., 1973, p. 128.

20. United States Attorney's Office, Western District of Virginia, communiqué de presse, 10 mai 2007.

21. Sanford H. Roth *et al.*, « Around-the-clock, controlled-release oxycodone therapy for osteoarthritis-related pain : placebo-controlled trial and long-term evaluation », *Archives of Internal Medicine*, vol. 160 (2000), n° 6, p. 853-860.

22. La promotion de l'OxyContin est décrite en détail *in* Art Van Zee, « The marketing and promotion of OxyContin : commercial triumph, public health disaster », *American Journal of Public Health*, vol. 99 (2009), n° 2, p. 221-227.

23. Andy Newman, « Retired detective charged with holding up drugstores for pain pills », *New York Times*, 18 mai 2011.

24. Van Zee, art. cit.

25. Stephen W. Patrick *et al.*, « Neonatal abstinence syndrome and associated care expenditures : United States, 2000-2009 », *Journal of the American Medical Association*, vol. 307 (2012), n° 18, p. 1934-1940.

26. « New drug application to FDA for OxyContin, pharmacology review : Abuse liability of oxycodone », Purdue Pharma, Stamford, CN, 1995.

27. Cité *in* Katherine Eban, « OxyContin : Purdue Pharma's painful medicine », *Fortune*, 9 novembre 2011.

28. United States Attorney's Office, Western District of Virginia, communiqué de presse, 10 mai 2007 ; souligné par nous.

29. Barry Maier, « FDA bars generic OxyContin », *New York Times*, 16 avril 2013.

30. Theodore J. Cicero *et al.*, « Effects of abuse-deterrent formulation of OxyContin », *New England Journal of Medicine*, vol. 367, 12 juillet 2012, p. 187-189.

31. Contrairement à ce qui se passe en Europe, les banlieues sont habitées aux États-Unis par les classes moyennes.

32. Theodore J. Cicero, cité *in* Melissa Healy, « Anti-drug abuse measure drives many addicts to heroin », *Los Angeles Times*, 11 juillet 2012.

CHAPITRE 8. DÉTOURNER L'USAGE DES MÉDICAMENTS :
LA PRESCRIPTION « HORS AMM »

1. Propos tenus dans *Maladies à vendre*, film documentaire sur le marketing pharmaceutique d'Anne Georget et Mikkel Borch-Jacobsen, The Factory/Arte France, 2011, diffusion Andana Films.

2. Andrew Pollack, « Questor finds profits, at $28,000 a vial », *New York Times*, 29 décembre 2012.

3. Sandrine Cabut et Pascale Santi, « Le "scandale Diane 35", antiacnéique détourné en pilule », *Le Monde*, 28 janvier 2013.

4. Sigmund Freud (1884), « Ueber Coca », *Centralblatt für die gesammte Therapie*, vol. 2 (1884), p. 289-314.

5. Voir les cinq blogs consacrés à cette affaire par le docteur Bernard Granger sur le site du magazine *Books* : http://www.books.fr/blog/la-saga-du-baclofne.

6. Donna T. Chen *et al.*, « U.S. physician knowledge of the FDA-approved indications and evidence base for commonly prescribed drugs : results of a national survey », *Pharmacoepidemiology and Drug Safety*, vol. 18 (2009), n° 11, p. 1094-1100.

7. Cité *in* Morton Mintz, *By Prescription Only*, Boston, Beacon Press, 1964 (2ᵈᵉ éd. révisée de *The Therapeutic Nightmare*), p. 13.

8. Cité *in* Braithwaite, *op. cit.*, p. 210 ; souligné par nous.

9. Chiffres cités *in* Mintz, *op. cit.*, p. 9.

10. *Ibid.*, p. 8.

11. Anne Jouan, « Mediator : des auditions accablent le laboratoire Servier », *Le Figaro*, 5 septembre 2011.

12. Déclaration devant les juges citée *in* Jouan, art. cit.

13. Document reproduit dans « Mediator : le nouveau document qui accable Servier », *Le Parisien*, 5 mai 2011.

14. David Koenig, « Facteurs associés à une fuite aortique et/ou mitrale de grade supérieur ou égal à 1 chez les patients exposés au benfluorex », posté sur le site de l'AFSSAPS le 8 août 2011 : http://ansm.sante.fr/var/ansm_site/storage/original/application/8b5e3fbd9ffe235341bb2eeff658ac61.pdf.

15. Irène Frachon, *Mediator, combien de morts ?*, Éditions Dialogues, 2010.

16. Vidéo consultable sur http://www.youtube.com/watch?v=G5xxvyqIpig.

17. Agnès Fournier et Mahmoud Zureik, « Estimate of deaths due to valvular insufficiency attributable to the use of benfluorex in France », *Pharmacoepidemiology and Drug Safety*, vol. 21 (2012), n° 4, p. 343-351.

18. Christophe Tribouilly *et al.*, « Increased risk of left heart valve regurgitation associated with benfluorex use in patients with diabetes melitus : a multicenter study », American Heart Association, 2012, http://circ.ahajournals.org/content/early/2012/11/09/CIRCULATIONAHA.112.111260.full.pdf+html.

19. Michael E. Steinman *et al.*, « The promotion of gabapentin ; an analysis of internal industry documents », *Annals of Internal Medicine*, vol. 145 (2006), p. 284-293.

20. Cité *in* Petersen, *op. cit.*, p. 224.

21. Cité *in* Katie Thomas et Michael S. Schmidt, « Glaxo agrees to pay $3 billion in fraud settlement », *New York Times*, 2 juillet 2012.

22. Chiffres cités *in* Richard A. Friedman, « War on drugs », *New York Times*, 6 avril 2013.

23. Reuters, « U.S. sues Novartis again, accusing it of kickbacks », 26 avril 2013.

CHAPITRE 9. LE PROCÈS DU RISPERDAL : LA PROMOTION HORS AMM
ET POURQUOI IL EST SI DIFFICILE DE L'EMPÊCHER

1. Kalman Applbaum, *The Marketing Era. From Professional Practice to Global Provisioning*, New York et Londres, Routledge, 2004.

2. www.medpagetoday.com/special-reports/SpecialReports/24100, 29 décembre 2010.

3. http://securities.stanford.edu/1041/MDT_01/2009821_r01c_08CV06324.pdf ; consulté le 28 mai 2012

4. www.jsonline.com/watchdog/watchdogreports/124676453.html ; consulté le 28 juin 2011.

5. Note de l'éditeur : Allen Frances a aussi présidé à l'élaboration de la 4ᵉ édition du Manuel diagnostique de l'Association américaine de psychiatrie, le DSM-IV. À la retraite, il est à présent devenu un critique virulent du DSM-V et de l'influence de l'industrie pharmaceutique sur la psychiatrie américaine.

6. On trouvera un récit de la manière dont Shon aurait démarché le TMAP en Pennsylvanie dans la déposition d'un lanceur d'alerte, Allen Jones, accessible sur le site http://psychrights.org/Drugs/AllenJonesTMAPJanuary20.pdf. Le procès contre Johnson & Johnson/Janssen avait initialement été ouvert par Jones en 2004. Voir aussi l'article édifiant de Rob Waters, « Medicating Amanda », *Mother Jones*, mai-juin 2005 ; http://motherjones.com/politics/2005/05/medicating-amanda.

7. Note de l'éditeur : Le fondateur de la RWJF, Robert Wood Johnson, est aussi celui de la firme Johnson & Johnson.

8. Adriane Fugh-Berman et Douglas Melnick, « Off-label promotion, on target sales », *PLoS Medicine* 5(10), 28 octobre 2008, p. e1432-35 : http://www.plosmedicine.org/article/info%3Adoi%2F10.1371%2Fjournal.pmed.0050210.

9. *Federal Register* [*Journal officiel* du gouvernement des États-Unis] 2009, vol. 74 (2009), n° 8, p. 1694-1695.

10. M. M. Mello, D. M. Studdert, et T. A. Brennan, « Shifting Terrain in the Regulation of Off-Label Promotion of Pharmaceuticals », *New England Journal of Medicine*, vol. 360 (2009), p. 1557-1566.

CHAPITRE 10. FABRIQUER DES MALADIES

1. *À la Recherche du temps perdu. Le Côté de Guermantes*, Paris, Gallimard, « Bibliothèque de la Pléïade », 1952, t. 2, p. 303.

2. Ce chapitre reprend des éléments de Mikkel Borch-Jacobsen, « Maladies à vendre », *XXI*, n° 4, octobre 2008 ; *Maladies à vendre*, film documentaire en collaboration avec Anne Georget, film cité ; « Psychopharmarketing », in *La Fabrique des folies*, Auxerre, Éditions Sciences Humaines, 2013.

3. direct-to-consumer advertising.

4. Edward Shorter, *From Paralysis to Fatigue : A History of Psychosomatic Illness in the Modern Era*, New York, The Free Press, 1992, p. 311-313.

5. Chiffres cités *in* Alex Berenson, « Drug approved. Is disease real ? », *New York Times*, 14 janvier 2008.

6. Reinhard Angelmar *et al.*, « *Building strong condition brands* », *Journal of Medical Marketing*, 14 mai 2007, p. 342-343.

7. Parry, « The art of branding a condition », art. cit. ; « Branding disease », *Pharmaceutical Executive*, 15 octobre 2007 ; le blog de Parry peut être consulté sur le site de son agence : parrybrandinggroup.com.

8. Parry, « The art of branding... », art. cit., p. 43-44.

9. Voir Michelle Cottle, « Selling shyness », *The New Republic*, 2 août 1999, p. 24-29.

10. Voir Petersen, *op. cit.*, p. 19-21, 28-30, 36-37.

11. Angelmar, art. cit., p. 347. Cette vaste opération de « mégamarketing » été décrite en détail par Kalman Applbaum dans « Educating for global mental health. The adoption of SSRIs in Japan », *in* Adriana Petryna, Andrew Lakoff et Arthur Kleinman (sous la dir. de), *Global Pharmaceutics. Ethics, Markets, Practices*, Durham, Duke University Press, 2006, p. 85-110.

12. Parry, « The art of branding... », art. cit., p. 44.

13. *Ibid.*, p. 46.

14. Voir Ray Moynihan et Barbara Mintzes, *Sex, Lies, and Pharmaceuticals : How drug Companies Plan to Profit from Female Sexual Dysfunction*, Vancouver, Greystone Books, 2010.

15. Documents consultables sur le site http://www.furiousseasons.com/zyprexadocs.html.

16. Cosgrove *et al.*, « Financial ties between DSM-IV panel members and the pharmaceutical industry », *Psychotherapy and Psychosomatics*, vol. 75 (2006), p. 154-160. Plusieurs

de ces mêmes experts témoignèrent également auprès de la FDA au moment de l'autorisation de mise sur le marché du Sarafem pour le traitement du trouble dysphorique prémenstruel, voir Cosgrove (2010), « Psychologist studies links between DSM panel, drug industry », *New England Psychologist*, avril 2010, http://www.masspsy.com/leading/4.10_qa.html.

17. Ce spot publicitaire de la compagnie Eli Lilly a fait l'objet d'une lettre de remontrance de la FDA : « À aucun moment les images et la présentation audio de la publicité ne définissent complètement ou n'illustrent de façon précise le trouble dysphorique prémenstruel (PMDD) et il n'est pas communiqué de claire distinction entre le syndrome prémenstruel (PMS) et le PMDD » (lettre de la FDA à Eli Lilly du 16 novembre 2000).

18. Matthew Arnold, « Many happy returns. Large pharma marketing team of the year : Cymbalta (Eli Lilly) », *Medical Marketing & Media*, 1er janvier 2008.

19. Cité *in* Kalman Applbaum, « Getting to yes : Corporate power and the creation of a psychopharmaceutical blockbuster », *Culture, Medicine and Psychiatry*, vol. 33 (2009), no 2, p. 185-215. (Au vu des effets secondaires du Cymbalta, on est tenté de tempérer l'enthousiasme de ce slogan popularisé par Jane Fonda avec le commentaire du Rav Ben Hei : « D'après moi, c'est la douleur qui est le profit », Pirkei Avot, 5 :21.)

20. Parry (2003), p. 45.

21. Cité *in* Applbaum, « Getting to yes », art. cit.

22. Cité *in* Medawar et Hardon, *op. cit.*, p. 90.

23. David Healy, « Shaping the intimate. Influences on the experience of everyday nerves », *Social Studies of Science*, vol. 34 (2004), no 2, p. 222.

24. Margaret L. Eaton et Mark Xu, *Developing and Marketing a Blockbuster Drug : Lessons from Eli Lilly's Experience with Prozac*, Cambridge, MA, Harvard Business School, 2005.

25. Voir David Healy, *Mania. A Short History of Bipolar Disorder*, Baltimore, The Johns Hopkins University Press, 2008 ; Applbaum, « Getting to yes », art. cit.

26. Kay Lazar, « U.S. aims to cut use of drugs on dementia patients », *Boston Globe*, 31 mai 2012. La situation n'est guère plus glorieuse dans les maisons de retraite françaises, voir Bérénice Rocfort-Giovanni, « On assomme bien les anciens », *Le Nouvel Observateur*, 25 octobre 2012.

27. Le docteur Joseph Biederman, professeur à Harvard et considéré comme l'une des sommités mondiales dans le domaine de l'hyperactivité infantile, a été cité à comparaître dans le cadre d'une enquête fédérale afin d'expliquer le 1,6 million de dollars qu'il a touché à titre personnel de 2000 à 2007 de la part de Johnson & Johnson et d'autres compagnies pharmaceutiques susceptibles de bénéficier directement de ses recherches.

28. Cité *in* Applbaum, « Getting to yes », art.cit.

29. Cité *in* Hans Weiss, *Korrupte Medizin*. Ärzte als Komplizen der Konzerne, Cologne, Kiepenhauer & Witsch, 2008, p. 119-121. Durant le meeting de lancement du Zyprexa au Walt Disney Resort en Floride, on fit jouer la chanson « Viva Las Vegas » d'Elvis Presley dont on avait changé les paroles : « Set my soul on fire / Got a brand named Zyprexa with a whole new chance / Some help from Primary Care / Viva Zyprexa ! Viva Zyprexa ! / So much to do, doctors to see / Patients everywhere are depending on me / Viva Zyprexa ! Viva Zyprexa ! / Viva Zyprexa ! / Many wonderful indications / Viva Zyprexa ! / Keep Zyprexa at the top / Viva Zyprexa ! Viva Zyprexa ! », etc.

30. David Healy et Joanna Le Noury (2007), « Pediatric bipolar disorder : An object of study in the creation of an illness », *International Journal of Safety and Risk in Medicine*, vol. 19 (2007), p. 210-221.

31. « Zyprexa Primary Care Overall Strategy », Company Confidential, © 2000 Eli Lilly & Co, Zyprexa MDL Plaintiffs' Exhibit No 01071

32 Kris Hundley, « Dementia relief, with a huge side effect », *St Petersburg Times*, 18 novembre 2007.

CHAPITRE 11. MARKETER L'INFORMATION MÉDICALE :
INTERNET ET ASSOCIATIONS DE PATIENTS SOUS INFLUENCE

1. Avec ses 920 000 visites quotidiennes, Doctissimo peut être pris comme modèle des sites d'information santé commerciaux.

2. http://www.doctissimo.fr/html/dossiers/rhumatismes/sa_6877_spondylarthrite_anky-losante.htm : « [...] La biotechnologie a permis la mise au point de plusieurs composés capables de bloquer l'action de ces TNF-alpha : (Enbrel®), l'infliximab (Remicade®) et l'ada-limumab (Humira®). » Consulté le 27 octobre 2012.

3. http://modalisa7.com/hasdeclarations/rapp?type=tdb&nom=association&nomsp=ass ociation %20=%20ASSOC %20FRANCAISE %20DES %20SPONDYLARTHRITIQUES ; consulté le 27 octobre 2012.

4. Depuis, les laboratoires Wyeth ont fusionné avec Pfizer pour 68 milliards de dollars, Enbrel® constituant l'enjeu de cette fusion.

5. Arsac G., *Différents types de savoirs et leur articulation*, La Pensée sauvage, 1995 ; Develay M., *Donner du sens à l'école*, ESF éditeur, 1996.

6. *Technologies de l'information et de la communication dans le secteur médico-social*, Conseil général de l'économie, de l'industrie, de l'énergie et des technologies (CGEIET) / Ministère de la Santé, 2010 ; Robert Picard, Antoine Vial *et al.*, « De l'information du patient à la démocratie sanitaire : enjeux et conditions d'un usage efficient des technolo-gies », rapport du CGEIET, 2012 ; consultable sur http://www.cgeiet.economie.gouv.fr/Rap-ports/2012_11_13_2012_10_infor_patient.pdf.

7. Europe 1, 14 septembre 2012, interview par Luc Evrard.

8. Interdiction de la publicité directe pour les médicaments soumis à prescription et/ou remboursés par les régimes obligatoires de l'Assurance maladie. Code de la santé publique, Article L5122-6.

9. Sondage Ipsos pour le Conseil national de l'ordre des médecins, 2010.

10. Pauline Fréour, *Le Figaro*, 10 mai 2012.

11. Le National Health Service (NHS) a un site participatif avec les patients anglais. Par ailleurs, il a confié au Centre for Reviews and Dissemination la surveillance systématique de la presse britannique. Chaque semaine, cet organisme public d'évaluation médicale fait l'ana-lyse critique de l'information et la diffuse sur le Net.

12. *Prescrire*, « Fabriquer des maladies pour vendre des médicaments », n° 279, janvier 2007.

13. SMR : Service médical rendu.

14. Tous les noms de médicaments cités dans ce chapitre sont nommés en Dénomination commune internationale (DCI), comme la loi nous y invite.

15. RTL, NRJ, Europe 1, Nostalgie, Fun Radio, RMC, Virgin, RTL 2, RFM, Chérie FM, Rire & Chansons et BFM.

16. Gran et Husby, 2010.

17. À ce sujet, lire le témoignage acéré d'une femme, par ailleurs médecin, sur le site du Formindep : http://www.formindep.org/Franck-Leboeuf-nouveau-visiteur.html ; consulté le 28 octobre 2012.

18. http://www.dosaumur.com/#/accueil. consulté la dernière fois le 28 octobre 2012.

19. EUROAS Genomik Bank (consortium de 14 pays européens de recherche génomique sur la spondylarthrite) : http://www.euroas.org/articles/articlespa.aspx ; consulté la dernière fois le 29 octobre 2012.

20. B. Amor, M. Dougados, M. Mijiyawa, « Critères de classification des spondylarthro-pathies », *Revue de rhumatologie*, vol. 57 (1990), n° 2, p. 85-89.

21. Site des maladies rares : Inserm, Direction générale de la santé et Commission européenne.

22. *Prescrire*, n° 258, février 2005.

CHAPITRE 12. DÉSINFORMER SUR INTERNET : LA « STRATÉGIE WIKIPÉDIA »

1. Version revue et modifiée d'un texte posté le 7 avril 2009 sur le site du magazine *Books*.
2. « GlaxoSmithKline reaches agreement in principle to resolve multiple investigations with U.S. Government », GSK, communiqué de presse, 3 novembre 2011.
3. http://social.eyeforpharma.com/story/wikipedia-strategies-european-pharmaceutical-healthcare-marketers.
4. http://wikiscanner.virgil.gr.
5. La dyskinésie et le syndrome neuroleptique malin sont tous deux des effets extrapyramidaux indésirables de la prise d'antipsychotiques (neuroleptiques). La dyskinésie se manifeste par des mouvements anormaux, notamment de la bouche et de la langue. Le syndrome neuroleptique malin se caractérise par une rigidité musculaire, une perturbation du système nerveux autonome et des troubles délirants. Il peut parfois être mortel.
6. http://business.timesonline.co.uk/tol/business/industry_sectors/media/article2264150.ece?token=null&offset=0&page=1.

CHAPITRE 13. EXPLOITER NOS PEURS : LE MYTHE DE LA MALADIE D'ALZHEIMER

1. Peter J. Whitehouse et Daniel George, *Le Mythe de la maladie d'Alzheimer*, traduction française, Marseille, Solal, 2009 (2008 pour l'édition anglaise).
2. Note de l'éditeur : campagne pour promouvoir la recherche en neurosciences lancée en 1990 aux États-Unis par le président George H. W. Bush.
3. Note de l'éditeur : ce trouble vient d'être intégré sous le nom de « trouble neurocognitif léger » (« minor neurocognitive disorder) » à la nomenclature du DSM-V.
4. Peter J. Whitehouse et Sarah Waller, « Involuntary emotional expressive disorder : A case for a deeper neuroethics », *Neurotherapeutics*, vol. 4 (2007), n° 3, p. 560-567.
5. Note de l'éditeur : le NICE est revenu sur sa décision en octobre 2010 et autorise maintenant le recours aux inhibiteurs de l'acétylcholinestérase même pour les formes « légères » d'Alzheimer.

CHAPITRE 14. PSYCHIATRISER LA DÉTRESSE NORMALE :
LA « DSM-PHARMA CONNECTION »

1. Benedict Carrey et Gardiner Harris, « Psychiatric group faces scrutiny over drug industry ties », *New York Times*, 12 juillet 2008.
2. Lisa Cosgrove, Sheldon Krimsky *et al.*, « Financial ties between DSM-IV panel members and the pharmaceutical industry », *Psychotherapy and Psychosomatics*, vol. 75 (2006), p. 154-160. Cosgrove et ses collaborateurs ont également montré que 90 % des auteurs ayant participé à l'élaboration des recommandations de bonne pratique clinique de l'APA étaient liés à l'industrie : Lisa Cosgrove *et al.*, « Conflicts of interest and disclosure in the American Psychiatric Association's clinical practice guidelines », *Psychotherapy and Psychosomatics*, vol. 78 (2009), p. 228-232.
3. Lisa Cosgrove *et al.*, « Developing unbiased diagnostic and treatment guidelines in psychiatry », *New England Journal of Medicine*, 7 mai 2009, p. 2035-2036.
4. Jerome C. Wakefield et Allan V. Horwitz, *Tristesse ou dépression ? Comment la psychiatrie a médicalisé nos tristesses*, traduction française, Bruxelles, Mardaga, 2010 (2007 pour l'édition anglaise).

5. Pour une analyse approfondie de la façon dont la psychiatrie a élargi le diagnostic de la dépression clinique afin d'inclure une bonne partie de la tristesse normale, voir Wakefield et Horwitz, *op. cit.*

CHAPITRE 15. MANIPULER LES CHIFFRES POUR EXAGÉRER LES RISQUES

1. Cité *in* Anton Antonov-Ovseyenko, *The Time of Stalin: Portrait of Tyranny*, New York, Harper & Row, 1981, p. 278.

2. Nicolas Postel-Vinay et Pierre Corvol, *Le Retour du Dr Knock. Essai sur le risque cardio-vasculaire*, Paris, Odile Jacob, 2000, chap. iv; Greene, *op. cit.*, p. 12, 55-56.

3. « Know Your Number! », slogan de la campagne nationale de sensibilisation aux dangers du cholestérol lancée aux États-Unis au milieu des années 1980. Il a depuis été mis au pluriel – « Know Your Numbers! » – pour englober également les chiffres de la tension artérielle, de la glycémie, de la charge pondérale et de l'indice de masse corporelle.

4. Lipid Research Clinics – Coronary Primary Prevention Trial.

5. Thomas J. Moore, « The cholesterol myth », *The Atlantic*, septembre 1989, p. 37-62. Voir également Greene, *op. cit.*, p. 181-184, 187.

6. Voir les « déclarations financières » des membres de la commission sur le site du National Institute of Health : http://www.nhlbi.nih.gov/guidelines/cholesterol/atp3upd04_disclose. htm.

7. Greene, *op. cit.*, p. 210-211.

8. Cette thèse « hérétique » proposée en 1992 par le cardiologue Michel de Lorgeril a été définitivement prouvée depuis par une vaste étude portant sur une cohorte de 7 447 Espagnols à haut risque suivis sur cinq ans : Ramón Estruch *et al.*, « Primary prevention of cardiovascular disease with a Mediterranean diet », *New England Journal of Medicine*, vol. 368 (2013), n° 14, p. 1279-1290. Selon cette étude, une diète méditerranéenne permet de réduire les accidents cardio-vasculaires de 30 %.

9. Ken Bassett, « On trying to stop the measurement of bone density to sell drugs : a tribute to a friend », *in* Morris L. Barer *et al.*, *Tales from the Other Drugs*, Vancouver, Centre for Health services and Policy Research, 2000, p. 29-38.

10. Marcea Whitaker *et al.*, « Bisphosphonates and osteoporosis – where do we go from here ? » *New England Journal of Medicine*, vol. 366 (2013), n° 22, p. 2048-2051.

11. Rapport annuel de Merck, 2003 ; consultable sur http://www.merck.com/finance/ annualreport/ar2003/driving_growth/ Les marchés en question étaient la France, l'Italie, l'Allemagne, la Grande-Bretagne, l'Espagne, les États-Unis et le Canada.

12. Ray Moynihan et Alan Cassels, *Selling Sickness. How the World's Biggest Pharmaceutical Companies Are Turning Us All into Patients*, New York, Nation Books, 2005, p. 148-149.

13. Chiffres consultables sur le site de l'International Osteoporosis Foundation : http:// www.iofbonehealth.org/facts-statistics#category-14.

14. Linn Getz *et al.*, « Ethical dilemmas arising from implementation of the European guidelines on cardiovascular disease prevention in clinical practice », *Scandinavian Journal of Primary Health Care*, vol. 22 (2004), n° 4, p. 202-208.

15. Dudley Gentles *et al.*, « Serum lipid levels for a multicultural population in Auckland, New Zeeland », *New Zealand Medical Journal*, vol. 120 (2008), n° 1265, p. 1-12.

16. Nicholas J. Wald et Malcolm R. Law, « A strategy to reduce cardiovascular disease by more than 80 % », *British Medical Journal*, vol. 327 (2003), n° 7404, p. 1419.

17. *Ibid.*

18. *Ibid.*

19. Scott M. Grundy, « Metabolic syndrome : connecting and reconciling cardiovascular and diabetes worlds », *Journal of the American College of Cardiology*, vol. 47 (2006), n° 6, p. 1093-1100. Voir également Thomas Goetz, « The thin pill », *Wired*, octobre 2006, http://www.wired.com/wired/archive/14. 10/thin.html.

20. Jane E. Brody, « Syndrome X and its dubious distinction », *New York Times*, 10 octobre 2000.

21. Andrew Pollack, « A.M.A. recognizes obesity as a disease », *New York Times*, 18 juin 2013.

CHAPITRE 16. RISQUE ET RESPONSABILITÉ DANS LA PROMOTION PHARMACEUTIQUE

1. Greene, *op. cit.*

CHAPITRE 17. BIAISER LES DONNÉES : LE CHOLESTÉROL ET LA PRÉVENTION DES MALADIES CARDIAQUES

1. Abramson, *op. cit.*

2. E. Nolte, J. Newbould, A. Conklin, « International variation in the usage of medicines : A review of the literature », RAND Technical Report, http://www.rand.org/content/dam/rand/pubs/technical_reports/2010/RAND_TR830.pdf ; consulté le 16 mars 2013.

3. M. Mitka, « Expanding statin use to help more at-risk patients is causing financial heartburn », *Journal of the American Medical Association*, vol. 290 (2003), p. 2243-2245.

4. Health at a Glance, 2003 OECD Indicators, p. 25.

5. Health at a Glance, 2003 OECD Indicators, p. 55.

6. E. Nolte, C M. McKee, « Measuring the Health of Nations : Updating An Earlier Analysis », *Health Affairs*, vol. 27 (2008), p. 58-71.

7. J. Shepherd, S. M. Cobbe, I. Ford *et al.*, « Prevention of coronary heart disease with pravastatin in men with hypercholesterolemia », *New England Journal of Medicine*, vol. 333 (1996), p. 1301-1307.

8. « Executive summary of the third report of the National Cholesterol Education program (NCEP) expert panel on detection, evaluation, and treatment of high blood cholesterol in adults (Adult Treatment Panel III) », *Journal of the American Medical Association*, vol. 285 (2005), n° 19, p. 2486-2497.

9. « Third report of the expert panel on detection, evaluation, and treatment of high blood cholesterol in adults (ATP III Final Report) », p. 211, http://www.nhlbi.nih.gov/guidelines/cholesterol/atp3_rpt.htm ; c'est moi qui souligne (J. A.).

10. Integrity in Science, Center for Science in the Public Interest, http://www.cspinet.org/cgi-bin/integrity.cgi ; consulté le 10 décembre 2002.

11. The ALLHAT Officers and Coordinators for the ALLHAT Collaborative Research Group. « Major Outcomes in Moderately Hypercholesterolemic, Hypertensive Patients Randomized to Pravastatin vs Usual Care ». *Journal of the American Medical Association*, n° 288 (2002), p. 2998-3007.

12. Ron Winslow and Scott Hensley, « Statin study yields contrary data, » *Wall Street Journal*, 18 décembre 2002.

13. R. C. Pasternak, « The ALLHAT lipid lowering Trial – Less is less », *Journal of the American Medical Association*, vol. 288 (2002), p. 3042-3044 ; souligné par moi (J. A.).

14. Scott M. Grundy *et al.*, « Implications of recent clinical trials for the National Cholesterol Education Program Adult Treatment Panel III guidelines », *Circulation*, vol. 110 (2004), p. 227-239.

15. P. S. Sever, B. Dahlof, N. R. Poulter *et al.*, « Prevention of coronary and stroke events with atorvastatin in hypertensive patients who have average or lower-than-average cholesterol concentrations, in the Anglo-Scandinavian Cardiac Outcomes Trial – Lipid Lowering Arm (ASCOT-LLA) : A multicentre randomised controlled trial », *The Lancet*, vol. 361 (2003), p. 1149-1158.

16. http://www.nhlbi.nih.gov/guidelines/cholesterol/atp3upd04_disclose.htm ; consulté le 26 avril 2013.

17. L. Mosca. L. J. Appel, E. J. Benjamin, « Evidence-based guidelines for cardiovascular disease prevention in women », *Circulation*, vol. 109 (2004), p. 672-693.

18. L. Mosca, C. L. Banka, E. J. Benjamin *et al.*, « Evidence-based guidelines for cardiovascular disease prevention in women : 2007 update », *Circulation*, vol. 115 (2007), p. 1481-1501.

19. James M. Wright, M.D., Ph.D., FRCP(C), Directeur des départements d'anesthésiologie, de pharmacologie et de médecine à l'université de Colombie-Britannique, professeur de pharmacologie clinique à l'hôpital de Vancouver, rédacteur-coordinateur du Cochrane Hypertension Review Group.

20. John Abramson et James M. Wright, « Are lipid-lowering guidelines evidence-based ? » *The Lancet*, vol. 369 (2007), p. 168-169.

21. L. Mosca, E. J. Benjamin, K. Berra *et al.*, « Effectiveness-based guidelines for the prevention of cardiovascular disease in women – 2011 update : a guideline from the American Heart Association », *Circulation*, vol. 123 (2011), p. 1243-1262. Ces directives ajoutaient néanmoins une option pour mettre sous statines les femmes de plus de 60 ans si leur protéine C réactive était supérieure à 2 mg/dl. Cette recommandation se fonde sur les résultats de l'essai JUPITER publié dans le *New England Journal of Medicine* en 2008. Pour un compte-rendu critique de cet article, voir Michel de Lorgeril, Patricia Salen, John Abramson *et al.*, « Cholesterol lowering, cardiovascular diseases, and the rosuvastatin-JUPITER controversy : a critical reappraisal », *Archives of Internal Medicine*, vol. 170 (2010), p. 1032-1036.

22. F. Taylor, K. Ward, T. H. M. Moore *et al.*, « Statins for the primary prevention of cardiovascular disease », *Cochrane Database of Systematic Reviews*, 2011, n⁰ 1, art. n⁰ CD004816. DOI:10. 1002/14651858. CD004816. pub4.

23. *Ibid.*

24. Cholesterol Treatment Trialists (CTT), « The effects of lowering LDL cholesterol with statin therapy in people at low risk of vascular disease : meta-analysis of individual data from 27 randomised trials », *The Lancet*, vol. 280 (2012), p. 581-590.

25. C. A. Buettner, R. B. Davis, S. G. Leveille *et al.*, « Prevalence of musculoskeletal pain and statin use », *Journal of General Internal Medicine*, vol. 23 (2008), p. 1182-1186.

26. S. Mora, R. J. Glynn, J. Hsia *et al.*, « Statins for the primary prevention of cardiovascular events in women with elevated high-sensitivity C-reactive protein or dyslipidemia : results from the justification for the use of statins in prevention : an intervention trial evaluating rosuvastatin (JUPITER) and meta-analysis of women from primary prevention trials », *Circulation*, vol. 121 (2010), p. 1069-1077.

27. Ebrahim S., Casas J. P., « Statins for all by the age of 50 years ? » *The Lancet*, n⁰ 380 (2012), p. 545-547.

28. F. Taylor *et al.*, « Statins for the primary prevention of cardiovascular disease », *Cochrane Database of Systematic Reviews*, 2013, n⁰ 1, art. n⁰ CD004816. DOI:10.1002/14651858. CD004816.pub5.

29. N. K. Choudry, H. T. Stelfox, A. S. Detsky, « Relationships between authors of clinical practice guidelines and the pharmaceutical industry », *JAMA*, vol. 287 (2002), n⁰ 5, p. 612-617.

30. http://www.nhlbi.nih.gov/guidelines/cholesterol/atp3upd04_disclose.htmm ; consulté le 26 avril 2013.

31. M. B. Thomas et C. Adams, « New government cholesterol standards would triple number of prescriptions, » *Wall Street Journal*, 16 mai 2001.

32. N. Aoki, « Drug makers influence pondered by on US advice to cut cholesterol », *Boston Globe*, 31 mai 2001.

CHAPITRE 18. LANCER DE FAUSSES ALERTES : LA PANDÉMIE DE GRIPPE H1N1

1. PACE Doc. 12110, 18 décembre 2009, « Faked Pandemics – a threat for health. Motion for a recommendation presented by Mr Wodarg and others ».

2. Conseil de l'Europe, Assemblée parlementaire, Doc. 12283, 7 juin 2010, « The handling of the H1N1 pandemic : more transparency needed, Report : Social Health and Family Affairs Committee », rapporteur : M. Paul Flynn, Royaume-Uni, Groupe socialiste.

3. Expression utilisée ici comme synonyme de « Influenza-Like-Illness » (ILI). D'autres auteurs englobent ces maladies sous la notion d'infections respiratoires aiguës (IRA). Il n'existe pas à ce jour de notion valide au plan mondial (voir le rapport de Tom Jefferson mentionné plus bas).

4. Rapport d'expertise de Tom Jefferson présenté le 30 mars 2010 à la Commission des affaires sociales et de santé de l'Assemblée parlementaire du Conseil de l'Europe à Paris.

5. *Pandemic Influenza Preparedness and Response : A WHO Guidance Document*, Genève, World Health Organization, 2009, p. 27.

6. F. Godlee, « Conflicts of interest and pandemic flu », *BMJ*, 3 juin 2010, 340:c2947-doi:10.1136/bmj.c2947 pmid:20525680.

7. http://www.who.int/director-general/speeches/2001/english/20010129_davosunequaldistr.en.html

8. « Tangled up in Blue – Corporate Partnerships at the United Nations », http://www.corpwatch.org/un. [NdT : « Empêtré dans le blues », titre d'une chanson de Bob Dylan.]

9. *Bulletin of the World Health Organization*, 2001, vol. 79, p. 748-754.

10. 888 médecins de famille et médecins spécialisés, pharmacologues et scientifiques de 58 pays ont publié le 16 mars 1999 sur Internet une lettre adressée à la directrice générale de l'OMS, Mme Gro Harlem Brundtland (http://www.uib.no/isf/letter/), dans laquelle ils exprimaient leurs réserves à propos des valeurs limites basses fixées par l'OMS : « Nous redoutons que ces nouvelles recommandations ne soient utilisées pour favoriser une consommation croissante de médicaments destinés à faire baisser la pression artérielle, avec des coûts élevés et une utilité réduite. »

11. *BMJ*, 2010, 340:c2912 ; http://www.bmj.com/content/340/bmj.c2912 ; extrait.

12. En anglais dans le texte original : « Fear mongering » (NdT).

13. GSK Annual Report 2010, www.gsk.com/corporatereporting.

14. Ils se reconstituent par métamorphose génétique.

15. Philip Alcabes, *Dread : How Fear and Fantasy Have Fueled Epidemics from the Black Death to the Avian Flu*, New York, Public Affairs, 2009 [Effroi : Comment la crainte et l'imagination ont attisé les épidémies, de la peste noire à la grippe aviaire.].

16. Il s'agissait de l'acide shikimique, matière première essentielle pour la fabrication de la substance active du Tamiflu ; http://www.sanofi.de/l/de/de/layout.jsp?cnt=866A5117-2AEC-4920-8D7E-30EEC5DD5102.

17. http://www.eswi.org/about-eswi/eswis-scientific-independence

18. OMS, Règlement sanitaire international (2005) – 2e éd., p. VII : « Après d'importants travaux préliminaires sur la révision menés par le Secrétariat de l'OMS en consultation étroite avec les États membres de l'OMS, des organisations internationales et d'autres partenaires intéressés, et compte tenu de la dynamique créée par l'émergence du syndrome respiratoire aigu sévère (la première urgence mondiale de santé publique du xxie siècle), l'Assemblée de la Santé a constitué en 2003 un groupe de travail intergouvernemental, ouvert à tous les

États membres et chargé d'examiner et de recommander un projet de révision du Règlement à l'Assemblée de la Santé. »

19. On peut lire dans le plan national de mai 2007 contre la pandémie en Allemagne, partie I : « Une pandémie de grippe (phase 6 de l'OMS) est, du point de vue de la gestion générale des crises, une situation entraînant de grands dégâts pendant une longue durée et touchant l'ensemble du pays. En tout premier lieu doivent intervenir les mécanismes prévus pour la protection contre les infections et pour combattre les épidémies. Toutefois, une pandémie de grippe – comme d'autres situations entraînant de grands dégâts – est un dommage qui d'une part se caractérise par une surcharge de l'infrastructure initialement disponible pour la combattre, d'autre part cause des dégâts si persistants que la base de l'existence de nombreuses personnes est menacée ou détruite. C'est pourquoi les structures mises en place par l'État fédéral et par les Länder pour la gestion des crises et des catastrophes pour les situations de grands dégâts sont également utilisées lors d'une pandémie. »

20. « À Veratect, nous mettons en œuvre deux centres d'opération implantés aux États-Unis (l'un dans le district de Washington, DC, et l'autre à Seattle, WA) qui fournissent la détection et la recherche des cas d'infection humaine ou animale à l'échelle mondiale. L'organisation des deux centres d'opération est conçue d'après notre service météorologique national et utilise des méthodes distinctes inspirées par les associations travaillant sur les désastres naturels et la météorologie. Nos analystes traitent l'information dans la langue vernaculaire de chaque pays et ont suivi une formation approfondie dans leur spécialité, incluant l'interprétation de l'information selon les spécificités des différentes cultures. Actuellement, nous avons des liens de partenariat avec 14 organisations qui nous fournissent en direct des observations effectuées sur le terrain dans 238 pays. Nous sommes une organisation de détection et de recherche de cas disposant de nombreuses sources, travaillant au plus proche du temps réel, avec des années d'expérience dans ce domaine. » Autoprésentation et rapport de la firme (consulté le 25-08-2012 à 9 h 05, la source originale indiquée ci-après ne renvoyant entre-temps qu'à une page vide) : http://mundo.paralax.com.mx/noticias/69-influenza/104-influenza-ne-mexico-linea-de-tiempo.html.

21. Les fonctions et les émoluments fastueux de ces deux membres du conseil d'administration, de même que les résultats économiques du secteur des vaccins lié à leur activité, sont publiés dans le rapport annuel du groupe avec une transparence dont il faut lui savoir gré : GSK-annual-report-2010, pdf téléchargé sur www.gsk.com/corporatereporting.

22. L'intégralité de l'interview était téléchargeable le 26 mai 2012 en ligne à l'adresse suivante : http://news.bbc.co.uk/today/hi/today/newsid_8028000/8028295.stm.

23. Neil W. Ferguson *et al*, DOI :10.1126/science.1176062, www.sciencemag.org/cgi/content/full/1176062/DC1.

24. http://www.wodarg.de/show/3845874.html?searchshow=van%20tam

25. WHO A64/10, Sixty-fourth World Health Assembly Provisional agenda item 13.2, 5 mai 2011.

26. COE / PACE Doc. 12283, 7 juin 2010, « The handling of the H1N1 pandemic : more transparency needed », rapport : Social Health and Family Affairs Committee, rapporteur : M. Paul Flynn, Royaume-Uni, Groupe socialiste.

27. « Vom Terrorvirus zur Mutation des Schreckens », *Ärztezeitung*, 24 juin 2012, http://www.aerztezeitung.de/extras/druckansicht/ ?sid=816495&...

CHAPITRE 19. UNE MÉDECINE BASÉE SUR QUELLES PREUVES ?

1. Jérôme Cahuzac, « Le poids des industries pharmaceutiques », *Pouvoirs*, n° 89, 1999, p. 104.

2. Chiffre obtenu en divisant le montant total des dépenses de promotion médicale que déclare l'industrie pharmaceutique aux États-Unis par le nombre de médecins américains (David Healy, communication personnelle).

3. Document consultable sur le site http://www.nytimes.com/packages/pdf/politics/20090 831MEDICARE/20090831_MEDICARE.pdf.

4. La formule est de Robert Proctor, *op. cit.*, p. 190.

5. Chiffres cités *in* Medawar et Hardon, *op. cit.*, p. 109 et 141.

6. Chiffres cités *in* Jacky Law, *Big Pharma. How the World's Biggest Companies Control Illness*, Londres, Constable, 2006, p. 98.

7. Paul Benkimoun et Agathe Duparc, « Fronde à l'OMS sur l'influence des laboratoires », *Le Monde*, 17 mai 2010.

8. Justin Bekelman, Yan Li et Cary Gross, « Scope and impact of financial conflicts of interest in biomedical research. A systematic review », *Journal of the American Medical Association*, vol. 289 (2003), p. 454-456.

9. Cité *in* Krimsky, *op. cit.*, p. 80.

10. On recommande aux médecins d'aller consulter les sites de quelques-unes de ces agences pour voir comment ils sont identifiés, suivis et « gérés » par l'industrie : http://kolon-line.com ; http://www.cuttingedgeinfo.com.

11. Harry Cook, « Practical guide to medical education », *Pharmaceutical Marketing*, vol. 6 (2001), p. 6.

12. Cité *in* Sheldon Krimsky, *Science in the Private Interest. Has the Lure of Profit Corrupted Biomedical Research ?*, Lanham, Rowman & Littlefield, 2004, p. 96.

13. Cité *in* Abramson, *op. cit.*, p. 128.

14. Chiffres cités *in* Even et Debré, *op. cit.*, p. 72.

15. *Prescrire*, vol. 32, n° 345, juillet 2012, p. 535.

16. Publicité parue entre autres dans *Impact Médecine*, 24 janvier 2008, p. 2.

17. Duff Wilson, « Doctor training aided by industry cash », *New York Times*, 22 février 2010.

18. Andrew Lakoff, « High contact : gifts and surveillance in Argentina », *in* Petryna, Lakoff et Kleinman, *op. cit.* p. 120-122.

19. Rapport Lemorton, *op. cit.*, p. 54.

20. Neil Kendle, « Life without a label », *Pharmaceutical Marketing*, 1er juin 2001.

21. Duff Wilson et Natacha Singer, « Ghostwriting is called rife in medical journals », *New York Times*, 10 septembre 2009.

22. Peter C. Gøtzsche, Helle Krogh Johansen *et al.*, « Ghost authorship in industry-initiated randomised trials », *PLoS Medicine*, vol. 4 (2007), n° 1, e19.

23. Healy, *Pharmageddon*, *op. cit.*, p. 107.

24. Richard Horton, « The dawn of McScience », *New York Review of Books*, vol. 51 (2004), n° 4, p. 7-9.

25. Teri P. Cox, « Forging alliances : Advocay partners », *Pharmaceutical Executive*, 1er septembre 2002.

26. *Ibid.*

27. Document interne Sanofi-Aventis reproduit dans *Le Canard enchaîné* du 30 avril 2008.

28. Ken Silverstein, « Prozac.org », *Mother Jones*, novembre-décembre 1999. Entre 2006 et 2008, la somme était de 23 millions de dollars, soit trois quarts du budget de l'association ; chiffres cités *in* Gardiner Harris, « Drug makers are advocacy group's biggest donors », *New York Times*, 21 octobre 2009.

29. Andrew Herxheimer, « Relationships between the pharmaceutical industry and patients' organisations », *British Medical Journal*, vol. 326, 31 mai 2003, p. 1208-1210.

30. «Does the European Patients' Forum represent patient or industry interests? A case study in the need for mandatory financial disclosure», Health Action International Europe, 14 juillet 2005.

31. Cette page a depuis disparu dans l'éther d'Internet.

32. Marcia Angell, *The Truth About the Drug Companies. How They Deceive Us And What To Do About It*, New York, Random House, 2004, p. 29.

33. Chiffres consultables sur le site clinicaltrials.gov des National Institutes of Health américains : http://clinicaltrials.gov/ct2/resources/trends.

34. Brendan Borrell, «A medical Madoff: anesthesiologist faked data in 21 studies», *Scientific American*, 10 mars 2009.

35. Kurt Eichenwald et Gina Kolata, «A doctor's drug trial turn into fraud», *New York Times*, 17 mai 1999.

36. Voir Krimsky, op. 44-47 (affaires David Kern et Nancy Olivieri); Howard Brody, *Hooked. Ethics, the Medical Profession, and the Pharmaceutical Industry*, Lanham, Rowman & Littlefield, p. 103-106 (affaire dite du «thyroid storm»).

37. Kay Dickersin et Drummond Rennie, «Registering clinical trial», *Journal of the American Medical Association*, vol. 290 (2003), n° 4, p. 516-523.

38. C. H. MacLean *et al.*, «How useful are unpublished data from the Food and Drug Administration in meta-analysis», *Journal of Clinical Epidemiology*, vol. 56 (2003), n° 1, p. 44-51.

39. L'histoire est racontée en détail *in* Ben Goldacre, *Bad Pharma. How Drug Companies Mislead Doctors and Harm Patients*, Londres, Fourth Estate, 2012, p. 81-90.

40. Voir Krimsky, *op. cit.*, p. 146-149.

41. J. Lexchin *et al.*, «Pharmaceutical industry sponsorship and research outcome and quality», *British Medical Journal*, vol. 326 (2003), p. 1167-1170.

42. Lisa Cosgrove *et al.*, «Antidepressants and breast and ovarian cancer risks: a review of the literature and researchers' financial associations with industry», *PLoS One*, vol. 6 (2011), n° 4, e18210.

43. Lexchin *et al.*, art. cit.

44. Ian Hacking, *The Taming of Chance*, Cambridge, Cambridge University Press, 1990.

Chapitre 20. Les antidépresseurs : un mythe s'effondre

1. Irving Kirsch, *The Emperor's New Drugs: Exploding the Antidepressant Myth*, Londres, The Bodley Head, 2009. En français : *Antidépresseurs. Le grand mensonge*, Paris, Music and Entertainment Books, 2010.

2. Irving Kirsch *et al.* (2008), «Initial severity and antidepressant benefits: a meta-analysis of data submitted to the Food and Drug Administration», *PLoS Medicine*, vol. 5 (2008), n° 2, e45, doi:10.1371/journal.pmed.0050045.

3. Irving Kirsch et Guy Sapirstein, «Listening to Prozac but hearing placebo: A meta-analysis of antidepressant medication», *Prevention and Treatment*, vol. 1 (1998), n° 1, doi:10.1037/1522-3736.1.1.12a.

4. Irving Kirsch *et al.*, «The Emperor's new drugs: An analysis of antidepressant medication data submitted to the U.S. Food and Drug Administration», *Prevention and Treatment*, vol. 5 (2002), art. 23, posté le 23 juillet.

5. NICE, «Depression: Management of depression in primary and secondary care. Clinical practice guideline No. 23», 2004; www.nice.org.uk/page.aspx?o=235213; consulté le 24 mai 2005.

6. E. H. Turner *et al.*, « Selective publication of antidepressant trials and its influence on apparent efficacy », *New England Journal of Medicine*, vol. 358 (2008), n° 3, p. 252-260 ; J. C. Fournier, « Antidepressant Drug Effects and Depression Severity : A Patient-Level Meta-analysis », *Journal of the American Medical Association*, vol. 303 (2010), n° 1, p. 47-53 ; K. N. Fountoulakis et H. J. Möller (2011), « Efficacy of antidepressants : a re-analysis and re-interpretation of the Kirsch data », *International Journal of Neuro-Psychopharmacology*, vol. 14 (2011), n° 3, p. 405.

7. N. A. Khin *et al.*, « Exploratory analyses of efficacy data from major depressive disorder trials submitted to the US Food and Drug Administration in support of new drug applications », *Journal of Clinical Psychiatry*, vol. 72 (2011), n° 4, p. 464.

8. M. Zimmerman, I. Chelminski et M. A. Posternak, « Generalizability of antidepressant efficacy trials : Differences between depressed psychiatric outpatients who would or would not qualify for an efficacy trial », *American Journal of Psychiatry*, 162 (2005), n° 7, p. 1370-1372.

9. G. E. Simon et M. VonKorff, « Prevalence, burden, and treatment of insomnia in primary care », *American Journal of Psychiatry*, vol. 154 (1997), n° 10, p. 1417-1423.

10. M. H. Wiegand, « Antidepressants for the treatment of insomnia a suitable approach ? », *Drugs*, vol. 68 (2008), n° 17, p. 2411-2417.

11. G. Gartlehner *et al.*, « Comparative benefits and harms of second-generation antidepressants for treating major depressive disorder », *Annals of Internal Medicine*, vol. 155 (2011), n° 11, p. 772-785.

12. A. M. Hunter *et al.* (2006), « Changes in Brain Function (Quantitative EEG Cordance) During Placebo Lead-in and Treatment Outcomes in Clinical Trials for Major Depression », *American Journal of Psychiatry* 163 (8), p. 1426-1432 ; F. M. Quitkin *et al.* (1998), « Placebo run-in period in studies of depressive disorders : Clinical, heuristic and research implications », *British Journal of Psychiatry*, 173, p. 242-248.

13. J. G. Rabkin *et al.*, « How blind is blind ? Assessment of patient and doctor medication guesses in a placebo-controlled trial of imipramine and phenelzine », *Psychiatry Research*, vol. 19 (1986), n° 1, p. 75-86.

14. Bret R. Rutherford, J. R. Sneed et S. P. Roose, « Does study design influence outcome ? », *Psychotherapy and Psychosomatics*, 78 (2009), n° 3, p. 172-181.

15. P. W. Andrews *et al.*, « Primum non nocere : An evolutionary analysis of whether antidepressants do more harm than good », *Frontiers in Psychology*, 3 (2012), n° 117, p. 1-19 ; A. D. Domar *et al.* (2013), « The risks of selective serotonin reuptake inhibitor use in infertile women : a review of the impact on fertility, pregnancy, neonatal health and beyond », *Human Reproduction*, 28 (2013), n° 1, p. 160-171.

16. M. A. Babyak *et al.*, « Exercise treatment for major depression : Maintenance of therapeutic benefit at 10 months », *Psychosomatic Medicine*, vol. 62 (2000), p. 633-638 ; K. S. Dobson *et al.*, « Randomized trial of behavioral activation, cognitive therapy, and antidepressant medication in the prevention of relapse and recurrence in major depression », *Journal of Consulting and Clinical Psychology*, vol. 76 (2008), n° 3, p. 468-477.

17. A. Khan *et al.*, « A systematic review of comparative efficacy of treatments and controls for depression », *PLoS One* 7, (2012) n° 7, p. e41778.

CHAPITRE 21. LE MEILLEUR DES MARCHÉS

1. En français : *Le Temps des antidépresseurs*, Paris, Les Empêcheurs de penser en rond / Le Seuil, 2002 ; *Les Médicaments psychiatriques démystifiés*, Issy-les-Moulineaux, Elsevier Masson, 2009.

2. Healy, *Pharmageddon, op. cit.*

3. P. J. Scott, « The consumer advocate (med-tech not included) », *Minneapolis StarTribune*, 3 juin 2012, www.startribune.com/opinion/commentaries/156486195.html.

4. D. Godrej, « Mental Illness – The Facts », *New Internationalist*, n° 452 (mai 2012), p. 18-19.

5. Tom Jefferson, Peter Doshi *et al.*, « Ensuring safe and effective drugs: who can do what it takes? », *British Medical Journal*, vol. 342 (2011), n° 7789, p. 148-151.

6. N. Rosenlicht, A. C. Tsai, P. I. Parry, G. Spielmans, J. Jureidini, D. Healy, « Ariprirazole in the maintenance treatment of bipolar disorder: a critical review of the evidence and its dissemination into the scientific literature », *PLoS Medicine*, vol. 8 (2012), n° 5, e10000434.

CHAPITRE 22. COBAYES HUMAINS ET DÉLOCALISATION COLONIALE

1. John le Carré, *The Constant Gardener*, Pocket Star, 2005, « Afterword ».

2. Chiffre cité par le Center for Information & Study on Clinical Research Participation (CISCRP), http://www.ciscrp.org/professional/facts_pat.html.

3. Jill A. Fischer, *Medical Research for Hire. The Political Economy of Pharmaceutical Clinical Trials*, New Brunswick, NJ, Rutgers University Press, 2009, p. 8-11.

4. Chiffres cités par Peter Mansell, « Over 50 % growth to 2015 seen in global clinical trials market », *Clinical News*, 7 juillet 2011.

5. Carl Elliott, « Guinea-pigging », *The New Yorker*, 7 janvier 2008.

6. Fischer, *op. cit.*, p. 45.

7. Kurt Eichenwald et Gina Kolata, « Drug trials hide conflicts for doctors », *New York Times*, 16 mai 1999.

8. Cité *in* Angell, *op. cit.*, p. 30-31.

9. Fischer, *op. cit.*, p. 6.

10. Eichenwald et Kolata, « Drug trials hide conflicts... », art. cit.

11. Florentin Cassonnet, « Pendant huit jours et pour 680 euros, j'ai donné mon corps aux labos », *Rue89*, posté le 18 février 2012.

12. L. P. Cohen, « To screen new drugs for safety, Lilly pays homeless alcoholics », *Wall Street Journal*, 14 novembre 1996.

13. James Glanz, « Clues of asthma study may have been overlooked », *New York Times*, 27 juillet 2001.

14. Krimsky, *op. cit.*, p. 132-135.

15. Carl Elliott, « Exploiting a research underclass in Phase 1 clinical trials », *New England Journal of Medicine*, vol. 358 (2008), p. 2316-2317.

16. Fischer, *op. cit.*, p. 151-152.

17. http://www.leem.org/moins-d-essais-cliniques-realises-en-france-depuis-2008-leem-tire-sonnette-d-alarme

18. Cité *in* Sonia Shah, *The Body Hunters. Testing New Drugs on the World's Poorest Patients*, New York, The New Press, 2006, p. 149.

19. *Ibid.*

20. Gardiner Harris, « Concern over foreign trials for drugs sold in U.S. », *New York Times*, 21 juin 2010.

21. Andrew E. Kramer, « Russians eagerly participating in medical experiments, despite risks », *New York Times*, 26 septembre 2012.

22. Nicola Kurt et Peter Wensierski, « Skrupellose Medizin – Nebenwirkung Tod », *Der Spiegel*, 13 mai 2013.

23. Cité *in* Shah, *op. cit.*, p. 148.

24. *Ibid.*, p. 149.

25. Cité *in* Sarah Boseley, « WikiLeaks cables : Pfizer "used dirty tricks to avoid clinical trial payout" », *The Guardian*, 9 décembre 2012.

26. *Ibid.*, p. 105-106.

Chapitre 23. Expérimentations et tentations

1. Kurt Langbein, Hans-Peter Martin et Hans Weiss, *Bittere Pillen, Nutzen und Risiken der Arzneimittel*, Cologne, Verlag Kiepenheuer & Witsch, 2010 (79ᵉ éd. revue et corrigée).

2. Hans Weiss, *Korrupte Medizin. Ärzte als Komplizen der Konzerne*, Cologne, Verlag Kiepenheuer & Witsch, 2008.

Épilogue. Médecine en voie de disparition

1. Amartya Sen, « Health : perception versus observation », *British Medical Journal*, vol. 324 (2002), p. 860-861.

2. R. B. Haynes, D. L. Sackett, D. W. Taylor, E. S. Gibson et A. L. Johnson, « Increased absenteeism from work after detection and labelling of hypertensive patients », *New England Journal of Medicine*, vol. 299 (1978), nº 14, p. 741-744.

3. David Metcalfe, « The crucible », *The Journal of the Royal College of General Practitioners*, vol. 36 (1986), nº 289, p. 349-354.

4. P. Allmark, « Choosing Health and the inner citadel », *Journal of Medical Ethics*, vol. 32 (2006), nº 1, p. 3-6.

5. David B. Morris, *Illness and Culture in the Postmodern Age*, Berkeley et Los Angeles, University of California Press, 1998.

6. R. Saracci, « The world health organisation needs to reconsider its definition of health », *British Medical Journal*, vol. 314 (1997), p. 1409.

7. Kenneth C. Calman, « Quality of life in cancer patients – an hypothesis », *Journal of Medical Ethics*, vol. 10 (1984), nº 3, p. 124-127.

8. Iona Heath, J. Hippisley-Cox et L. Smeeth, « Measuring performance and missing the point ? » *British Medical Journal*, vol. 335 (2007), p. 1075-1076.

9. Lisa M. Schwartz et Steven Woloshin, « Changing disease definitions : implications for disease prevalence analysis of the Third National Health and Nutrition Examination Survey, 1988-1994 », *Effective Clinical Practice*, vol. 2 (1999), p. 76-85.

10. Getz *et al.*, art. cit.

11. L. Getz, J. A. Sigurdsson, I. Hetlevik, « Is opportunistic disease prevention in the consultation ethically justifiable ? » *British Medical Journal*, vol. 327 (2003), p. 498-500.

12. J. L. O'Donnell, D. Smyth et C. Frampton, « Prioritizing health-care funding », *Internal Medicine Journal*, vol. 35 (2005), p. 409-412.

13. Lionel Trilling, « Orwell on the Future », *The New Yorker*, vol. 25, 18 juin 1949, p. 78-83.

14. Alvan R. Feinstein, « The problem of cogent subgroups : a clinicostatistical tragedy », *Journal of Clinical Epidemiology*, vol. 51 (1998), nº 4, p. 297-299.

15. D. W. Brown *et al.*, « Adverse childhood experiences and the risk of premature mortality », *American Journal of Preventive Medicine*, vol. 37 (2009), nº 5, p. 389-396.

16. David Barnard, « Love and death : existential dimensions of physicians' difficulties with moral problems », *Journal of Medicine and Philosophy*, vol. 13 (1988), nº 4, p. 393-409.

Glossaire

AAMI : Age Associated Memory Impairment (trouble de la mémoire lié à l'âge)

ADRDA : Azheimer's Disease and Related Disorders Association (Association pour la maladie d'Alzheimer et troubles apparentés, USA)

AFS : Association France Spondylarthrites

AFSSAPS : Agence française de sécurité sanitaire des produits de santé

AINS : anti-inflammatoires non stéroïdiens

ALLHAT : Antihypertensive and Lipid-Lowering Treatment to Prevent Heart Attack Trial (Essai clinique sur le traitement anti-hypertenseur et hypolipidémiant dans la prévention des crises cardiaques)

AMM : autorisation de mise sur le marché

ANSM : Agence nationale de sécurité du médicament et des produits de santé

APA : Association psychiatrique américaine

ASG : antipsychotique de seconde génération

Aveugle (double aveugle) : étude d'un médicament effectuée sans que ni le patient ni médecin ne savent qui prend un produit actif ou un placebo

AVC: accident vasculaire cérébral

BGA: Bundes Gesundheit Amt (Agence du médicament de la République fédérale allemande)

Blockbuster: médicament générant plus de un milliard de dollars de chiffre d'affaires par an

BASF: Badische Anilin und Soda Fabrik

BMS: Bristol-Myers Squibb

BPA: bisphénol A

BRCA2: mutation génétique accroissant le risque de cancer du sein

CA: chiffre d'affaires

CATIE: Clinical Antipsychotic Trials of Intervention Effectiveness (Essais cliniques sur l'efficacité d'intervention des antipsychotiques)

Cholestérol: lipide indispensable à la vie

CDC: Centers for Disease Control (Centres pour le contrôle des maladies, USA)

CGI: échelle de sévérité Clinical Global Impression

Cohorte: groupe de sujets d'étude épidémiologique ou clinique ayant en commun certaines particularités

Commoditisation: terme marketing pour la banalisation ou dé-différenciation d'un produit

Condition branding: marketing des maladies

CRO: Contract Research Organization (établissement contractuel de recherche clinique)

CTT: Cholesterol Treatment Trialists'Collaboration (réseau de recherche collaborative sur le cholestérol)

CUtLASS: Clinical and Cost Utility of the Latest Antipsychotics in Severe Schizophrenia (Étude sur l'utilité clinique et le rapport coût-efficacité des derniers antipsychotiques dans la schizophrénie sévère)

DCI: Dénomination commune internationale des médicaments

DDT: dichlorodiphényltrichloroéthane

DE: dysfonction érectile

DES : distilbène

DNDi : Drugs for Neglected Diseases initiative (Initiative pour les médicaments pour les maladies négligées, ONG)

DSM : Diagnostic and Statistical Manual of Mental Disorders (Manuel diagnostique et statistique des troubles mentaux de l'Association psychiatrique américaine)

EBM : Evidence-Based Medicine (médecine basée sur les preuves)

EKS : Expert Knowledge Systems

EMA : Agence européenne des médicaments

EMI : effets médicaux indésirables

EPF : European Patients'Forum (fédération d'association de patients accréditée auprès de la Commission européenne et de l'EMA)

EPO : erythropoïétine

ERC : essai randomisé contrôlé

ESWI : European Scientific Working Group on Influenza (Groupe de travail européen sur la grippe)

FDA : Food and Drug Administration (Agence sanitaire américaine)

Fen-Phen : fenfluramine / phentermine

FSBP : World Federation of Societies of Biological Psychiatry (Fédération mondiale des sociétés de psychiatrie biologique)

GAMIAN : Global Alliance of Mental Illness Advocacy (Alliance mondiale des associations de patients atteints de troubles mentaux)

GERD : Gastro-Esophageal Reflux Disease (maladie du reflux gastro-œsophagien)

GIDH : Glaxo Institute for Digestive Health (Institut Glaxo pour la santé digestive)

GSK : GlaxoSmithKline

HAM-D : échelle de dépression de Hamilton

HAS : Haute Autorité de santé, France

Hépatotox : toxicité hépatique

Hors AMM : hors autorisation de mise sur le marché

HTAP : hypertension artérielle pulmonaire

IAPO : Alliance of Patients'Organisations (Alliance des associations de patients)

Iatrogénie : pathologie causée par un traitement médical

ICH : International Conference on Harmonization of Technical Requirements for Registration of Pharmaceuticals for Human Use (Conférence internationale sur l'harmonisation des exigences techniques relatives à l'homologation des produits pharmaceutiques à usage humain)

IEED : Involuntary Emotionally Expressive Disorder (trouble d'expression émotionnelle involontaire)

IFPMA : International Federation of Pharmaceutical Manufacturers (Fédération internationale des fabricants de médicaments)

IGAS : Inspection générale des affaires sociales

IHR : International Health Regulations (Règlement sanitaire international, OMS)

ILI : Influenza-Like Illness (maladie semblable à la grippe)

IMC : indice de masse corporelle

Inserm : Institut national de la santé et de la recherche médicale

IRA : Infections respiratoires aiguës

IRDN : inhibiteur de la recapture de la dopamine-norépinéphrine

ISRN : inhibiteur sélectif de la recapture de la norépinéphrine

ISRS : inhibiteurs sélectifs de la recapture de la sérotonine

ISRSNA : inhibiteur sélectif de la recapture de la sérotonine-noradrénaline

JAMA : *Journal of the American Medical Association*

JNC : Joint National Committee on High Blood Pressure (Comité national sur l'hypertension)

KOL : Key Opinion Leader (Leader d'opinion clé)

LEEM : Les Entreprises du Médicament

MCI : Mild Cognitive Impairment (trouble cognitif ou neuro-cognitif léger)

MECC : Medical Education and Communication Company (compagnie d'éducation et de communication médicale)

Medicaid : programme fédéral d'assurance santé des personnes les plus démunies, USA

Me-too (« moi aussi ») : molécule copiée sur une molécule originale avec une modification chimique minime

MHMR : Mental Health and Mental Retardation (Département de santé mentale et de déficience intellectuelle de l'État du Texas)

MHRA : Medicines and Healthcare Products Regulatory Agency (Agence du médicament britannique)

MDS : Merck Sharp & Dohme

MSF : Médecins sans frontières, ONG

NAMI : National Alliance on Mental Illness (Alliance nationale pour la maladie mentale, USA)

NBM : noyau basal de Meynert

NCEP : National Cholesterol Education Program (Programme d'éducation nationale sur le cholestérol, USA)

NHS : National Health Service (Sécurité sociale britannique)

NICE : National Institute for Clinical Excellence (Institut national pour l'excellence clinique, Grande-Bretagne)

NIMH : National Institute of Mental Health (Institut national de la santé mentale, USA)

Observance : respect des prescriptions médicales par les patients

OMC : Organisation mondiale du commerce, Genève

OMS : Organisation mondiale de la santé, Genève

OTC : over-the-counter (sans ordonnance)

PACT : Program of Assertive Community Treatment (Programme d'observance obligatoire, USA)

PBA : Pseudo Bulbar Affect (syndrome pseudobulbaire)

PCB : polychlorobiphényles

PICTF : Pharmaceutical Industry Competitiveness Task Force (Groupe de travail sur la compétitivité de l'industrie pharmaceutique)

Placebo : médicament sans principe pharmacologique actif

PPP : partenariat public-privé

Psychopharmarketing : marketing des maladies mentales

Randomisation : assignation des groupes de patients par tirage au sort lors d'un essai contrôlé

R&D : recherche et développement

RGO : reflux gastro-œsophagien

RSV : virus respiratoire syncytial

RWJF : Robert Wood Johnson Foundation (Fondation Robert Wood Johnson)

SA : société anonyme

SCPD : Symptômes comportementaux et psychologiques de la démence

SFR : Société française de rhumatologie

SMR : service médical rendu

SRAS : syndrome respiratoire aigu sévère

TBG : trouble bipolaire gériatrique

TBP : trouble bipolaire pédiatrique

TDAH : trouble du déficit de l'attention avec hyperactivité

TMAP : Texas Medication Algorithm Project (Projet de standardisation des traitements médicamenteux de l'État du Texas)

TNT : Treating to New Targets (Étude Pfizer sur les nouvelles cibles de traitement)

TOC : trouble obsessionnel compulsif

TOS : traitement œstrogénique de substitution

THS : traitement hormonal de substitution

TRAC : Transnational Resource and Action Center (Centre transnational de ressources et d'action, ONG)

TRIPS : Trade Related Aspects of Intellectual Property Rights (accords internationaux sur les droits de propriété intellectuelle qui touchent au commerce, OMC)

UCB : Union chimique belge

UDGP : University Group Diabetes Program (essai clinique sur le diabète)

Unbranded campaign : campagne publicitaire où il n'est pas fait explicitement mention de la marque

WPA : World Psychiatric Association (Association psychiatrique mondiale)

Index des médicaments et des composés chimiques

insuline 305, 307, 316, 421
isomère 49, 92, 411
Isoméride®, Redux® (dexfenfluramine) 49-54, 167, 169
isoprotérénol (Isuprel®) 78
Kevadon®, Distaval®, Contergan® (thalidomide) 16-20, 41, 44, 109, 129, 134, 163, 363, 377, 402, 409, 411, 413, 475
Largactil®, Thorazine® (chlorpromazine) 113, 272-273
Lexapro® (escitalopram) 172, 362
Librium® (chlordiazépoxide) 151
Lipitor®, Tahor® (atorvastatine) 84, 296, 300-311, 326
lithium 273
lovastatine (Mevacor®) 295
Luvox® (fluvoxamine) 22
Lyrica® (prégabaline) 173, 174, 202-203, 212
Makena® (caproate d'hydroxyprogestérone) 98
Mediator® (benfluorex) 9, 54, 110, 123, 129, 165, 167-170, 384, 478, 483-484
MER/29 (triparanol) 14-16, 129, 475
Meridia®, Sibutral®, Reductil® (sibutramine) 54, 245
méthadone 155, 158
méthylphénidate (Concerta®, Ritaline®, Strattera®) 145-148, 150, 221, 232, 285
Mevacor® (lovastatine) 295
milnacipran (Ixel®, Savella®) 212, 452
Mogadon® (nitrazépam) 145, 150-151
Mopral®, Prilosec® (oméprazole) 87
morphine 48, 154-155, 158
Myfortic® (acide mycophénolique) 174
neuroleptique (voir aussi antipsychotique) 65, 113, 132-134, 171, 232, 247-248, 256, 487
Neurontin® (gabapentine) 170-171, 173, 196
neurotransmetteur 85, 254, 262, 395, 450
Nexium®, Inexium® (ésoméprazole) 87
noradrénaline, norépinéphrine 22, 211, 395, 450, 502
norépinéphrine, noradrénaline 22, 211, 395, 450, 502
Norvask® (amlodipine) 294
Nuvigil® (armodafinil) 84
œstrogènes conjugués (Premarin®) 32-41, 162, 165, 205, 207, 476
olanzapine (Zyprexa®) 172, 181, 199, 213-214, 219-221, 232, 245, 435, 486
opiacés, opioïdes 154-160, 163, 172, 416, 422
opium 134, 153-155
Orinase® (tolbutamide) 129, 307-309
orlistat (Alli®, Xenical®) 54
oseltamivir (Tamiflu®) 339, 347, 379, 404, 492
Oxycocet®, Percocet® (oxycodone-paracétamol) 155
oxycodone (OxyContin®) 154-160, 165, 171, 196, 483

OxyContin® (oxycodone) 154-160, 165, 171, 196, 483
Pandemrix® (vaccin contre la grippe H1N1) 353
paracétamol (Doliprane®, Tylénol®) 125, 132, 239
paroxétine (Paxil®, Deroxat®, Seroxat) 9, 22, 25, 28, 58-60, 146-147, 152-153, 171-172, 205, 207, 217, 245, 304, 444
Paxil®, Deroxat®, Seroxat (paroxétine) 9, 22, 25, 28, 58-60, 146-147, 152-153, 171-172, 205, 207, 217, 245, 304, 444
PCB (polychlorobiphényles) 70, 120-121, 127-128, 503
Percocet®, Oxycocet® (oxycodone-paracétamol) 155
perphénazine (Trilifan®, Trilafon®) 191
pesticide 81, 119, 121, 127-128, 130
phénothiazine 272
phentermine 48, 55, 501
phtalates 127
placebo 19, 25-26, 40, 43, 109, 111, 161, 234, 247-248, 309, 329-330, 376-377, 380, 382-383, 386-393, 395-398, 409, 417-418, 420, 428, 431, 439, 443, 445-453, 455-457, 472, 482, 495, 499, 503
polychlorobiphényles (PCB) 70, 120-121, 127-128, 503
Pondéral®, Pondimin® (fenfluramine) 48-54, 167, 169, 501
Pondimin®, Pondéral® (fenfluramine) 48-54, 167, 169, 501
Pravachol®, Elisor®, (pravastatine) 323-324
Premarin® (œstrogènes conjugués) 32-41, 162, 165, 205, 207, 476
Prempro® (œstrogènes conjugués-acétate de médroxy-progestérone) 36, 41, 205
Prépulsid®, Propulsid® (cisapride) 30-32, 129, 165
Priligy® (dapoxétine) 132, 232-234
Prilosec®, Mopral® (oméprazole) 87
Primpéran® (métoclopramide) 132
progestérone 32, 35-36, 38, 40, 98
propranolol (Avlocardyl®, Inderal®) 85
Propulsid®, Prépulsid®, (cisapride) 30-32, 129, 165
Provigil® (modafinil) 84, 171
Prozac®, Fluctin®, Sarafem® (fluoxétine) 12, 20, 22-29, 84, 119, 123, 125, 152-153, 205, 209-212, 215-218, 220, 232, 245, 399, 472, 475-476, 480-482, 486, 494-495
psychostimulant 81, 145-148, 151, 221
PVC (polychlorure de vinyle) 127-128, 130
Qsymia® (phentermine-topiramate) 55
quétiapine (Xeroquel®, Seroquel®, Seroquel XR®) 172, 181, 198-199, 220, 245-248, 250
raloxifène (Evista®) 38, 171
ranitidine (Zantac®, Azantac®) 84-89, 91-92, 207

Index des maladies
et des facteurs de risque

Index des noms

Abbot Laboratories 54, 67, 78, 130, 155, 172, 179, 219, 221, 225, 238, 245, 295
Abenhaim L. 50-52
Abramson J. 11, 296, 317, 471, 476, 489-490, 493
Accreditation Council for Continuing Medical Education 372
Act Up 42
Adams C. 491
agence du médicament 24, 28, 50, 161, 364
Agence européenne des médicaments (EMA) 258, 293, 302, 351, 361, 364-366, 369-370, 375, 501
Agence française de sécurité sanitaire des produits de santé (AFSSAPS) 169, 361, 365, 369, 483, 499
agence Ketchum 64
Agence nationale de sécurité du médicament et des produits de santé (ANSM) 361, 499
Agence pour la recherche sur le cancer (IARC) 37
Åkerblom J. 482
Alcabes P. 345, 492
Alexandre J.-M. 364
Allergan 172
Alliance of Patients' Organisation (IAPO) 375, 501
Allos 100
Almirall 82
Altman L. K. 479
Alzheimer A. 255-256
Alzheimer's Association 261
Alzheimer's Disease International 253
American Academy of Anti-Aging Medicine 263

American Association of Clinical Endocrinologists 302
American College of Cardiology 302, 489
American Home Products 48, 78
Amgen 173
Amor B. 487
Anderson R. 353
Anderson T. 183-185
Andreotti L. 66
Angell M. 376, 494, 496
Angelmar R. 208
Anxiety Disorders Association of America 208
Aoki N. 491
Aondoakaa M. 438
Appel L. J. 490
Applbaum K. 108, 117, 161, 175, 245, 426, 471, 480, 484-486
Arcan P. 431
Arnold M. 348, 485
Aron L. 481
Arsac G. 486
Arthur Andersen 364
Association allemande de psychiatrie, psychothérapie et neurologie 449-451
Association américaine des fabricants de médicaments 77
Association britannique de psychopharmacologie 399, 472
Association diabétique américaine 57
Association France spondylarthrites (AFS) 225, 499
Association nationale des éleveurs de bétail 323
Association psychiatrique américaine (APA) 185, 265-266, 488, 499, 501
Astra 87, 90

Table des matières

MARQUIS

Québec, Canada